W9-AIQ-956

목적이 이끄는 삶

THE PURPOSE DRIVEN

RICK WARREN

Originally published in the U. S. A
under the title
THE PURPOSE DRIVEN LIFE

Grand Rapids, Michigan,
Published by Zondervan Publishing House
5300 Patterson Avenue, S. E. Grand Rapids, Michigan 49530, U. S. A.

Kwan-Ak P.O. Box 16, Seoul, Korea

나는 왜 이 세상에 존재하는가

목적이 이끄는 삶

릭 워렌 지음 | 고성삼 옮김

■한국의 크리스천 형제자매들에게

저는 여러분의 주님을 향한 믿음과 헌신에 대해 늘 감사하며 기뻐하는 여러분의 친구입니다. 「목적이 이끄는 삶」을 통해 여러분을 섬길 기회를 주신 하나님의 섭리에 감격합니다. 하나님께서 오래 전 제가 영락교회 한경직 목사님의 사역을 통해 받은 도전과 격려를 이제 여러분에게 갚아드릴 수 있는 기회를 주셨기 때문입니다.

미국 사람이든 한국 사람이든 모든 하나님의 자녀들에게 하나님은 탁월한 삶을 기대하십니다. 성경은 이렇게 말합니다. "그러므로 형제들아 내가 하나님의 모든 자비하심으로 너희를 권하노니 너희 몸을 하나님이 기뻐하시는 거룩한 산 제사로 드리라 이는 너희의 드릴 영적 예배니라 너희는 이 세대를 본받지 말고 오직 마음을 새롭게 함으로 변화를 받아 하나님의 선하시고 기뻐하시고 온전하신 뜻이 무엇인지 분별하도록 하라" (롬 12:1-2).

많은 하나님의 자녀들이 구원의 감격을 경험하고도 오래지 않아 기쁨도 감격도 동기도 시들해진 채 살아갑니다. 영적인 성장도 더딥니다. 그것은 자신의 삶을 향한 하나님의 목적을 알지 못하기 때문입니다. 하나님이 우리를 이 땅에 보내신 목적을 분명히 알 때 우리의 삶은 소망과 기쁨과 힘으로 넘치게 됩니다. 아브라함의 삶이 그랬고, 모세의 삶이 그랬고, 다윗의 삶이 그랬으며, 다니엘의 삶이 그랬고, 바울사도의 삶 또한 그랬습니다. 무엇보다 우리가 따라가야 할 예수님의 생애가 그러하셨습니다.

하나님의 목적을 알고 그 목적이 이끄는 삶을 사는 것! 이것과 비교될 삶의 축복은 어디에도 없습니다. 이 책은 하나님의 목적에 이끌리어 사는 삶을 살면서 제가 누리는 축복을 여러분과 나누고 싶은 열망으로 쓰여졌습니다. 지금도 여러분이 이 책을 읽으며 변화되어가는 삶의 위대한 경험을 마음으로 확신하며 저는 흥분하고 있습니다.

저는 기도합니다. "하나님, 이 책을 읽는 한국의 친구들이 왜 하나님이 그들을 이 땅에 보내주셨는지 그 목적을 분명하게 알고, 그 목적을 확실하게 붙들고 삶으로 하나님을 영화롭게 하도록 복주십시오. 아멘."

2003년 새해를 맞으며
새들백 교회
릭 워렌 목사

Rick Warren

■추천의 글

릭 워렌은 지금 미국에서 가장 영향력 있는 목사로 알려져 있습니다. 이미 한국에 소개된 바 있는 「새들백교회 이야기」는 전 세계적으로 수백만의 목회자들에게 구체적이고 실천적인 비전을 제시하는 데 큰 기여를 했습니다.

이번에는 평신도를 위해 매우 유익한 저서를 내놓았습니다. 「목적이 이끄는 삶」이 바로 그것입니다. 이것은 그리스도인의 삶에 있어서 가장 중요한 질문이 무엇인가를 묻고 그에 대한 명료한 답을 성경을 통해 제시하고 있습니다.

어떻게 보면 우리가 다 아는 평범한 이야기를 하고 있다고 생각할지 모릅니다. 그러나 오늘날 교회에 출석하는 사람들 가운데 자기 인생의 목적을 정확하게 알고 그 목적에 따라 순종하는 삶을 사는 사람이 얼마나 될까요? 아는 것 같으나 정확하지 못하고 아는 것만큼 살지 못하는 것이 우리의 현실입니다.

더욱이 안타까운 것은 한국 교회가 이런 문제를 중요하게 다루고 있지 못하다는 점입니다. 구원과 은혜와 복에 대해서는 많은 것을 가르치고 있지만 삶의 목적, 다시 말하면 구원받은 우리가 전심을 다해 지향해야 할 곳이 어디인가에 대해서는 막연하게 그리고 소극적으로 취급하는 경향이 있습니다. 그래서 무엇인가를 얻기 위해 몰려드는 군중만 양산하지 않았나 하는 가책을 자주 받습니다.

이런 점에서 릭 워렌의 책은 많은 평신도들에게 큰 해답이 될 것이고 동시에 심각한 도전이 될 것입니다. 릭 워렌의 강점은 단순성에 있습니다. 진리는 단순하게 전달되어야 하고 단순한 진리가 세상을 변화시킬 수 있다고 하는 것이 저자의 소신입니다. 그래서 이 책은 어렵지 않습니다. 간단명료합니다. 설명이 따로 필요 없습니다. 읽고 묵상하는 것만으로도 진리의 핵심을 접할 수 있습니다.

이 책을 통해 우리 나라 평신도의 이미지가 확 바뀌었으면 좋겠습니다. 목적 없는 산만한 신앙 생활을 멈추고 하나님의 자녀만이 지닐 수 있는 영광과 행복과 능력이 어디에 있는가를 확실하게 보여줄 수 있었으면 좋겠습니다. 그래서 온 세상이 우리의 모습에 매료되어 예수님을 따르게 된다면 얼마나 하나님이 기뻐하실까요?

사랑의 교회
옥한흠 목사

■추천의 글

릭 워렌은 하나님의 말씀을 붙잡고 사는 이 시대의 말씀의 사람입니다.

하나님의 자녀들에게는 세상이 가르쳐주지도 않고 세상이 줄 수도 없는 놀라운 네 가지 축복이 주어집니다. 첫째, 죄를 용서받은 축복입니다. 두번째 마음의 평화입니다. 세번째, 하나님의 자녀로 살 수 있는 능력입니다. 마지막으로 삶의 진정한 목적을 아는 축복입니다.

'목적' 이것은 제 삶을 이끌어가는 강력한 동인(動因)입니다.

어린 시절, 목포로 피난을 가 있던 저는 그곳에서 노 젓는 법을 배웠습니다. 꽁무니에 달린 노를 처음 젓게 되었을 때, 그 노를 휘두를 때마다 배는 기우뚱거리고 제자리에서 빙빙 돌기만 할 뿐이었습니다. 그때 저를 가르쳐주던 선배는 배를 보지 말고 가고자 하는 목표를 보면서 저으면 배가 그리로 가게 된다고 말했습니다. 저는 그 말이 믿기지 않았습니다. 그래서 배만 목표 지점을 향하게 둔 채 뱃머리를 보며 노를 저으니 배는 계속 빙빙 돌기만 했습니다. 할 수 없이 선배의 말대로 가고자 하는 목표를 바라보고 노를 젓기 시작했습니다. 그제야 뒤뚱거리던 배가 목표를 향해 가기 시작했습니다. 놀랍게도 가고자 하는 저의 모든 노력과 열심들이 그 배를 함께 몰아가고 있었습니다.

이처럼 목적이 있는 삶은 인생을 바로 사는 중요한 기초적인 동인(動因)이 됩니다. 그렇기에 목적 의식을 갖는 것은 대단히 중요합니다. 이책을 통해 하나님께서 우리를 이 세상에 보내시고, 부르신 그 사명을 감당하기 위한 말씀 속의 지침들을 배우게 되리라 확신합니다.

남서울은혜 교회

홍정길 목사

■추천의 글

몇 해 전 출간된 릭 워렌의 기념비적인 저서인 「새들백교회 이야기」는 방황하는 오늘의 교회의 행보에 '목적이 이끄는 건강한 교회상' 을 보여주는 공동체적인 나침반이었습니다. 이제 릭 워렌이 현대 교회의 마당에 던지는 제2의 폭탄인 「목적이 이끄는 삶」은 교회의 한 지체가 된 오늘의 그리스도인들이 교회당 안과 밖에서 어떻게 구체적으로 삶의 목적을 설정하고 살아갈 것인가를 보여주는 개인적인 나침반이 될 것입니다.

릭 워렌은 이 책을 통해 우리 생애의 40일을 바쳐 하나님의 목적을 실현하는 일에 헌신할 것을 도전하고 있습니다. 저는 릭 워렌의 제안을 따라 우리들의 교회에 접목되는 구도자들이 40일을 진지하게 바칠수 있다면, 혹은 형식적인 믿음의 삶에서 의미를 잃어버린 전통적인 신자들이 이 40일의 여정을 따를 수 있다면 우리는 놀라운 새생명의 합창 소리를 듣게 될 것이라고 확신합니다.

저는 오늘날 한국 교회의 가장 큰 문제가 '명목상의 교인' (Nominal member) 들이 늘어나는 것이라고 생각합니다. 교회에는 나오지만 구원의 확신도 삶의 목적도 없이 종교적 분위기에 익숙한 교인들만 만들어내고 있는 것입니다. 릭 워렌의 이 책을 이 땅의 교회들이 새신자 양육서로 효율적으로 사용할 수만 있다면 건강한 한국 교회를 이루어가는 일에 큰 도움이 될 것이라 확신합니다. 이미 이 책은 출간되자마자 세계 곳곳에서 '삶의 목적 세우기' 라는 신드롬을 만들어내기 시작했습니다.

저는 진심으로 이 책이 제공하는 축복과 유익에 동참하는 성도들의 모습을 그리며 흥분하고 있습니다. 당신도 그 한 사람이 될 것입니다.

지구촌 교회
이동원 목사

이 책을 당신께 바칩니다

당신이 태어나기 전부터
하나님은 지금 이 순간을 당신의 삶 속에 계획해놓으셨습니다.
당신이 이 책을 손에 들고 있는 것도 결코 우연이 아닙니다.
하나님이 계획해놓으신 삶을 당신이 찾기를 그분은 간절히 바라고 계십니다.
당신은 이 땅에서 그리고 영원한 세계에서 영원히 살도록 되어 있습니다.

"모든 일을 그 마음의 원대로 역사하시는 자의 뜻을 따라
우리가 예정을 입어 그 안에서 기업이 되었으니"
(엡 1:11).

나에게 이 진리를 알게 해주고 내 삶을 이런 모습으로 만들어갈 수 있게 해준
과거와 오늘날의 수많은 저자들과 스승들에게 감사드립니다.
그리고 이것을 당신과 나눌 수 있는 특권을 허락하신 하나님께,
또 당신에게 사랑을 전합니다.

CONTENTS

■서 문

목적이 있는 삶의 여정

이 책을 최대한 효과적으로 활용하는 법

이것은 단순한 책이 아니다. 이 책은 삶의 가장 중요한 질문에 대한 답을 발견할 수 있도록 해주는 40일 간의 영적 여정을 위한 안내서다. 삶의 가장 중요한 그 질문은 이것이다. "나는 왜 이 세상에 존재하는가?" 이 여정의 끝에서 우리는 하나님이 우리의 삶에 대해 가지고 계신 그 목적을 알고 큰 그림을 볼 수 있게 될 것이다. 삶의 모든 부분들이 어떻게 우리의 삶을 구성하는지 이해하게 될 것이다. 이러한 관점을 갖게 되면 스트레스도 덜 받고, 어떤 결정도 간단히 내릴 수 있게 되며, 삶에 만족하게 되고 그리고 무엇보다 영생을 준비할 수 있게 된다.

앞으로 경험하게 될 40일

오늘날 사람의 평균 수명은 25,550일이다. 우리가 보통 사람이라면 아마 그 정도의 시간을 살게 될 것이다. 그 가운데 40일을, 우리가 우리 삶의 남은 시간들을 통해 무엇을 하기를 하나님이 원하시는지 아는 데에 투자하는 것이 현명하게 시간을 사용하는 일이라고 생각되지 않는가?

성경은 40일을 하나님이 영적으로 매우 중요한 기간으로 여기신다는 것을 명확하게 보여준다. 하나님이 누군가를 그분의 목적을 위해 준비시키실 때마다 40일이 걸렸다.

- 노아의 삶은 40일 동안 내린 비로 변화되었다.
- 모세는 시내 산에서 보낸 40일 동안 변화되었다.
- 정탐꾼들은 약속의 땅을 40일 동안 바라보면서 변화되었다.
- 다윗은 골리앗의 40일 간의 도전으로 변화되었다.
- 엘리야는 하나님이 주신 음식을 먹고 40일 동안 그 기운이 남아 있는 것을 경험하고 변화되었다.
- 니느웨 온 도시는 하나님이 회개하도록 기회를 주신 40일 동안 변화되었다.
- 예수님은 40일 간의 광야 생활을 통해 능력을 받으셨다.
- 제자들은 예수님의 부활 이후 40일을 함께 지내면서 변화되었다.

앞으로의 40일이 우리의 삶을 변화시킬 것이다.

이 책은 짧은 글을 담고 있는 40장으로 나뉘어 있다. 하루에 한 장씩 읽을 것을 강력히 권한다. 그럴 때 그 내용을 자신의 삶과 연관시켜서 생각해볼 수 있는 시간을 갖게 될 것이다. 성경은 이렇게 말한다. "너희는 이 세대를 본받지 말고 오직 마음을 새롭게 함으로 변화를 받아 하나님의 선하시고 기뻐하시고 온전하신 뜻이 무엇인지 분별하도록 하라" (롬 12:2).

책을 읽고도 사람들이 변화되지 않는 이유는 다음 내용을 읽기에만 급급하기 때문이다. 읽은 내용을 생각해볼 시간을 갖지 않는다. 배운 것들을 적용해보지 않고 다음 부분으로 서둘러 넘어가려 한다.

책을 읽는 것으로만 끝내지 말라. 서로 영향을 주고받으라. 밑줄을 긋고, 자신의 생각을 여백에 적어놓으라. 이 책을 자신의 것으로 만들라.

이 책을 개인화시키라. 나에게 가장 많은 도움을 준 책들은 단순히 읽기만 한 것들이 아니라 읽어가면서 내 생각을 써놓은 책들이었다.

개인적인 적용을 위한 네 가지 요점

각 과의 끝에는 〈내 삶의 목적에 대하여〉라는 부분이 있다. 그 구성은 다음과 같다.

생각할 점

이것은 목적이 이끄는 삶을 위한 원칙을 요약해놓은 것으로 하루 동안 반복해서 생각하고 적용해보라. 바울은 디모데에게 말했다. "내 말하는 것을 생각하라 주께서 범사에 네게 총명을 주시리라"(딤후 2:7).

외울 말씀

그 장의 진리를 말해주는 성경 구절이다. 삶을 향상시키는 데에는 성경 구절을 외우는 것이 우리가 시작할 수 있는 가장 중요한 습관이다. 이 구절을 작은 카드에 적어 가지고 다니며 외우라.

삶으로 떠나는 질문

이 질문들은 우리가 읽은 내용의 함축된 의미들을 생각해보고, 그것들을 개인적으로 적용해보는 데에 도움이 된다. 각 질문의 답을 이 책의 여백이나 공책에 적어놓으라. 생각을 가장 명확하게 정리하는 방법은 적는 것이다.

〈부록 1〉은 다음의 내용을 담고 있다.

토론을 위한 질문

나는 한 친구, 혹은 친구 몇 명과 함께 앞으로 40일 동안 이 책을 함께 읽을 것을 당신에게 권한다. 여행은 다른 사람과 함께할 때가 항상 더 좋다. 파트너와 함께, 혹은 소그룹으로 모여 읽은 내용에 대해 토론하고 서로의 생각들을 주고받을 수 있다. 이를 통해 우리는 더 빨리 그리고 더 깊이 성장할 수 있다. 진정한 영적인 성장은 절대 고립되어서, 또 개인적으로 이루어지지 않는다. 성숙은 관계와 공동체를 통해서 이루어진다.

우리의 삶에 대한 하나님의 목적을 가장 잘 이해하는 방법은 성경을 통해 살펴보는 것이다. 그래서 이 책에서는 약 천 개의 성경 구절들을 15가지 다른 번역 성경에서 발췌해 광범위하게 인용하였다. 다양한 버전을 의도적으로 사용하게 된 이유는 〈부록 3〉에 자세히 설명해놓았다.

당신을 위한 기도

나는 이 책을 쓰는 동안 당신을 위해 기도했다. 하나님이 당신을 이 땅에 보내신 목적을 발견함으로써 얻는 희망, 에너지 그리고 기쁨을 경험하도록 기도했다. 이에 비할 것은 아무것도 없다. 나는 앞으로 당신에게 일어날 모든 위대한 일들을 알기에 매우 흥분되어 있다. 그것은 나에게도 일어났으며, 내 삶의 목적을 발견한 후 나는 달라졌다.

내가 그 유익함을 알기 때문에 당신에게 앞으로 40일 동안 이 영적인 여정을 단 하루도 거르지 말고 진행하라고 권하고 싶다. 당신의 삶은 그만큼의 시간을 들여 생각해볼 가치가 있다. 당신의 일과표에 계획을 세워놓으라. 만일 이 일에 헌신할 것이라면 함께 서약서에 서명을 하자. 이 서약서에 당신이 서명하는 것은 매우 중요한 의미가 있다. 이 책을 함께 읽을 파트너가 있다면 그도 함께 서명하게 하라. 준비되었는가? 이제 함께 떠나보자!

나의 서약

나는 하나님의 도움으로 앞으로의 40일 동안

내 삶에 대한 하나님의 목적을 발견하는 일에 헌신하겠습니다.

____

이 름

____

파트너 이름

Rick Warren

____

릭 워렌

"두 사람이 한 사람보다 나음은 저희가 수고함으로

좋은 상을 얻을 것임이라 혹시 저희가 넘어지면

하나가 그 동무를 붙들어 일으키려니와 홀로 있어 넘어지고

붙들어 일으킬 자가 없는 자에게는 화가 있으리라"

(전 4:9-10).

나는 왜 이 세상에 존재하는가?

"이 세상에 골몰하는 삶은 죽은 삶이다.
그것은 나무 그루터기와 같다.
하나님에 의해 이루어져가는 삶은
열매를 맺는 나무다" (잠 11:28, Msg).

"그러나 무릇 여호와를 의지하며
여호와를 의뢰하는 그 사람은 복을 받을 것이라
그는 물가에 심기운 나무가 그 뿌리를 강변에 뻗치고
더위가 올지라도 두려워 아니하며
그 잎이 청청하며 가무는 해에도 걱정이 없고
결실이 그치지 아니함 같으리라" (렘 17:7-8).

모든 것이 하나님으로부터 시작되었으니

"만물이 그에게 창조되되 하늘과 땅에서 보이는 것들과
보이지 않는 것들과 혹은 보좌들이나 주관들이나
정사들이나 권세들이나 만물이
다 그로 말미암고 그를 위하여 창조되었고"
(골 1:16).

"신이 있다고 가정하지 않는 한, 삶의 목적에 대한 질문은 무의미하다."
- 버트란드 러셀(Bertrand Russell), 무신론자

이것은 우리에 관한 것이 아니다.

삶의 목적이란 우리 개인의 성취감, 마음의 평안과 행복감 이상의 것이며, 가족과 직업 그리고 우리의 가장 큰 꿈과 야망보다도 훨씬 더 큰 것이다. 우리가 이 땅에 살고 있는 이유를 알고 싶다면, 모든 생각은 하나님으로부터 시작되어야 한다. 왜냐하면 우리는 그분의 목적에 의해서 그분의 목적을 위하여 창조되었기 때문이다.

삶의 목적에 대한 고민은 수천 년 동안 사람들을 혼란스럽게 했다. 혼란의 이유는 우리가 그러한 고민들의 출발을 우리 자신으로부터 시작하기 때문이다. 우리는 다음과 같은 자기 중심적인 질문을 던지곤 한다. '나는 무엇이 되기를 원하는가?' '나는 무엇을 해야 하는가?' '나의 목표, 나의 야망,

나의 미래를 위한 나의 꿈은 과연 무엇인가?' 하지만 우리가 우리 자신에게만 초점을 맞춘다면 결코 삶의 목적을 찾을 수 없다. 성경은 이렇게 말하고 있다. "생물들의 혼과 인생들의 영이 다 그의 손에 있느니라"(욥 12:10).

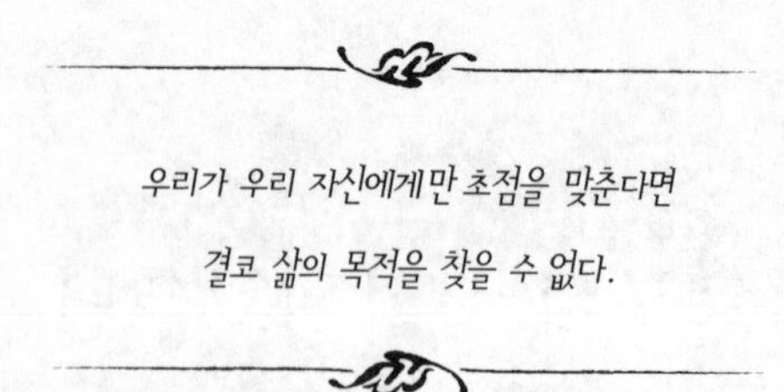

대중에게 인기 있는 수많은 책과 영화 또는 어느 강연회에서 말하는 것과는 달리 우리는 우리 자신 안에서 삶의 의미를 발견할 수 없다. 우리는 이미 그런 시도를 해보았다. 우리가 우리 자신을 창조하지 않았기에 우리가 무엇을 위해 창조되었는지 알 길이 없다. 만일 내가 당신에게 한 번도 보지 못한 발명품을 건넨다면 당신은 그것의 목적을 알지 못할 것이고, 더군다나 그 발명품이 스스로 말해주지도 못할 것이다. 발명자 혹은 사용 설명서만이 발명품의 목적을 가르쳐줄 수 있다.

나는 산에서 길을 잃은 적이 있다. 가던 길을 멈추고 야영지로 가는 길을 물었을 때, 나는 이런 말을 들었다. "여기서는 그리로 갈 수 없습니다. 산의 반대쪽에서 출발해야 합니다." 마찬가지로 우리가 스스로에게 초점을 맞추고 시작한다면 삶의 목적에 도달할 수 없다. 삶의 목적에 도달하기 위해서는 우리의 창조주, 하나님으로부터 시작해야 한다. 우리는 하나님에 의해, 하나님을 위해서 창조되었고, 그것을 이해하기 전에는 결코 삶을 이해할 수 없다. 오직 하나님 안에서만 우리가 어떻게 시작되었고, 우리가 누구이며, 삶의 의미와 목적 그리고 이를 통한 삶의 소중함, 더 나아가 우리가 궁극적으로 나아가는 목적지를 발견할 수 있는 것이다. 하나님 외의 다른 모든 길은 결국 막다른 골목으로 인도할 것이다.

많은 사람들이 자신을 위해 하나님을 이용하려고 한다. 하지만 그것은 자연의 순리를 거스르는 일이고 필연적으로 실패하게 되어 있다. 한 가지 분명한 사실은 우리가 하나님을 위해 만들어진 것이지 우리를 위해 하나님이 존재하시는 것이 아니라는 것이다. 다시 말해 삶이란 하나님이 당신의 목적에 따라 우리를 사용하시는 것이지 우리의 목적을 위해 그분을 사용하는 것이 아니다. 성경은 이렇게 말하고 있다. "자신에 대한 집착은 막다른 골목에 이르게 하고, 하나님께 집중함은 탁 트인, 광대하고 자유로운 삶으로 우리를 이끈다" (롬 8:6, Msg).

나는 삶의 목적을 발견하게 해준다는 여러 가지 방법을 제안한, 일종의 자기 지침서(self-help)와 같은 책들을 많이 읽어보았다. 이러한 책들의 한결같은 공통점은 모두 자기 중심적인 관점에서 주제에 접근한다는 것이다. 때로는 기독교 관련 서적들도 이러한 자기 지침서들과 별 다를 바 없는 다음과 같은 일반적인 방법들을 제시하는 것을 볼 수 있다. 당신의 꿈을 생각하라. 가치관을 명확히 하라. 목표를 설정하라. 무엇을 잘하는지 파악하라. 목표를 높게 설정하라. 그것을 이루기 위해 노력하라. 꾸준히 자신을 훈련시켜라. 목표를 이룰 수 있다고 믿어라. 다른 사람과 꿈을 공유하라. 절대 포기하지 말라.

물론, 이러한 권고들 덕분에 큰 성공을 이루는 경우도 종종 있다. 목표를 이루기 위해 전심으로 노력하면 일반적으로 그 목표에 성공적으로 도달할 수 있다. 하지만 성공한다는 것과 삶의 목적을 충족시키는 것은 절대 같지 않다. 개인적인 목표를 모두 달성하고 세상의 기준에 따라 엄청난 성공을 이룬다 할지라도 하나님이 우리를 창조하신 목적을 놓칠 수 있다. 우리에게는 자기 지침서가 제안하는 것 이상의 것이 필요하다. 성경은 이렇게 말하고 있다. "누구든지 제 목숨을 구원코자 하면 잃을 것이요 누구든지 나를 위하여 제 목숨을 잃으면 찾으리라" (마 16:25).

이 책은 자기 지침서가 아니다. '어떻게 하면 가장 좋은 직업을 찾을 수 있을 것인가, 어떻게 하면 꿈을 실현하거나, 더 나은 삶을 계획할 것인가' 와 같은 주제를 다루는 책이 아니다. 또한 이미 너무 과중한 일에 파묻혀 있는 우리에게 어떻게 하면 더 많은 일을 효율적으로 할 수 있는지를 알려주는 책도 아니다. 오히려 이 책은 삶에 있어서 가장 중요한 것이 무엇인지 알려줌으로써 우리의 삶에서 일을 적게 하는 방법을 가르쳐줄 것이다. 이 책에서 말하고자 하는 핵심은 하나님이 우리를 만드신 목적에 맞는 사람이 되는 것에 관한 것이다.

그렇다면 우리가 창조된 목적을 어떻게 발견할 것인가? 두 가지 방법이 있다. 첫번째는 추리다. 추리는 대부분의 사람들이 선택하는 방법이다. 사람들은 짐작하고, 추측하고, 이론화한다. 사람들이 "나는 항상 삶은 …이라고 생각했어" 라고 말한다면, 이 말은 "이러이러한 것들이 내가 생각할 수 있는 가장 좋은 삶의 모습이야" 라고 말하는 것을 의미한다.

수천 년 동안 철학자들은 삶의 의미에 대해 토론하고 그 의미를 조명해보았다. 철학은 그 나름대로의 용도가 있는 중요한 과목이다. 하지만 삶의 목적을 결정지을 때는, 가장 현명한 철학자라 하더라도 그저 추측할 뿐이다.

노스이스턴 일리노이 대학의 철학 교수인 휴 무어헤드 박사(Dr. Hugh Moorhead)는 세계의 저명한 철학자, 작가 그리고 학자 250명에게 이런 질문을 했다. "삶의 의미가 무엇입니까?" 그리고 그는 그 응답들을 모아서 책으로 출판했다. 몇몇 사람들은 가장 좋은 답을 제시했다고 자신했고, 일부는 확신하지는 않지만 삶의 목적을 자신의 생각에 따라 만들었다고 인정했으며, 또 몇몇은 삶의 목적에 대해서 아는 것이 아무것도 없다고 솔직하게 시인했다. 그뿐만 아니라 그 학자들 가운데 몇 명은 무어헤드 교수에게 그가 답을 발견하거든 자신들에게 알려달라고 부탁하기도 했다.[1]

다행스럽게도, 삶의 의미와 목적에 대해 추리하는 것 외에도 우리에게는 한 가지 대안이 더 있는데 그것이 바로 계시다. 우리는 하나님이 말씀을 통해 삶에 대해 우리에게 알려주신 것들을 볼 수 있다. 발명품의 목적을 알 수 있는 가장 쉬운 방법은 그것을 만든 사람에게 물어보는 것이다. 삶의 목적을 발견하는 것도 마찬가지다. 하나님께 여쭤보라.

하나님은 우리가 궁금해하면서 추측하도록 우리를 어둠 속에 두지 않으신다. 그분은 우리 삶의 다섯 가지 목적을 성경에 명확히 제시해주셨다. 이것이 우리의 진정한 사용 지침서다. 우리가 왜 살아 있는지, 삶이 어떻게 작용하는지, 무엇을 피해야 하고 미래에 무엇을 기대해야 하는지를 설명해주고 있으며, 우리가 앞에서 말한 자기 지침서나 철학책을 통해서는 결코 알 수 없는 것들을 알려주고 있다. 성경은 이렇게 말한다. "우리가 말하는 지혜는 하나님의 비밀 가운데 있는 지혜입니다. 이것은 감춰졌던 것이며, 하나님께서 우리의 영광을 위해 창조 전에 미리 정하신 지혜입니다"(고전 2:7, 쉬운성경).

하나님은 우리 삶의 시작일 뿐만 아니라, 우리 삶의 근원이시다. 삶의 목적을 발견하기 위해서 우리는 세상의 지혜가 아닌 하나님의 말씀에 귀를 기울여야 한다. 우리는 대중 심리학이나, 성공을 위한 동기, 또는 영감을 주는 이야기들이 아닌 영원한 진리에 바탕을 두고 삶을 이루어나가야 한다. 성경은 이렇게 말하고 있다. "오직 그리스도 안에서만 우리는 우리가 누구인지 그리고 우리가 무엇을 위해 사는지를 알 수 있다. 우리가 그리스도를 알기 전에, 어떤 소망을 갖기 전에 하나님은 이미 우리를 눈여겨보셨고 만물과 만인 가운데서 역사하시는 목적의 한 부분으로서의 영광스러운 삶을 이미 계획해놓으셨다"(엡 1:11, Msg). 이 구절은 삶의 목적에 관한 세 가지 통찰을 제시해준다.

1. 우리는 예수 그리스도와의 관계에서 우리의 정체성과 목적을 발견할 수 있다. 만일 그런 관계를 맺고 있지 않다면, 어떻게 그 관계를 맺을 수 있는지에 대해 나중에 설명하겠다.
2. 우리가 하나님에 대해 생각하기 훨씬 이전부터 하나님은 우리에 대해 생각해오셨다. 우리를 향한 하나님의 목적은 우리의 생각에 앞서 오늘까지 진행되어왔고 우리의 도움 없이, 이미 우리가 존재하기 이전부터 계획되어 있었다. 직업과 배우자 그리고 취미와 삶의 많은 부분들에 대해 우리가 스스로 결정할 수 있을지는 몰라도, 우리의 목적은 스스로 선택할 수 없다. 그것은 하나님이 이미 결정해놓으신 것이기 때문이다.
3. 우리의 삶의 목적은 하나님이 영원을 위해 계획해놓으신 보다 큰 목적의 한 부분이다. 이 책은 그것을 설명하기 위한 것이다.

러시아의 소설가 안드레이 비토프(Andrei Bitov)는 무신론적인 공산주의 정권 아래에서 성장했다. 하지만 어느 우울한 날 하나님은 그의 눈길을 사로 잡으셨다. 그는 이렇게 회상한다. "스물일곱 살 되던 해 어느 날 나는 레닌그라드(지금의 상트페테르부르크)에서 지하철을 타고 있었다. 그 당시 나는 너무나도 절망하여 그 순간 삶이 멈춰버릴 것 같았고, 나의 미래는 통째로 없어질 것 같았다. 삶의 의미는 생각조차 할 수 없었다. 그 때 갑자기 한 구절이 눈에 띄었다. '하나님 없이는 삶을 이해할 수 없다(Without God life makes no sense)'. 나는 그 구절을 계속 되새기며, 그 구절을 계단 삼아 절망 속에서 빠져나와 하나님의 빛 가운데로 한 걸음씩 들어가게 되었다."[2]

우리는 누구나 삶의 목적에 대해 고민하며 암담함을 느껴본 적이 있을 것이다. 그러므로 이 시간에 축하한다라는 말을 우리 자신에게 해주자. 왜냐하면 이제 우리는 빛 가운데로 들어가는 바로 그 길목에 서 있기 때문이다.

Day 1

내 삶의 목적에 대하여

생각할 점 : 나에 관한 것이 아니다.

외울 말씀 : "만물이 다 그로 말미암고 그를 위하여 창조되었고" (골 1:16).

삶으로 떠나는 질문 : 어떻게 하면 삶이 내 것임을 주장하는 어지러운 광고들에도 불구하고 나 자신이 아닌 하나님을 위해 사는 삶임을 기억할 수 있을까?

우리는 우연의 산물이 아니다

"너를 지으며 너를 모태에서 조성하고
너를 도와줄 여호와가 말하노라"
(사 44:2).

"하나님은 주사위놀이를 하지 않으신다."
- 알버트 아인슈타인(Albert Einstein)

우리는 우연의 산물이 아니다.

우리의 출생은 실수도 불운도 아니며, 우리의 삶 또한 우연히 이 세상에 존재하는 것이 아니다. 혹 부모님은 계획하지 않았을지라도, 하나님은 우리를 계획하셨다. 우리가 세상에 존재하고 있는 것은 하나님의 계획 안에서 예정되어 있던 일이기 때문에 그분에게는 결코 놀랄 일이 아니다.

부모님이 우리라는 생명체를 만들기 훨씬 이전부터 하나님은 우리를 당신의 마음속에 품으셨고, 또한 우리의 존재를 제일 먼저 생각하기 시작하셨다. 우리가 지금 숨쉬고 있다는 사실은 갑작스럽게 이루어진 의미 없는 운명도, 우연의 결과도 아니다. 성경은 이렇게 말하고 있다. "여호와께서 내게 관계된 것을 완전케 하실지라"(시 138:8).

하나님은 우리 신체의 가장 작은 부분까지도 선택하여 만드셨다. 우리가 속한 인종, 피부색, 머리 그리고 우리가 갖고 있는 모든 특징들을 숙고하여

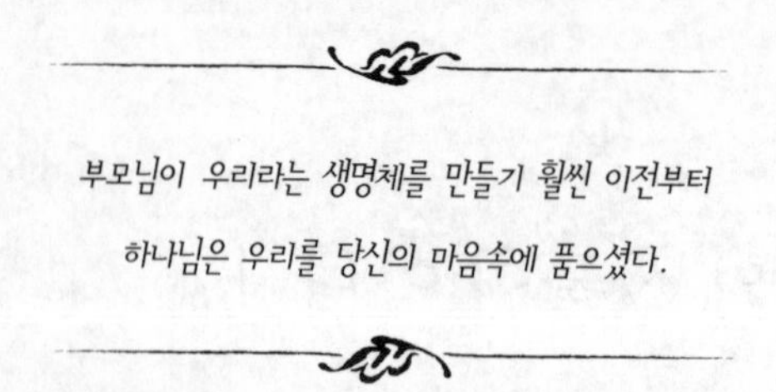

선택하셨고, 하나님이 원하시는 모습 그대로 우리를 맞춤 제작하셨다. 그러니까 우리의 재능과 독특한 성격까지도 모두 하나님의 결정대로 만들어진 것이다. 성경은 이렇게 말한다. “당신은 나의 내면과 외면 모두를 아십니다. 내 몸 속의 모든 골수 조직도 아십니다. 내가 어떻게 만들어졌는지, 내가 어떻게 무에서 유가 되었는지 모든 것을 정확히 알고 계십니다” (시 139:15, Msg).

하나님이 우리를 만드신 이유가 있기 때문에 그분은 우리 삶의 모든 것을 미리 계획해놓으셨을 뿐만 아니라 우리의 출생과 죽음의 시기도 이미 결정해놓으셨다. 성경은 이렇게 말하고 있다. “당신은 내가 태어나기 이전부터 나를 보셨고 내가 숨쉬기 이전부터 내 삶의 매일매일을 계획해놓으셨습니다. 모든 날들이 당신의 책에 기록되어 있습니다” (시 139:16, LB).

또한 하나님은 우리가 어디에서 태어날 것과 하나님의 목적을 이루기 위해 거주할 곳까지 계획해놓으셨다. 다시 말해 우리가 이 나라에서 태어난 것은 결코 우연이 아니며, 아주 작은 부분조차 우연히 이루어진 것이 아니라 모두 하나님의 목적에 따라 계획되어 있다는 말이다. 성경은 말한다. “하나님께서는 한 사람으로부터 세계 모든 인류를 만들어 땅 위에 살게 하셨습니다. 그리고 그들이 살 시대와 지역의 경계를 정해 주셨습니다” (행 17:26, 쉬운성경). 즉 우리 삶의 어떤 부분도 합당한 이유와 목적이 있다는 말씀이다.

가장 놀라운 것은 하나님이 우리를 이 세상에 어떻게 보내실지도 모두 결정해놓으셨다는 사실이다. 우리의 출생 상황이 어떠하든, 부모님이 어떤 분들이든, 하나님은 우리를 창조할 계획을 가지고 계셨다. 부모님이 훌륭

하든 평범하든 상관이 없다. 그리고 하나님이 계획하고 있는 우리를 만들기 위해서 필요한 정확한 유전자들을 우리의 부모가 될 두 사람의 남녀가 모두 소유하고 있음을 하나님은 알고 계셨다.

부적절한 부모는 있어도 부적절한 자식은 없다. 많은 아이들이 부모의 계획과 상관없이 태어날 수는 있지만, 하나님의 목적 없이 태어날 수는 없다. 하나님은 인간의 실수와 죄까지도 모두 고려하여 계획을 세우신다.

하나님은 어떤 일도 우연히 하지 않으시고 절대 실수하지 않으신다. 하나님이 창조하신 모든 것에는 이유가 있다. 모든 식물, 모든 동물도 하나님의 계획에 따라 만들어졌고, 모든 사람 하나하나가 하나님의 목적에 따라 만들어졌다. 이렇게 하나님이 우리를 계획하고 만드신 동기는 바로 그분의 사랑이다. 성경은 말한다. "그가 땅의 기반을 마련하기 훨씬 이전에 그는 우리를 계획하셨고 우리를 그의 사랑의 대상으로 정해놓으셨다" (엡 1:4, Msg).

그분은 세상을 만들기 이전부터 우리에 대해 생각하고 계셨다. 더 나아가 하나님이 세상을 창조하신 이유가 바로 우리 때문이다. 뿐만 아니라 하나님은 우리가 살 수 있도록 지구의 환경을 계획하셨다. 우리는 그분의 사랑의 대상이고 그분의 창조물 가운데 가장 값지다. 성경은 말한다. "그가 그 조물 중에 우리로 한 첫 열매가 되게 하시려고 자기의 뜻을 좇아 진리의 말씀으로 우리를 낳으셨느니라" (약 1:18). 하나님은 우리를 이토록 사랑하고 아끼신다.

하나님은 무작정 움직이지 않으신다. 하나님은 모든 것을 정확하게 계획하셨다. 물리학자, 생물학자 그리고 그 외 다른 과학자들이 우주를 연구하면 할수록 우리는 하나님이 만드신 모든 것들이 우리의 존재에 꼭 맞도록 얼마나 독특하게 만들어졌는지 감탄할 수밖에 없다. 그리고 이러한 조건들이 인류의 생존을 가능하게 하는 데에 얼마나 정확한지 놀랄 수밖에 없다.

뉴질랜드 오타고 대학의 인간 분자 유전학 수석 연구자인 마이클 덴튼 박사(Dr. Michael Denton)는 이렇게 결론을 지었다. "생물 과학에서 얻을 수 있는 모든 정보는 그 핵심 사안, 즉 우주는 삶과 인류를 근본 목표와 목적으로 가진 전체 그리고 현실의 모든 것이 각각의 의미와 이유가 있는 전체로 특별히 설계된 것이라는 사실을 뒷받침한다."[1] 성경은 이렇게 말한다. "여호와는 하늘을 창조하신 하나님이시며 땅도 조성하시고 견고케 하시되 헛되이 창조치 아니하시고 사람으로 거하게 지으신 자시니라" (사 45:18).

하나님은 왜 이 모든 일을 하셨을까? 왜 우리를 위해서 우주를 만드는 수고를 하셨을까? 그분은 사랑의 하나님이시기 때문이다. 하나님의 사랑은 그 정도를 도무지 가늠할 수 없다. 하지만 근본적으로 신뢰할 만하다. 우리는 하나님이 사랑하는 특별한 대상으로 만들어졌다. 하나님은 사랑하시기 위해 우리를 만드셨고, 우리는 그 진리 위에 우리의 삶을 만들어나가야 한다.

성경은 "하나님은 사랑이시다" (요일 4:8)라고 우리에게 말해주고 있다. "하나님은 사랑의 마음을 가지고 계신다" 라고 말하지 않는다. 그분은 사랑이시다. 사랑은 하나님 인격의 본질이다. 삼위일체의 하나님은 그대로 완벽한 사랑이시다. 하나님은 우리를 창조할 필요가 없으셨다. 그분은 외롭지 않으셨다. 하지만 그분은 사랑을 표현하기 위하여 우리를 창조하셨다. 하나님은 "배에서 남으로부터 내게 안겼고 태에서 남으로부터 내게 품기운 너희여 너희가 노년에 이르기까지 내가 그리하겠고 백발이 되기까지 내가 너희를 품을 것이라 내가 지었은즉 안을 것이요 품을 것이요 구하여 내리라" (사 46:3-4)고 말씀하신다.

하나님이 없다면 우리 모두는 '우연의 산물' 이 될 것이며, 우주의 천문학적 경우의 수 가운데 하나로 남을 것이다. 그리고 그것이 사실이라면, 지금 당장 이 책을 덮어도 좋다. 그럴 경우 삶에는 어떠한 목적도, 의미도, 소중함도 없으며, 옳고 그름도 없고, 지구상에서의 짧은 삶 이외에는 아무런 희망도 없기 때문이다.

그렇지만 하나님은 존재하시고, 우리를 만든 이유가 있으며, 우리의 삶은 매우 중요한 의미를 가지고 있다. 그리고 하나님과 관계를 맺기 시작할 때만이 우리 삶 속에서 그 의미와 목적을 발견할 수 있다. 영어 성경 메시지(The Message)는 로마서 12장 3절을 다음과 같이 말하고 있다. "우리 자신을 이해하는 가장 정확한 방법은 하나님이 누구시고 우리를 위해 무엇을 하시는지를 아는 것이다."

러셀 켈퍼(Russell Kelfer)의 시가 이 모든 것을 다음과 같이 요약해주고 있다.

당신이 당신이 된 것은 이유가 있지요.
당신은 하나님의 신묘막측한 계획의 한 부분이에요.
당신은 소중하고 완벽하고 독특하게 만들어졌으며
하나님은 당신을 그분의 특별한 여자와 남자로 부르고 있죠.

존재의 이유를 추구하는 당신.
그러나 실수하지 않으시는 하나님.
어머니의 자궁 안에서부터 손수 당신을 지으신 그분,
그러기에 당신은 그분이 원하는 바로 그 사람이지요.

당신의 부모님도 그분이 선택했어요.
지금 당신이 어떻게 느끼든
하나님의 빈틈없는 계획대로 그들을 선택하사
그들의 손에 주님의 확인 도장을 찍어주신 것이죠.

물론 당신이 당한 고통 견디기 쉽지 않았겠지만
하나님 역시 당신이 마음 상했을 때 눈물 흘리셨어요.
하지만 그것을 통해 당신의 마음이
하나님의 형상을 따라 닮아가고 성장하길 원하셨죠.

당신이 당신이 된 것은 이유가 있지요.
주님의 지팡이로 지어진 당신.
당신이 사랑받는 당신이 된 이유는
하나님이 계시기 때문이죠![2]

Day 2

내 삶의 목적에 대하여

생각할 점 : 나는 우연의 산물이 아니다.

외울 말씀 : "너를 지으며 너를 모태에서 조성하고 너를 도와줄 여호와가 말하노라" (사 44:2).

삶으로 떠나는 질문 : 하나님이 나를 독특하게 만드셨다는 사실을 인정하면서 성격, 배경 그리고 외모 가운데 내가 받아들이기 위해 노력해야 할 부분은 무엇인가?

삶의 원동력

"또 살펴보니, 모든 수고와 성취는
이웃에 대한 시기심에서 발생하였다"
(전 4:4, 쉬운성경).

"목적이 없는 사람은 키 없는 배와 같다. 한낱 떠돌이요,
아무것도 아닌, 인간이라 부를 수 없는 사람이다."
- 토마스 칼라일(Thomas Carlyle)

모든 사람은 무엇인가에 이끌려 살고 있다.

대부분의 사전은 이끌다(drive)라는 동사를 '길을 인도하다, 통제하다, 또는 방향을 제시하다' 라고 정의 내리고 있다. 자동차를 운전하든, 못을 박든, 골프 공을 치든 우리는 그 순간 그것을 인도하고, 통제하며, 그것에게 방향을 제시하고 있는 것이다. 그렇다면 우리의 삶의 원동력은 무엇인가?

우리는 지금 특정한 문제, 중압감 혹은 마감 시간에 쫓기면서 끌려가듯 살아가고 있을지도 모른다. 과거의 기억, 계속 떠오르는 두려움, 혹은 입 밖으로 내보지 못한 잘못된 믿음에 의해 끌려가고 있는지도 모른다. 수백 가지의 상황, 가치 그리고 감정이 우리의 삶을 이끌 수 있다. 그 가운데 가장 보편적인 것 다섯 가지를 살펴보자.

많은 사람들이 죄의식에 의해 끌려 다닌다

이렇게 과거의 죄의식에 의해 끌려 다니는 삶은 후회에서 벗어나고 수치심을 감추기 위해 결국 삶 전체를 허비하는 것이다. 죄의식에 의해 끌려 다니는 사람들은 기억에 의해 조작된다. 그들은 과거가 미래를 지배하도록 내버려둔다. 그리고 때때로 무의식적으로 자신들의 성공을 파괴함으로써 스스로를 처벌하려고 한다. 가인이 죄를 지었을 때 그의 죄의식은 자신을 하나님의 임재로부터 멀어지게 했고, 하나님은 "너는 땅에서 피하며 유리하는 자가 되리라"(창 4:12)고 말씀하셨다. 이 말씀은 목적 없이 헤매는 오늘날 많은 사람들의 삶의 모습을 그려주고 있다.

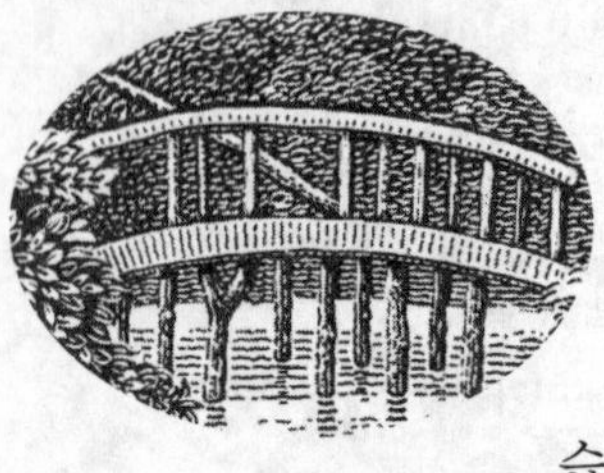

우리는 과거의 산물이지만 과거에 갇힐 필요는 없다. 하나님의 목적은 우리의 과거로 인해 제한받지 않는다. 그분은 모세라는 살인자를 지도자로 바꾸셨고, 기드온이라는 겁쟁이를 용감한 영웅으로 바꾸셨다. 또한 우리의 남은 삶을 통해서도 엄청난 일들을 하실 수 있다. 하나님은 사람들이 새롭게 시작할 수 있도록 해주시는 데 전문가이시다. 성경은 말한다. "허물의 사함을 얻고 그 죄의 가리움을 받은 자는 복이 있도다"(시 32:1).

많은 사람들이 원한과 분노의 쓴 뿌리를 씹으며 살아간다

그들은 상처를 입은 곳에서부터 벗어나지 못한다. 용서를 통해 고통에서 벗어나는 대신 머리 속에서 고통의 순간들을 계속 되풀이한다. 원한을 품고 사는 사람들은 여러 가지 모양으로 분노를 나타낸다. '침묵하며' 분노를 내면화하는 사람도 있고, 자신의 감정을 폭발시켜 다른 사람들에게 그 분노를 '쏟아 붓기도' 한다. 두 반응 다 건전하지 않으며 도움이 되지 않는다.

분노할 때 우리는 우리가 분개하고 있는 그 사람보다 우리 자신을 더 아프게 한다. 우리에게 상처를 입힌 사람은 이미 자기가 한 일을 잊고 살아가고 있는데, 우리는 과거를 붙잡고 계속 고통 속에서 괴로워하고 있다.

기억하라. 우리가 원한을 품고 상처를 계속 싸매고 있는 한 우리의 상처는 계속 상처로 남고, 그 상처는 결코 아물 수 없다. 과거는 과거일뿐이다. 아무것도 우리의 과거를 바꿀 수 없다. 우리는 원한을 품고 있기 때문에 스스로에게 상처를 주고 있다. 우리 자신을 위하는 가장 좋은 길은, 과거에서 교훈만 얻고 잊어버리는 것이다. 성경은 이렇게 말하고 있다. "분노가 미련한 자를 죽이고 시기가 어리석은 자를 멸하느니라"(욥 5:2).

많은 사람들이 두려움에 이끌려 살아간다

두려움이란 매우 충격적인 경험, 비현실적인 기대 그리고 엄격한 가정 환경으로 인해 생길 수도 있고, 또 유전적인 요인으로 생길 수도 있다. 그 원인에 상관없이 두려움에 의해 이끌려서 사는 사람들은 종종 좋은 기회들을 놓친다. 이는 그들이 모험을 두려워하기 때문이다. 대신 그들은 안전한 방향으로, 위험을 피하고 현재 상태를 유지하려고 한다.

두려움은 스스로를 가둬놓는 감옥이라고 말할 수 있다. 그 감옥은 우리가 하나님이 원하시는 사람이 되는 것을 막을 것이다. 그렇기 때문에 우리는 믿음과 사랑이라는 무기로 반드시 맞서 싸워야 한다. 성경은 이렇게 말한다. "사랑 안에 두려움이 없고 온전한 사랑이 두려움을 내어 쫓나니 두려움에는 형벌이 있음이라 두려워하는 자는 사랑 안에서 온전히 이루지 못하였느니라"(요일 4:18).

많은 사람들이 물질에 이끌려 살아간다

무언가를 획득하고자 하는 욕구가 삶의 목표가 된다. 항상 더 많은 것을 얻고자 하는 이 욕구는 더 많이 가지면 더 행복해지고, 더 중요한 사람이 되며, 더 안전할 것이라는 잘못된 생각에서 온다. 하지만 이 세 가지 모두 사실이 아니다. 소유물은 일시적인 행복만을 준다. 사물이 변하지 않기 때문에 우리는 결국 그것에 싫증을 느끼고, 보다 새롭고 더 크고 나은 것을 원하게 된다.

더 많은 것을 가지면 더 중요한 사람이 될 것이라는 것도 잘못된 믿음이다. 하지만 자아 가치(self-worth)와 소유 가치(net-worth)는 동일하지 않다. 우리의 가치는 우리가 가지고 있는 물건에 의해서 결정되는 것이 아니다. 하나님은 세상에서 가장 가치 있는 것들은 물건이 아니라고 말씀하신다.

돈에 대한 가장 흔한 오해는 돈이 많을수록 더 안전하다는 것이다. 그렇지 않다. 부는 통제할 수 없는 요인들로 한순간에 잃을 수 있다. 진정한 안전은 그 어느 누구도 앗아갈 수 없는 것에서만 발견할 수 있다. 바로 하나님과 우리와의 관계다.

많은 사람들이 다른 사람들의 인정을 받기 위해 살아간다

그들은 부모나 배우자, 혹은 자식이나 스승, 또는 친구들 그리고 수많은 다른 사람들의 기대가 그들의 삶을 주관하도록 내버려둔다. 성인이 된 후에도 도저히 만족하지 않는 부모를 만족시키기 위해 노력하는 많은 사람들이 있다. 또 어떤 사람들은 주변의 압력에 끌려간다. 다른 사람이 자신에 대해 어떻게 생각하는지를 항상 걱정한다. 불행하게도 군중을 따라가는 사람은 군중 속을 헤매며 길을 잃게 된다.

나는 성공으로 이끄는 모든 길에 대해서는 알지 못하지만 한 가지 분명히 아는 것은 모든 사람을 만족시키려고 노력하는 것은 실패로 가는 길이라는 것이다. 다른 사람의 의견에 의해 통제받는 것은 우리의 삶을 향한 하나님의 목적을 놓치게 만드는 길이다. 예수님은 "한 사람이 두 주인을 섬기지 못할 것이니" (마 6:24)라고 말씀하셨다.

이 외의 여러 가지 우리의 삶을 이끄는 많은 다른 힘이 있지만 이 모두가 막다른 골목, 즉 사용하지 못하는 잠재력, 불필요한 스트레스 그리고 만족하지 않는 삶을 향해 나아가게 한다.

이 40일 간의 여정은 어떻게 하면 하나님의 목적에 의해 인도되고 통제되며, 방향이 뚜렷이 설정된 목적이 이끄는 삶을 살 수 있는지를 보여줄 것이다. 하나님이 우리의 삶에 대해 가지고 계시는 목적을 아는 것이 가장 중요하다. 목적을 모르는 삶을 보상해줄 수 있는 것은 아무것도 없다. 성공, 부나 명성 그리고 쾌락도 삶의 의미를 부여할 수 없다. 목적 없이 사는 삶은 의미 없는 행동, 방향 없는 활동 그리고 이유 없는 행사들의 끊임없는 연속밖에는 될 수 없다. 목적 없이 사는 삶은 하찮은 삶이요, 무의미한 삶이다.

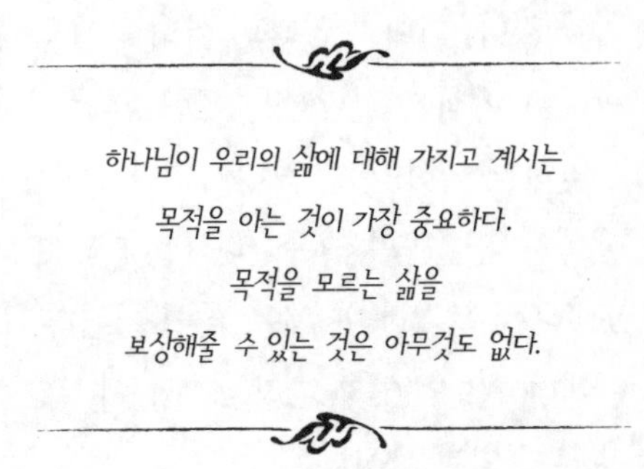
하나님이 우리의 삶에 대해 가지고 계시는
목적을 아는 것이 가장 중요하다.
목적을 모르는 삶을
보상해줄 수 있는 것은 아무것도 없다.

목적이 이끄는 삶에 따르는 유익

목적이 이끄는 삶을 살 때 다섯 가지 유익이 있다.

목적을 아는 것은 삶에 의미를 부여해준다

인간은 삶의 의미를 갖고 살도록 만들어졌다. 그렇기 때문에 사람들은 점성학이나 심령술사와 같은 모호한 방법들을 통해서라도 삶의 의미를 찾으려고 한다. 삶의 의미가 있다면 인간은 거의 모든 것을 견딜 수 있지만, 반대로 삶의 의미가 없으면 그 어떤 것도 참을 수 없다.

한 20대 청년이 이렇게 썼다. "나는 무엇이 되려고 발버둥치고 있지만 진정으로 무엇이 되려고 하는 줄 모르기 때문에 실패자임이 틀림없다. 오직 내가 할 줄 아는 것은 대충 살아가는 것뿐이다. 언젠가 내 삶의 목적을 발견할 때에야 비로소 나는 살기 시작한다고 느낄 것이다."

하나님이 없다면 삶에는 어떤 목적도 있을 수 없고, 목적이 없는 삶은 의미가 없다. 의미가 없다면 삶의 중요함이나 소망도 없다. 성경에도 많은 사람들이 이러한 절망감을 표현했다. 이사야는 "내가 헛되이 수고하였으며 무익히 공연히 내 힘을 다하였다" (사 49:4)라고 말했고, 욥은 "나의 삶은 절망적인 나날들의 연속이다" (욥 7:6, LB)라고 고백하고 있다. 욥은 이 외에도 "나는 포기한다. 사는 것이 지겹다. 그냥 나를 혼자 두라. 내 삶은 말도 안된다" (욥 7:16, TEV)라고 절규하기도 했다. 가장 큰 비극은 죽음이 아니라 목적 없는 삶이다.

소망은 우리의 삶에 공기와 물만큼 중요하다. 삶의 역경을 극복해나가기 위해서 소망이 필요하다. 버니 시걸(Bernie Siegel) 박사는 "100세까지 살고 싶습니까?" 라는 질문을 그가 돌보고 있는 암 환자들에게 물어보면 누가 병마를 이기고 회복할 수 있는지 알 수 있다고 말한다. 삶의 목적에 대한 깊은 이해가 있는 사람들은 "네" 라고 대답을 했고, 이들이 생존할 확률이 가장 높다. 소망은 목적을 갖는 것에서부터 온다.

지금 절망을 느끼고 있다면 조금만 기다리라. 목적을 가지고 삶에 임하기 시작하는 순간 당신의 삶에 멋진 변화들이 일어나기 시작할 것이다. 하나님은 말씀하신다. "나 여호와가 말하노라 너희를 향한 나의 생각은 내가 아나니 재앙이 아니라 곧 평안이요 너희 장래에 소망을 주려하는 생각이라" (렘 29:11). 지금 불가능한 상황에 직면했다고 느끼고 있는가? 성경은 이렇게 말한다. "하나님은 … 우리가 상상하거나 요구하는 것보다 훨씬 많은 일들을 하실 수 있다. 우리의 가장 큰 기도, 욕구, 생각 그리고 희망을 훨씬 뛰어넘는 일들을 하신다" (엡 3:20, LB).

목적을 알면 우리의 삶은 단순해진다

왜냐하면 그것은 우리가 무엇을 해야 하고, 무엇을 하지 말아야 할지를 명확하게 해주기 때문이다. 우리의 목적은 꼭 필요한 활동과 그렇지 않은 것들을 평가하는 기준이 된다. 일을 하기 전에 간단히 "이 일이 나를 향한 하나님의 목적을 달성하는 데 도움이 될까?"라고 자문하면 된다.

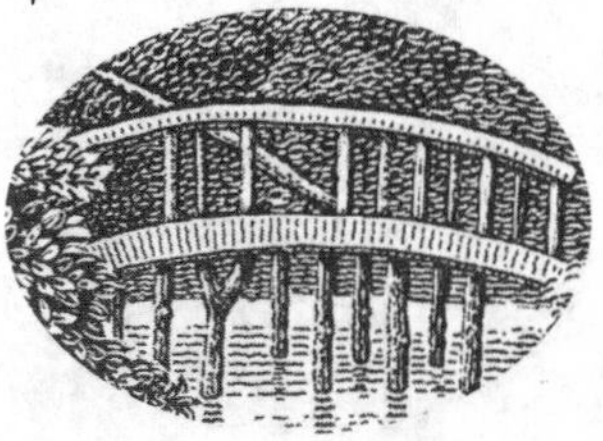

명확한 목적이 없으면 우리는 왜 그런 결정을 내렸으며, 어떻게 시간을 투자하고 자원을 활용할 것인지에 대한 근거를 잃게 된다. 그저 상황, 압력 그리고 그 순간 우리의 기분에 따라 결정을 내릴 뿐이다. 자신의 목적을 알지 못하는 사람들은 너무 많은 것을 하려 하고, 또 이 때문에 스트레스, 피로 그리고 관계에 있어서 갈등을 겪게 된다.

사람들이 원하는 모든 것을 해주는 것은 불가능하다. 우리에게는 하나님의 뜻만을 행할 시간이 주어졌기 때문에 만약 모든 것을 다할 수 없다면, 우리는 분명 하나님이 의도하신 것보다 훨씬 많은 일을 하고 있는 것이다(혹은 텔레비전을 너무 많이 보고 있다는 이야기가 될 수도 있다). 목적이 이끄는 삶은 더 단순한 삶의 방식과 분별 있는 계획을 갖게 한다. 성경은 이렇게 말한다. "남에게 보여주기 위한 삶은 공허한 삶이다. 평범하고 단순한 삶이 풍성한 삶이다"(잠 13:7, Msg). 또한 이러한 삶이 마음에 평화를 준다. "주님, 당신은 목적을 굳게 지키고 당신을 신뢰하는 자들에게 완전한 평화를 주십니다"(사 26:3, TEV).

목적을 알면 초점을 맞춘 삶을 살게 된다

이는 우리의 노력과 에너지를 중요한 것에 집중하게 해준다. 우리가 선택적으로 살게 되기 때문에 모든 것이 효율적으로 이루어지게 된다.

사소한 일들로 마음이 산란해지는 것은 인간의 본성이다. 우리는 우리의 삶에서 사소한 것들을 추구한다. 헨리 데이빗 소로우(Henry David Thoreau)는 사람들이 '조용히 자포자기하는 삶'을 산다고 말했지만, 오늘날 이에 대한 더 적합한 설명은 '목적 없는 산만함'이다. 많은 사람들이 회전판이 돌아가는 것처럼 정신 없이 계속 회전하기만 할 뿐 그 어디로도 가지 못한다.

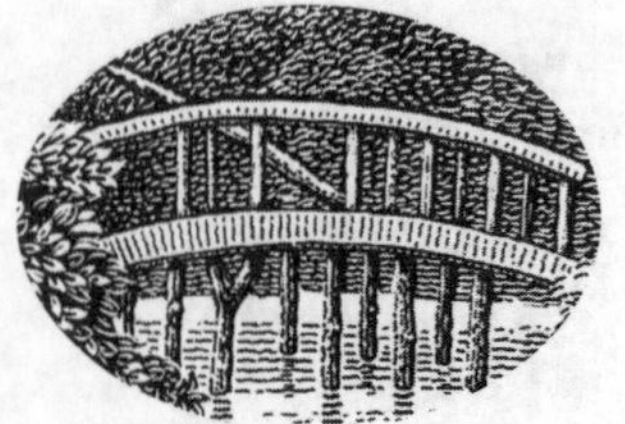

명확한 목적 없이 우리는 계속 방향을 전환하고, 직업, 관계, 교회 그리고 그 외의 외부적인 것들을 끊임없이 바꾼다. 그것이 우리 마음의 혼란스러움을 안정시켜주고 공허감을 채워주기 바란다. 우리는 "이번엔 다를 거야"라고 생각하지만, 그 기대가 초점과 목적의 결여라는 진정한 문제를 해결해주지는 못한다.

성경은 이렇게 말한다. "그러므로 어리석은 자가 되지 말고 오직 주의 뜻이 무엇인가 이해하라"(엡 5:17).

초점을 맞추는 것의 힘은 빛을 통해서 알 수 있다. 넓게 흩어진 빛은 힘이나 영향력이 거의 없다. 하지만 빛의 초점을 맞추면 에너지를 모을 수 있다. 돋보기를 통해서 태양빛을 모아 잔디나 종이를 태울 수 있다. 레이저 광선처럼 빛이 더 강하게 한 초점으로 모아지면 강철도 뚫을 수 있다.

목적이 있고 초점이 맞춰진 삶만큼 강력한 것은 없다. 성령의 능력을 힘입어 하나님의 손에서 받은 목적이 이끄는 삶을 살 때, 하나님의 선한 뜻을 능력 있게 감당할 수 있는 것이다. 역사에서 가장 큰 변화를 만들어낸 사람들은 가장 뚜렷한 목적을 가지고 산 사람들이었다. 예를 들어, 사도 바울은 거의 빈손으로 로마 제국에 기독교를 전파시켰다. 그의 비밀은 초점이 맞춰진 삶이었다. 그는 이렇게 말했다. "나는 나의 모든 에너지를 이 한 가지에 집중시키고 있다. 과거를 잊고 미래를 기대한다"(빌 3:13, NLT).

삶이 영향력을 갖길 원한다면 삶의 초점을 맞추라. 그만 첨벙거리라. 모든 것을 하려는 것을 멈추라. 적게 하라. 유익하다고 생각되는 활동도 잘라내라. 그것이 유익하고 좋은 활동일지라도 가장 중요한 것들만 하라. 활동과 생산성을 혼동하지 말라. 무엇 때문에 목적 없이 바쁘게 살고 있는가? "하나님이 우리를 위해 가지고 계신 모든 것을 원하는 사람들은 그 목표를 계속 바라보자" (빌 3:15, Msg)라고 바울은 말하고 있다.

목적을 알 때 삶의 동기가 유발된다

목적은 열정을 낳는다. 뚜렷한 목적만큼 힘이 되는 것은 없다. 반대로 목적이 없으면 열정은 소실된다. 침대에서 일어나는 것도 엄청난 부담이 될 수 있다. 의미 없는 별것 아닌 일들이 우리를 지치게 하고, 우리의 기운을 빼앗으며, 기쁨을 앗아간다.

조지 버나드 쇼(George Bernard Shaw)는 이렇게 썼다. "이것이 삶의 진정한 기쁨이다. 위대한 목적이라고 여겨지는 것을 위해 사용되어지는 것, 세상이 우리를 행복하게 해주지 않는다고 불평하는 이기적인 아픔과 슬픔의 덩어리보다 자연스러운 힘이 되는 것이다."

목적을 앎으로써 영생을 준비할 수 있다

많은 사람들은 이 땅에서의 영원한 유산을 만드는 데 인생을 보낸다. 그들은 죽은 후에 기억되고 싶어한다. 하지만 궁극적으로 중요한 것은 다른 사람들이 우리의 삶에 대해 어떻게 얘기하느냐가 아니고 하나님이 우리에 대해서 어떻게 생각하시느냐이다. 다른 사람들이 우리가 평생 이룩한 것 이상으로 이룩할 것이고, 기록은 깨어지며, 명성은 사라지고, 공로는 잊혀진다는 사실을 사람들은 깨닫지 못한다. 대학 시절 제임스 돕슨(James Dobson)의 목표는 학교 테니스 챔피언이었다. 그는 열심히 노력했고 자신의 트로피가 학교 트로피 전시장에 놓여졌을 때 너무 자랑스러웠다. 그런데 몇 년 후 어떤 사람이 그 트로피를 우편으로 보내왔는데 학교 재건축 당시 쓰레기통에서 발견한 것이었다. 제임스 돕슨은 말한다. "얼마간 시간이 흐른 뒤에 당신 삶의 모든 트로피는 누군가에 의해서 버려지게 된다."

지구상에 유산을 남기기 위해 사는 것은 근시안적인 목표일 뿐이다. 영원한 유산을 남기는 삶을 사는 것이 시간을 더 유용하게 쓰는 방법이다. 우리는 이 세상에서 기억되기 위해 이 땅에 보내진 것이 아니다. 우리는 영생을 준비하기 위해서 이 땅에 보내졌다.

어느 날 우리는 하나님 앞에 서고, 그분은 우리의 삶에 대해 조사하실 것이다. 영생에 들어가기 전 마지막 시험인 것이다. 성경은 이렇게 말한다. "기억하라. 우리 각자는 하나님의 심판대에 서게 될 것이다 … 그렇다, 우리 각자는 하나님께 자기 삶에 대한 셈을 해야 할 것이다"(롬 14:10, 12, NLT). 그러나 다행히도 하나님은 우리가 이 시험을 통과하기 원하시기 때문에 우리에게 물으실 질문을 미리 가르쳐주셨다. 성경을 통해 하나님이 두 가지 중요한 질문을 하실 것임을 알 수 있다.

첫째, "너는 나의 아들 예수 그리스도와 함께 무엇을 하였느냐?" 그분은 우리의 종교적 배경이나 교리에 대한 생각을 묻지 않으실 것이다. 중요한 것은 예수님이 우리를 위해 하신 일들을 받아들였고, 예수님을 사랑하고 신뢰하는 것을 배웠느냐는 것이다. 예수님은 "내가 곧 길이요 진리요 생명이니 나로 말미암지 않고는 아버지께로 올 자가 없느니라"(요 14:6)고 말씀하셨다.

두번째 질문은 "내가 너에게 준 것들로 너는 무엇을 했느냐?"이다. 너는 삶을 통해 무엇을 했느냐? 내가 준 은사와 재능, 기회, 에너지, 인간 관계 그리고 자원들로 무엇을 했느냐? 스스로를 위해 썼느냐? 아니면 내가 너를 창조한 목적을 위해 사용했느냐?

이 두 질문에 대해 대답할 수 있도록 준비시키는 것이 이 책의 목적이다. 첫번째 질문은 우리가 영생을 어디에서 보낼지를 결정해줄 것이고, 두번째 질문은 우리가 영생에서 무엇을 할지를 결정해줄 것이다. 이 책의 마지막 장을 넘길 때 우리는 두 질문 모두에 대해 대답할 준비가 되어 있을 것이다.

Day 3

내 삶의 목적에 대하여

생각할 점 : 목적을 따라 사는 것은 평화로 가는 길이다.

외울 말씀 : "주께서 심지가 견고한 자를 평강에 평강으로 지키시리니 이는 그가 주를 의뢰함이니이다" (사 26:3).

삶으로 떠나는 질문 : 가족과 친구들은 내 삶의 원동력을 무엇이라고 말하겠는가? 나는 진정 어떤 사람이 되고 싶은가?

영원히 존재하도록 지어졌다

"하나님이 모든 것을 지으시되
때를 따라 아름답게 하셨고
또 사람에게 영원을 사모하는 마음을 주셨느니라"
(전 3:11).

"하나님이 사람과 같은 존재를
하루살이로 만들지는 않으셨을 것이다.
절대로 그럴 리가 없다. 사람은
영원히 존재하도록 지어졌다."
- 아브라함 링컨 (Abraham Lincoln)

현재의 삶이 존재의 전부는 아니다.

이 땅에서의 삶은 실제의 공연을 위한 최종 연습에 불과하다. 우리는 지금 여기에서 보내고 있는 시간보다 훨씬 긴 시간, 즉 영원한 시간을 이 땅을 떠난 뒤에 살게 될 것이다. 지구 위에서 산다는 것은 영원한 삶을 위한 중간 지점, 예비 학교이며, 연습장에서 실제 경기에 임하기 전에 갖는 연습이나 몸풀기 운동을 하는 것과 같다고 말할 수 있다. 지금의 삶은 다음 삶을 위한 준비 과정이다.

우리는 이 땅에서 길어야 100년 정도 살 수 있지만, 그 후에 영원이라는

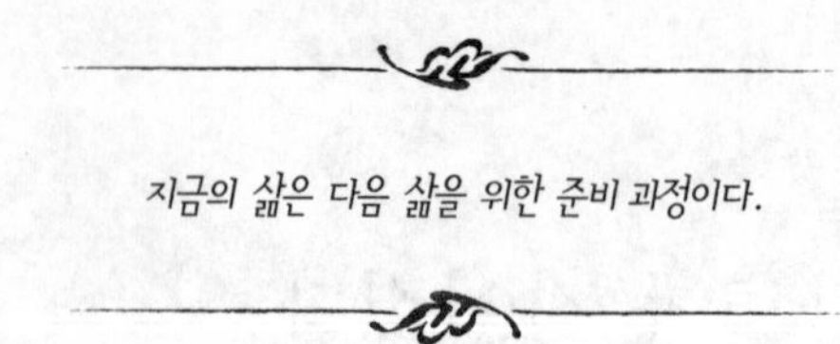

시간 속에서 영원히 살게 된다. 토마스 브라운 경(Sir Thomas Browne)이 말했듯이 지구상에서의 우리의 시간은 "영원이란 시간 사이에 끼여 있는 짧은 기간에 불과하다." 우리는 영원히 존재하도록 지어졌다.

성경은 이렇게 말한다. "하나님이 모든 것을 지으시되 때를 따라 아름답게 하셨고 또 사람에게 영원을 사모하는 마음을 주셨느니라"(전 3:11). 이 말은 우리 안에는 영원한 삶을 바라는 본능이 있다는 것이고, 하나님이 그분의 형상을 따라 영원토록 살도록 우리를 만드셨음을 의미한다. 우리는 모든 사람이 죽는다는 사실을 알고 있음에도 불구하고 죽음을 항상 부자연스럽고 불공평한 것으로 받아들이곤 한다. 우리가 영원히 살고 싶어하는 마음을 갖고 있는 것은 하나님이 우리에게 영원을 사모하는 마음을 심어놓으셨기 때문이다.

어느 날 우리의 심장은 더 이상 뛰지 않을 것이다. 그것으로 우리의 육체는 지구상에서의 시간과 결별을 하지만, 그렇다고 그것이 우리 존재의 마지막을 의미하는 것은 아니다. 성경은 인간의 육체를 '장막' 이라고 부른다. 하지만 미래의 몸은 '집' 이라 부른다.

"만일 땅에 있는 우리의 장막 집이 무너지면 하나님께서 지으신 집 곧 손으로 지은 것이 아니요 하늘에 있는 영원한 집이 우리에게 있는 줄 아나니"(고후 5:1).

이 땅에서의 삶에는 많은 선택 사항들이 있지만 영생이 제시하는 것은 두 가지뿐이다. 천국과 지옥. 우리가 지구상에서 하나님과 어떠한 관계를 맺느냐에 따라 우리가 어디에서 영생을 보낼 것인지가 결정된다. 만일 우리가 하나님의 아들 예수 그리스도를 사랑하고 신뢰하는 법을 배운다면 우리는 영생을 그분과 함께 보내게 될 것이다. 하지만 만일 우리가 예수님의 사랑, 용서 그리고 구원을 거부한다면 우리는 영원히 하나님과 떨어져 살게 될 것이다.

C. S. 루이스(C. S. Lewis)는 말했다. "두 종류의 사람이 있다. 하나님께 '당신의 뜻이 이루어지리라' 고 말하는 사람과 '그럼 당신 마음대로 하세요' 라고 말하는 사람이다." 슬프게도 많은 사람들은 이 땅에서 하나님 없이 살기로 선택했기 때문에, 하나님 없이 영생을 살아야 할 것이다.

우리가 지금 이곳에서 사는 것이 존재의 끝이 아니고 그 후의 영원이라는 것이 있으며, 지금의 삶이 영생을 위한 준비 과정이란 것을 깨닫는다면 우리는 지금과는 다르게 살기 시작할 것이다. 이러한 것을 깨달았을 때 우리는 영원의 빛 가운데서 살 것이고, 그것은 우리가 관여하고 있는 모든 관계, 우리에게 맡겨진 임무 그리고 처해 있는 모든 상황에 대처하는 모습을 올바르게 선택하게 될 것이다. 이런 깨달음을 갖게 되면 지금 하고 있는 많은 활동과 멋지고 대단했던 목표 그리고 중요하게 여기던 많은 문제들이 한순간에 의미 없고, 사소하며, 가치 없는 것으로 여겨질 것이다. 우리가 하나님과 가까워지면 가까워질수록, 그 외의 다른 모든 것은 더 작아보일 것이다.

영원의 빛 가운데 살면 우리의 가치관이 변한다. 시간과 돈을 더 현명하게 쓰게 되고, 명예나 부, 또는 일의 성취감이나 쾌락보다 인간 관계와 인격에 더 많은 비중을 두게 된다. 또한 유행을 따르고 대중적인 가치관을 받아들이는 것이 별 의미 없는 하찮은 일이라는 것을 깨닫게 된다. "나는 한때 이 모든 것이 매우 중요하다고 생각했다. 하지만 이제 그리스도가 우리에게 해주신 것 때문에 그것들을 아무 쓸모 없는 것으로 여기게 되었다"(빌 3:7, NLT)라는 바울의 고백처럼 우리는 삶의 우선순위를 분명히 알게 될 것이다.

현재 이 땅에서의 삶이 우리 삶의 전부라면 나는 이제부터 인생을 즐기라고 제안할 것이다. 착하고 도덕적으로 살아야 하고, 자신의 행동에 반드시 책임감을 가지는 의식 따위는 생각할 필요도 없을 것이다. 그리고 그것이 가져올 결과에 대해서도 걱정할 필요가 없다. 우리의 행동들에는 장기적으로 아무런 영향력도 없기 때문에 완벽히 자기 중심적인 삶을 누려도 된다는 말이다. 하지만 죽음이 우리 존재의 끝이 아니라는 사실은 엄청난 차이를 만든다. 죽음은 우리의 끝이 아니고 영생으로의 전환이기 때문에 우리가 이 땅에서 하는 모든 행위에는 영원한 결과가 따른다. 우리 삶에서 이루어진 모든 행동이 영생에서도 계속 영향을 미친다는 말이다.

현재의 삶에서 가장 파괴적인 면은 근시안적인 사고다. 그렇기 때문에 우리의 삶을 하나님과 함께하는 영생에 이르도록 최대한 활용하기 위해서 우리는 머리 속에 계속적으로 영생에 대한 그림을 그려야 하고, 그 소중함과 가치를 마음에 새겨야 한다. 오늘의 삶은 물 위에 떠 있는 빙산의 일각에 불과하고, 영생을 사는 그곳은 지금 우리 눈에 보이지 않는, 그러나 분명히 존재하는 바다 속에 잠겨 있는 빙산의 덩어리같다고 할 수 있다.

하나님과 영원히 함께하는 것은 어떨까? 솔직히, 우리 머리로는 천국의 위대함과 불가사의함을 이해할 수 없다. 개미에게 인터넷 사용법을 아무리 설명해도 개미가 이해할 수 없는 것과 마찬가지다. 개미가 우리의 말과 인터넷의 작동 원리를 도저히 이해할 수 없는 것처럼 영원토록 산다는 것을 인간의 언어로서는 도저히 설명할 수 없다. 그렇기 때문에 성경에는 이렇게 쓰여져 있다. "기록된바 하나님이 자기를 사랑하는 자들을 위하여 예비하신 모든 것은 눈으로 보지 못하고 귀로도 듣지 못하고 사람의 마음으로도 생각지 못하였다 함과 같으니라" (고전 2:9).

그래도 하나님은 우리에게 그분의 말씀을 통해서 영원의 모습을 아주 조금이나마 보여주신다. 그리고 지금 우리는 하나님이 우리를 위해 영원한 집을 예비해놓으신 것을 안다. 더 이상 고통과 아픔이 없는 천국에서 우리는 사랑하는 믿음의 형제 자매와 재회하고 우리가 좋아하는 일들을 하게 될 것이다. 구름 위에서 가야금이나 타며 신선놀음하는 것이 아니라 영원히 깨어지지 않는 하나님과의 끝없는 사랑의 관계를 맺고 살게 될 것이다. 그리고 언젠가 예수님은 "내 아버지께 복 받을 자들이여 나아와 창세로부터 너희를 위하여 예비된 나라를 상속하라"(마 25:34)고 말씀하실 것이다.

C. S. 루이스는 「나니아 연대기(The Chronicles of Narnia, 전7권으로 구성된 아동용 도서, 역주)」의 마지막 장에서 영생의 개념을 제시했다. "우리 모두에게 이것이 이야기의 끝이다. 하지만 그들에게 그것은 진정한 이야기의 시작일 뿐이었다. 이 땅에서 그들의 삶은 모두 표지와 제목에 불과했다. 이제 드디어 그들은 위대한 이야기의 제 1장을 시작한다. 이 땅에서는 그 이야기를 읽은 자가 아무도 없다. 이 이야기는 계속될 것이고 새로 쓰여지는 장이 그 전 장보다 항상 나을 것이다."[1]

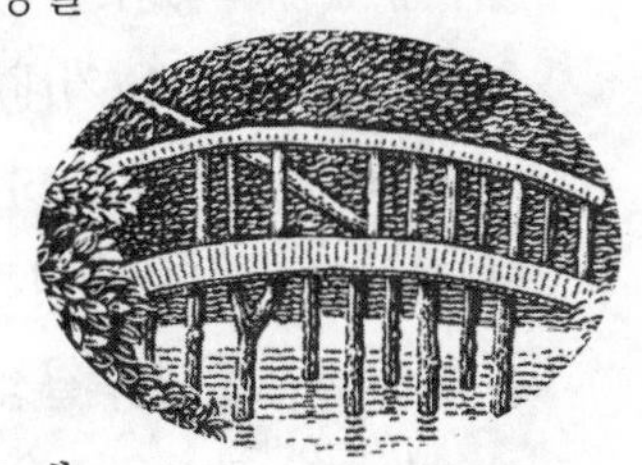

하나님은 이 땅에서 우리의 삶에 목적을 가지고 계시지만 그것이 이곳에서 끝나는 것은 아니다. 우리를 향한 그분의 계획은 우리가 이 지구라는 행성에서 보낼 몇십 년보다 훨씬 많고, 우리에게 평생토록 매일 기회가 주어진다 할지라도 하나님은 그 이상의 많은 기회를 우리에게 주신다. 성경은 이렇게 말한다. "여호와의 계획은 언제까지나 한결 같고, 그분의 뜻은 영원히 변하지 않을 것입니다"(시 33:11, 쉬운성경).

사람들이 영생에 대해 생각하는 유일한 시간은 장례식이라고 할 수 있지만, 이것조차도 대부분이 무지에 바탕을 둔 얄팍하고 감상적인 생각들이다. 우리는 죽음이 그저 무섭고 두렵기만 할 뿐이고, 가급적 죽음에 대해서는 생각하지 않으려 한다. 하지만 죽음을 부인하거나 피할 수 없다는 것을 염두에 두지 않고 사는 것은 건강하지 못한 삶의 모습이다(전 7:2, CEV). 왜냐하면 결국 언젠가 일어날 사실에 대해 준비하지 않고 살아가는 것은 가장 어리석은 자의 삶이기 때문이다. 그렇기 때문에 우리는 영생에 대해서 더 많이 생각해야 한다.

우리가 어머니의 자궁에서 보낸 9개월의 시간이 그 자체로 끝이 아닌 또 다른 삶을 위한 준비였듯이, 현재의 삶은 다음 삶을 위한 준비 과정이다. 만일 우리가 예수님을 통해 하나님과 관계를 맺고 있다면, 우리는 죽음을 두려워할 이유가 없다. 바로 그것이 영생으로 들어가는 문이다. 이 땅에서 보내는 마지막 순간이 되겠지만, 그것이 우리 존재의 마지막 시간은 아닐 것이다. 삶의 끝이 아닌 영원한 삶을 새롭게 시작하는 날이 될 것이다. 성경은 이렇게 말하고 있다. "이 세상은 우리의 집이 아니다. 우리는 하늘에 있는 우리의 영원한 집을 기대하고 있다" (히 13:14, LB).

영원에 비교하면 이 땅에서 우리에게 주어진 시간은 눈 깜짝할 순간이라고 할 수 있지만 그에 따른 결과들은 영원히 남을 것이다. 이 땅에서의 행동은 다음 삶의 운명을 결정한다. 우리는 "우리가 육체를 입고 지내는 매 순간이 하늘에서 예수님과 함께 영원한 집에서 사는 것으로부터 떨어져 있는 시간임을 깨달아야 한다" (고후 5:6, LB). '남은 인생의 첫날(The first day of the rest of your life)' 이라는 슬로건이 몇 년 전 많은 사람들 사이에서 유행한 적이 있다. 하지만 매일을 인생의 마지막 날처럼 여기고 사는 것이 더 지혜로운 삶의 모습이다. "우리의 마지막 날을 준비하는 것이 매일의 일이 되어야 한다" 고 쓴 매튜 헨리(Matthew Henry)의 말을 기억하자.

Day 4

내 삶의 목적에 대하여

생각할 점 : 지금 이 순간의 삶 그 이상의 것이 있다.

외울 말씀 : "이 세상도, 그 정욕도 지나가되 오직 하나님의 뜻을 행하는 이는 영원히 거하느니라" (요일 2:17).

삶으로 떠나는 질문 : 나는 영원을 위해 지어졌다. 그렇다면 이제 그만 두어야 할 일은 무엇이고 오늘부터 새롭게 시작해야 할 일은 무엇인가?

하나님의 관점에서 바라보기

"너희 생명이 무엇이뇨"
(약 4:14).

우리는 사물을 있는 그대로가 아닌
우리의 생각대로 바라본다.
- 아나이스 닌 (Anais Nin)

삶에 대한 우리의 관점이 우리의 삶을 만든다.

삶을 어떻게 정의하느냐에 따라 우리의 운명이 결정된다. 우리의 관점은 우리가 시간을 어떻게 투자하고, 돈을 어떻게 사용하며, 재능을 어떻게 활용하고, 관계에 얼만큼의 가치를 두는지에 영향을 미친다.

다른 사람을 이해하는 가장 좋은 방법은 "당신의 삶을 어떻게 바라보십니까?" 라고 묻는 것이다. 우리는 질문을 받은 사람의 수만큼이나 다양한 대답이 나오는 것을 보게 될 것이다. 나는 "서커스다, 지뢰밭이다, 청룡 열차다, 퍼즐이다, 심포니다, 여행이다, 춤이다" 그리고 그 외 여러 가지로 말하는 것을 들었다. 또 어떤 사람들은 "삶은 회전목마다. 올라가기도 하고 내려가기도 하고 계속 돌기만도 한다." "삶은 10단 기어가 있지만 한 번도 그 기어를 바꾸지 않는 자전거와 같다." "삶은 카드 게임이다. 우리가 가진 카드로만 게임을 해야 한다."

만일 내가 당신에게 "당신은 당신의 삶을 그림으로 그린다면 어떻게 표현하겠습니까?"라고 묻는다면, 당신에게는 제일 먼저 어떤 이미지가 떠오르는가? 떠오르는 그 이미지가 바로 의식적으로든 무의식적으로든 당신이 머리 속에 가지고 있는 삶에 대한 모습이다. 지금 삶이 어떻게 진행되고 있으며, 당신이 삶을 통해 무엇을 기대하고 있는지를 보여주는 자화상이다. 사람들은 옷, 장신구, 자동차, 머리 스타일, 자동차 범퍼에 붙이는 스티커 그리고 문신 등을 통해 자신이 가지고 있는 삶에 대한 모습을 표현한다.

밖으로 드러내어 말하지 않아도 당신이 내면에 가지고 있는 삶에 대한 모습은 당신의 삶에 생각보다 많은 영향력을 행사하여 당신이 기대하고 있는 것, 가치관, 인간 관계, 목표 그리고 우선순위를 결정하게 한다. 예를 들어, 만일 당신이 삶이 파티라고 생각한다면 당신의 최우선 가치관은 분명 쾌락을 추구하는 것이 될 것이고, 만일 당신이 삶을 경주로 본다면 속도를 중요하게 생각할 것이며, 결과적으로 시간에 쫓겨서 살게 될 것이다. 만일 당신이 삶을 마라톤이라고 본다면 당신은 인내에 높은 가치를 둘 것이고, 삶을 전쟁이나 게임이라 생각한다면 승리가 당신에게 가장 중요한 것이 될 것이다.

당신은 삶을 어떻게 생각하는가? 어쩌면 잘못된 모습을 바탕으로 삶을 이루어가고 있을지 모른다. 하나님이 당신을 만든 목적에 부합하기 위해서 당신은 틀에 박힌 사고를 버리고, 성경에 근거한 삶의 모습을 알아야 한다. 성경은 이렇게 말한다. "너희는 이 세대를 본받지 말고 오직 마음을 새롭게 함으로 변화를 받아 하나님의 선하시고 기뻐하시고 온전하신 뜻이 무엇인지 분별하도록 하라"(롬 12:2).

성경은 하나님이 가지고 계신 삶에 대한 모습을 세 가지 비유를 통해서 보여주고 있다. 삶은 시험이고, 위탁받은 것이며, 임시로 맡겨진 임무다. 이 세 가지 목적을 지향하는 것이 삶의 기초다. 우선 처음 두 가지를 이번 장에서 살펴보고, 나머지 한 가지를 다음 장에서 살펴보기로 하자.

이 땅에서의 삶은 시험이다

삶에 대한 비유는 성경의 많은 이야기들을 통해 볼 수 있다. 하나님은 사람들의 인격, 믿음, 복종, 사랑, 투명성 그리고 충성에 대하여 끊임없이 시험하신다. 시험, 유혹, 연단, 테스트와 같은 단어들이 성경을 통틀어 200번 이상 등장한다. 예를 들어 하나님은 아브라함에게 아들을 바치라고 말씀하시며 그를 시험하셨고, 야곱이 아내를 얻기 위해 몇 년을 더 일해야 했을 때 야곱을 시험하셨다.

아담과 하와는 유혹을 이기는 시험을 통과하지 못했고, 다윗도 여러 시험에 실패했다. 하지만 성경은 요셉, 룻, 에스더, 다니엘과 같이 시험을 통과한 이들의 예도 많이 제시하고 있다.

인격은 시험에 의해서 개발되고 다듬어진다. 삶의 모든 영역이 시험이고 우리는 항상 시험을 받고 있는 것이다. 하나님은 사람, 문제, 성공, 갈등, 불의, 병 그리고 심지어 날씨에까지 반응하는 우리를 항상 지켜보고 계신다. 그뿐만 아니라 우리가 다른 사람을 위해 문을 열어주거나, 쓰레기를 줍거나, 상점 직원이나 식당 직원에게 친절하게 대할 때와 같이 아주 사소한 행동도 지켜보고 계신다.

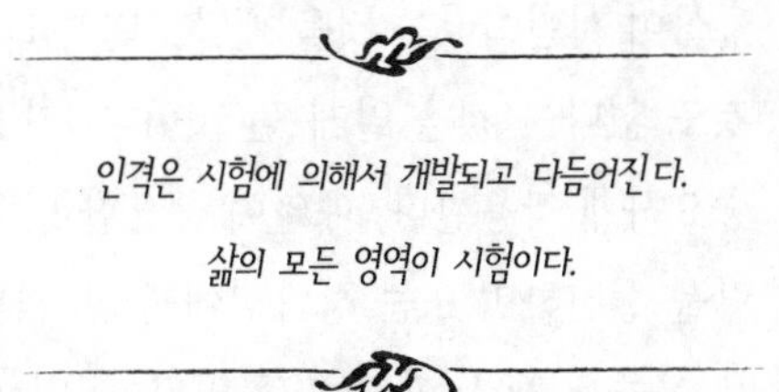

하나님이 우리에게 주실 시험을 우리가 모두 안다고는 말할 수 없지만, 성경에서 발견할 수 있는 사실을 바탕으로 몇 가지를 예측해볼 수는 있다. 우리는 삶 속에서 일어나고 있는 중대한 변화, 미루어진 약속, 해결이 불가능해 보이는 문제, 응답받지 못한 기도, 이유 없이 받는 비난 그리고 이해할 수

없는 비극적인 사건들을 통해서 시험을 받을 것이다. 나 자신도 하나님이 문제와 연관시켜서 나의 믿음의 분량을, 가지고 있는 소유물을 사용하는 방법을 통해서 희망의 척도를, 그리고 사람과의 관계를 통해서 사랑의 모습을 시험하신다는 것을 알았다.

아주 중요한 시험 가운데 하나는 우리의 삶에서 하나님의 임재를 느끼지 못할 때 우리가 어떻게 반응하느냐는 것이다. 성경은 이렇게 말한다. "하나님이 히스기야를 떠나시고 그 심중에 있는 것을 다 알고자 하사 시험하셨더라"(대하 32:31). 히스기야는 평소 하나님과 깊은 교제를 해왔지만 하나님은 그의 인생 중 가장 중요한 시기에 그를 홀로 두셨고, 그 기간 동안 그의 인격을 시험하시고 약점이 무엇인지 나타내심으로 더 많은 책임들을 감당할 수 있도록 그를 단련시키셨다.

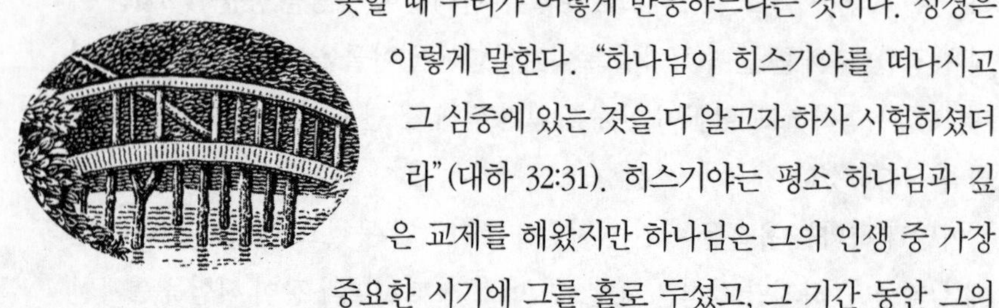

삶이 시험이라는 것을 깨달으면 우리는 삶에서 중요하지 않은 것은 아무것도 없다는 것을 알게 될 것이다. 가장 작은 사건도 우리의 인격에 매우 중요하게 작용한다. 매일이 중요한 날이고, 매 순간이 인격을 개발하고 사랑을 실천하며 또는 하나님에게 의지할 수 있는 성장의 기회다. 어떤 시험은 아주 크게 느껴질 수도 있고, 어떤 시험은 있는지도 알지 못할 만큼 작을 수도 있다. 하지만 이 모든 시험들이 우리에게 끼치는 영향력은 영원한 것이다.

복된 소식은 하나님이 삶의 모든 시험을 우리가 통과하길 원하시고, 우리가 직면하는 시험이 그것을 감당할 수 있도록 하나님이 허락하신 은혜 이상이 되도록 허락하지 않으신다는 것이다. 성경은 이렇게 말하고 있다. "사람이 감당할 시험 밖에는 너희에게 당한 것이 없나니 오직 하나님은 미쁘사 너희가 감당치 못할 시험 당함을 허락지 아니하시고 시험 당할 즈음에 또한 피할 길을 내사 너희로 능히 감당하게 하시느니라"(고전 10:13).

우리가 시험을 통과할 때마다 하나님은 이것을 아시고 우리에게 영생에서 줄 상을 계획하신다. 야고보는 이렇게 말한다. "시험을 참는 자는 복이 있도다 이것에 옳다 인정하심을 받은 후에 주께서 자기를 사랑하는 자들에게 약속하신 생명의 면류관을 얻을 것임이니라"(약 1:12).

이 땅에서의 삶은 위탁받은 것이다

이것이 성경이 가르쳐주는 두번째 삶에 대한 비유다. 이 땅에서의 시간, 우리의 에너지, 지적인 능력, 기회, 관계 그리고 자원은 하나님이 우리에게 돌보고 관리하도록 잠시 맡기신 선물이다. 우리는 하나님이 우리에게 주신 것들의 청지기다. 이 청지기의 개념은 이 땅 모든 것의 주인이 하나님이라는 의식에서 비롯된 것이다. 성경은 이렇게 말한다. "땅과 거기 충만한 것과 세계와 그 중에 거하는 자가 다 여호와의 것이로다"(시 24:1).

엄밀한 면에서 보면 이 땅에서 우리가 잠시 머무는 동안 우리는 아무것도 소유하지 않는 것이고, 우리가 여기에 있는 동안 하나님이 우리에게 이 지구를 잠시 빌려주신 것이다. 우리가 소유한 모든 것이 우리가 태어나기 전에는 하나님의 재산이었고, 우리가 죽고 나면 하나님은 그것을 다른 사람에게 빌려주실 것이다. 즉 우리는 땅에서 사는 동안 우리가 소유한 것을 잠시 동안 즐기고 사용할 뿐이다.

아담과 하와를 창조하신 하나님은 그들에게 피조물들의 관리를 맡기셨고, 하나님의 재산을 맡은 청지기로 임명하셨다. 성경은 이렇게 말한다. "하나님이 그들에게 복을 주시며 그들에게 이르시되 생육하고 번성하여 땅에 충만하라, 땅을 정복하라, 바다의 고기와 공중의 새와 땅에 움직이는 모든 생물을 다스리라 하시니라"(창 1:28).

하나님이 사람에게 제일 처음으로 맡기신 일은 이 땅 위의 하나님의 소유물들을 돌보고 관리하는 것이다. 이 역할은 한 번도 바뀐 적이 없고, 오늘날에도 이것이야말로 우리가 살고 있는 목적 가운데 하나인 것이다. 우리가 누리는 모든 것은 하나님이 주신 위탁물답게 다루어야 한다. 성경은 이렇게 말한다. "당신이 가진 것 중 하나님이 주시지 않은 것이 있는가? 그런데 당신이 가진 것이 모두 하나님에게서 온 것이라면, 스스로 이루지 않은 것들에 대해 왜 자랑을 하는가?" (고전 4:7, NLT).

몇 년 전 한 부부가 나와 내 아내에게 하와이 해변에 있는 아름다운 별장을 휴가 기간 동안 쓰도록 빌려주었다. 우리의 주머니 사정으로는 기대할 수 없는 아주 즐거운 경험이었다. "당신 집처럼 사용하세요"라고 말해줘서 정말로 내 집처럼 수영장에서 수영을 하고, 냉장고에서 음식을 꺼내 먹으며, 수건과 접시를 사용하고, 재미있게 침대에서 뛰어보기도 했다. 하지만 그 기간 내내 우리는 그것이 정말 우리 것이 아니고 모든 것을 폐가 되지 않도록 잘 관리해야 한다는 것을 알고 있었다. 다른 말로 우리는 그것을 소유하지 않았지만 그 모든 것을 사용하며 즐겼던 것이다.

일상적으로 우리는 "소유하지 않으면 돌보지도 않을 것이다"라고 말하지만, 크리스천은 "하나님이 소유하고 계시기 때문에 나는 최선을 다해 그것들을 돌보아야 한다"라는 더 높은 기준을 두고 살아야 하는 것이다. "청지기는 신뢰할 만해야 하고, 스스로 그렇다는 것을 보여줄 수 있어야 한다" (고전 4:2, AMP). 예수님은 삶이 하나님께 위탁받은 것이라고 말씀하셨고, 청지기로서 하나님께 우리가 어떤 책임을 가지고 있는가에 대한 이야기들을 하셨다. 예를 들어 달란트 이야기에서(마 25:14-29), 한 사업가는 그가 없는 동안 재산을 하인들에게 맡긴다. 그리고 돌아왔을 때, 그는 각 하인들의 책임을 평가하고 그에 따라 상을 주며 말한다. "그 주인이 이르되 잘 하였도다 착하고 충성된 종아 네가 작은 일에 충성하였으매 내가 많은 것으로 네게 맡기리니 네 주인의 즐거움에 참예할지어다 하고" (마 25:21).

이 땅에서의 삶이 끝나면 우리는 하나님께서 맡기신 것들을 얼마나 잘 다루었는지 평가받을 것이고, 그에 따라 상급을 받을 것이다. 그것은 우리가 하는 모든 것, 아주 작은 집안일까지도 영원히 영향이 미칠 것임을 의미한다. 우리가 모든 것을 충성스러운 수탁자로서 잘 돌보면 하나님은 영원한 세계에서 세 가지 상을 내리실 것이다. 첫째, 하나님의 칭찬을 받을 것이다. 하나님은 "아주 잘 했다!"라고 말씀하실 것이다. 둘째로, 우리는 승진하게 될 것이고 영원한 세계에서 보다 많은 책임을 맡게 될 것이다. "내가 많은 것으로 네게 맡기겠다." 그리고 마지막으로 하나님과 기쁨의 자리에 함께하게 될 것이다. "와서 네 주인의 즐거움을 같이 나누자."

대부분의 사람들은 돈이 한편으로 시험인 동시에 하나님이 맡기신 것이라는 사실을 깨닫지 못한다. 하나님은 우리에게 돈을 통해 하나님을 신뢰하는 법을 가르치고 계시지만, 많은 사람들에게 돈은 가장 큰 시험거리가 된다. 하나님은 우리가 얼마나 신뢰할 만한지를 시험하시기 위해 우리가 돈을 쓰는 방법을 지켜보신다. 성경은 이렇게 말한다. "만일 네가 세상의 부를 관리하는 일에서조차 믿음을 얻지 못한다면, 하늘의 진정한 부를 누가 너에게 맡기겠느냐"(눅 16:11, NLT).

이것은 매우 중요한 사실이다. 하나님은 내가 돈을 어떻게 쓰는지와 나의 영적인 삶의 질과는 직접적인 상관 관계가 있다고 말씀하신다. 내가 돈(세상의 부)을 어떻게 관리하는지에 따라 하나님은 우리에게 영적인 복(진정한 부)의 관리를 맡기실 수 있는지를 결정하신다. 당신에게 묻고 싶다. 당신이 돈을 관리하는 방법이 하나님이 당신의 삶을 통해 더 많은 일들을 하시려는 것을 막고 있는가? 하나님이 당신에게 영적인 부를 맡기실 만한가?

하나님이 우리에게 더 많은 것을 주실수록
그분은 우리에게 더 많은 책임을 요구하신다

"무릇 많이 받은 자에게는 많이 찾을 것이요 많이 맡은 자에게는 많이 달라 할 것이니라"(눅 12:48). 삶은 시험이고 위탁받은 것이다. 그리고 하나님이 우리에게 더 많은 것을 주실수록 그분은 우리에게 더 많은 책임을 요구하신다.

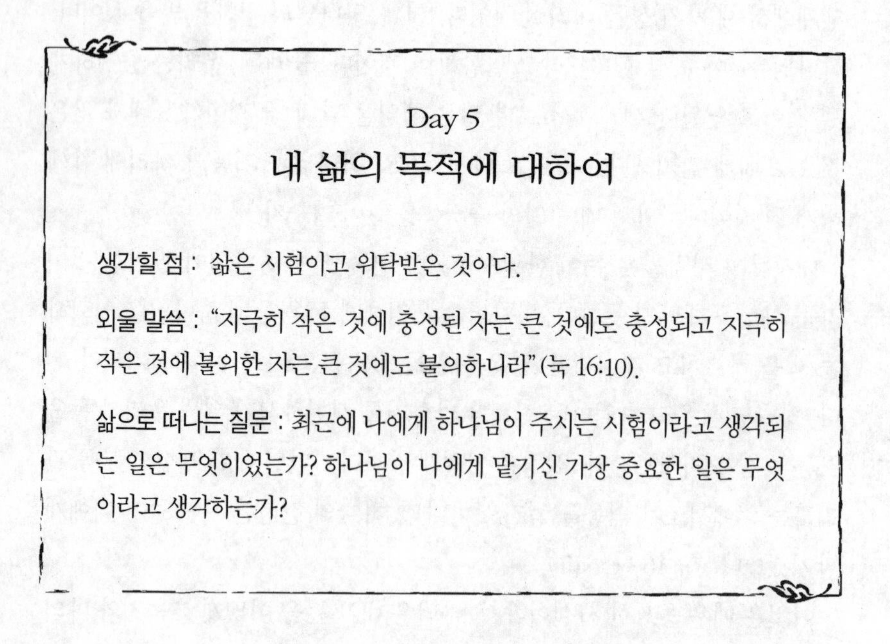

Day 5

내 삶의 목적에 대하여

생각할 점 : 삶은 시험이고 위탁받은 것이다.

외울 말씀 : "지극히 작은 것에 충성된 자는 큰 것에도 충성되고 지극히 작은 것에 불의한 자는 큰 것에도 불의하니라"(눅 16:10).

삶으로 떠나는 질문 : 최근에 나에게 하나님이 주시는 시험이라고 생각되는 일은 무엇이었는가? 하나님이 나에게 맡기신 가장 중요한 일은 무엇이라고 생각하는가?

6

삶은 일시적인 것이다

"주님, 내가 이 땅에서 보내는 시간이
얼마나 짧은지 상기시켜주십시오.
내가 지낼 날들이 정해져 있고
그 날들도 내 곁에서 빨리 사라지고 있음을
계속 생각하게 해주십시오"
(시 39:4, NLT).

"나는 이 땅에 잠시 동안만 있습니다"
(시 119:19, TEV).

지구상에서의 삶은 일시적인 것이다.

성경에는 안개, 빠르게 달리는 사람, 한 번 내쉬는 숨 그리고 한 줄기 연기 등 이 땅에서의 삶이 짧고, 일시적이며, 순간적이라는 것을 가르쳐주기 위한 많은 비유가 있다. 성경은 이렇게 말한다. "분명코 어제 태어난 것 같은 느낌 … 이 땅에서의 우리의 삶은 그림자만큼이나 순간적이다" (욥 8:9, NLT).

삶을 최대한 활용하기 위해서 우리는 두 가지 사실을 절대 잊어서는 안 된다. 첫째는 영생에 비해 이 땅에서의 삶은 지극히 짧다는 것이며, 둘째는 지구라는 곳은 우리가 임시로 거주하는 장소라는 것이다. 따라서 여기에 그리 오래 머무를 것이 아니기에 지나친 애착을 갖지 말고, 우리도 하나님처럼 이 세상에서의 삶을 바라볼 수 있게 해달라고 기도하라. 다윗은 "주여, 내가 이 땅에서 보낼 시간이 얼마나 짧은지 기억하게 해주십시오. 나는 아주 잠시 동안 이곳에 있는 것임을 알게 해주십시오" (시 39:4, LB)라고 기도했다.

성경은 반복해서 이 세상에서의 삶을 외국에서 잠시 사는 것과 비슷하다고 말하고 있다. 이곳은 우리의 영원한 집 또는 최종 목적지가 아니고, 잠시 지구를 지나가며 방문하고 있는 것이다. 성경은 '순례자, 외국인, 방문객, 손님, 여행자' 등의 어휘를 사용해서 세상에서의 짧은 시간을 표현하고 있는데, 예를 들어 다윗은 "나는 땅에서 객이 되었사오니" (시 119:19)라고 말했고, 베드로는 "외모로 보시지 않고 각 사람의 행위대로 판단하시는 자를 너희가 아버지라 부른즉 너희의 나그네로 있을 때를 두려움으로 지내라" (벧전 1:17)고 말했다.

내가 현재 살고 있는 캘리포니아는 많은 사람들이 일을 하기 위해 이곳으로 이주를 한다. 하지만 그들은 모국의 시민권을 계속 유지하면서 이곳 시민이 아니지만 일을 해도 좋다고 허락하는 방문자 등록 카드(그린 카드)를 소지하고 다닌다. 마찬가지로 크리스천들은 자신들이 하늘의 시민임을 상기시켜주는 영적 등록 카드(그린 카드)를 가지고 다녀야 한다. 하나님은 그의 자녀들이 삶에 대해 생각하는 바가 믿지 않는 사람들과는 달라야 한다고 말씀하신다. "그들은(불신자) 항상 이 땅의 것만을 생각하고 살고 있지만 우리는(신자) 주 예수 그리스도가 사시는 하늘의 시민임을 기억한다" (빌 3:19-20 , NLT).

우리의 정체성은 영생에 있고 우리의 모국은 천국이다. 이 사실을 깨닫게 될 때 우리는 이 세상의 '모든 것에 대한 소유와 집착' 을 버릴 수 있다. 하나님은 지금 이곳을 위해 사는 것, 즉 세상이 기준이 되고, 세상의 일이 우선순위인 삶의 방식이 얼마나 위험한지에 대해 매우 단호하게 말씀하신다. 하나님은 세상의 가치관과 유혹에 빠지는 것을 영적인 간음이라고 부르신다.

"간음하는 여자들이여 세상과 벗된 것이 하나님의 원수임을 알지 못하느뇨 그런즉 누구든지 세상과 벗이 되고자 하는 자는 스스로 하나님과 원수되게 하는 것이니라"(약 4:4).

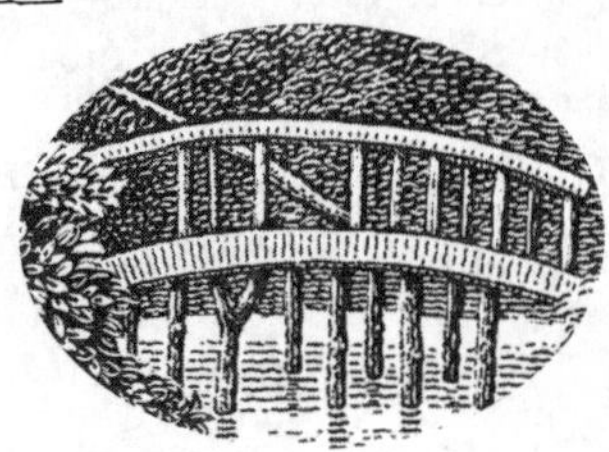

우리가 적국의 대사로 임명을 받았다고 상상해보라. 예의를 갖추기 위해서 그리고 임무를 수행하기 위해서 우리는 새로운 언어를 배우고, 새로운 관습과 문화에 적응해야 한다. 우리는 대사이기 때문에 적국의 영토 밖에서 살 수 없고, 임무를 수행하기 위해서 그들과 접촉을 하고 관계를 맺어야 한다.

하지만 우리가 그 나라가 편하게 느껴지고, 그 나라와 사랑에 빠지며, 모국보다 우선시하게 된다고 가정해보자. 우리의 충성심과 헌신의 대상이 변할 것이며, 대사로서의 역할까지 위태로워지고, 모국을 대표하기보다 적들과 같이 행동하게 될 것이기 때문에 우리는 배신자가 될 것이다.

성경은 이렇게 말한다. "우리가 그리스도를 대신하여 사신이 되어"(고후 5:20). 그런데 슬픈 사실은 많은 크리스천들이 그들의 왕과 왕국을 배신했다는 것이다. 어리석게도 그들은 현재 살고 있는 지금의 세상이 그들의 집이라고 착각을 하고 있다. 하지만 이 땅은 우리의 집이 아니다. 성경은 이에 대해 명확하게 밝힌다. "사랑하는 자들아 나그네와 행인 같은 너희를 권하노니 영혼을 거스려 싸우는 육체의 정욕을 제어하라"(벧전 2:11). 하나님은 우리 주위의 것들이 일시적인 것이기 때문에 그것에 너무 마음을 주지 말라고 경고하신다. "세상 물건을 쓰는 사람은 그것들에 마음이 빼앗기지 않은 사람처럼 사십시오. 그것은 이 세상의 현재 모습이 지나가고 있기 때문입니다"(고전 7:31, 쉬운성경).

세상은 지난 세기와 비교해볼 때 분명 살기 편해졌고, 고개만 돌리면 곳곳에 즐기고 향유할 수 있는 일들이 우리를 향해 손짓하고 있다. 이러한 세상의 말초적인 즐거움들은 우리로 하여금 인생의 진정한 목표를 망각하게 만든다. 삶이 시험이고, 위탁받은 것이며, 잠시 맡겨진 임무라는 사실을 기억할 때만 세상의 즐거움이 더 이상 우리의 삶을 움켜쥐지 못할 것이다. 우리는 더 나은 것을 위해 준비하고 있다. "우리가 지금 이곳에서 보는 것들은 내일이면 사라진다. 하지만 우리가 지금 보지 못하는 것들은 영원할 것이다" (고후 4:18, Msg).

이 땅이 우리의 궁극적인 집이 아니라는 사실은 우리가 이 세상에서 예수님의 제자로서 왜 어려움과 슬픔 그리고 거절을 경험하게 되는지, 그 이유를 설명해준다(요 16:33, 16:20, 15:18-19). 또한 왜 때로는 하나님의 약속이 이루어지지 않는지, 왜 기도에 응답받지 못하는지, 왜 어떤 상황들은 불공평해 보이는지에 대한 이유가 되기도 된다. 이 세상이 삶의 끝이 아니기 때문이다.

우리가 세상을 너무 사랑하지 않게 하시려고 하나님은 삶에서 상당한 정도의 불만 요소를 갖게 하신다. 이 세상에서 채워질 수 없는 갈망을 느끼게 하신다. 우리가 이곳에서 완벽하게 행복하지 않은 것은 그래서는 안 되기 때문이다. 이곳은 우리의 영원한 가정이 아니다. 우리는 훨씬 나은 것을 위해 창조되었다.

이곳은 우리의 영원한 가정이 아니다.
우리는 훨씬 나은 것을 위해 창조되었다.

물고기는 물에서 살도록 만들어졌기 때문에 땅에서는 행복하지 않을 것이다. 독수리가 날지 못한다면 삶에 만족할 수 없을 것이다. 마찬가지로 우리가 이 세상에서 완벽하게 만족하지 못하는 것은 더 많은 것을 위해 우리가 지어졌기 때문이다. 물론 이 땅에서도 행복한 순간들이 있겠지만, 하나님이 우리를 위해 계획해놓으신 것들에 비하면 아무것도 아니다.

이 세상에서의 삶이 일시적인 것이라는 깨달음은 우리의 가치관을 근본적으로 바꿔놓을 것이다. 또한 우리의 삶에서 무언가 결정을 내려야 할 때 일시적인 것이 아닌 영원한 가치가 근본적인 기준이 될 것이다. C. S. 루이스는 "영원하지 않은 것은 영원히 무용지물이다"라고 했다. 성경은 말한다. "우리의 돌아보는 것은 보이는 것이 아니요 보이지 않는 것이니 보이는 것은 잠간이요 보이지 않는 것은 영원함이니라"(고후 4:18).

하나님이 우리의 삶을 위해 갖고 계신 목표가 세상이 정의하고 있는 물질적인 풍요나 통속적인 성공이라고 생각한다면 우리는 치명적인 실수를 범하고 있는 것이다. 진정한 풍요로운 삶은 물질적인 풍요와는 전혀 상관이 없다. 하나님과 충실한 관계를 맺고 있다 해서 그것이 우리의 직업이나 사역의 성공을 약속하는 보증 수표를 의미하는 것도 아니다. 이 세상에서의 일시적인 성공에 초점을 맞춰서는 안 된다(벧전 2:11, GWT).

바울은 신실했지만 결국 감옥에 갇혔다. 세례 요한은 신실했지만 처형당했다. 수백만 명의 신실한 사람들이 순교를 했고, 모든 것을 잃었으며, 아무것도 내세울 것 없이 삶을 마감했다. 그렇지만 이곳에서의 삶의 끝은 끝이 아니다.

하나님의 관점에서 가장 위대한 믿음의 영웅은 번영, 성공 그리고 이 세상의 권력을 잡은 사람들이 아니다. 이 땅에서의 삶을 일시적인 것으로 여기고, 영생에서의 약속된 상급을 기다리며 하나님을 신실하게 섬긴 사람들이다. 성경은 하나님의 명예의 전당에 대해서 이렇게 말한다. "이 사람들은 다 믿음을 따라 죽었으며 약속을 받지 못하였으되 그것들을 멀리서 보고 환영하며 또 땅에서는 외국인과 나그네로라 증거하였으니 … 저희가 이제는 더 나은 본향을 사모하니 곧 하늘에 있는 것이라 그러므로 하나님이 저희 하나님이라 일컬음 받으심을 부끄러워 아니하시고 저희를 위하여 한 성을 예비하셨느니라"(히 11:13, 16).

이 세상에서 우리가 숨쉬는 시간이 우리 인생 스토리의 완결편이 아니며, 스토리의 나머지 부분들은 천국에 가서야 채울 수 있다. 이 세상에서 이방인으로 살아가려면 믿음이 필요하다.

미국 대통령과 같은 배를 타고 함께 미국으로 돌아온 은퇴한 선교사에 대한 이야기가 있다. 환호하는 환영 인파들, 군악대, 빨간 양탄자 그리고 언론이 대통령을 뜨겁게 맞이했다. 하지만 그 선교사가 배에서 내릴 때 그를 알아보는 사람은 아무도 없었고, 이 때문에 그는 자기 연민과 분노를 느끼며 하나님께 불평을 늘어놓기 시작했다. 그때 하나님은 부드럽게 말씀하셨다. "그렇지만 내 사랑하는 아들아, 너는 아직 집에 온 것이 아니지 않니?"

"내가 왜 그렇게 일시적인 것들을 중요하게 생각했지? 도대체 내가 무슨 생각을 하고 있었던 거지? 난 왜 그렇게 영원하지 않은 것들을 위해 많은 시간과 정신적, 육체적 에너지를 소모하며 안간힘을 썼지?" 이와 같은 부르짖음이 우리의 마음에서 울리기 전에는 우리는 천국에 들어갈 수 없다.

삶이 힘들어지고, 의심의 구름이 몰려오며, 그리스도를 위해 사는 것이 과연 가치가 있을까 고민하게 될 때 우리는 아직 집에 온 것이 아니라는 사실을 기억하라. 죽음이란 우리가 집을 떠나는 것이 아니라 진짜 집으로 가는 것을 의미한다.

Day 6
내 삶의 목적에 대하여

생각할 점 : 이 세상은 내 집이 아니다.

외울 말씀 : "우리의 돌아보는 것은 보이는 것이 아니요 보이지 않는 것이니 보이는 것은 잠간이요 보이지 않는 것은 영원함이니라"(고후 4:18).

삶으로 떠나는 질문 : 이 땅에서의 삶이 일시적인 과제라는 사실을 알 때 내 삶의 방식은 어떻게 달라져야만 하는가?

7

모든 것이 존재하는 이유

"이는 만물이 주에게서 나오고
주로 말미암고 주에게로 돌아감이라
영광이 그에게 세세에 있으리로다 아멘"
(롬 11:36).

"주는 모든 것을 그의 목적을 위해 만드셨다"
(잠 16:4, NLT).

모든 것은 그분을 위해서 존재한다.

우주의 궁극적인 목적은 하나님의 영광을 보여주기 위한 것이다. 우리를 포함한 모든 것이 존재하는 이유가 바로 이것이다. 하나님은 모든 것을 그의 영광을 위해 만드셨기 때문에 하나님의 영광 없이는 아무것도 존재하지 않을 것이다.

하나님의 영광은 무엇인가? 그것은 바로 하나님, 그분 스스로이시다. 그분의 본질이며, 그분이 얼마나 중요한지를 알리는 것이고, 광채를 발하는 듯한 장엄함의 모습이며, 그분의 능력을 표현하는 것이고, 그분의 임재를 느끼게 하는 말이다. 하나님의 영광은 그분의 선하심의 표현이고 그분의 본질적이고 영원한 속성이다.

하나님의 영광은 어디에 있는가? 주위를 둘러보자. 하나님이 만드신 모든 것이 어떠한 모양으로든 그분의 영광을 나타낸다. 현미경으로만 볼 수 있는 가장 작은 생물체에서부터 거대한 은하수에 이르기까지, 태양과 별, 바람과 계절 등 모든 피조물들은 창조자의 영광을 나타낸다. 우리 주변의 자연에서 우리는 능력의 하나님을 만날 수 있다. 또한 각양각색의 다양함을 즐기시고, 아름다움을 사랑하시며, 지혜로우시고, 창조적인 하나님의 모습을 발견할 수 있다. 성경은 이렇게 말한다. "하늘이 하나님의 영광을 선포하고"(시 19:1).

역사를 통해서 하나님은 각기 다른 상황에 처한 사람들에게 그의 영광을 나타내셨다. 가장 먼저 에덴 동산에서 그리고 모세에게, 그 후에는 성막과 성전, 그의 아들 예수님을 통해서 그리고 현재는 교회들을 통해서 나타내신다(창 3:8, 출 33:18-23, 40:33-38, 왕상 7:51, 8:10-13, 요 1:14, 엡 2:21-22, 고후 4:6-7). 이러한 하나님의 영광은 때로는 불꽃과 구름으로, 때로는 천둥 또는 연기로 그리고 때로는 밝은 빛으로 나타난다(출 24:17, 40:34, 시 29:1, 사 6:3-4, 60:1, 눅 2:9). 천국에서는 하나님의 영광이 그곳에 필요한 모든 빛을 충분히 공급한다. 성경은 "그 성은 해나 달의 비췸이 쓸데 없으니 이는 하나님의 영광이 비취고 어린 양이 그 등이 되심이라"(계 21:23)고 증거하고 있다.

하나님의 영광은 예수 그리스도를 통해 가장 잘 나타난다. 세상의 빛인 예수님은 하나님의 본성을 분명히 반영하고 있으며, 그분으로 인하여 우리는 어둠 속에서 보는 것처럼 불명확하게 느끼던 하나님의 존재를 분명히 알게 되었다. 성경은 이렇게 말한다. "이는 하나님의 영광의 광채시요"(히 1:3, 참고 - 고후 4:6). 즉 예수님은 우리가 하나님의 영광을 제대로 이해하게 하기 위하여 이 땅에 오셨으며, 이에 대해 성경은 "말씀이 육신이 되어 우리 가운데 거하시매 우리가 그 영광을 보니 아버지의 독생자의 영광이요 은혜와 진리가 충만하더라"(요 1:14)고 말하고 있다.

하나님은 하나님이시기 때문에 하나님 안의 영광은 그분이 본래부터 소유하고 계신 것이다. 그것은 그분의 본성이시고, 그 어느 누구도 태양이 더 밝게 빛나도록 할 수 없는 것처럼 하나님의 영광에 어떠한 것도 더할 수 없다. 우리는 그분의 영광을 깨닫고, 존귀하게 여기며, 선포하고, 찬양하며, 나타내고, 또한 그분의 영광을 위해 살도록 명령받았다(대상 16:24, 시 29:1, 66:2, 96:7, 고후 3:18). 성경은 이렇게 말한다. "우리 주 하나님이여 영광과 존귀와 능력을 받으시는 것이 합당하오니 주께서 만물을 지으신지라 만물이 주의 뜻대로 있었고 또 지으심을 받았나이다 하더라" (계 4:11).

우주 전체에서 하나님의 피조물 가운데 단 두 가지만이 하나님께 영광을 돌리지 못했는데, 그것은 타락한 천사(악마)와 우리들(인간)이다. 모든 죄의 뿌리는 우리의 근본인 하나님께 영광을 돌리지 못하는 것에 있고, 이는 하나님 이외의 다른 것을 더 사랑하는 것이다. 하나님께 영광 돌리는 것을 거부하는 것은 교만한 반역이고, 사탄이 타락하고 우리가 타락하게 된 원인이다. 우리는 모두 하나님의 영광이 아닌 우리의 영광을 위해 여러 가지 다른 모습으로 살아왔기 때문에 성경은 "모든 사람이 죄를 범하였으매 하나님의 영광에 이르지 못하더니" (롬 3:23)라고 말하고 있다.

우리 가운데 어느 누구도 삶을 통해 하나님께 합당한 분량의 영광을 돌리지 못했는데 이것이 우리가 저지를 수 있는 가장 큰 죄인 동시에 가장 큰 실수인 것이다. 그러나 반대로 하나님의 영광을 위해 사는 것은 우리의 삶을 통해서 이룰 수 있는 가장 중요한 일이다. 그러므로 하나님이 "무릇 내 이름으로 일컫는 자 곧 내가 내 영광을 위하여 창조한 자를 오게 하라 그들을 내가 지었고 만들었느니라" (사 43:7)고 말씀하신 것을 따라 하나님께 영광을 돌리는 것이 우리 삶의 최고 목표가 되어야 한다.

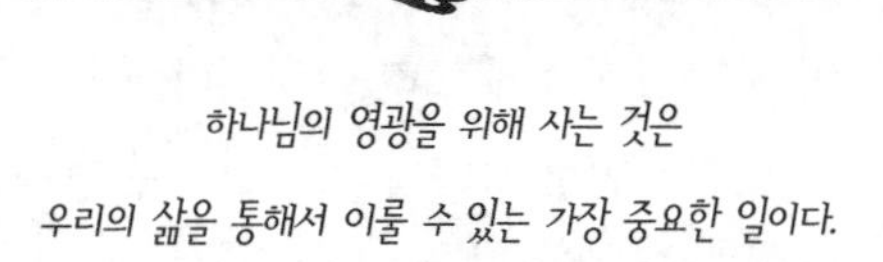

하나님의 영광을 위해 사는 것은
우리의 삶을 통해서 이룰 수 있는 가장 중요한 일이다.

어떻게 하나님께 영광을 돌릴 수 있을까?

예수님은 "아버지께서 내게 하라고 주신 일을 내가 이루어 아버지를 이 세상에서 영화롭게 하였사오니"(요 17:4)라고 고백하고 있다. 예수님은 이 땅에서의 당신의 목적을 이루심으로 하나님께 영광을 돌렸다. 우리도 같은 방법으로 하나님께 영광을 돌릴 수 있는데 피조물이 그 목적을 달성하면 그것은 하나님께 영광을 돌린 것이다. 새들은 날고, 노래부르고, 집을 짓고, 하나님이 뜻하신 새다운 활동을 통해 하나님께 영광을 돌린다. 심지어 개미도 그것이 만들어진 목적을 성취하면 하나님께 영광을 돌리는 것이다. 하나님은 개미는 개미가 되도록 그리고 우리는 우리가 되도록 만드셨다. 그래서 위대한 순교자인 성 이레니우스(St. Irenaeus) 교부는 "하나님의 영광은 인간이 온전히 살아가는 그 자체다"라고 말했다.

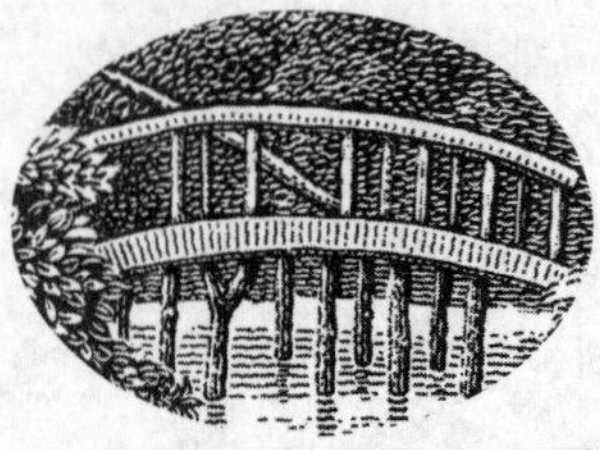

여러 가지로 하나님께 영광을 돌릴 수 있지만 그 모두를 우리의 삶에 대한 하나님의 5가지 목표로 요약할 수 있다. 이 책이 끝날 때까지 그것들을 구체적으로 살펴보겠지만 개요는 다음과 같다.

우리는 예배를 통해 영광을 돌린다

예배는 하나님에 대한 우리의 첫번째 책임이다. 하나님 그분을 즐기는 것이 하나님께 예배드리는 것이다. C. S. 루이스는 "그를 찬양하라고 우리에게 명하시면서 하나님은 우리에게 당신을 즐기라고 초대하신다"라고 말한다. 즉 하나님은 우리가 예배하는 동기가 의무감이 아닌 사랑, 감사 그리고 즐거움이길 바라신다. 존 파이퍼(John Piper)는 "우리가 그 안에서 만족할 때 하나님의 영광이 가장 크게 나타난다"라고 말한다.

예배는 찬양하고 말씀을 듣고 하나님께 기도하는 것 이상이다. 예배는 하나님을 즐기고 사랑하며, 우리가 그분의 목적에 맞게 사용되도록 그분에게 드려지는 삶의 모습이다. 우리의 삶이 하나님의 영광을 위해 사용될 때 우리가 하는 모든 일이 예배가 되는 것이다. 성경은 이렇게 말한다. "너의 온 몸을 하나님의 영광에 합당한 것을 하는 데 사용하라" (롬 6:13, NLT).

우리는 다른 믿는 사람들을 사랑함으로써 영광을 돌린다

거듭나는 순간 우리는 하나님의 가족이 된다. 그리스도를 따르는 것은 믿는 것뿐 아니라 그분에게 속하고 하나님의 가족을 사랑하는 것을 배우는 것이다. 요한은 "우리가 형제를 사랑함으로 사망에서 옮겨 생명으로 들어간 줄을 알거니와 사랑치 아니하는 자는 사망에 거하느니라" (요일 3:14)고 말하고 있고, 바울은 "이러므로 그리스도께서 우리를 받아 하나님께 영광을 돌리심과 같이 너희도 서로 받으라" (롬 15:7)고 서로의 대한 사랑을 말하고 있다.

이 땅에서 우리가 해야 할 두번째 중요한 책임은 하나님처럼 사랑하는 방법을 배우는 것이다. 왜냐하면 하나님은 사랑이시고 사랑이 그분을 영광스럽게 하기 때문이다. 예수님은 "새 계명을 너희에게 주노니 서로 사랑하라 내가 너희를 사랑한것 같이 너희도 서로 사랑하라 너희가 서로 사랑하면 이로써 모든 사람이 너희가 내 제자인줄 알리라" (요 13:34-35)고 말씀하셨다.

우리는 그리스도를 닮아감으로 영광을 돌린다

우리가 하나님의 가족으로 새롭게 태어나는 순간부터 하나님은 우리가 영적으로 온전한 성숙함에 이를 때까지 자라나길 바라신다. 그것은 어떤 모습일까? 영적으로 성숙해진다는 것은 우리가 생각하고 느끼고 행동하는 모든 방법이 예수님과 같아지는 것이다. 우리가 그리스도와 비슷해질수록 우리는 하나님께 더 많은 영광을 돌릴 수 있다. 성경은 이렇게 말한다. "주의 영이 우리 안에서 역사할수록 우리는 점점 그와 같아지고 그의 영광을 더욱 드러내게 된다" (고후 3:18 , NLT).

우리가 그리스도를 영접한 순간부터 하나님은 새로운 삶과 새로운 본성을 우리에게 부여하셨다. 그리고 이것을 기초로 해서 이 땅에서의 남은 삶 동안에 하나님은 우리의 성품을 계속 변화시켜가기를 원하신다. 성경은 이렇게 말한다. "예수 그리스도로 말미암아 의의 열매가 가득하여 하나님의 영광과 찬송이 되게 하시기를 구하노라" (빌 1:11, 참고 - 요 15:8).

우리의 은사로 다른 사람을 섬김으로 영광을 돌린다

하나님은 우리에게 우리만 가지고 있는 독특한 재능, 은사, 기술 그리고 능력을 주셨다. 우리가 갖춘 모습은 우연히 만들어진 것이 아니다. 그리고 하나님은 우리 자신만을 위한 이기적인 목적 때문에 그 능력들을 허락하신 것이 아니다. 다른 사람들을 도우라고 이 모든 것을 우리에게 주셨다. 물론 다른 사람들에게도 우리를 도울 수 있도록 그 능력들을 허락하셨다. 성경은 이렇게 말한다. "하나님은 아주 다양한 은사들을 너희들 각자에게 나누어 주셨다. 그것을 잘 관리하여 하나님의 너그러우심이 너희를 통해 흐르게 하라 … 다른 사람을 돕도록 부름받았는가? 하나님이 주시는 온 힘과 에너지를 쏟아 행하라. 그러면 하나님은 영광을 받으실 것이다" (벧전 4:10-11, NLT, 참고 - 고후 8:19).

우리는 다른 사람들에게 하나님에 대해 말함으로 영광을 돌린다

하나님은 우리에 대한 당신의 목적이 비밀에 묻혀 있기를 원하지 않으신다. 우리가 진리를 안다면 그것을 다른 사람들과 나누기 원하신다. 예수님을 다른 사람들에게 소개해서 그들이 삶의 목적을 발견하도록 돕고, 그 영원한 목적지에 갈 수 있도록 준비시키는 것은 아주 크나큰 특권이다. 성경은 이렇게 말한다. "하나님의 은혜로 더 많은 사람들을 그리스도에게로 데려오면 올수록 … 하나님은 더 많은 영광을 받으신다"(고후 4:15, NLT).

무엇을 위해 살 것인가?

하나님의 영광을 위해 남은 삶을 살려면 우리 삶의 우선순위, 많은 계획들, 인간 관계 그리고 그 외의 모든 것이 바뀌어야 한다. 그것이 가끔은 쉬운 길 대신 어려운 길을 선택하는 것을 의미하기도 할 것이다. 예수님도 이 점 때문에 갈등하셨다. 십자가에 못 박히실 것을 아시고 이렇게 울부짖으셨다. "지금 내 마음이 민망하니 무슨 말을 하리요 아버지여 나를 구원하여 이 때를 면하게 하여 주옵소서 그러나 내가 이를 위하여 이 때에 왔나이다 아버지여 아버지의 이름을 영광스럽게 하옵소서"(요 12:27-28).

예수님은 갈림길에 놓이셨다. 과연 하나님의 목적을 달성하고 하나님께 영광을 돌릴 것인가, 아니면 뒤로 물러나서 편안하게 자기 중심적인 삶을 살 것인가? 마찬가지로 우리도 같은 선택 길에 놓여 있다. 스스로의 목표, 안위 그리고 기쁨을 위해 살 것인가, 아니면 하나님이 허락하신 영원한 상급을 바라보며 하나님의 영광을 위해 남은 삶을 살 것인가? 성경은 이렇게 말한다. "자기 생명을 사랑하는 자는 잃어버릴 것이요 이 세상에서 자기 생명을 미워하는 자는 영생하도록 보존하리라"(요 12:25).

이제 남은 삶에 대한 생각을 정리할 때가 왔다. 누구를 위해서 살 것인가? 우리 자신을 위해서 살 것인가, 아니면 하나님을 위해서 살 것인가? 하나님을 위해 살 힘이 과연 우리에게 있는지 궁금할 수도 있다. 걱정하지 말라. 하나님은 우리가 일단 그렇게 하기로 선택하면 당신을 위한 삶을 사는

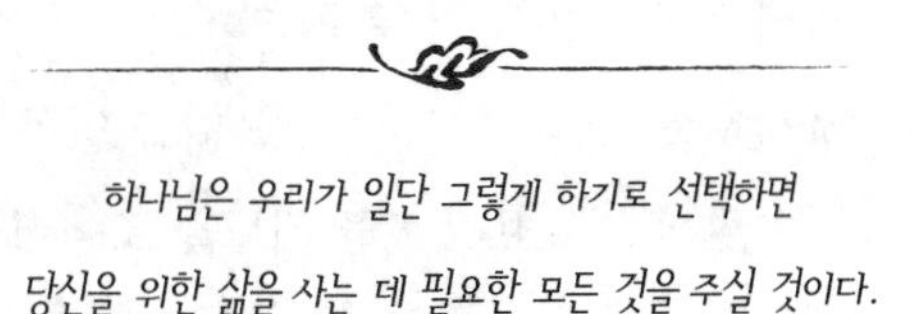

하나님은 우리가 일단 그렇게 하기로 선택하면
당신을 위한 삶을 사는 데 필요한 모든 것을 주실 것이다.

데 필요한 모든 것을 주실 것이다. 성경은 이렇게 말한다. "우리를 하나님께로 인도하신 분을 개인적으로 그리고 가깝게 알아감에 따라 하나님을 기쁘시게 하는 삶에 필요한 모든 것이 기적같이 우리에게 주어졌다"(벧후 1:3, Msg).

바로 이 순간 하나님은 우리의 남은 삶 동안 그분이 우리를 만드신 목적을 이루어 하나님의 영광을 위해 살도록 우리를 부르고 계시다. 엄밀한 면에서 그것이야말로 삶을 사는 유일한 방법이다. 그 외의 모든 것은 단순히 존재하는 것뿐이다. 진정한 삶은 스스로를 예수님께 완전히 헌신할 때 시작된다. 이것이 확실하지 않을 때에는 그저 믿고 받아들이면 된다. 성경은 이렇게 약속한다. "영접하는 자 곧 그 이름을 믿는 자들에게는 하나님의 자녀가 되는 권세를 주셨으니"(요 1:12). 하나님의 제안을 받아들일 것인가?

첫째, 믿으라. 하나님이 우리를 사랑하시고, 당신의 목적을 위해 우리를 만드셨다는 것을 믿으라. 우리가 우연의 산물이 아님을 믿으라. 우리가 영원하도록 만들어졌다는 것을 믿으라. 하나님이 예수님의 제자로 우리를 선택하신 것을 믿으라. 예수님은 우리를 위해 십자가에 달려 죽으셨다. 우리가 과거에 무엇을 했든 하나님은 우리를 용서하고 싶어하신다는 것을 믿으라.

둘째, 받아들이라. 예수님을 삶의 주인과 구원자로 받아들이라. 우리의 죄가 용서받았음을 받아들이라. 우리의 삶의 목적을 이루기 위해 필요한 힘을 부어주시는 성령을 받아들이라. 성경은 이렇게 말한다. "그 아들을 믿고 받아들이는 자는 누구나 온전하고 영원한 삶에서 모든 것을 누린다"(요 3:36, Msg). 어디에서 이 글을 읽고 있든지 나는 당신이 지금 고개를 숙이고 당신의 영생을 바꿔놓을 기도를 조용히 하기 원한다. "예수님, 나는 당신을 믿고 당신을 받아들입니다." 주저하지 말고 지금 하라.

당신이 그 기도를 진심으로 했다면, 축하한다! 하나님의 가족이 된 당신을 환영한다. 당신은 이제 하나님이 당신의 삶에 대해 가지고 있는 목적을 발견하고, 그 목적에 따라 살 준비가 되었다. 나는 당신에게 다른 사람과 이 이야기를 나누라고 권하고 싶다. 다른 사람에게서 도움을 받는 것이 중요하기 때문이다.

Day 7

내 삶의 목적에 대하여

생각할 점 : 모든 것은 그분을 위한 것이다.

외울 말씀 : "이는 만물이 주에게서 나오고 주로 말미암고 주에게로 돌아감이라 영광이 그에게 세세에 있으리로다 아멘"(롬 11:36).

삶으로 떠나는 질문 : 하루 일과 중에서 하나님의 영광을 더 의식해야 하는 부분은 어디인가?

첫번째 목적

우리는 하나님의 기쁨을 위해 계획되었다

"하나님은 그들을 그의 영광을 위해
강하고 영광스러운 의의 나무로 심으셨으니"
(사 61:3, LB).

8

하나님의 기쁨을 위해 계획되었다

"우리 주 하나님이여 영광과 존귀와
능력을 받으시는 것이 합당하오니
주께서 만물을 지으신지라
만물이 주의 뜻대로 있었고 또 지으심을 받았나이다"
(계 4:11).

"여호와께서는 자기 백성을 기뻐하시며"
(시 149:4).

우리는 하나님의 기쁨을 위해 계획되었다.

우리가 이 땅에 태어나던 그 순간 하나님은 보이지 않는 목격자로 그 자리에 계셨고 우리의 출생에 미소짓고 계셨다. 하나님은 우리가 이 땅에 살아있기를 원하셨으며 우리가 태어난 것을 매우 기뻐하셨다. 하나님은 우리를 창조하실 필요가 없었다. 하지만 당신의 기쁨을 위해 우리를 창조하기로 선택하셨다. 그래서 하나님의 유익, 하나님의 영광, 하나님의 목적 그리고 하나님의 즐거움을 위해 우리는 존재한다.

하나님께 기쁨을 드리는 것, 그분의 목적을 위해 사는 것은 우리 삶의 첫 번째 목적이다. 이 진리를 완전히 이해하면 우리 자신이 중요하지 않다고 느끼는 일은 다시 없을 것이다. 이 사실이 우리의 가치를 증명하기 때문이다. 우리가 하나님께 그토록 중요하고 그분이 영원히 함께하실 만큼 우리를 가치 있게 여기신다면 우리가 이보다 더 소중한 것을 가질 수 있을까? 우리는 하나님의 자녀이고 우리는 어떠한 피조물보다도 하나님께 많은 기쁨을 드린다. 성경은 이렇게 말한다. "그 기쁘신 뜻대로 우리를 예정하사 예수 그리스도로 말미암아 자기의 아들들이 되게 하셨으니"(엡 1:5).

하나님이 우리에게 주신 선물 가운데 가장 좋은 것은 기쁨을 누릴 수 있는 능력이다. 그분은 우리가 기쁨을 경험할 수 있도록 우리에게 오감과 감정을 주셨다. 우리가 기쁨을 누리고 즐거워할 수 있는 이유는 우리가 하나님의 형상을 따라 만들어졌기 때문이다.

우리는 자주 하나님께도 감정이 있다는 사실을 잊는다. 그분은 모든 것을 매우 깊게 느끼는 분이시다. 성경은 하나님이 슬퍼하시고, 질투하시며, 분노하시고, 기쁨, 즐거움, 만족뿐 아니라 동정, 연민 그리고 비애를 느끼신다고 말한다. 하나님은 사랑하시고, 즐거워하시며, 기뻐하시고, 좋아하시며 심지어 웃기도 하신다(창 6:6, 출 20:5, 신 32:36, 삿 2:20, 대상 16:27, 왕상 10:9, 시 2:4, 5:5, 18:19, 35:27, 37:23, 103:13, 104:31, 겔 5:13, 요일 4:16).

하나님께 기쁨을 드리는 것을 '예배'라 부른다

성경은 이렇게 말한다. "주는 그를 예배하고 그의 사랑을 신뢰하는 자들을 기뻐하신다"(시 147:11, CEV).

하나님께 기쁨을 드리는 모든 행동이 예배다. 다이아몬드처럼 예배는 많은 다른 모습을 가지고 있다. 예배에 관한 모든 것을 이해하기 위해서는 몇 권의 책이 필요하겠지만, 이번 장에서는 예배에 대한 몇 가지 중요한 면만 살펴보기로 하자.

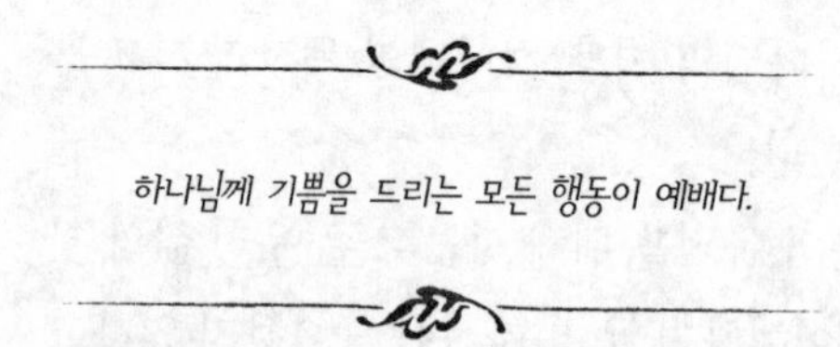

인류학자들은 사람들이 어느 문화권에서 살든지 본능적으로 무엇인가를

섬긴다는 것을 알았다. 이것은 누구에게나 다 신적인 존재와 연결되고 싶다는, 하나님이 인간 안에 만들어놓으신 우주적인 갈망이기 때문에 예배는 먹는 것 또는 숨쉬는 것과 마찬가지로 자연스러운 것이다. 하나님을 예배하지 못하면 우리는 항상 하나님 외의 대체물을 찾게 되고 대체물이 심지어 우리 자신이 되기도 한다. 하나님이 우리에게 이러한 욕구를 주신 것은 그분이 예배하는 자를 원하시기 때문이다. 예수님은 말씀하셨다. "아버지께서는 이렇게 자기에게 예배하는 자들을 찾으시느니라"(요 4:23).

종교적인 배경에 따라서 우리가 가지고 있는 '예배'에 대한 이해를 넓힐 필요가 있다. 어떤 사람은 찬양, 기도 그리고 설교가 있는 교회 예배 시간을 생각할 수도 있고, 또 어떤 사람은 의식, 촛불 그리고 성찬식을 생각할지도 모른다. 또는 치유, 기적 그리고 황홀한 경험들을 생각할 수도 있다. 예배는 이 모든 요소를 포함할 수 있지만, 이러한 표현들보다 훨씬 많은 것을 담고 있다. 예배는 삶의 방식 그 자체다.

예배는 음악 이상의 것이다

많은 사람들이 예배를 음악과 동의어로 생각해서 "우리 교회에서는 예배를 먼저 드리고 그 후에 가르침의 시간이 있어"라고 말한다. 이것은 아주 큰 오해다. 예배 시간에 행해지는 모든 부분이 예배의 모습이다. 기도, 성경 봉독, 찬양, 고백, 침묵, 잠잠히 있는 것, 말씀을 듣는 것, 필기하는 것, 헌금, 세례, 성찬식, 헌신 카드 작성 그리고 심지어 다른 사람들에게 인사하는 것까지도.

사실 예배는 음악보다 먼저 생겼다. 아담은 에덴 동산에서 예배를 드렸지만 창세기 4장 21절에 유발의 출생 전까지 음악은 언급되지 않는다. 만일 예배가 음악뿐이었다면 음악성이 없는 사람들은 어떻게 예배를 드릴 수 있을까? 예배는 음악 이상의 것이다.

이보다 더 심각한 경우에는 '예배' 라는 단어가 특정 음악 스타일을 뜻하는 말로 오용되기도 한다. "처음엔 찬송가를 불렀고, 그 후에 찬양과 경배의 곡들을 불렀어." 혹은 "나는 빠른 찬양곡도 좋아하지만, 느린 경배곡이 제일 좋아"라고 말한다. 이것은 빠르거나 시끄럽거나 금관악기를 사용하는 것은 찬양(praise)이라고 하고, 느리고 조용하고 깊이 빠질 수 있는 때로는 기타가 반주로 사용되는 것은 경배(worship)라고 사용하는 잘못된 것이다. 이것은 흔히 볼 수 있는 '예배' 의 오용 사례다.

예배는 스타일, 음량 혹은 곡의 속도와는 전혀 무관하다. 하나님은 노래가 빠르든 느리든, 시끄럽든 조용하든, 오래된 것이든 새로운 것이든, 하나님이 만드신 것이기에 모든 종류의 음악을 사랑하신다. 우리는 그 모두를 좋아하지 않을 수도 있지만, 하나님은 그 모두를 좋아하신다. 만약 예배가 신령과 진정으로 하나님께 드려진다면 그것이 예배의 모습인 것이다.

솔직히 말해, 우리가 가장 좋아하는 음악 스타일은 하나님에 대해서보다는 우리의 배경과 인격에 대해 잘 알려준다. 한 민족의 음악이 다른 민족에게는 소음으로 들릴 수 있다. 하지만 하나님은 다양성을 좋아하시고 그 모든 것을 즐기신다.

'크리스천' 음악이라는 것은 없다. 단지 기독교적인 가사가 있을 뿐이다. 노래를 성스럽게 만드는 것은 음이 아니라 가사다. 영적인 음이라는 것은 존재하지 않는다. 내가 가사 없이 어떤 노래를 당신에게 연주해준다면 당신은 그것이 크리스천 음악인지 아닌지 구별할 방법이 없다.

예배는 우리의 유익을 위한 것이 아니다

목사로서 나는 "오늘 예배 아주 좋았습니다. 아주 많은 것을 얻었습니다"라고 쓰여 있는 쪽지를 받곤 한다. 이것이 예배에 대한 또 하나의 잘못된 개념이다. 예배는 우리의 유익을 위한 것이 아니다. 우리는 하나님의 유익을 위해 예배한다. 우리가 예배를 드릴 때 우리의 목적은 우리 자신이 아닌 하나님께 기쁨을 드리는 것이다.

만일 "오늘 예배에서는 아무것도 얻지 못했어"라고 말한 적이 있다면 그것은 잘못된 이유로 예배를 드린 것이다. 예배는 우리를 위한 것이 아니다. 하나님을 위한 것이다. 물론 예배에는 친교, 교육, 복음 전도의 요소가 포함되고, 예배를 드리는 유익도 있다. 하지만 우리 스스로를 기쁘게 하기 위해서 예배를 드리는 것이 아니다. 예배에 대한 우리의 동기는 우리의 창조주에게 영광과 기쁨을 드리는 것이다.

이사야 29장에서 하나님은 예배에 온 마음을 쏟지 않고 위선적으로 예배드리는 것에 대해 불쾌함을 표현하셨다. 왜냐하면 그 당시 사람들이 하나님께 메마른 기도, 마음에서 우러나오지 않는 찬양, 아무 의미 없는 설교 그리고 의미조차 생각해보지 않은 사람이 만든 의식을 가지고 하나님께 제사를 드리고 있었기 때문이다. 하나님은 예배의 전통이 아닌 열정과 헌신으로 감동을 받으신다. 성경은 이렇게 말한다. "주께서 말씀하셨다. '이 백성이 그 입으로는 나를 존경한다고 말하지만 그 마음은 내게서 멀리 떨어져 있다. 그들이 나를 경배한다고 하지만, 그것은 사람들이 해오던 대로 형식적으로 하는 것일 뿐이다' "(사 29:13, 쉬운성경).

예배는 삶의 일부가 아니라 삶 그 자체다

교회에서 드리는 예배만이 예배가 아니다. 성경은 "계속해서 그를 예배하라"(시 105:4, TEV), "해뜰 때부터 해질 때까지 찬양하라"(시 113:3, TEV)고 말하고 있다. 또한 성경에는 많은 사람들이 직장에서, 집에서, 전쟁터에서, 감옥에서 그리고 심지어 침대에서 하나님을 찬양한 사실이 기록되어 있다. 그러므로 찬양은 아침에 눈을 떴을 때 처음 하는 행동이어야 하고, 밤에 눈감을 때 하는 마지막 행동이어야 한다(시 5:3, 63:6, 119:62, 147). 이에 대해 다윗은 말한다. "내가 여호와를 항상 송축함이여 그를 송축함이 내 입에 계속하리로다" (시 34:1).

우리가 어떤 활동을 하든지 그것이 하나님을 찬양하고 하나님께 영광과 기쁨을 드리기 위한 것이라면 그 모든 것이 예배가 될 수 있다. 성경은 이렇게 말한다. "그런즉 너희가 먹든지 마시든지 무엇을 하든지 다 하나님의 영광을 위하여 하라" (고전 10:31). 마틴 루터(Martin Luther)는 "우유 짜는 사람은 하나님의 영광을 위해 소젖을 짤 수 있다" 라고 말했다.

그러면 어떻게 모든 일을 하나님의 영광을 위해서 할 수 있는가? 모든 것을 예수님을 위한 것처럼 함으로써, 또 그것을 하는 동안 그분과 끊임없이 대화함으로써 할 수 있다. "무슨 일을 하든지 마음을 다하여 주께 하듯 하고 사람에게 하듯 하지 말라" (골 3:23)고 성경은 말하고 있다.

이것이 예배드리는 삶의 비밀이다. 모든 것을 주님께 하듯 하라. 하나님께 드리면 일도 예배가 된다. 그리고 그분의 임재를 느끼면서 행하라. 영어 성경 메시지(The Message)에서는 이렇게 표현한다. "매일의 일상 생활, 잠자는 것, 먹는 것, 일하러 가는 것 그리고 걸어다니는 것 모두를 하나님께 제물로 드려라" (롬 12:1).

내가 처음 아내와 사랑에 빠졌을 때 나는 끊임없이 그녀에 대해 생각했다. 아침 식사를 할 때, 학교에 갈 때, 수업중에, 슈퍼마켓에서 줄서 있을 때, 차에 기름을 넣을 때에도 나는 그녀에 대해 생각하는 것을 멈출 수 없었다. 나는 이따금 그녀에 관해 혼잣말을 하기도 했고, 내가 그녀를 좋아하는 부분들에 대해서 생각하기도 했다. 이와 같은 것들이 우리가 몇백 킬로미터 떨어져 다른 학교에 다니고 있음에도 불구하고 서로를 가깝게 느낄 수 있는 방법이었다. 끊임없이 그녀에 대해 생각하면서 나는 그녀의 사랑 안에 머무르고 있었다. 예수님과 사랑에 빠지는 것, 이것이 진정한 예배다.

Day 8

내 삶의 목적에 대하여

생각할 점 : 나는 하나님의 기쁨을 위해 계획되었다.

외울 말씀 : "여호와께서는 자기 백성을 기뻐하시며" (시 149:4).

삶으로 떠나는 질문 : 마치 내가 예수님을 위해 하듯이 할 수 있는 일은 무엇이 있는가?

9

하나님을 미소짓게 하는 것

"하나님이 너희를 향해
미소짓기를 원하노라"
(민 6:25, NLT).

"당신의 종인 나에게 미소를 지어주십시오.
바르게 사는 방법을 가르쳐주십시오"
(시 119:135, Msg)

하나님을 미소짓게 하는 것이 우리 삶의 목표다.

하나님께 기쁨을 드리는 것이 우리의 인생의 첫번째 목적이기 때문에, 우리가 수행해야 할 가장 중요한 임무 또한 그 목적을 달성하는 방법을 찾는 것이다. 성경은 이렇게 말한다. "주께 기쁘시게 할 것이 무엇인가 시험하여 보라"(엡 5:10). 다행히 성경은 우리에게 하나님을 기쁘시게 하는 삶의 예를 명확하게 보여주고 있다. 그의 이름은 노아다.

노아의 때에 온 세상은 도덕적으로 파탄 상태였다. 모든 사람이 하나님의 기쁨이 아닌 자신의 기쁨을 추구했다. 하나님은 당신을 기쁘게 하는 것에 관심을 가진 사람을 단 한 사람도 찾을 수 없었고, 이것은 하나님의 마음을 슬프시게 했을 뿐만 아니라 인류를 창조한 것을 후회하시게까지 했다. 하나님은 인간에게 너무나 실망하셔서 모두 멸망시키겠다고 생각하셨다. 그때 하나님은 자신을 미소짓게 만드는 한 사람을 발견하셨다. 성경은 이렇게 말한다. "노아는 주님께 기쁨이었다"(창 6:8, LB).

하나님은 말씀하셨다. "이 친구가 나에게 기쁨을 주는군. 나를 이렇게 미소짓게 한단 말이야. 그의 가족으로 처음부터 다시 시작하겠다." 노아가 하나님께 기쁨을 드렸기 때문에 지금 당신과 내가 살아 있는 것이다. 노아의 삶을 통해서 우리는 하나님을 미소짓게 할 수 있는 다섯 가지 예배의 모습을 볼 수 있다.

하나님은 우리가 그를 가장 사랑할 때 미소지으신다

노아는 세상의 그 어떤 것보다 하나님을 사랑했다. 더 나아가서 노아는 다른 사람들이 하나님을 사랑하지 않을 때도 그분을 사랑했다. 성경은 노아가 살아 있는 동안 "의인이요 당세에 완전한 자라 그가 하나님과 동행하였으며"(창 6:9)라고 말한다.

하나님이 우리에게서 가장 보고 싶어하시는 모습이 바로 관계다. 세상에서 가장 놀라운 진실은 우리의 창조주가 우리와 교제하기를 원하신다는 것이다. 하나님은 우리를 사랑하기 위해 만드셨고, 우리가 그 사랑을 그분에게 되돌려주기를 원하신다. 하나님은 말씀하신다. "나는 너의 제사를 원하는 것이 아니고 너의 사랑을 원한다. 나는 너의 제물을 원하는 것이 아니고 네가 나를 더 알기를 원한다"(호 6:6, LB).

하나님이 우리에게서
가장 보고 싶어하시는 모습이 바로 관계다.

이 구절에서 하나님이 우리에게 갖고 계시는 열정을 느낄 수 있는가? 하나님은 우리를 깊이 사랑하시고 우리가 또한 하나님을 사랑하기를 원하신다. 그러기에 그분은 우리가 하나님을 알아가고 그분과 함께 시간을 보내기

원하신다. 하나님을 사랑하고 하나님의 사랑을 받는 방법을 배우는 것이 우리 삶의 가장 큰 목적이 되어야 하는 이유가 이 때문이다. 그 어떤 것도 이보다 중요할 수 없다. 예수님은 그것을 가장 중요하고 큰 계명이라 하셨다. "예수께서 가라사대 네 마음을 다하고 목숨을 다하고 뜻을 다하여 주 너의 하나님을 사랑하라 하셨으니 이것이 크고 첫째되는 계명이요"(마 22:37-38).

하나님은 우리가 당신을 온전히 신뢰할 때 미소지으신다

노아가 하나님을 기쁘시게 한 두번째 이유는 그가 전적으로 하나님을 신뢰했다는 것이다. 이해되지 않는 상황 속에서도 그는 하나님을 신뢰했다. 성경은 이렇게 말한다. "믿음으로 노아는 아직 보지 못하는 일에 대한 하나님의 경고를 들었습니다. 그는 하나님께 순종해서 그의 가족을 구원할 방주를 지었습니다. 그는 믿음으로 세상이 잘못되어 가고 있음을 사람들에게 알리고, 하나님과 의의 관계를 맺은 사람이 되었습니다"(히 11:7, 쉬운성경).

이 장면을 한번 상상해보라. 어느 날 하나님이 노아에게 오셔서 말씀하신다. "나는 인간들에게 실망했단다. 이 세상에 나를 생각하는 사람은 너밖에 없구나. 하지만 노아야, 내가 너를 바라볼 때 나는 미소를 짓는다. 너의 삶을 기뻐하기 때문에 나는 세상에 홍수를 내릴 것이지만, 너의 가족을 중심으로 새롭게 시작하려고 한다. 나는 너와 동물들을 구할 수 있는 커다란 배를 네가 만들기를 원한다."

노아가 의심할 수도 있었을 세 가지 문제가 있었다. 첫째, 노아는 비를 한번도 본 적이 없다. 왜냐하면 홍수가 오기 전에 이 땅의 모든 물은 하나님이 지면의 샘을 터트려서 주셨기 때문이다(창 2:5-6). 그래서 그들은 무지개를 본 적도 없었다. 둘째로 노아는 가장 가까운 바다에서부터 수백 킬로미터 떨어진 곳에 살고 있었다. 그가 배를 만드는 법을 배운다 하더라도 그 배를 어떻게 물가로 옮길 수 있겠는가? 세번째는 모든 동물을 모으고 돌봐야 했다. 하지만 노아는 불평하거나 핑계를 대지 않았다. 대신 하나님을 전적으로 신뢰했는데, 그것이 하나님을 기쁘시게 했다.

하나님을 온전히 신뢰한다는 것은 하나님이 우리 삶에 가장 좋은 것이 무엇인지 아신다는 믿음을 갖는 것을 의미한다. 하나님이 약속을 지키시고, 문제에 부딪혔을 때 도와주시며, 불가능한 일을 해결해주시기를 기대하는 것이다. 성경은 이렇게 말한다. 여호와는 "자기를 경외하는 자와 그 인자하심을 바라는 자들을 기뻐하시는도다" (시 147:11).

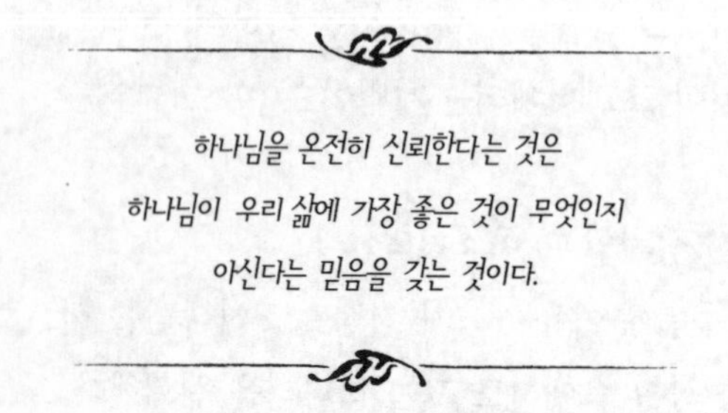

노아가 방주를 다 짓는 데는 120년이 걸렸다. 그는 분명 힘든 날들을 보냈을 것이다. 해가 거듭되어도 비가 올 기미는 보이지 않았고, 그는 '하나님이 자기에게 말을 한다고 믿는 미친 사람' 이라는 비난을 받았다. 나는 노아의 자녀들도 앞마당에서 모양을 갖추어가고 있는 커다란 배 때문에 창피해했을 것이라고 생각한다. 하지만 노아는 계속 하나님을 신뢰했다.

우리 삶의 영역 가운데 어떤 부분에서 우리는 하나님을 전적으로 신뢰해야 하는가? 신뢰는 예배의 모습이다. 자녀들이 부모의 사랑과 지혜를 신뢰할 때 부모가 기뻐하듯, 하나님도 우리의 믿음에 기뻐하신다. 성경은 이렇게 말한다. "믿음이 없이는 기쁘시게 못하나니" (히 11:6).

하나님은 우리가 마음을 다해 순종할 때 미소지으신다

전세계를 뒤덮은 홍수에서 동물들을 구해내는 것은 운송 방법과 그 외의 구체적인 사안들에 많은 신경을 써야 하는 일이었다. 모든 것은 하나님이 처방해주시는 대로 이루어져야 했다. 하나님은 "노아야, 네가 원하는 대로 아무 배나 지어라" 고 말씀하지 않으셨다. 하나님은 방주에 실을 동물 각각의 수뿐 아니라 방주의 크기, 모양 그리고 재료까지 세세하게 지시하셨다. 성경에 나타난 노아의 반응은 이러하다. "노아가 그와 같이 하되 하나님이 자기에게 명하신 대로 다 준행하였더라" (창 6:22, 참고 - 히 11:7).

노아가 모든 것에 순종했고(단 하나의 지시 사항도 간과하지 않았다) 그리고 정확하게 순종한 것을(하나님이 원하시는 방법과 시간에 맞춰) 보라. 이것이 온 마음을 다하는 것이다. 하나님이 노아를 보시며 기뻐하신 것은 너무나 당연하지 않은가.

만일 하나님이 우리에게 큰 배를 지으라고 명하셨다면, 우리는 그에 대해 의문을 제기하고 반대를 하며 조건을 달지 않았겠는가? 노아는 그렇지 않았다. 그는 진심으로 하나님께 순종했다. 진심어린 순종이란 하나님이 명하신 것에 조건을 달지 않고 지체 없이 무엇이든 행하는 것이다. 미루지 않아야 한다. "기도해보겠습니다" 라고 말하지도 않는다. 망설임 없이 바로 행한다. 나중에 하겠다는 말이 사실은 하지 않겠다는 뜻임을 모든 부모는 안다.

하나님은 우리에게 설명을 하시거나 명하신 것에 대한 이유를 말해줄 필요가 없으시다. 이해는 나중에 하더라도 우선 순종해야 한다. 즉각적인 순종은 평생 성경에 대해 토론하고 공부하는 것보다 훨씬 많은 것을 가르쳐줄 것이다. 사실, 먼저 순종하지 않으면 이해할 수 없는 명령도 있다. 순종은 이해의 열쇠이기 때문이다.

우리는 때때로 하나님께 부분적인 순종을 하려고 한다. 우리는 순종하기 좋은 명령들을 취사 선택하고 싶어한다. 좋아하는 명령만으로 목록을 만들어 그것들만 순종하고, 부당하고, 어려우며, 비용이 많이 들고, 혹은 사람들에게 인기를 끌 수 없는 명령들은 간과한다. 교회에는 가겠지만 십일조는 내지 않겠다. 성경을 읽긴 하겠지만 나에게 상처를 준 사람은 용서하지 않겠다. 하지만 이러한 부분적인 순종은 불순종이다.

진심으로 하는 순종은 기쁜 마음으로 열심을 가지고 하는 것이다. 성경은 이렇게 말한다. "기쁜 마음으로 순종하라" (시 100:2, LB). 이것이 다윗의 자세였다. "주님, 제게 무엇을 해야 할지 말씀해주십시오. 그대로 하겠습니다. 제가 사는 동안 진심으로 당신께 순종하겠습니다" (시 119:33, LB).

야고보는 이미 크리스천이 된 사람들에게 이렇게 말했다. "우리가 믿는 것뿐 아니라 하는 행동들로 하나님을 기쁘시게 한다" (약 2:24, CEV). 하나님은 우리가 스스로의 힘으로 구원을 얻을 수 없다고 명확하게 말씀하신다. 우리의 노력이 아닌 은혜로만 가능하다. 하지만 하나님의 자녀로 우리는 하늘에 계신 아버지께 순종을 통해 기쁨을 드릴 수 있다. 모든 순종의 모습은 또한 예배의 모습이다. 왜 순종이 그토록 하나님을 기쁘시게 만들까? 왜냐하면 이를 통해 하나님을 사랑한다는 것을 알 수 있기 때문이다. 예수님은 말씀하셨다. "너희가 나를 사랑하면 나의 계명을 지키리라" (요 14:15).

하나님은 우리가 계속해서 당신을 찬양하고 감사 드릴 때 미소지으신다

마음에서 우러나오는 찬양을 받고 감사의 인사를 받는 것만큼 기분 좋은 일은 없다. 하나님도 이를 좋아하신다. 우리가 경의와 감사를 표할 때 그분은 미소지으신다.

노아는 찬양과 감사의 마음으로 살았기 때문에 하나님을 기쁘시게 했다. 세상의 그 누구도 하나님을 예배하지 않았을 때 노아는 하나님께 예배드렸고, 홍수에서 살아남은 이후 그가 가장 먼저 한 행동 또한 산 제물로 하나님께 감사드린 것이었다. 성경은 이렇게 말한다. "노아가 여호와를 위하여 단을 쌓고 모든 정결한 짐승 중에서와 모든 정결한 새 중에서 취하여 번제로 단에 드렸더니" (창 8:20).

예수님의 희생으로 우리는 더 이상 노아처럼 동물로 제사를 드리지 않는다. 대신 하나님께 '찬미의 제사' (히 13:15)와 '감사의 제사' (시 116:17)를 드리라고 성경은 가르쳐주고 있다. 이것이 예배의 가장 아름다운 모습이다. 우리는 하나님의 하나님 되심을 찬양하고, 그분이 우리를 위해 하신 일들에 대해 감사한다. 다윗은 찬양했다. "내가 노래로 하나님의 이름을 찬송하며 감사함으로 하나님을 광대하시다 하리니 이것이 소 곧 뿔과 굽이 있는 황소를 드림보다 여호와를 더욱 기쁘시게 함이 될 것이라"(시 69:30-31).

우리가 하나님께 찬양과 감사를 드릴 때 놀라운 일들이 벌어진다. 하나님께 기쁨을 드리면 우리의 마음도 기쁨으로 가득 차게 된다.

어머니는 나를 위해 요리해주는 것을 좋아하셨다. 내가 케이(Kay)와 결혼했을 때에도 우리가 부모님 댁에 방문하면 어머니는 아주 기가 막힌 요리를 손수 만들어주시곤 하셨다. 어머니의 커다란 기쁨 가운데 하나가 자녀들이 어머니가 준비한 음식을 먹고 즐거워하는 것을 보시는 것이었다. 어머니가 만든 음식을 먹는 것을 즐거워하면 할수록 어머니는 더 기뻐하셨다.

그뿐 아니라 우리도 음식을 먹으며 즐거움을 표현하여 어머니를 기쁘게 하는 것을 좋아했다. 이렇게 함으로써 모두가 기뻐할 수 있었다. 나는 어머니가 만들어주신 맛있는 음식을 먹으면서 극찬을 하고 어머니에게 찬사를 보냈다. 나는 음식을 즐길 뿐 아니라 어머니를 기쁘게 해드리려고 했다. 모두에게 기쁨이었다.

예배도 역시 이와 같은 상호 작용을 한다. 우리는 하나님이 우리를 위해 해주신 것들에 기뻐하고 우리가 그 즐거움을 하나님께 표현할 때 하나님 또한 기뻐하신다. 그리고 이는 우리에게 더 큰 기쁨을 준다. 시편은 이렇게 말한다. "의인은 기뻐하여 하나님 앞에서 뛰놀며 기뻐하고 즐거워할지어다"(시 68:3).

하나님은 우리가 능력을 사용할 때 미소지으신다

홍수 이후에 하나님은 노아에게 다음과 같은 간단한 지시를 내리셨다. “생육하고 번성하여 땅에 충만하라 … 무릇 산 동물은 너희의 식물이 될지라 채소같이 내가 이것을 다 너희에게 주노라”(창 9:1-3).

하나님은 말씀하셨다. “이제 네가 평상시와 같이 살 때가 되었다. 그러니 이제부터 내가 인간에게 부여한 일들을 수행하여라. 배우자와 사랑을 나누어라. 아이를 낳아라. 가정을 꾸려라. 곡식을 심고 그것을 먹어라. 인간의 방식으로 살아라. 나는 너희들을 이렇게 만들었다.”

우리가 성경을 읽고, 교회에 가며, 기도하고, 믿음에 대해 이야기하는 것과 같은 ‘영적인’ 활동을 할 때에만 하나님이 우리를 바라보며 기뻐하실 것이라고 생각할지도 모른다. 그리고 하나님이 우리 삶의 다른 부분들에 대해서는 관심이 없을 것이라고 생각할지도 모른다. 그러나 사실 하나님은 우리가 일을 하든, 놀든, 쉬든, 혹은 먹든 우리 삶의 모든 구체적인 부분을 바라보며 기뻐하신다. 우리의 움직임을 단 하나도 놓치지 않으신다. 성경은 이렇게 말한다. “주님께서 사람의 갈 길을 정하시고 삶의 모든 부분에 대해 기뻐하신다”(시 37:23, NLT).

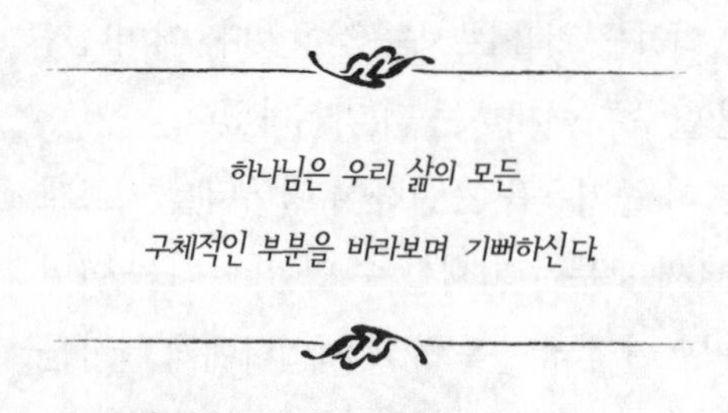

죄를 제외하고서, 사람이 하는 모든 활동이 찬양의 자세를 가지고 행해질 때 하나님께 기쁨을 드릴 수 있다. 우리는 하나님의 영광을 위해서 접시를 닦고, 기계를 수리하며, 물건을 팔고, 컴퓨터 프로그램을 작성하며, 곡식을 키우고, 또한 가정을 꾸릴 수 있다.

자식을 자랑스러워하는 부모처럼 하나님도 당신이 주신 재능과 능력을 발휘하는 우리의 모습에 특히 기뻐하신다. 하나님은 일부러 우리 각자에게 다른 능력을 주셨다. 어떤 사람은 운동을 잘하도록, 또 어떤 사람은 분석적이게 만드셨다. 우리는 기계, 수학, 음악 또는 그 외의 수천 가지 기술에 대한 능력을 받았을 수 있다. 이 모든 능력들은 하나님을 기쁘시게 할 수 있다. 성경은 이렇게 말한다. "하나님은 각 사람을 다르게 만드셨고 우리가 지금 하는 모든 일을 보고 계신다"(시 33:15, Msg).

우리의 능력을 숨기거나 다른 사람처럼 되기 위해 노력할 때는 하나님께 영광이나 기쁨을 드릴 수 없다. 우리의 모습으로 있을 때만 하나님께 기쁨을 드릴 수 있다. 우리 모습의 어떤 부분을 거부할 때마다 우리는 하나님의 지혜와 우리를 창조하신 하나님의 주권을 거부하는 것이다. "너는 너의 창조주와 논쟁할 권리가 없다. 너는 토기장이가 빚어놓은 옹기에 지나지 않는다. 진흙은 '나를 왜 이렇게 만들었나요' 라고 질문하지 않는다"(사 45:9, CEV).

영화 〈불의 전차(Chariots of Fire)〉에서 올림픽 육상 선수 에릭 리들(Eric Liddell)은 말했다. "하나님이 나를 만드신 목적이 있다고 생각한다. 하지만 그분은 또한 나를 빠르게 달리는 사람으로 만드셨고, 나는 달릴 때 하나님의 기쁨을 느낀다." 후에 그는 "뛰는 것을 포기하는 것은 하나님을 모욕하는 것이 될 것이다"라고 말했다. 세속적인 능력은 없다. 단지 능력을 오용할 뿐이다. 하나님의 기쁨을 위해 능력을 발휘해보라.

하나님은 또한 우리가 당신의 피조물들을 즐기는 것을 보며 기뻐하신다. 그분은 우리에게 아름다움을 즐길 수 있는 시각, 소리와 음악을 즐길 수 있는 청각, 냄새와 맛을 느낄 수 있는 후각과 미각, 그리고 촉각을 위한 신경을 주셨다. 모든 즐거움의 행위는 하나님께 감사드릴 때 예배의 모습이 된다. 성경은 이렇게 말한다. "하나님은 … 우리의 즐거움을 위해 모든 것을 기꺼이 주신다"(딤전 6:17, TEV).

하나님은 우리가 잠자는 것을 보면서도 기뻐하신다. 우리 아이들이 어렸을 때, 나는 아이들이 자는 것을 보며 기뻐했다. 가끔은 아이들이 문제만 일으키고 말도 잘 듣지 않던 날들도 있었지만, 일단 잠이 들면 아이들은 만족스러워 보였고, 안전하고 평화로워 보였다. 그리고 나는 내가 얼마나 우리 아이들을 사랑하는지 다시 생각하게 되었다. 아이들은 나에게 기쁨을 주기 위해서 무엇을 할 필요가 없었다. 나는 아이들을 너무나 사랑했기 때문에 숨쉬는 것을 바라보는 것만으로도 행복했다. 아이들의 작은 가슴이 오르락내리락할 때마다 나는 미소를 지었고, 때로는 기쁨으로 눈물이 고이기도 했다. 우리가 자고 있을 때 하나님은 사랑으로 우리를 바라보신다. 왜냐하면 우리는 그분의 피조물이기 때문이다. 그분은 마치 우리가 이 세상의 유일한 사람인 것처럼 우리를 사랑하신다.

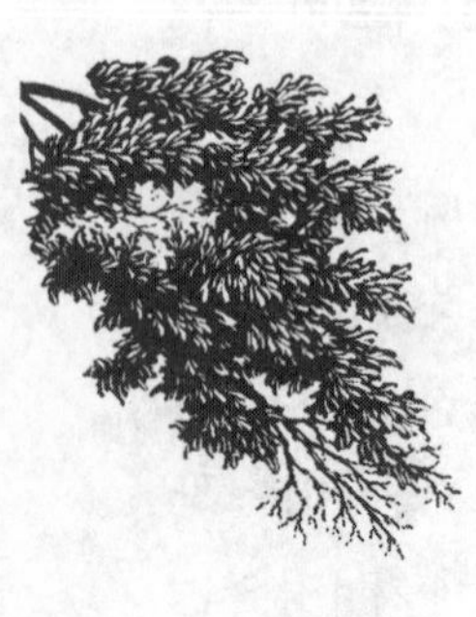

부모는 자녀들로 인해 기쁨을 누리려고 그들이 완벽하거나 성숙하기를 요구하지 않는다. 부모는 자녀들이 자라가는 성숙의 순간순간 기쁨을 느끼는 것이다. 마찬가지로 하나님은 우리가 성숙할 때까지 기다렸다가 우리를 사랑하지 않으신다. 그분은 우리가 영적으로 성숙해가는 모든 단계를 사랑하시고 모든 단계를 기뻐하신다.

절대로 만족시킬 수 없었던 선생님이나 부모님에 대한 기억이 있을지 모른다. 그렇다고 하나님을 그런 분으로 여기지 말라. 그분은 우리가 완벽하거나 죄 없는 사람이 될 수 없음을 아신다. 성경은 이렇게 말한다. "이는 저가 우리의 체질을 아시며 우리가 진토임을 기억하심이로다" (시 103:14).

하나님이 보시는 것은 우리 마음의 태도다. 하나님을 기쁘시게 하는 것이 우리의 가장 큰 욕구인가? 이것이 바울의 삶의 목표였다. "그런즉 우리는 거하든지 떠나든지 주를 기쁘시게 하는 자 되기를 힘쓰노라" (고후 5:9). 우리가 영생의 빛 가운데 살기 시작할 때 과거에 "어떻게 하면 좀더 나 자신을 위해

재미있게 살 수 있을까?"라고 질문하던 것이 이제는 "어떻게 하면 하나님께 더 많은 기쁨을 드릴 수 있을 것인가?"로 바뀌게 되는 것이다.

하나님은 21세기에 노아와 같이 하나님의 기쁨을 위해 살 의지가 있는 사람을 찾고 계신다. 예배하는 삶만이 현명하고 양식 있는 삶의 방식이다. 다른 모든 삶의 방식은 어리석은 것이다. 성경은 이렇게 말한다. "주님은 누가 현명하고 누가 하나님을 기쁘게 하길 원하는지 보시기 위해 항상 하늘에서 모든 인류를 내려다보고 계신다"(시 14:2, LB).

하나님을 기쁘시게 하는 것을 삶의 목표로 삼을 것인가? 이 목표에 온전히 열중해 있는 사람들을 위해 하나님이 해주시지 않는 것은 없다.

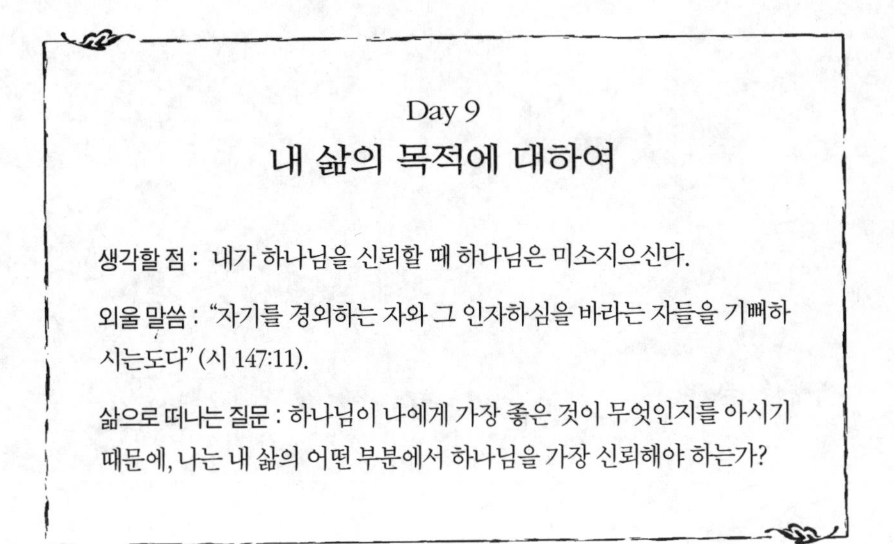

Day 9

내 삶의 목적에 대하여

생각할 점 : 내가 하나님을 신뢰할 때 하나님은 미소지으신다.

외울 말씀 : "자기를 경외하는 자와 그 인자하심을 바라는 자들을 기뻐하시는도다"(시 147:11).

삶으로 떠나는 질문 : 하나님이 나에게 가장 좋은 것이 무엇인지를 아시기 때문에, 나는 내 삶의 어떤 부분에서 하나님을 가장 신뢰해야 하는가?

10

예배의 중심

"또한 너희 지체를 불의의 병기로 죄에게 드리지 말고
오직 너희 자신을 죽은 자 가운데서 다시 산 자 같이 하나님께 드리며
너희 지체를 의의 병기로 하나님께 드리라"
(롬 6:13).

예배의 중심은 하나님께 나를 드리는 것이다.

'항복(surrender)' 이라는 말은 '복종(submission)' 이라는 단어만큼 사람들이 싫어하고 인기가 없는 단어다. 그것은 패배를 의미하며, 그 누구도 패자가 되고 싶어하지 않는다. 항복은 전쟁에서 패배를 인정하고, 게임에서 지거나 강한 상대에게 양보하는 것과 같은 좋지 않은 이미지를 연상시킨다. 그 단어는 항상 부정적인 문맥에서 사용된다. 예를 들어 체포된 범죄자는 치안 관계자들에게 넘겨지다(surrender)라고 표현한다.

오늘날의 경쟁적인 문화 속에서 우리는 노력하고 시도하는 것을 멈추지 말고, 절대 포기하지 말고 절대로 항복하지 말라고 배웠다. 그래서 우리는 항복하는 것에 대해 많이 듣지 못했다. 만약 승리가 모든 것이라면 항복이라는 것은 생각할 수조차 없는 것이다. 우리 또한 양보하고 맡기고 순종하고 항복하는 것보다는, 승리하고 성공하고 극복하고 정복하는 것에 대해 이야기하는 것을 더 좋아한다. 하지만 하나님께 항복하고 나 자신을 내어드리는 것은 예배의 중심이다. 하나님의 위대한 사랑과 자비에 반응하는 것은

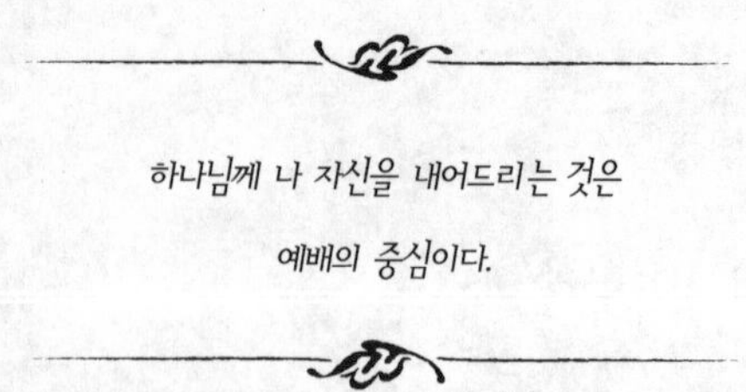

자연스러운 것이다. 우리는 우리 자신을 그분에게 드린다. 하지만 이는 두려움이나 의무감에서가 아니라 사랑으로 하는 것이다. "그가 먼저 우리를 사랑하셨기 때문이다" (요일 4:9-10, 19). 로마서의 열한 장을 할애해 하나님의 엄청난 은혜에 대해 설명한 후, 바울은 우리의 삶을 하나님을 예배하는 데 온전히 드릴 것을 권고한다. "친구들이여, 하나님은 우리에게 위대한 자비를 베푸셨으니 … 여러분 자신을 산 제사로 하나님께 드리시오. 그를 섬기고 기쁘시게 하는 데 헌신하시오. 이것이 여러분이 드려야 할 진정한 예배입니다" (롬 12:1, TEV).

진정한 예배, 하나님께 기쁨을 드리는 것은 우리가 하나님께 우리 자신을 완전히 내어드렸을 때 가능하다. 위의 구절 첫 문장과 마지막 문장 모두에 '드리다(offer)' 라는 단어가 포함되는 사실을 생각해보라.

우리 스스로를 하나님께 드리는 것이 예배의 전부다.

개인적으로 하나님께 우리 자신을 드리는 것은 여러 가지 이름으로 불린다. 헌신, 예수님을 주라 하는 것, 십자가를 지는 것, 우리 자신을 죽이는 것, 성령님께 모든 것을 맡기는 것. 그러나 무엇이라 부르던지 우리가 그것을 실천으로 옮기는 것이 중요하다. 하나님은 우리의 삶을 원하시기 때문이다. 삶의 전부를 원하신다. 95%로는 절대로 충분하지 않다.

우리가 완전히 하나님께 삶을 드리는 것을 방해하는 세 가지 요소가 있다. 두려움, 자만 그리고 혼란이다. 우리는 하나님이 우리를 얼마나 사랑하시는지 깨닫지 못하고, 우리의 삶을 스스로 통제하기를 원하며, 항복한다는 것에 대해 오해하고 있다.

내가 하나님을 신뢰할 수 있을까?

신뢰는 하나님께 항복하는 것, 나 자신을 내어드리는 것의 주요 요소다. 하나님을 신뢰하지 않으면 우리 자신을 드릴 수 없는데, 이와 더불어 알아야 할 사실은 하나님을 더 잘 알기 전에는 그분을 신뢰할 수 없다는 것이다. 두려움을 가지고 있을 때에는 우리가 하나님께 항복할 수 없지만 사랑이 그 모든 두려움을 없앤다. 하나님이 우리를 얼마나 사랑하시는지 깨달으면 깨달을수록 우리를 하나님께 내어드리는 것은 더 쉬워진다.

하나님이 우리를 사랑하신다는 것을 어떻게 알 수 있는가? 그분은 우리에게 많은 증거를 주신다. 하나님은 우리를 사랑한다고 말씀하신다(시 145:9). 그분은 우리에게서 눈을 떼지 않으신다(시 139:3). 그분은 우리 삶의 아주 작은 부분까지 돌보신다(마 10:30). 그분은 우리가 모든 기쁨을 느낄 수 있도록 능력을 주신다(딤전 6:17). 그분은 우리의 삶을 위한 좋은 계획을 가지고 계신다(렘 29:11). 그분은 우리를 용서하신다(시 86:5). 그분은 노하기를 더디하신다(시 145:8). 하나님은 우리가 상상하는 것 이상으로 우리를 사랑하신다.

이것을 가장 극적으로 표현한 것이 하나님이 우리를 위해 당신의 아들을 희생하신 것이다. "우리가 아직 죄인 되었을 때에 그리스도께서 우리를 위하여 죽으심으로 하나님께서 우리에게 대한 자기의 사랑을 확증하셨느니라" (롬 5:8). 우리가 하나님께 얼마나 중요한 존재인지 알고 싶다면 그리스도가 십자가 위에서 팔을 벌리고 계시면서 "나는 너를 이만큼 사랑한다! 너 없이 사느니 차라리 죽음을 택하겠다" 라고 말씀하시는 것을 보라.

하나님은 잔인한 노예 감독이나 거친 폭력을 사용해 강제로 굴복시키려는 분이 아니시다. 그분은 우리의 의지를 깨지 않고 우리를 설득하려고 하시기 때문에 우리가 자유롭게 하나님께 우리를 내어드릴 수 있게 하신다. 하나님은 사랑하는 분이시고 자유케 하는 분이시다. 그리고 그분께 삶을 드릴 때 우리는 구속이 아닌 자유를 누린다. 우리가 자신을 완전히 예수님께 드리면 우리는 그분이 폭군이 아닌 구세주라는 것, 상사가 아닌 형제라는 것, 그리고 독재자가 아닌 친구라는 것을 발견한다.

우리의 한계를 인정하기

우리 자신을 완전히 항복하게 하는 것을 방해하는 두번째 요소는 우리의 교만이다. 우리는 우리가 단순히 피조물이고 모든 것을 책임지는 사람이 아니라는 사실을 인정하려 하지 않는다. 그것이 가장 오래 전부터 내려오는 유혹이다. "너희 눈이 밝아 하나님과 같이 되어" (창 3:5). 그 욕구, 완전히 통제하려는 욕심이 우리가 살면서 받는 스트레스의 원인이다.

삶은 싸움이다. 하지만 대부분의 사람들은 우리가 야곱처럼 하나님과 싸우고 있다는 사실을 깨닫지 못하고 있다. 싸움을 통해서 하나님같이 되길 원하지만 우리가 그 싸움에서 이길 방법은 전혀 없다.

A.W. 토저(A. W. Tozer)는 말한다. "많은 사람들이 아직도 불안한 마음으로 살아가고 있고, 아직도 인생의 의미를 찾고 있으며, 아직도 앞으로 나아가지 못하는 이유는 그들이 아직 스스로를 완전히 버리지 않았기 때문이다. 우리는 아직도 우리 자신을 상대로 명령하고 있고, 우리 안에서 하나님이 하시는 일에 간섭하려고 한다."

우리는 하나님이 아니며 절대로 그렇게 될 수 없다. 인간일 뿐인 것이다. 우리가 하나님이 되려고 노력하면 우리는 결국 사탄과 같이 된다. 왜냐하면 사탄 역시 하나님이 되기 위해 노력했기 때문이다.

머리로는 우리가 인간일 뿐임을 알지만 마음으로는 받아들이지 못하는 것이 우리의 모습이다. 우리가 인간이라는 사실에 대해 지적으로 동의하지만 스스로의 한계에 직면하면 초조해하고 분노하며, 키가 더 크거나(혹은 작거나), 더 똑똑하고, 더 힘이 세고, 더 재능이 많고, 더 아름답고, 더 부유하기를 바라는 것이다. 모든 것을 갖고 싶어하고 모든 것을 하기를 원하면서 그렇게 되지 않으면 화를 낸다. 그리고 하나님이 우리가 갖고 있지 않은 어떤 것을 다른 사람에게 주셨음을 발견할 때 우리는 질투하고, 시기하며, 자기 연민에 빠진다.

항복한다는 것의 의미

하나님께 항복하는 것은 수동적으로 단념하는 것이나 숙명론적인 것, 또는 게으름에 대한 핑계가 아니다. 현실의 상황을 받아들이지 않는 것도 아니다. 그 반대를 의미할 수 있다. 우리의 삶을 희생하는 것, 또는 변화해야 할 것을 변화시키기 위해 투쟁하는 것을 의미할 수도 있다. 하나님께 삶을 내어드린 사람들은 때때로 하나님 대신에 싸움을 하라는 부름을 받는다. 하나님께 굴복하는 것은 결코 겁쟁이나 짓밟히고도 가만히 있는 사람들을 위한 것이 아니다. 마찬가지로, 이성적인 사고를 포기하는 것을 의미하지도 않는다. 우리가 가지고 있는 생각할 수 있는 능력을 하나님은 낭비할 목적으로 주지 않으셨다. 하나님은 섬기는 로봇을 원하지도 않으신다.

또한 하나님께 삶을 내어드리고, 항복한다는 것은 우리의 성격을 억누르는 것이 아니다. 하나님은 우리의 독특한 성품을 사용하기 원하신다. 우리의 독특한 성품은 하나님께 드릴수록 더 강화된다. C. S. 루이스는 말했다. "우리가 하나님께 더 많이 항복할수록 우리는 더 진정한 우리가 된다. 왜냐하면 하나님이 우리를 만드셨기 때문이다. 그분은 처음부터 우리 모두를 다르게 창조하셨다. 내가 그리스도를 믿고 내 자신을 그분의 인격으로 채울 때에야 비로소 나는 진정한 내 인격을 갖기 시작한다."

항복하는 것은 순종을 통해 가장 잘 표현된다. 우리는 그분이 요구하는 모든 것에 대해 "예, 주님"이라고 말하는 것이

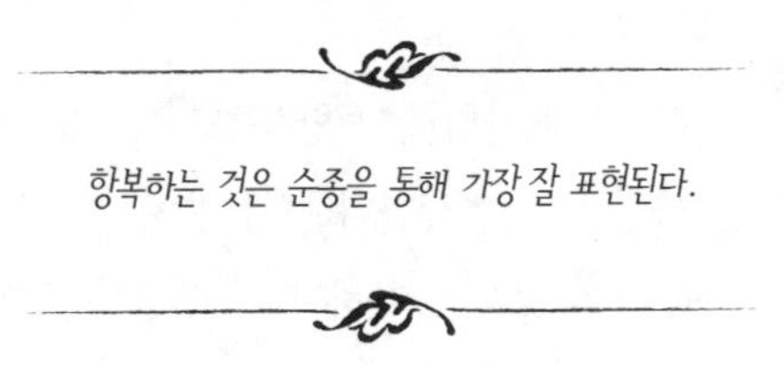

다. 사실 "아니오, 주님" 이라고 말하는 것은 모순이 될 수밖에 없는데 우리가 순종하기를 거부하면서 예수님을 주님이라고 부를 수 없기 때문이다. 베드로는 밤새 고기를 한 마리도 잡지 못하면서도 예수님이 다시 시도해보라고 하신 말씀에 항복하고 순종했다. "시몬이 대답하여 가로되 선생이여 우리들이 밤이 맞도록 수고를 하였으되 얻은 것이 없지마는 말씀에 의지하여 내가 그물을 내리리이다 하고"(눅 5:5). 항복한 사람들은 하나님의 말씀이 이해가 되지 않아도 순종한다.

완전히 내어드린 삶의 또 다른 면은 신뢰다. 아브라함은 어디로 가는지 모르면서도 하나님의 이끄심대로 따라갔다. 한나는 언제인지 모르지만 하나님의 계획된 시간을 기다렸고, 마리아는 어떻게 될지 모르면서 기적을 기대했다. 그리고 요셉은 왜 이런 일들이 벌어지는지 모르면서 하나님의 목적을 신뢰했다. 이들 모두는 하나님께 삶을 완전히 내어드렸다.

우리가 다른 사람들을 주관하거나, 우리의 생각을 강요하고, 상황을 통제하려고 애쓰는 것 대신에 모든 것을 하나님께 맡길 때 우리는 하나님께 항복했음을 알 수 있다. 모든 것을 내려놓고 하나님이 일하시게 하라. 항상 우리가 책임을 져야 할 필요가 없다. 성경은 이렇게 말한다. "너의 삶을 주님께 드리고 인내하며 기다려라"(시 37:7, GWT). 더 열심히 노력하기보다는 더 많이 신뢰해야 한다. 또한 비난에 반응하지 않고, 스스로를 방어하기 위해 서두르지 않을 때 우리는 하나님께 모든 것을 맡겼다는 것을 알 수 있다. 하나님께 드린 마음은 인간 관계에서 가장 잘 나타난다. 다른 사람들을 밖으로 밀어내지 않고, 우리의 권리만 주장하지 않으며, 자신만 생각하지도 않는다.

대부분의 사람들이 항복하기에 가장 어려워하는 부분이 바로 돈이다. 많은 사람들은 생각한다. "나는 하나님을 위해 살고 싶다. 하지만 나는 또한 돈도 많이 벌어 편안하게 살고 은퇴하고 싶다." 그러나 은퇴는 하나님께 항복한 삶의 목표가 될 수 없다. 왜냐하면 우리 삶의 최대 관심인 돈과 하나님 사이에서 우리가 왔다갔다 하기 때문이다. 예수님은 "너희가 하나님과 재물을 겸하여 섬기지 못하느니라"(마 6:24)고 말씀하신다. 그리고 "네 보물 있는 그 곳에는 네 마음도 있느니라"(마 6:21)고 말씀하신다.

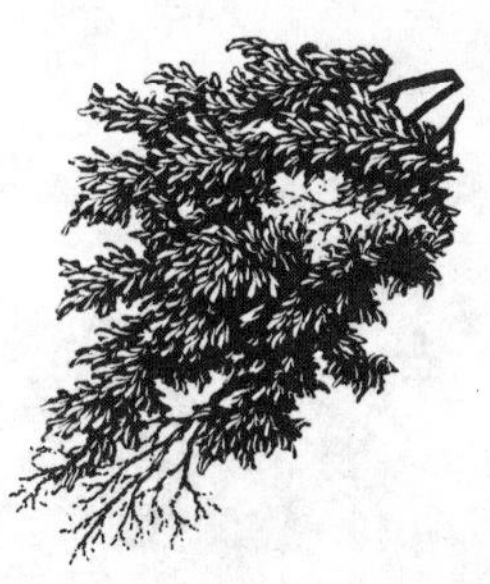

스스로를 항복하며 내어드린 가장 훌륭한 예가 바로 예수님이시다. 예수님이 십자가에 못 박혀 돌아가시기 전날 밤 예수님은 스스로를 하나님의 계획에 항복시키셨다. "아바 아버지여 아버지께는 모든 것이 가능하오니 이 잔을 내게서 옮기시옵소서 그러나 나의 원대로 마옵시고 아버지의 원대로 하옵소서"(막 14:36)라고 기도하셨다.

예수님은 "하나님, 당신이 이 고통을 거두어가실 수 있는 능력이 있으시면 그렇게 하십시오"라고 기도하지 않으셨다. 예수님은 하나님이 모든 것을 하실 수 있다는 것을 이미 믿고 계셨기 때문이다. 대신 "이 고통을 거두는 것이 당신을 위한 것이라면 그렇게 하십시오. 그러나 이 고통이 당신의 목적을 이루는 데 쓰인다면 저 역시 그것을 원합니다"라고 기도하셨다.

진정한 항복은 "아버지, 만약 이 문제, 이 고통, 이 아픔 혹은 이 상황이 당신의 목적과 영광을 위해 필요하다면 거두지 마옵소서"라고 말하는 것이다. 그 정도로 성숙하게 되는 것은 쉬운 일이 아니다. 예수님은 피땀을 흘리실 정도로 고민하셨다. 삶을 항복하며 내어드리는 것은 힘든 일이다. 우리의 경우에 그것은 우리의 자기 중심적인 본성과 싸우는 치열한 전쟁이다.

항복의 축복

성경은 우리가 하나님께 우리의 삶을 온전히 내어드릴 때 누리는 복에 대해 명확하게 이야기한다. 첫째 우리는 평화를 경험하게 된다. "너는 하나님과 화목하고 평안하라 그리하면 복이 네게 임하리라"(욥 22:21). 둘째, 우리는 자유를 경험하게 될 것이다. "하나님께 감사하리로다 너희가 본래 죄의 종이더니 너희에게 전하여 준바 교훈의 본을 마음으로 순종하여 죄에게서 해방되어 의에게 종이 되었느니라"(롬 6:17-18).

셋째, 우리 삶 속에서 하나님의 능력을 경험하게 될 것이다. 집요한 유혹과 어려운 문제들을 그리스도께 맡길 때 그분의 능력으로 모두 해결받을 수 있다.

여호수아는 그의 인생에서 가장 큰 전쟁을 앞에 두고(수 5:13-15) 하나님을 대면했다. 그는 그분 앞에 무릎을 꿇고 경배를 드렸으며, 자기의 계획을 모두 맡겼다. 그 항복이 여리고에서의 승리를 가능케 했다. 이것이 바로 역설이다. 항복할 때 승리한다. 하나님께 항복할 때 우리는 더 강해진다. 하나님께 삶을 내어드리면 우리는 다른 것에 항복하게 될지 모른다는 두려움에서 벗어날 수 있다.

구세군의 창시자 윌리엄 부스(William Booth)는 말했다. "인간의 능력이 어느 정도 위대한지는 그가 얼마나 하나님께 삶을 드렸는지에 따라 설명될 수 있다."

하나님은 항복한 사람들을 사용하신다. 마리아를 선택해 예수님의 어머니가 되게 하신 이유는 그녀에게 재능이 있거나, 부유하거나, 아름다워서가 아니었다. 마리아가 하나님께 완전히 삶을 맡긴 사람이었기 때문이다. 천사가 도저히 있을 법하지 않은 하나님의 계획을 설명했을 때 마리아는 차분하게 대답했다. "주의 계집종이오니 말씀대로 내게 이루어지이다"(눅 1:38). 하나님께 드린 삶을 하나님이 사용하시는 것보다 강력한 것은 없다. "그러니 네 자신을 완전히 하나님께 드리라"(약 4:7, NCV).

인생을 살아가는 가장 좋은 방법

모든 사람은 결국 어떤 것엔가 또는 누구에겐가 항복한다. 하나님이 아니라면 우리는 다른 사람들의 기대, 돈, 분노 혹은 두려움, 자만심, 욕망 그리고 자아에 항복하게 될 것이다. 우리는 하나님을 경배하도록 만들어졌다. 만약 우리가 하나님을 경배하지 않으면 우리는 우상을 만들어 그것에 항복한다. 우리는 항복할 대상을 선택할 자유가 있다. 하지만 그 선택 뒤에 따라오는 결과들에 대해서는 자유롭지 못하다. E. 스탠리 존스(E. Stanely Jones)는 말했다. "만약 당신이 그리스도에게 항복하지 않으면 당신은 큰 혼돈에 항복하게 될 것이다."

하나님께 삶을 드리는 것이 가장 좋은 삶의 방법일 뿐만 아니라 유일한 삶의 방법이다. 다른 어떤 것도 안 된다. 다른 모든 방법은 좌절, 실망 그리고 자기 파괴를 낳을 뿐이다. 킹 제임스 성경(The King James Version)은 항복을 '너의 마땅한 섬김' (롬 12:1)이라고 말한다. 또 다른 성경은 그것을 '하나님을 섬기는 가장 현명한 방법' (롬 12:1, CEV)이라고 말한다. 삶을 모두 드리는 것은 어리석은 감정적인 자극이 아닌 이성적이고 지적인 행동이다. 가장 책임 있는 그리고 우리의 삶을 통해 할 수 있는 가장 현명한 일이다. 그래서 바울은 이렇게 말한다. "그런즉 우리는 거하든지 떠나든지 주를 기쁘시게 하는 자 되기를 힘쓰노라" (고후 5:9). 우리가 가장 현명하게 행동하는 순간은 하나님께 '예' 라고 대답하는 순간이다.

몇 년이 걸릴지 모르겠지만 결국 우리는 하나님이 우리의 삶에 주시는 복을 막는 가장 큰 요인이 다름 아닌 바로 우리 자신, 즉 우리의 의지와 집요한 자만심, 개인적인 야망이라는 것을 깨닫게 될 것이다. 우리 스스로의 계획에 초점을 맞춰서는 하나님의 목적을 이룰 수 없다.

만일 하나님이 우리 안에서 그의 가장 큰 일을 하려고 하신다면 바로 여기서부터 시작하실 것이다. 그러니 모두 하나님께 드리라. 과거의 후회, 현재의 문제들, 미래의 야망, 두려움, 꿈, 약점, 습관, 상처 그리고 우리가 가진 열등감까지… 이 모든 것을 하나님께 드리라. 그리스도를 우리 삶의 운전석에 앉게 하고 핸들에서 손을 떼라. 두려워하지 말라. 그분의 손 안에서 통제 불가능한 것은 없다. 그리스도께서 지배하실 때 우리는 그 어떤 것도 감당할 수 있다. 우리는 다음과 같이 말한 바울처럼 될 것이다. "내게 능력 주시는 자 안에서 내가 모든 것을 할 수 있느니라"(빌 4:13).

다메섹으로 가는 길에서 눈부신 빛을 보고 쓰러진 후 바울은 그의 삶에서 항복의 순간을 맞이하였다. 다른 사람들에게는 하나님이 덜 극적인 방법을 사용하신다. 하지만 항복하는 방법과는 상관 없이 항복하는 것은 단지 일회적인 사건이 아니다. 바울은 "나는 날마다 죽노라" 고 말했다(고전 15:31). 항복은 시간(Moment)이라는 개념과 연결해서 생각해야 하고, 또한 연습(Practice)이라는 면과 연결시켜 생각해야 한다. 즉 항복의 삶은 매순간 이루어져야 하고, 평생 해야 하는 것이다. 산 제물의 문제는 그것이 제단에서 내려올 수 있다는 것이다. 그래서 우리는 하루에 50번씩 삶을 다시 드려야 할지도 모른다. 항복의 삶은 매일의 습관이 되어야 한다. 예수님은 이렇게 말씀하셨다. "만약 나를 따르려 한다면 자신들이 원하는 것을 모두 버려야 한다. 나를 따르기 위해 매일매일 자신들의 삶을 기꺼이 포기해야 한다"(눅 9:23, NCV).

한 가지 경고하고 싶다. 우리가 완전히 항복한 삶을 살기로 결심할 때 그 결심에 따르는 시험이 있다. 때로는 그것이 불편하고, 사람들이 좋아하지 않으며, 비용이 많이 들거나, 불가능해 보이는 일을 하게 되는 것을 의미할 수도 있다. 하려고 마음먹은 것의 정반대의 것을 하게 되는 경우도 있다.

대학생 선교회(Campus Crusade for Christ)의 창립자로 20세기의 가장 위대한 크리스천 지도자 가운데 한 사람은 빌 브라이트(Bill Bright)다. 전 세계에 있는 선교회 회원들과 사영리 소책자, 그리고 10억 명이 넘게 본 영화 〈예수(Jesus)〉를 통해 1억 5천만 명 이상의 사람들이 그리스도에게로 돌아왔고 그들은 천국에서 영원한 삶을 누리게 될 것이다.

어느 날 내가 빌에게 이렇게 물었다. "빌, 왜 하나님이 당신을 사용하시고 당신의 삶에 그렇게 많은 복을 주시는 걸까요?"

그는 이렇게 대답했다. "젊었을 때 나는 하나님과 계약을 맺었네. 나는 직접 계약서를 쓰고 밑에 서명을 했는데, 거기에 '바로 이 날부터 나는 예수 그리스도의 종이다' 라고 썼다네."

당신은 그런 계약서에 서명을 했는가? 아니면 아직도 당신의 삶을 통해 하나님이 원하시는 것을 하려고 하실 때 하나님과 논쟁하고 싸우고 있는가? 이제는 모두 내어드릴 때다. 하나님의 은혜, 사랑 그리고 그분의 지혜에 모두 항복해야 할 때다.

Day 10

내 삶의 목적에 대하여

생각할 점 : 예배의 중심은 항복이다.

외울 말씀 : "너희 지체를 의의 병기로 하나님께 드리라"(롬 6:13).

삶으로 떠나는 질문 : 나는 삶의 어떤 부분을 하나님께 숨기고 있는가?

11

하나님의 좋은 친구 되기

"우리가 하나님과 원수가 되었을 때도,
그리스도의 죽음을 통해 하나님과 화해하게 되었다면,
이렇게 하나님과 화목을 누리고 있는 사람들이
그분의 생명으로 말미암아 구원을 받게 될 것은 더욱 확실합니다"
(롬 5:10, 쉬운성경).

하나님은 우리의 가장 친한 친구가 되기를 원하신다.

우리가 하나님과 맺고 있는 관계에는 여러 가지 다른 면이 있다. 하나님은 우리를 만드신 창조주, 우리의 주인 되신 주, 심판하시는 분, 구세주, 아버지, 구원자, 그 외에도 다른 많은 이름을 붙일 수 있다(시 95:6, 136:3, 요 13:13, 유 1:4, 요일 3:1, 사 33:22, 47:4, 시 89:26). 하지만 가장 놀라운 사실은 전지전능하신 하나님이 우리의 친구가 되기를 원하신다는 것이다.

우리는 에덴동산에서 사람과 하나님의 이상적인 관계를 볼 수 있다. 아담과 하와는 하나님과 친밀한 관계를 누렸다. 의식도, 예식도, 종교도 없었고 단지 하나님과 사람 사이의 관계가 있었을 뿐이다. 죄의식이나 두려움의 방해 없이 아담과 하와는 하나님으로 인해 기뻐하였고, 하나님도 그들로 인해 기뻐하셨다.

우리는 하나님의 계속적인 임재 가운데서 살도록 만들어졌지만 타락한 이후 그 이상적인 관계가 사라지게 되었고, 구약 시대에는 몇 명만이 하나님과 우정을 나눌 수 있는 특권을 누렸다. 하나님은 모세와 아브라함을 '친구'라 부르셨고, 다윗은 '내 마음에 합한 사람'이라고 하셨으며 욥, 에녹 그리고 노아는 하나님과 친밀한 관계를 유지했다(출 33:11, 17, 대하 20:7, 사 41:8, 약 2:23, 행 13:22, 창 6:8, 5:22, 욥 29:4). 하지만 그 시대에는 친밀한 우정의 관계보다는 하나님에 대한 두려움이 더 보편적이었다.

그런데 예수님이 이 상황을 바꾸어놓으셨다. 예수님이 십자가에서 우리의 죄값을 치루셨을 때 성전에 드리워졌던 사람과 하나님을 분리시키던 휘장이 위에서 아래로 찢어졌다. 이것은 사람이 다시 한번 하나님께 직접 나아갈 수 있게 되었다는 것을 의미한다.

하나님을 만나기 위해 많은 시간 동안 준비해야 했던 구약의 성직자들과는 다르게 우리는 언제라도 하나님을 만날 수 있다. 성경은 이렇게 말한다. "이뿐 아니라 이제 우리로 화목을 얻게 하신 우리 주 예수 그리스도로 말미암아 하나님 안에서 또한 즐거워하느니라"(롬 5:11).

하나님과의 우정은 하나님의 은혜와 예수님의 희생으로만 가능하다. "이 모든 것은 하나님이 하셨고 그는 그리스도를 통해 우리를 원수에서 친구로 바꾸셨다"(고후 5:18, TEV). 찬송가에 보면 '죄짐 맡은 우리 구주 어찌 좋은 친군지'라는 구절이 있다. 하지만 사실 하나님은 삼위일체의 하나님 아버지(요일 1:3), 아들(고전 1:9) 그리고 성령(고후 13:13) 모두와 교제하라고 초청하신다.

예수님은 이렇게 말씀하셨다. "이제부터는 너희를 종이라 하지 아니하리니 종은 주인의 하는 것을 알지 못함이라 너희를 친구라 하였노니 내가 내 아버지께 들은 것을 다 너희에게 알게 하였음이니라"(요 15:15). 이 구절에서 친구라는 단어는 얼굴 정도 아는 것이 아니고 아주 가깝고 서로 신뢰하는 관계를 의미한다. 이 단어는 결혼식에서 신랑 들러리를 일컬을 때(요 3:29), 그리고 왕의 아주 가깝고 신뢰하는 친구들과의 모임을 일컬을 때 사용된다. 왕궁에서 종들은 왕과 일정한 거리를 유지해야 하지만, 신뢰하는 친구들의 모임은 친밀한 교제를 즐기고, 직접 만나며, 비밀 정보를 나눈다.

하나님이 나를 그러한 친한 친구로, 그 모임의 일원으로 두고 싶어하신다는 것은 이해하기 어려운 사실이다. 하지만 성경은 이렇게 말한다. "그분은 너희와의 관계에 대해 열정을 가진 하나님이시다"(출 34:14, NLT).

하나님은 우리가 그분의 영광과 사랑, 진리 그리고 목적을 깊고 친밀하게 알기를 원하신다. 사실 하나님은 우리가 당신의 친구가 되게 하시려고 온 우주를 계획하셨고, 역사의 모든 부분을 조율하셨으며, 우리 삶의 구체적인 부분까지 계획하셨다. 성경은 이렇게 말한다. "인류의 모든 족속을 한 혈통으로 만드사 온 땅에 거하게 하시고 저희의 년대를 정하시며 거주의 경계를 한하셨으니 이는 사람으로 하나님을 혹 더듬어 찾아 발견케 하려 하심이로되 그는 우리 각 사람에게서 멀리 떠나 계시지 아니하도다"(행 17:26-27).

하나님을 알고 그분을 사랑하는 것이 우리의 가장 큰 특권이고, 하나님이 우리를 아시고 우리를 사랑하신다는 사실은 우리에게 가장 큰 기쁨이다. 하나님은 "자랑하는 자는 이것으로 자랑할지니 곧 명철하여 나를 아는 것과 나 여호와는 인애와 공평과 정직을 땅에 행하는 자인 줄 깨닫는 것이라 나는 이 일을 기뻐하노라"(렘 9:24)고 말씀하셨다.

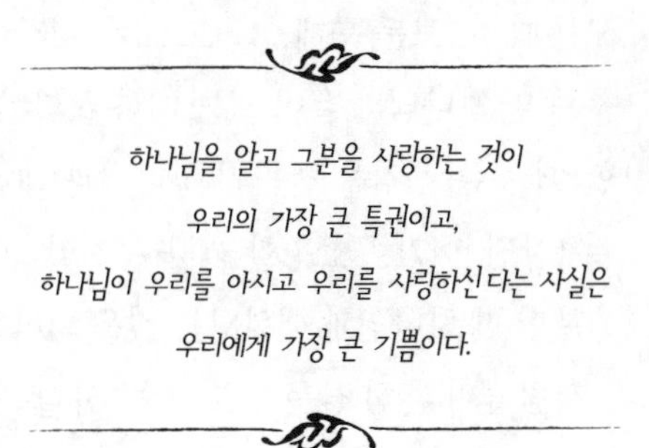

하나님을 알고 그분을 사랑하는 것이
우리의 가장 큰 특권이고,
하나님이 우리를 아시고 우리를 사랑하신다는 사실은
우리에게 가장 큰 기쁨이다.

전능하시고, 눈에 보이지 않으시며, 완벽한 하나님과 유한하고 죄 많은 사람 사이에 친밀한 관계가 가능하다는 사실은 상상하기 어렵다. 주종 관계 혹은 조물주와 피조물의 관계, 아니면 아버지와 자녀의 관계로 이해하는 것이 더 쉽다. 하지만 하나님이 나를 친구로 원하신다는 것은 무엇을 의미하는 것일까? 하나님의 친구였던 성경 속 인물들의 삶을 연구하면 하나님과의 우정에 관한 여섯 가지 비밀을 알 수 있다. 이 장에서 두 가지를 살펴보고 다음 장을 통해서 네 가지를 살펴보기로 하자.

하나님의 가장 좋은 친구가 되는 것

끊임없는 대화를 통해

일주일에 한 번 교회에 가는 것만으로는, 혹은 매일 아침 경건의 시간을 갖는 것만으로는 하나님과 친밀한 관계를 유지할 수 없고 그 관계를 발전시킬 수도 없다. 하나님과의 우정은 모든 삶의 경험을 하나님과 나눌 때 이루어진다.

물론 매일 아침 예배 시간을 정해놓고 드리는 것은 매우 중요하다.[1] 하지만 하나님은 우리 스케줄의 한 부분 이상을 원하신다. 하나님은 모든 활동, 모든 대화, 모든 문제 그리고 모든 생각에 참여하기를 원하신다. 우리는 하루 종일 하나님과 끝이 없는 대화를 할 수 있다. 무엇을 하는지 그리고 일을 할 때 무슨 생각을 하는지 하나님과 대화할 수 있다. '쉬지 않고 기도하는 것' (살전 5:17)은 쇼핑할 때나 운전할 때, 혹은 일을 하거나 하루의 일과를 수행할 때 하나님과 대화하는 것을 의미한다.

사람들이 흔히 잘못 알고 있는 사실 가운데 하나가 '하나님과 시간을 보내는 것' 은 그분과 단둘이 있는 것을 의미한다고 생각하는 것이다. 물론, 예수님이 보여주셨듯이 우리는 하나님과 단둘이 있는 시간도 가져야 한다. 하지만 그것은 우리가 깨

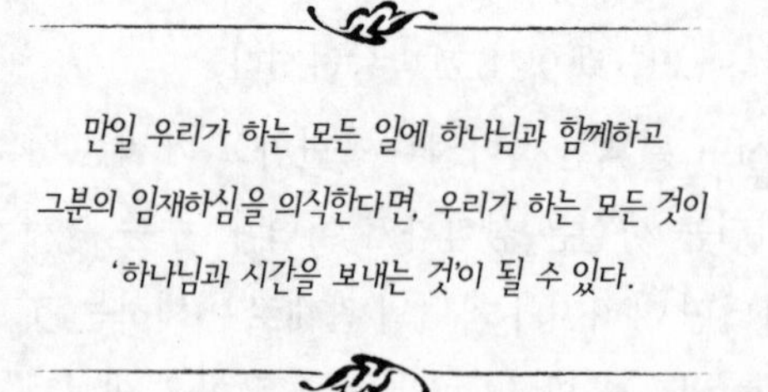

어 있는 시간의 한 부분일 뿐이다. 만일 우리가 하는 모든 일에 하나님과 함께하고 그분의 임재하심을 의식한다면, 우리가 하는 모든 것이 '하나님과 시간을 보내는 것' 이 될 수 있다.

하나님과 끊임없이 대화하는 법을 배울 수 있는 고전이 「하나님의 임재 연습(The Practice of the Presence of God)」이다. 이는 17세기에 로렌스 형제(Brother Lawrence)에 의해 쓰여졌는데 그는 프랑스 수도원의 조리사였다. 그는 식사를 준비하고 설거지를 하는 것과 같은 가장 일상적이고 작은 일도 예배 그리고 하나님과의 교제로 바꿀 줄 알았다. 그에 의하면 하나님과의 친구 관계에서 가장 중요한 것은 우리의 행동을 바꾸는 것이 아니라 태도를 바꾸는 것이다. 우리 자신을 위해 하던 일들을 하나님을 위해서 하는 것이다. 그것이 먹는 것이든, 목욕하는 것이든, 일을 하는 것이든, 쉬거나 쓰레기를 버리는 것이든 상관이 없다.

오늘날 우리는 하나님께 예배드리기 위해서는 일상에서 '벗어나야' 한다고 생각하는데 그 이유는 우리가 모든 순간에 그분의 임재를 연습하는 방법을 배우지 못했기 때문이다. 로렌스 형제는 일상 생활을 통해 하나님을 예배하는 것이 아주 쉽다는 것을 깨달았고 그래서 그는 특별한 영적 수련회에 갈 필요가 없었다.

이것이 하나님이 원하시는 이상적인 예배의 모습이다. 에덴 동산에서의 예배는 참석해야 하는 이벤트가 아니라 영원히 계속되는 태도였다. 아담과 하와는 항상 하나님과 교제했던 것이다. 하나님이 우리와 항상 함께하시기 때문에 지금 있는 장소만큼 하나님께 가까운 곳은 없다. 성경은 이렇게 말한다. "그는 모든 것을 다스리시고 모든 곳에 계시며 모든 것 안에 계신다" (엡 4:6, NCV).

로렌스 형제가 제시하는 또 하나의 방법은 어려운 말을 사용한 긴 기도를 하려고 노력하기보다는 하루 동안 계속 짧은 대화와 같은 기도를 하는 것이다. 집중력을 유지하기 위해 머리 속에 떠돌아다니는 생각들을 없애야 하기 때문에 "기도에 길고 어려운 단어들을 사용하지 말라. 긴 말들은 대부분 다른 생각을 하게 한다"[2]라고 로렌스 형제는 권고한다. 집중력 부족의 시대에 단순하게 하라는 이 450년 된 제안은 특히 더 적절한 연관성이 있어 보인다.

성경은 '쉬지 말고 기도하라' (살전 5:17)고 이야기한다. 이것이 어떻게 가능한가? 한 가지 방법은 '숨 기도(Breath Prayer)' 를 하는 것이다. 많은 크리스천들이 몇 세기 동안 이 방법을 사용해왔다. 이것은 한 숨에 이야기할 수 있는 짧은 문장 혹은 간단한 구절을 선택하여 기도하는 것이다. 예를 들어서 "당신은 나와 함께 계십니다" "나는 당신의 은혜를 받습니다" "나는 당신에게 의지합니다" "나는 당신을 알기 원합니다" "나는 당신께 속해 있습니다" "당신을 신뢰하도록 도와주십시오" 와 같은 문장들이다. "나는 그리스도 때문에 삽니다" "당신은 나를 떠나지 않을 것입니다" "당신은 나의 하나님입니다" 와 같은 짧은 성경 구절을 사용해도 된다. 가능한 자주 이 기도를 반복해서 마음에 깊이 박히게 하라. 그렇지만 이러한 기도를 할 때 기도의 동기가 하나님을 통제하기 위한 것이 아니라 하나님께 영광을 돌리기 위한 것이라는 사실만은 잊지 말라.

하나님의 임재를 연습하는 것은 하나의 기술이고, 발전시킬 수 있는 습관이다. 마치 음악가들이 쉽게 아름다운 음악을 연주하기 위해 음계를 매일 연습하듯이 우리도 하루 일과 중 각기 다른 시간에 하나님을 생각하는 것을 스스로 노력해서 연습해야 한다. 하나님을 기억하기 위한 훈련과 연습을 해야 하는 것이다.

처음에는 하나님이 그 순간 우리와 함께 계시다는 것을 계속적으로 상기시켜줄 수 있는 무언가가 필요하다. 하지만 시간이 지나면서 하나님에 대해서 생각하고, 하나님과 모든 것에 대해 대화하며, 모든 곳에서 그분의 임재를 느끼는 것이 좀더 자연스러워질 것이다.

하나님의 임재를 생각나도록 만드는 물건들을 주변에 두는 것으로부터 시작하라. 작은 쪽지에 '하나님은 지금 나와 함께, 나를 위해 계신다!' 라고 써놓을 수도 있다. 베네딕트 수도사들은 하던 일을 멈추고 '그 시간의 기도(the hour prayer)' 를 갖기 위해 시간마다 종을 쳤다. 만약 우리가 가진 시계나 휴대폰에 알람 기능이 있다면 우리도 똑같이 할 수 있다. 물론 가끔은 그분의 임재를 느낄 것이고 또 그렇지 못할 때도 있을 것이다.

만일 우리가 이 모든 것을 통해 하나님의 임재를 '경험' 하기 원한다면 우리는 중요한 것을 놓치는 것이다. 우리가 하나님을 예배하는 것은 기분이 좋아지게 하기 위한 것이 아니라 선을 행하기 위한 것이다. 우리의 목표는 느끼는 것이 아니라 하나님이 항상 계시다는 사실을 계속적으로 인식하는 것이다. 그것이 예배하는 삶의 방식이다.

계속해서 묵상함으로

하나님과 우정을 맺는 두번째 방법은 하루 종일 그분의 말씀을 생각하는 것이다. 이것을 묵상이라 하는데, 성경은 우리에게 하나님이 누구시고, 무슨 일을 하셨으며 그리고 무슨 말씀을 하셨는지에 대해 묵상할 것을 계속해서 권고한다(시 1:2, 23:4, 143:5, 145:5, 수 1:8).

그분이 무슨 말을 하셨는지 모르고서는 하나님의 친구가 될 수 없다. 그분을 알지 못하면 그분을 사랑할 수 없고, 그분의 말씀을 모르면 그분을 알 수 없다. 성경은 "여호와께서 실로에서 여호와의 말씀으로 사무엘에게 자기를 나타내시니"(삼상 3:21)라고 말한다. 하나님은 오늘날도 그 방법을 사용하신다.

하루 종일 성경 공부를 하면서 시간을 보낼 수는 없지만, 읽거나 외운 구절을 하루 동안 생각할 수 있다. 그리고 머리 속에서 그 구절들에 대해 곰곰히 생각해볼 수 있다.

묵상을 수도승이나 신비론자들이 하는 어렵고 비밀스러운 의식이라고 오해하는 경우가 있지만, 묵상은 단순히 초점을 맞춰 생각하는 것이며, 모든 사람이 배울 수 있고 어디서든 할 수 있는 것이다.

한 문제를 놓고 반복적으로 생각하면 그것을 걱정이라 부른다. 그러나 하나님의 말씀을 반복해서 생각하면 그것이 묵상이다. 우리가 걱정하는 방법을 안다면 묵상하는 방법은 이미 터득했다고 볼 수 있다. 우리의 관심을 걱정거리에서 성경 구절로 돌리면 되는 것이다. 그리고 하나님의 말씀을 더 묵상하면 할수록 우리의 걱정거리는 줄어든다.

욥과 다윗이 하나님의 가까운 친구가 될 수 있었던 이유는 그들이 하나님의 말씀을 무엇보다 소중하게 생각했고, 하루 종일 생각했기 때문이다. 욥은 "나는 내 일용할 양식보다 그의 말씀을 더 소중하게 여겼다"(욥 23:12, NIV)라고 시인했다. 다윗은 "내가 주의 법을 어찌 그리 사랑하는지요 내가 그것을 종일 묵상하나이다"(시 119:97), "또 주의 모든 일을 묵상하며 주의 행사를 깊이 생각하리이다"(시 77:12)라고 말했다.

친구들은 비밀을 함께 나눈다. 그리고 만약 우리가 그분의 말씀에 대해 하루 종일 생각하는 습관을 기른다면 하나님은 당신의 비밀을 우리와 나누실 것이다. 하나님은 아브라함에게 당신의 비밀을 말씀하셨다. 다니엘, 바울, 제자들 그리고 다른 친구들에게도 그렇게 하셨다(창 18:17, 단 2:19, 고전 2:7-10).

성경을 읽거나 설교를 듣거나, 설교 테이프를 들을 때 듣고 그냥 흘려 보내지 말라. 그 진리를 머리 속에서 다시 생각해보는 습관을 기르라. 읽고 들은 것에 대해 계속 생각하라. 하나님이 하신 말씀을 다시 생각하는 것에 더 많은 시간을 투자할수록 대부분의 사람들이 놓치고 넘기는 이 삶의 비밀들을 더 잘 이해하게 될 것이다. 성경은 이렇게 말한다. "여호와의 친밀함이 경외하는 자에게 있음이여 그 언약을 저희에게 보이시리로다" (시 25:14).

다음 장에서 우리는 하나님과의 친밀한 관계에 대한 나머지 네 가지 비밀들에 대해 계속 살펴볼 것이다. 하지만 내일까지 기다리지 말라. 오늘 하나님과 계속 대화를 나누고 그분의 말씀을 계속 묵상하는 연습을 시작하라. 기도는 우리가 하나님과 이야기할 수 있게 해준다. 묵상은 하나님이 우리에게 이야기하실 수 있도록 해준다. 이 두 가지 모두가 하나님의 친구가 되기 위해 반드시 필요하다.

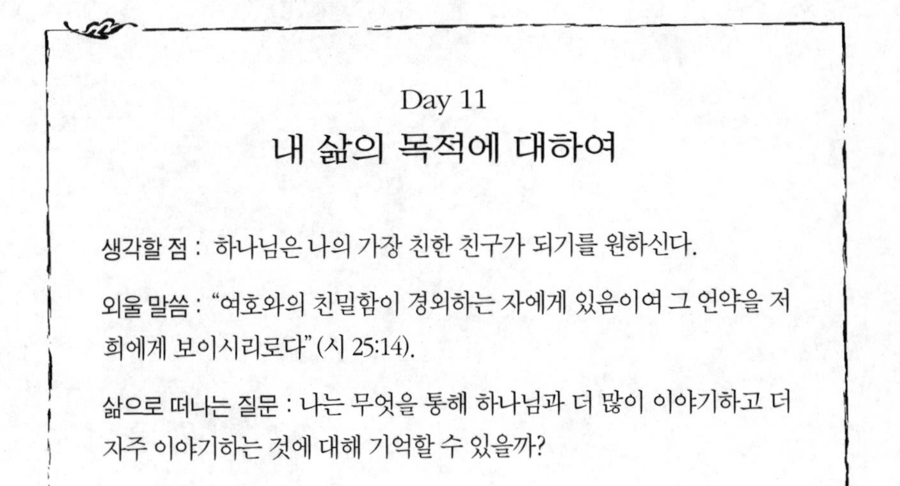

Day 11

내 삶의 목적에 대하여

생각할 점 : 하나님은 나의 가장 친한 친구가 되기를 원하신다.

외울 말씀 : "여호와의 친밀함이 경외하는 자에게 있음이여 그 언약을 저희에게 보이시리로다" (시 25:14).

삶으로 떠나는 질문 : 나는 무엇을 통해 하나님과 더 많이 이야기하고 더 자주 이야기하는 것에 대해 기억할 수 있을까?

하나님과의 우정을 키워가기

"하나님은 의로운 자들에게
당신의 우정을 나타내신다"
(잠 3:32, NLT).

"하나님을 가까이 하라
그리하면 너희를 가까이 하시리라"
(약 4:8).

우리는 노력하는 만큼 하나님께 가까워질 수 있다.

다른 우정과 마찬가지로 하나님과의 우정을 키워가기 위해서도 노력이 필요하다. 저절로 그렇게 되지 않는다. 열정, 시간 그리고 에너지가 필요하다. 하나님과의 더 깊고 친밀한 관계를 원한다면 우리의 감정을 그분과 솔직하게 나눌 수 있는 방법을 배워야 한다. 그분이 우리에게 무엇을 하도록 요청하실 때 그분을 신뢰하고, 그분이 마음쓰시는 것에 마음쓰는 것을 배우며, 그 무엇보다 그분과의 우정을 소망하라.

하나님 앞에서 정직해야 한다

하나님과 더 깊은 우정을 쌓는 첫 단계는 완벽한 솔직함이다. 우리의 잘못과 느낌에 대해서 솔직해지는 것이다. 하나님은 완벽함을 기대하지 않으

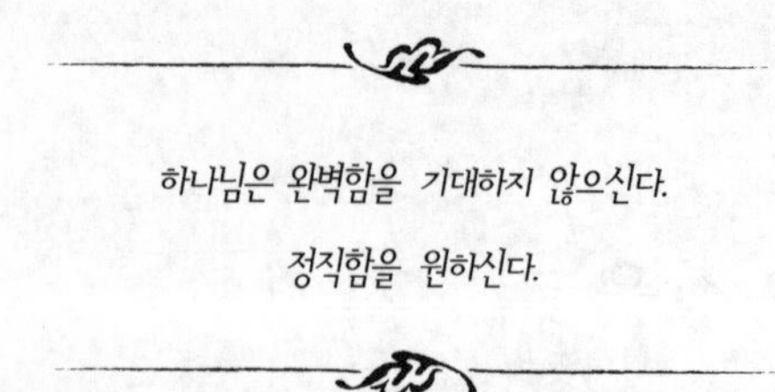

신다. 하지만 정직함을 원하신다. 성경 속의 하나님 친구들, 그 누구도 완벽하지 않았다. 만일 하나님과의 우정에 필요한 것이 완벽함이었다면 우리는 그분의 친구가 될 수 없었다. 다행히 하나님의 은혜로 예수님은 여전히 '죄인들의 친구' (마 11:19)시다.

성경에서 하나님의 친구들은 그들의 감정에 솔직했고, 자주 불평했으며, 잘못 추측하기도 했고, 비난했으며, 창조주와 논쟁을 벌이기도 했다. 그러나 하나님은 이러한 솔직함을 문제삼지 않으셨다. 오히려 격려하셨다.

하나님은 아브라함이 소돔이 멸망당할 것에 대해 질문하고 하나님께 도전하는 것을 허락하셨다. 아브라함은 그 도시를 구하기 위해 무엇이 필요한지에 대해 하나님을 계속 귀찮게 했고, 결국 의인의 수를 50명에서 10명으로 낮추는 협상을 했다.

하나님은 또한 다윗이 불공평함, 배신 그리고 버림받음에 대해 비난하는 것을 참고 들으셨다. 그리고 하나님이 자신을 속였다고 주장하는 예레미야를 벌하지 않으셨다. 욥은 고난당할 동안 그의 괴로움을 표현할 수 있었고, 결국 하나님은 욥의 정직함을 옹호하셨으며, 욥의 친구가 정직하지 못한 것을 질책하셨다. 하나님은 그들에게 "너희는 나에게 또한 나에 대해서 솔직하지 않았다. 나의 친구 욥은 그렇지 않았다. 나의 친구 욥은 이제 너희를 위해 기도할 것이고 나는 그의 기도를 들을 것이다" (욥 42:7 하, Msg)라고 말씀하셨다.

솔직한 우정을 보여주는 예 가운데 놀라운 하나는(출 33:1-17) 하나님이 이스라엘의 불순종에 대한 실망을 솔직하게 모두 표현하신 사실이다. 하나님은 모세에게 약속의 땅을 주기로 한 약속은 지키겠지만 그들과는 광야에서 한 발짝도 더 나아가지 않겠다고 말씀하셨다. 하나님은 이스라엘 민족의 태도에 질리셨고 당신이 어떤 감정을 갖고 계시는지 모세에게 정확히 알려주셨다.

모세는 하나님의 '친구'로서 또한 솔직하게 대답했다. "주님, 당신은 저에게 이 민족을 이끌고 가라고 말씀하셨지만 누구를 저와 함께 보내실 것인지에 대해서는 알려주지 않으셨습니다. 제가 당신에게 특별한 존재라면 당신의 계획을 제게 보여주십시오. 기억해주십시오. 이들은 당신의 백성이고 당신의 책임 아래에 있는 사람들입니다. 당신이 이들을 이끌지 않으신다면 지금 당장 이 여정을 취소하십시오! 그렇지 않으면 당신이 이 일에 저와 함께 또 당신의 백성과 함께하신다는 사실을 어떻게 알 수 있겠습니까? 우리와 함께 가실 겁니까? 아니면 가지 않으실 겁니까? 하나님은 모세에게 말씀하셨다. '알았다. 네가 말한 대로 나는 할 것이다. 내가 너를 잘 알고 너는 내게 특별하기 때문이다'"(출 33:12-17, Msg).

하나님이 이처럼 솔직하고, 극도로 정직한 우리를 감당하실 수 있을까? 물론이다. 진정한 우정은 숨김없이 털어놓는 이야기들을 바탕으로 이루어진다. 뻔뻔스럽거나 몰염치한 것처럼 보이는 것도 하나님께는 솔직함으로 보여진다. 하나님은 친구들의 열정적인 말에 귀기울이신다. 그분은 예측 가능하고 경건한 상투적인 표현에 질리셨다. 하나님의 친구가 되기 위해서 우리는 크리스천으로서 느끼고 말해야 한다고 생각하는 것들을 가지고 하나님과 이야기하는 것이 아니라, 지금 정말로 느끼는 것들을 가지고 하나님과 이야기하고 공유해야 한다.

지금까지 우리의 삶 가운데 속았다고 느꼈거나, 실망했던 부분들에 대해서 숨기고 있던 하나님에 대한 원망이나 분노를 고백해야 할 때도 있을 것이다. 하나님이 우리 삶에서 모든 것을 합력하여 선을 이루신다는 사실을 깨달을 만큼 성숙하기 전까지는 우리 모두가 외모, 배경, 응답받지 못한 기도, 과거의 상처 그리고 우리가 하나님이라면 바꿨을 여러 가지 것들에 대해서 하나님께 분노를 품고 있을 것이다. 사람들은 때때로 다른 사람들에게서 받은 상처를 가지고 하나님을 원망하기도 한다. 이것이 바로 윌리엄 바커스(William Backus)가 말한 '하나님과 우리 사이의 숨겨진 틈(Your hidden rift with God)'을 만드는 것이다.

원한은 하나님과의 우정을 가로막는 가장 큰 장벽이다. '그분이 나에게 이것을 허락하셨다면 내가 왜 그분과 친구가 되어야 하지?' 물론 이에 대한 해결책은 우리에게 고통스럽고 이해가 되지 않는 상황이라 하더라도 하나님은 항상 우리에게 가장 좋은 방향으로 일하신다는 것을 믿는 것이다. 하지만 분노를 표출하고 우리의 감정을 드러내는 것이 치유의 첫 단계다. 하나님께 느끼는 것을 모두 표현하라(욥 - 욥 7:17-21, 아삽 - 시 83:13, 예레미야 - 렘 20:7, 나오미 - 룻 1:20).

우리가 온전히 솔직하게 하시려고 하나님은 우리에게 시편을 주셨다. 시편은 예배 매뉴얼이고, 고함, 한탄, 의심, 두려움, 분노, 깊은 열정, 감사, 찬양 그리고 믿음의 말들이 모두 들어 있다. 시편에는 우리가 가질 수 있는 모든 감정이 표현되어 있다. 다윗과 다른 사람들의 감정적인 고백을 읽으면서 이것이 하나님이 원하시는 예배의 모습이란 것을 알아야 한다. 우리의 감정을 하나도 숨기지 말아야 한다. 다윗과 같이 기도하면 된다. "내가 내 원통함을 그 앞에 토하며 내 우환을 그 앞에 진술하는도다 내 심령이 속에서 상할 때에도 주께서 내 길을 아셨나이다"(시 142:2-3).

하나님의 가장 가까운 친구들인 모세, 다윗, 아브라함, 욥 그리고 그 외의 사람들이 밀려오는 의심과 싸운 적이 있다는 사실은 우리에게 희망을 준다. 하지만 그들은 그 의심을 상투적이고 종교적인 말들로 덮어버리기보다 공개적으로 모든 것을 솔직하게 이야기했다. 의심을 표현하는 것은 때때로 하

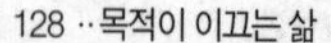

나님과 한 단계 더 친밀해질 수 있는 첫걸음이 된다.

믿음으로 하나님께 순종하는 것을 선택해야만 한다

우리가 하나님의 지혜를 신뢰하고 그분의 말에 순종할 때마다, 심지어 그것을 이해하지 못한다 하더라도 하나님과의 우정은 깊어진다. 우리는 보통 순종이 우정의 요소라고 생각하지 않는다. 그것은 친구가 아닌 부모, 상사 혹은 상관과의 관계에 어울리는 것으로 생각할 수 있지만 예수님은 순종이 하나님과 친밀한 관계를 갖기 위해 필요한 요소임을 분명히 말씀하셨다. "너희가 나의 명하는 대로 행하면 곧 나의 친구라" (요 15:14).

나는 이미 앞 장에서 예수님이 우리를 '친구' 라 부르신 것은 왕궁에서 '왕의 친구들' 을 의미할 수 있다는 사실을 언급한 바 있다. 이렇게 친밀하고 가까운 사람들이 특권을 가지고 있는 것은 사실이지만 여전히 그들은 왕에게 속해 있고 그분의 명령에 순종해야 한다. 우리가 하나님의 친구이기는 하지만 그분과 동등한 관계는 아니다. 그분은 우리를 사랑하는 지도자시고 우리는 그분을 따라야 하기 때문이다.

우리가 하나님께 순종하는 것은 의무나 두려움, 또는 강요에 의한 것이 아니다. 대신 그분에 대한 사랑과 하나님은 우리에게 가장 좋은 것이 무엇인지 알고 계신다는 믿음에서 순종하는 것이다. 그분이 우리에게 해주신 모든 것에 감사하는 마음으로 그리스도를 따르기 원하는 것이고, 우리가 더 가까이 따를수록 하나님과의 우정은 더 깊어지는 것이다.

믿지 않는 사람들은 크리스천들이 의무감이나 죄의식 또는 형벌에 대한 두려움 때문에 순종한다고 생각하지만 사실은 그 반대다. 우리는 용서받았고 형벌에서 자유로워졌기 때문에 사랑으로 순종한다. 그리고 우리의 순종은 큰 기쁨을 가져온다. 예수님은 말씀하셨다. "아버지께서 나를 사랑하신 것 같이 나도 너희를 사랑하였으니 나의 사랑 안에 거하라 내가 아버지의 계명을 지켜 그의 사랑 안에 거하는 것 같이 너희도 내 계명을 지키면 내 사랑 안에 거하리라 내가 이것을 너희에게 이름은 내 기쁨이 너희 안에 있어 너희 기쁨을 충만하게 하려 함이니라"(요 15:9-11).

예수님은 당신이 하나님께 하셨던 것처럼 우리도 똑같이 행동하기를 바라신다. 예수님과 하나님 아버지와의 관계는 우리와 예수님과의 관계의 모델이다. 예수님은 사랑으로 아버지가 요청하시는 일은 모두 하셨다.

진정한 우정은 수동적인 것이 아니고 행동하는 것이다. 그래서 예수님이 우리에게 다른 사람을 사랑하고, 도움이 필요한 사람을 외면하지 않으며, 소유를 나누고, 우리의 삶을 깨끗이 하며, 용서하고, 다른 사람들을 당신에게로 데려오라고 하실 때 우리는 사랑으로 즉시 순종해야 한다.

우리는 자주 하나님을 위해 '위대한 일'을 하라고 도전을 받지만 실은 하나님은 작은 일에 사랑하는 마음으로 순종하는 것을 더 기뻐하신다. 다른 사람들은 알아채지 못하겠지만, 하나님은 아시고 그 행동들을 예배로 여기신다.

위대한 기회는 일생에 한 번밖에 오지 않을 수도 있지만 작은 기회들은 항상 우리 주위에서 찾아볼 수 있다. 진리를 이야기하는 것, 친절하게 행동하는 것 그리고 다른 사람들을 격려하는 것과 같은 작은 일을 통해서 우리는 하나님께 기쁨을 드릴 수 있다. 하나님은 우리의 기도, 찬양 혹은 헌금보다 작은 순종의 모습을 더 소중히 여기신다. 성경은 우리에게 말한다. "여호와께서 번제와 다른 제사를 그 목소리 순종하는 것을 좋아하심 같이 좋아하시겠나이까 순종이 제사보다 낫고 듣는 것이 수양의 기름보다 나으니"(삼상 15:22).

예수님은 서른 살에 요한에게 세례를 받으시고 공적인 사역을 시작하셨다. 그때 하나님은 하늘에서 "이는 내 사랑하는 아들이요 내 기뻐하는 자라"(마 3:17)고 말씀하셨다. 30년 동안 예수님은 무엇을 하셨길래 하나님을 그토록 기쁘게 하셨을까? 성경에서는 그 시간에 대해서 한 구절밖에는 이야기하지 않는다. 누가복음 2장 51절이다. "예수께서 한가지로 내려가사 나사렛에 이르러 순종하여 받드시더라." 하나님께 기쁨을 드리며 산 30년의 세월이 '순종하며 사셨다' 라는 두 단어로 요약된 것이다.

하나님이 소중히 여기시는 것을 소중히 여겨야만 한다

이것이 친구의 모습이다. 상대방에게 중요한 것에 대해 함께 마음을 쓴다. 하나님의 진정한 친구가 될수록 하나님이 신경 쓰시는 부분들에 대해 더 신경 쓰고, 하나님이 슬퍼하시는 문제들에 대해 함께 슬퍼하며, 하나님을 기쁘시게 하는 것에 대해 함께 기뻐하게 될 것이다.

이것의 가장 좋은 예는 바울이다. 하나님의 관심거리는 그의 관심거리였고, 하나님의 열정이 그의 열정이었다. "내가 하나님의 열심으로 너희를 위하여 열심 내노니 내가 너희를 정결한 처녀로 한 남편인 그리스도께 드리려고 중매함이로다"(고후 11:2). 다윗도 마찬가지였다. "주의 집에 대한 열정이 제 안에서도 타고 있습니다. 그러니 당신을 모욕하는 자는 저 또한 모욕하는 것입니다"(시 69:9, NLT).

하나님이 가장 관심을 기울이시는 것은 무엇일까? 그분의 백성을 되찾는 것이다. 잃어버린 모든 자녀들을 찾는 것이다. 예수님이 이 땅에 오신 이유가 그 때문이다. 하나님의 마음에 가장 소중한 것이 당신의 아들의 죽음이다. 두번째는 하나님의 자녀들이 예수님의 죽음에 관한 이야기를 다른 사람들에게 전하는 것이다. 하나님의 친구가 되기 위해서 우리는 하나님이 걱정하시는 잃어버린 세계에 대해서 함께 걱정해야 한다. 하나님의 친구는 자기 친구들에게 하나님에 대해 이야기한다.

우리는 그 무엇보다 하나님과의 우정을 소망해야 한다

시편은 소망의 예를 많이 제시하고 있다. 다윗은 무엇보다 하나님을 아는 것을 열망했다. 그는 동경, 사모, 목마름, 갈망과 같은 단어들을 사용하며 하나님을 정말 간절히 원했다. 그는 "내가 여호와께 청하였던 한 가지 일 곧 그것을 구하리니 곧 나로 내 생전에 여호와의 집에 거하여 여호와의 아름다움을 앙망하며 그 전에서 사모하게 하실 것이라"(시 27:4). 또 다른 시편에서 그는 "주의 인자가 생명보다 나으므로"(시 63:3)라고 했다.

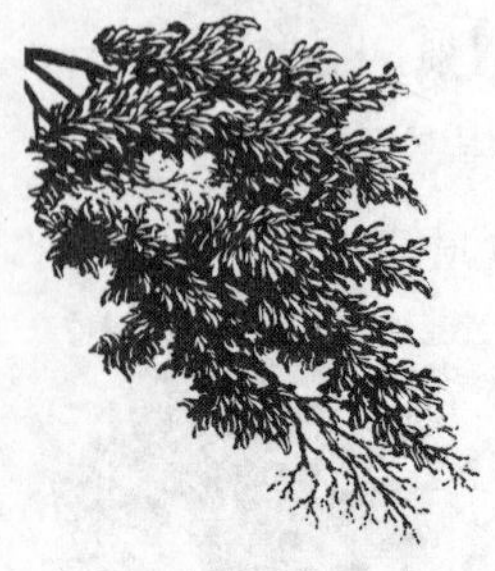

야곱은 하나님이 그의 삶에 은혜 베풀어주실 것을 너무 간절히 원한 나머지 밤새도록 하나님과 흙에서 뒹굴며 씨름했다. 그리고 "당신이 내게 축복하지 아니하면 가게 하지 아니하겠나이다"(창 32:26)라고 말했다. 그 이야기가 놀라운 이유 가운데 하나는 전능하신 하나님이 야곱이 승리하게 하셨다는 것이다. 하나님은 우리가 그와 '몸싸움'을 한다고 해서 불쾌해하지 않으신다. 왜냐하면 몸싸움을 하려면 개인적인 접촉이 있어야 하고 이를 통해 더 가까워질 수 있기 때문이다. 그것은 또한 열정적인 행동이며 하나님은 우리가 당신에게 열정을 품는 것을 좋아하신다.

바울 또한 하나님과의 우정에 매우 열정적인 사람이었다. 그것이 그의 최우선 순위였고, 그의 중심이었으며, 삶의 목표였다. 이러한 이유로 하나님은 바울을 아주 중요한 일들에 사용하셨다. 영어 성경 AMP(The Amplified Bible)는 "나의 확고한 목표는 그분을 알고, 그분과 더 깊은 관계를 맺으며, 그분과 더 친밀해지고, 그분의 인격의 놀라운 부분을 더욱 많이 그리고 명확하게 이해하고 알고 인식하는 것이다"(빌 3:10)라고 말하며 바울의 뜨거운 열정을 잘 표현하고 있다.

우리가 원하는 만큼 하나님과 가까워질 수 있다는 것은 사실이다. 즉 하나님과의 친밀한 관계는 우연이 아닌 우리의 선택이며 우리가 의도적으로 추구해야 하는 것이다. 당신은 그 어떤 것보다 하나님과의 관계를 원하는가? 당신이 가치를 두고 있는 것은 무엇인가? 당신이 가지고 있는 가치는 다른 것들을 포기할 만한 가치가 있는가? 당신이 가지고 있는 가치는 필요한 습관을 기르고 기술을 습득하는 노력을 할 만한 가치가 있는가?

당신은 어쩌면 과거에 하나님에 대해 열정을 가지고 있다가 지금은 그 열정을 잃어버렸을 수도 있다. 이것이 라오디게아 크리스천들의 문제였다. 그들은 첫사랑을 잃어버렸고, 해야 할 올바른 일들은 모두 했지만 그것은 사랑이 아닌 의무감에서 한 것이었다. 단순히 습관적인 신앙 생활을 하며 지금까지의 모습으로 살았다면 하나님이 당신의 삶에 고통을 주실 때 너무 놀라지 말라.

고통은 열정을 위한 연료다. 우리가 보통 때 갖고 있지 않은 변화에 대한 열망을 일으키는 에너지다. C. S. 루이스는 '고통은 하나님의 확성기' 라고 말했다. 이는 영적인 무기력함에서 우리를 일으키는 하나님의 방법이다. 우리가 부딪히는 문제는 벌받는 것이 아니다. 그것은 우리를 사랑하시는 하나님이 주시는 경고다. 하나님은 우리에게 화가 나신 것이 아니다. 우리를 아주 깊이 생각하시는 것이고 당신과의 교제 가운데로 우리를 다시 이끄시기 위해 무엇이든 하실 것이다.

고통은 열정을 위한 연료다. 우리가 보통 때 갖고 있지 않은 변화에 대한 열망을 일으키는 에너지다.

하지만 하나님에 대한 열정을 다시 불태우는 더 쉬운 방법이 있다. 하나님께 달라고 요구하라. 그리고 그것을 얻을 때까지 계속 기도하라. 이렇게 말이다. "예수님, 그 어떤 것보다 당신을 더 가까이 알기 원합니다." 하나님은 바벨론의 포로들에게 이렇게 말씀하셨다. "너희가 전심으로 나를 찾고 찾으면 나를 만나리라" (렘 29:13).

가장 중요한 관계

하나님과의 우정을 만들어가는 것보다 중요한 것은 아무것도 없다. 그것은 영원히 지속될 관계다. "이 사람들 가운데 일부는 삶에서 가장 중요한 것을 놓쳤다. 그들은 하나님을 알지 못한다" (딤전 6:21, LB). 삶에서 가장 좋은 것을 놓쳐본 적이 있는가? 지금부터 그것을 바로잡을 수 있다. 그것은 우리의 선택임을 기억하라. 우리는 원하는 만큼 하나님과 가까워질 수 있다.

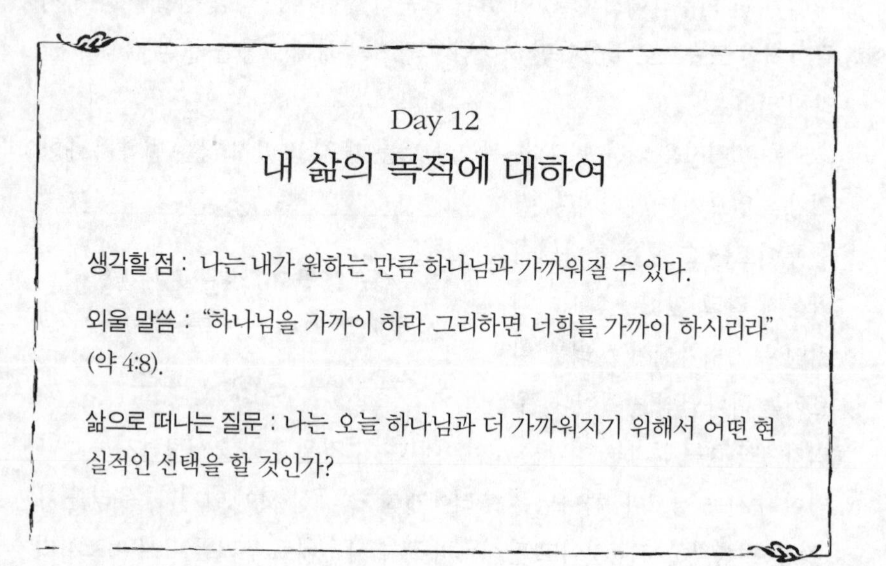

Day 12

내 삶의 목적에 대하여

생각할 점 : 나는 내가 원하는 만큼 하나님과 가까워질 수 있다.

외울 말씀 : "하나님을 가까이 하라 그리하면 너희를 가까이 하시리라" (약 4:8).

삶으로 떠나는 질문 : 나는 오늘 하나님과 더 가까워지기 위해서 어떤 현실적인 선택을 할 것인가?

하나님을 기쁘시게 하는 예배

"네 마음을 다하고 목숨을 다하고 뜻을 다하고 힘을 다하여
주 너의 하나님을 사랑하라 하신 것이요"
(막 12:30).

하나님은 우리의 모든 것을 원하신다.

하나님은 우리 삶의 일부를 원하지 않으신다. 그분은 우리의 마음 모두, 영혼 모두, 생각 모두 그리고 우리의 힘 모두를 요구하신다. 하나님은 마음이 반밖에 없는 헌신, 부분적인 순종 그리고 남는 시간과 돈을 원하지 않으신다. 그분은 우리 삶의 작은 부분들이 아닌 온전한 헌신을 원하신다.

한 사마리아 여인이 예배하기 가장 좋은 시간, 장소 그리고 스타일에 대해 예수님과 토론한 적이 있다. 예수님은 이러한 외부적인 요소들은 무의미하다고 말씀하셨다. 어디에서 예배하는지는 왜 예배해야 하고, 예배할 때 하나님께 우리 자신을 얼만큼 드려야 하는지만큼 중요하지 않다고 대답하셨다. 예배드리는 데 바르고 그른 방법이 있다. 성경은 말한다. "하나님께 감사드리고 하나님이 기뻐하시는 방법으로 예배드리자"(히 12:28, TEV). 하나님을 기쁘시게 하는 예배에는 네 가지 특징이 있다.

하나님은 우리의 예배가 정확할 때 기뻐하신다

사람들은 때때로 "나는 하나님을 … 라고 생각하는 것을 좋아해"라고 말

한다. 그리고 그들이 예배드리고 싶은 모습의 하나님에 대해 나눈다. 하지만 우리는 우리가 대하기 편안하고 모든 사람들이 받아들일 수 있는 하나님의 이미지를 만들어 그것을 예배할 수는 없다. 그것은 우상 숭배다.

예배는 말씀의 진리에 바탕을 두어야 한다. 하나님에 대한 우리의 생각에 기초해서는 안 된다. 예수님은 사마리아 여인에게 말씀하셨다. "아버지께 참으로 예배하는 자들은 신령과 진정으로 예배할 때가 오나니 곧 이때라 아버지께서는 이렇게 자기에게 예배하는 자들을 찾으시느니라"(요 4:23).

'진정으로 예배드리는 것' 은 성경에 거짓 없이 드러나신 분으로서 하나님을 예배하는 것을 의미한다.

하나님은 우리의 예배가 진실할 때 기뻐하신다

'영으로 예배하라.' 이때의 영은 성령을 의미하는 것이 아니다. 우리의 영을 뜻하는 것이다. 하나님의 형상대로 만들어졌기 때문에 우리는 지금의 몸에 잠시 거주하고 있는 영이고 하나님은 그 영이 하나님과 소통할 수 있도록 만드셨다. 예배를 드리는 것은 하나님의 영에 우리의 영이 반응하는 것이다.

예수님이 "네 마음(heart)과 영혼(soul)을 다해 하나님을 사랑하라" 고 말씀하셨을 때, 그분은 예배가 진정으로 마음에서 우러나와야 한다는 의미로 말씀하셨다. 바른말을 하는 것보다는 그것이 진심으로 하는 말이어야 한다는 것이다. 그렇기 때문에 마음이 없는 찬양은 찬양이 아니다. 그것은 가치 없는 것이고 하나님에 대한 모욕이다.

우리가 예배드릴 때 하나님은 우리의 말이 아니라 우리 마음의 태도를 보신다. 성경은 이렇게 말한다. "사람은 외모를 보거니와 나 여호와는 중심을 보느니라"(삼상 16:7).

예배가 하나님 안에서 기뻐하고 하나님을 즐기는 것이기 때문에 우리의 감정과 연관이 있다. 하나님은 우리가 깊은 감정을 가지고 예배를 드릴 수 있도록 우리에게 감정을 허락하셨다. 하지만 그 감정들은 조작된 것이 아닌 진정한 것이어야 한다. 하나님은 위선을 싫어하시기 때문에 예배에서 쇼나 속임수 또는 가짜를 원하지 않으시고, 우리의 솔직함과 진정한 사랑을 원하신다. 우리는 하나님을 완벽하게 예배드리지 못할 수도 있지만, 성의 없이 해서는 안 된다.

물론 마음을 다하는 것으로는 충분하다고 할 수 없다. 마음을 다하지만 잘못 예배드릴 수도 있기 때문이다. 그래서 신령과 진정 모두가 요구되는 것이다. 예배는 진정한 것이어야 하고 정확해야 한다. 하나님을 기쁘시게 하는 예배는 감정적인 동시에 교리적이다. 우리의 마음과 머리를 모두 사용해야 하는 것이다.

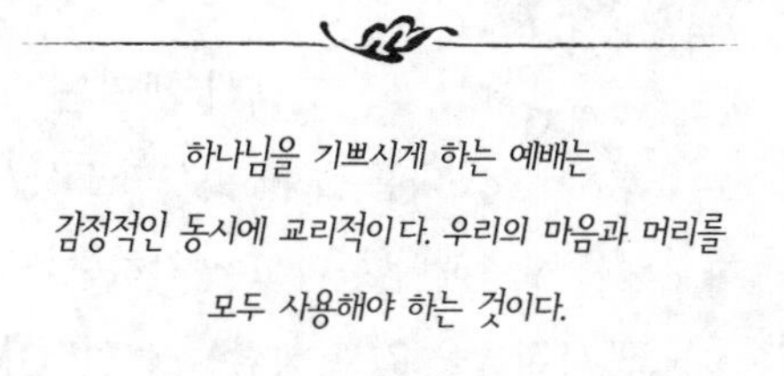

오늘날 많은 사람들이 음악 때문에 감동받는 것을 성령에 의해 감동받는 것과 착각하는 경우가 있는데 이 둘은 절대 같지 않다. 실제로 감성적이고 내면에 와 닿는 음악이 때로는 예배를 방해할 수도 있다. 왜냐하면 그 음악으로 인해 초점이 하나님에서 우리의 감정으로 옮겨지기 때문이다. 예배를 드릴 때 가장 큰 방해 요소는 바로 우리 자신인데, 이것은 다른 사람이 우리에 대해 어떻게 생각하는지에 대한 관심과 걱정이다.

크리스천들은 하나님을 찬양하는 가장 적절한 방법에 대해 다른 의견들을 가지고 있는데, 그 의견들은 주로 성격과 배경의 차이에 의한 것이다. 성경에는 많은 찬양 형태들이 나와 있다. 고백, 노래, 큰 소리로 외치기, 공경의 마음을 가지고 서 있기, 무릎 꿇기, 춤, 간증, 악기 연주, 손 높이 들기 등은 그 중 몇 가지일뿐이다(히 13:15, 시 7:17, 스 3:11, 시 149:3, 150:3, 느 8:6).

가장 좋은 찬양 스타일은 하나님이 우리에게 주신 배경과 성격에 바탕을 두고 하나님의 사랑을 가장 솔직하게 나타내는 것이다.

내 친구 게리 토마스(Gary Thomas)는 많은 크리스천들이 하나님과

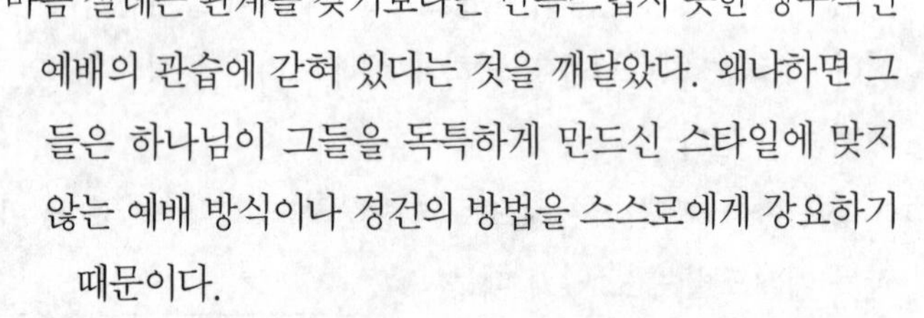

마음 설레는 관계를 갖기보다는 만족스럽지 못한 상투적인 예배의 관습에 갇혀 있다는 것을 깨달았다. 왜냐하면 그들은 하나님이 그들을 독특하게 만드신 스타일에 맞지 않는 예배 방식이나 경건의 방법을 스스로에게 강요하기 때문이다.

그래서 게리는 "하나님이 우리를 의도적으로 모두 다른 모습으로 만드셨는데 왜 모든 사람이 같은 방법으로 하나님을 사랑해야 한다고 생각하는가?"라고 의문을 제시했다. 그는 많은 기독교 서적들을 읽고 사람들을 인터뷰하면서 하나님과의 친밀한 관계를 만들어가는 데 2천 년 동안 사용되어온 많은 다른 방법들을 발견했다. 그 중에는 야외로 나가는 것, 공부하는 것, 노래, 독서, 춤, 예술품 창작, 다른 사람을 섬기는 것, 고독, 교제 그리고 그 외의 수십 가지의 다른 활동들이 있었다.

자신의 책 「거룩한 길(Sacred Pathways)」에서 게리는 사람들이 하나님께 가까이 가는 9가지 방법을 분류했다. 자연주의자들은 자연 속에서 하나님에 대한 사랑을 가장 크게 느끼고, 감각주의자들은 그들의 감각으로 하나님을 사랑하는데 청각뿐 아니라 시각, 미각, 후각 그리고 촉각을 모두 사용하는 아름다운 예배를 드린다. 전통주의자들은 의식, 성찬식, 상징 그리고 변하지 않는 구조 등을 통해 하나님께로 가까이 가고, 금욕주의자들은 고독과 단순함 속에서 하나님을 사랑하는 것을 선호한다. 행동주의자들은 악과 맞서고 불의와 싸우며 세상을 더 나은 곳으로 만들기 위해 노력함으로써 하나님을 사랑하고, 박애주의자들은 다른 사람들을 사랑하고 그들의 필요를 채

워줌으로써 하나님을 사랑한다. 열성적인 사람들은 찬양을 통해서, 묵상하는 사람들은 기도를 통해서 그리고 지식인들은 공부함으로써 하나님을 사랑한다.[1]

예배를 드리고 하나님과 친밀한 관계를 만들어가는 데 있어서 '모든 사람에게 맞는' 방법은 없다. 한 가지 확실한 것은 하나님이 의도하지 않으시는 사람이 되려고 노력해서는 하나님께 영광을 돌릴 수 없다는 것이다. "하나님이 찾는 사람들이 바로 이런 사람들이다. 하나님 앞에서 그리고 예배 가운데 단순하고 정직한 자신의 모습으로 있는 사람들"(요 4:23, Msg).

하나님은 우리가 사려깊게 예배드릴 때 기뻐하신다

예수님은 신약 성경에서 "네 마음을 다해 하나님을 사랑하라"고 네 번이나 반복해 말씀하셨다. 하나님은 생각 없이 찬송을 부르고, 상투적인 말로 기도하며, 다른 어떤 말을 해야 할지 모르기 때문에 '주를 찬양하라' 고 별 뜻 없이 외치는 것을 기뻐하지 않으신다. 우리가 마음을 다해 예배하지 않는 이상 예배는 의미 없는 행동 또는 빈 감정밖에 되지 않는다.

이것이 예수님이 '중언 부언'(마 6:7)이라고 말씀하신 바로 그 문제다. 성경적인 어휘도 과용하면 지겨운 상투적인 표현이 될 수 있는데 그 의미를 생각하지 않고 쓰기 때문이다. 물론 새로운 단어나 방법으로 하나님께 영광을 돌리는 노력을 하기보다 상투적인 말들을 사용하는 것이 훨씬 쉽다. 그래서 나는 말씀을 여러 다른 번역서로 읽어볼 것을 권한다. 그것은 우리가 예배드릴 때 보다 풍부하게 표현할 수 있도록 도와줄 것이다.

찬양, 할렐루야, 감사, 아멘이라는 단어를 사용하지 않고 하나님께 찬양을 드려보라. "우리는 당신께 찬양드리고 싶습니다"라는 말 대신 동의어 목록을 작성해서 감탄하다, 존경하다, 소중히 하다, 경외하다, 경의를 표하다, 감사하다 등의 단어를 사용해보라.

또한 구체적이어야 한다. 만약 누군가 우리에게 다가와서 "나는 당신을 찬양합니다!"라고 열 번 반복한다면 우리는 "왜?"라고 생각하게 될 것이다. 스무 번의 의미 없는 칭찬보다는 두 번의 구체적인 칭찬을 받는 것이 우리는 더 좋을 것이다. 하나님도 마찬가지시다.

또 다른 아이디어는 하나님의 다른 이름들을 목록으로 작성하고 그것에 초점을 맞추어 하나님께 예배드리는 것이다. 하나님을 부르는 이름들은 생각 없이 아무렇게나 지어진 것이 아니고 하나하나가 그분의 성품의 여러 다른 면모를 나타내주는 것이다. 예를 들어 구약에서 하나님은 이스라엘 백성에게 당신의 새로운 이름들을 말씀해주시면서 하나님이 누구이신가를 조금씩 드러내셨다. 그리고 우리에게 이러한 당신의 이름을 찬양하라고 명령하셨다.[2]

하나님은 우리의 공중 예배 역시 사려 깊게 드려지기를 바라신다. 그래서 바울은 고린도전서 14장 전체를 통해 "모든 것을 적당하게 하고 질서대로 하라"(고전 14:40)고 결론을 내렸다.

이와 관련해서 하나님은 우리의 예배가 믿지 않는 사람들이 참여했을 때 그들도 이해할 수 있는 것이어야 한다고 말씀하신다. 바울은 이렇게 말했다. "여러분이 마음을 다하여 하나님을 찬양하고 있을 때 어떤 사람들이 예배에 처음으로 참석해 있다고 가정해보십시오. 만약 그들이 여러분이 하는 것을 이해하지 못한다면 어떻게 그들이 '아멘'이라고 할 수 있겠습니까? 여러분이 아주 멋진 방법으로 하나님께 예배를 드리고 있을지 모르지만 그곳에 처음 온 사람들에게는 아무 도움이 되지 못하는 예배가 될 것입니다"(고전 14:16-17, CEV). 예배에 참석한 불신자들을 세심하게 배려하는 것은 성경에 나오는 명령이다. 이 명령을 간과하는 것은 하나님을 사랑하지 않고 불순종하는 것이다. 이에 대한 좀더 자세한 설명을 원한다면 내가 쓴 「새들백교회 이야기(The Purpose Driven Church), 도서출판 디모데)」의 13장과 14장을 참조하라.

하나님은 우리의 예배가 현실적일 때 기뻐하신다

성경은 이렇게 말한다. "너희 몸을 하나님이 기뻐하시는 거룩한 산 제사로 드리라 이는 너희의 드릴 영적 예배니라"(롬 12:1). 왜 하나님은 우리의 몸을 원하시는가? 왜 그분은 "너의 영을 내놓으라"고 말씀하시지 않는가? 이는 우리의 몸 없이는 이 지구상에서 아무것도 할 수 없기 때문이다. 영생에서 우리는 새로운, 더 나은, 한층 업그레이드된 몸을 얻게 될 것이다. 하지만 이 땅에 있는 동안 하나님은 "네가 지금 가진 것을 내놓으라"고 말씀하신다. 그분은 예배에 대해 현실적으로 말씀하시고 있다.

우리는 사람들이 "나 오늘 모임에 못 가. 하지만 마음만은 함께할게"라고 이야기하는 것을 들어본 적이 있다. 그것이 무슨 의미인지 아는가? 아무 의미도 없다. 무가치한 것이다. 우리가 이 지구상에 있는 한 우리의 영은 우리의 몸이 있는 곳에만 있을 수 있다. 만일 그곳에 몸이 없다면 우리도 없는 것이다.

예배에서 우리는 '우리의 몸을 산 제사로 드리도록' 되어 있다. 우리는 '제물'의 의미를 종종 '죽음'과 연관시킨다. 하지만 하나님은 우리를 산 제물로 원하신다. 그분은 우리가 하나님을 위해 살기를 원하신다. 하지만 산 제물로 사는 것의 문제는 제물이 제단을 떠난다는 것이다. 실제로 우리는 자주 그렇게 한다. 우리는 "그리스도의 군사여, 전진하라"고 주일에 찬양을 하고 월요일에는 직무 이탈을 한다.

구약에서 하나님은 사람들이 여러 가지 제사를 통해서 하나님께 나아올 때 기뻐하셨는데, 그 이유는 예수님이 우리를 위해 십자가에서 보이실 희생을 미리 보여주고 있기 때문이다. 오늘날 하나님은 속죄 제사와는 다른 예배의 제사들, 즉 우리의 삶, 사랑, 감사, 찬양, 겸손, 회개, 헌금, 기도, 다른 사람을 섬기는 것 그리고 힘든 사람을 돕는 것 등을 통해서 기뻐하신다(시 50:14, 51:17, 54:6, 141:2, 막 12:33, 롬 12:1, 빌 4:18, 히 13:15, 16).

진정한 예배에는 대가가 따른다. 그래서 다윗은 이것을 깨닫고 "내가 아무런 대가를 치루지 않아도 되는 것을 가지고 하나님께 제사로 드리지 않겠다"(삼하 24:24, TEV)라고 말했다.

우리가 예배의 대가로 치러야 하는 것 가운데 하나는 자기 중심성(self-centeredness)이다. 우리는 하나님과 우리 자신을 동시에 높일 수 없다. 다른 사람에게 보여지거나 스스로 만족하기 위해서 예배드려서는 안 된다. 더 이상 스스로에게 초점을 맞춰서는 안 된다.

예수님이 "온 힘을 다해 하나님을 사랑하라"고 말씀하셨을 때 예수님은 예배가 노력과 에너지가 필요한 것임을 가르쳐주셨다. 그것은 항상 편리하고 편한 것이 아니다. 그리고 가끔 예배는 의지의 표현이다. 수동적인 예배란 말은 모순되는 말이다.

그럴 수 없는 상황에서도 하나님을 찬양할 때, 피곤하지만 예배를 드리러 가기 위해 일어날 때, 또는 지쳐 있지만 다른 사람들을 도울 때 우리는 하나님께 예배의 제물을 드리는 것이다. 그것이 하나님을 기쁘시게 한다.

영국의 찬양 인도자 매트 레드맨(Matt Redman)은 자신이 목사님에게서 예배의 진정한 의미를 어떻게 배웠는지 다음과 같이 말해준다. 그 목사님은 예배가 음악 이상이라는 것을 보여주기 위해서 다른 방법으로 예배하는 방법을 배울 때까지 예배 시간 동안 노래하는 것을 금지하였다. 그 기간이 끝날 무렵 그는 '예배의 마음(Heart of Worship)' 이라는 곡을 썼다.

> 노래 이상의 것을 당신께 드리겠습니다.
> 당신이 원하시는 것은 노래 그 자체가 아니기 때문입니다.

당신은 겉으로 보이는 것보다 훨씬 깊은 곳을 보십니다.
당신은 나의 마음을 보십니다.[3]

문제의 중심은 마음에 있다.

Day 13

내 삶의 목적에 대하여

생각할 점 : 하나님은 나의 전부를 원하신다.

외울 말씀 : "네 마음을 다하고 목숨을 다하고 뜻을 다하고 힘을 다하여 주 너의 하나님을 사랑하라" (막 12:30).

삶으로 떠나는 질문 : 지금 무엇이 하나님을 더 기쁘시게 하는가? 다른 사람들과 함께 드리는 예배인가, 나의 개인적인 예배인가? 하나님을 기쁘시게 하기 위해서 나는 무엇을 할 것인가?

14
하나님이 멀게 느껴질 때

"이제 야곱 집에 대하여 낯을 가리우시는 여호와를
나는 기다리며 그를 바라보리라"
(사 8:17).

우리가 어떻게 느끼든 상관없이 하나님은 실제로 존재하신다.

모든 일이 잘 풀리고 행복한 상황이 펼쳐질 때 하나님을 예배하는 것은 쉽다. 하지만 상황이 언제나 좋을 수는 없다. 그럴 때에는 하나님을 어떻게 예배하는가? 하나님이 몇 백만 킬로미터 떨어져 있는 것처럼 느껴질 때 어떻게 하는가?

가장 깊은 경지의 예배는 고통 속에서도 하나님을 예배하고, 시련 속에서도 하나님께 감사하며, 시험을 당할 때에도 하나님을 신뢰하고, 어려움 속에서도 하나님께 삶을 내어드리며, 그분이 멀게 느껴질 때에도 하나님을 사랑하는 것이다.

친구 관계를 시험하는 것은 주로 이별과 침묵이다. 물리적으로 먼 거리에 있거나 이야기를 할 수 없을 때 친구 관계는 시험을 받는다. 하나님과의 관계도 항상 가깝게 느껴지지만은 않을 것이다. 필립 얀시(Philip Yancey)는 "모든 관계에 가까워지는 시기와 멀어지는 시기가 있듯이, 하나님과의 관계도 마찬가지다. 아무리 친밀한 관계라도 추는 항상 한쪽에서 다른 한쪽으로 움직인다"[1]고 지적했다. 바로 그때가 예배드리기 어려운 시기다.

그 관계가 더욱 성숙해지기 위해서 하나님은 멀어진 것 같은 시기, 즉 하나님이 우리를 버리셨거나 우리를 잊으셨다고 생각되는 때를 통해 시험하실 것이다. 하나님은 백만 킬로미터 떨어져 있는 것같이 느끼신다. 십자가의 성 요한(St. John of the Cross)은 영적인 메마름, 의심 그리고 하나님과 멀어진 이 시대를 '영혼의 어두운 밤(the dark night of the soul)' 이라고 표현했다. 헨리 나우웬(Henry Nouwen)은 '부재의 사역(the ministry of absence)' 이라고 표현했다. A. W. 토저(A. W. Tozer)는 '밤의 사역(the ministry of night)' 이라 했으며, 또 다른 사람들은 '마음의 겨울(the winter of the heart)' 이라고도 했다.

예수님 외에 다윗보다 하나님과 더 가까운 관계를 유지한 사람은 아마 없을 것이다. 하나님은 그를 '내 마음에 합한 사람' (삼상 13:14, 행 13:22)이라고 기꺼이 부르실 정도였지만 다윗은 종종 하나님의 부재에 불만을 표하곤 했다. "여호와여 어찌하여 멀리 서시며 어찌하여 환난 때에 숨으시나이까" (시 10:1). "내 하나님이여 내 하나님이여 어찌 나를 버리셨나이까 어찌 나를 멀리하여 돕지 아니하옵시며 내 신음하는 소리를 듣지 아니하시나이까" (시 22:1). "어찌하여 나를 버리셨나이까" (시 43:2, 참고 - 시 44:23, 74:11, 88:14, 89:49).

물론 하나님은 다윗을 떠나지 않으셨고 또한 우리를 떠나지 않으신다. 하나님은 계속해서 "나는 너를 떠나거나 버리지 않을 것이다" (신 31:8, 시 37:28, 요 14:16-18, 히 13:5)라고 약속하시지만 "네가 항상 나의 임재를 느낄 것이다" 라고 약속하지는 않으셨다. 실은 하나님 자신도 때로는 우리에게서 얼굴을 숨기신다는(욥 23:8-10) 사실을 인정하신다. 가끔 하나님이

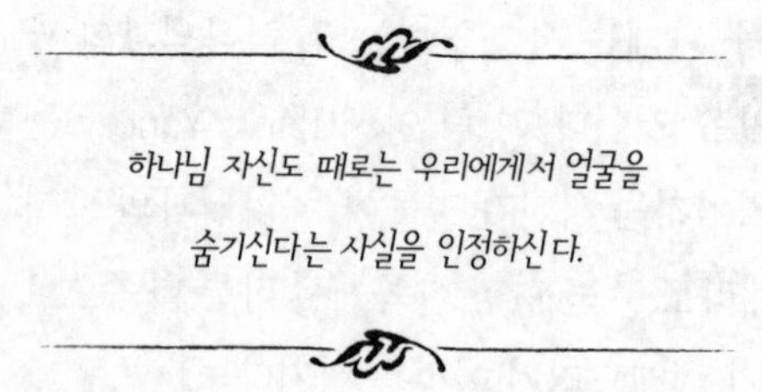

우리의 삶에서 일부러 모습을 숨기시는 경우가 있을 것이다.

플로이드 맥클렁(Floyd McClung)은 이렇게 묘사한다. "어느 날 아침 눈을 뜨니 모든 영적인 느낌이 사라졌다. 기도하지만 아무 일도 일어나지 않는다. 악마를 꾸짖지만 아무런 변화도 일어나지 않는다. 영적인 행동을 한다. 친구에게 기도를 부탁하거나, 생각할 수 있는 모든 죄를 고백하고, 모든 사람들에게 용서를 구하고 다닌다. 그리고 금식을 한다. 하지만 여전히 아무 일도 일어나지 않는다. 이 영적인 슬럼프가 얼마나 오래 갈지 궁금해지기 시작한다. 며칠? 몇 주? 몇 달? 끝은 날까? 마치 기도가 천장에서 튕겨져 떨어지는 것 같다. 절망 속에서 우리는 '도대체 내 문제가 무엇인가' 라고 소리친다."[2]

사실 우리에게는 아무 문제가 없다. 그것은 하나님과의 관계에 있어서 아주 정상적으로 일어나는 시험과 성숙을 위한 과정의 일부일뿐이다. 모든 크리스천은 최소한 한 번씩 그리고 보통은 여러 번 이런 과정을 겪게 된다. 고통스럽고 당황스럽지만 우리의 믿음이 발전하기 위해서 꼭 필요한 과정이다. 욥은 이 사실을 알고 삶에서 하나님의 임재를 느끼지 못할 때에도 다음의 말씀과 같이 소망을 가졌다. "그런데 내가 앞으로 가도 그가 아니 계시고 뒤로 가도 보이지 아니하며 그가 왼편에서 일하시나 내가 만날 수 없고 그가 오른편으로 돌이키시나 뵈올 수 없구나 나의 가는 길을 오직 그가 아시나니 그가 나를 단련하신 후에는 내가 정금 같이 나오리라" (욥 23:8-10).

하나님이 멀게 느껴질 때 우리는 하나님이 우리에게 화가 나셨다고 느끼거나, 우리가 죄로 인해 벌을 받고 있다고 느낄 수 있다. 사실 죄로 인해 하나님과의 친밀한 관계가 끊어지기도 한다. 죄를 지을 때 하나님의 영을 슬프시게 하며, 우리의 불순종, 다른 사람과의 갈등, 세상 일로 분주함, 세상과의 친밀함 그리고 그 외의 죄들로 인해 하나님과의 관계가 소원해질 수도 있다(시 51편, 엡 4:29-30, 살전 5:19, 렘 2:32, 고전 8:12, 약 4:4).

하지만 하나님으로부터 버림받은 감정과 멀리 느껴지는 감정은 죄와는 아무런 관계가 없다. 그것은 우리 모두가 겪어야 하는 믿음에 대한 시험, 즉 "내가 그분의 임재를 느끼지 못하거나, 내 삶에 그분의 역사하심의 가시적인 증거가 없을 때에도 나는 계속 하나님을 사랑하고 신뢰하며, 하나님께 순종하고, 예배드릴 수 있을까?" 와 같은 시험인 것이다.

크리스천들이 오늘날 예배에서 저지르는 가장 흔한 실수는 하나님보다 경험을 추구한다는 것이다. 그들은 예배드리면서 어떠한 느낌을 추구하고 그것이 마음속에 생기면 예배드렸다고 결론을 내린다. 이것은 잘못된 것이다. 하나님은 우리가 감정에 의존하지 않도록 하시려고 때때로 감정을 거두기도 하신다. 감정을 추구하는 것, 그것이 하나님과의 친밀함에 대한 감정일지라도 그것은 예배가 아니다.

크리스천들이 오늘날 예배에서 저지르는 가장 흔한 실수는
하나님보다 경험을 추구한다는 것이다.

초신자일 때 하나님은 많은 감정의 확신을 주시고, 가장 미성숙하고 자기중심적인 기도에도 응답해주신다. 그분이 존재하신다는 사실을 우리에게 알려주시려는 것이다. 하지만 우리의 믿음이 자라면서 그분은 이러한 의존물로부터 우리를 떼어놓으실 것이다.

하나님이 어디에든 계신다는 사실과 그분의 임재를 나타내는 현상은 전혀 다른 것이다. 전자는 진리고 후자는 감정이다. 하나님은 항상 계신다. 심지어 우리가 인식하지 못할 때에도 계신다. 그리고 그분의 임재는 단순한 감정으로 측정하기에는 너무 심오하다.

물론 하나님도 우리가 당신의 존재를 느끼기 원하신다. 하지만 우리가 그분을 느끼기보다 신뢰하는 것을 더 중요하게 생각하신다. 하나님께 기쁨을 드리는 것은 감정이 아닌 믿음이다.

우리의 믿음이 가장 많이 자랄 수 있는 상황은 삶이 모두 무너지고 있는데, 하나님은 보이지 않는 그런 때다. 욥에게 그런 일이 일어났다. 하루 만에 그는 모든 것을 잃었다. 가족, 사업, 건강 그리고 소유하였던 모든 것을. 그리고 가장 절망적인 것은 욥기 37장 동안 하나님은 한마디도 하지 않으셨던 것이다.

우리의 삶에서 일어나고 있는 일들을 이해하지 못하고 또한 하나님이 침묵하고 계실 때 도대체 하나님을 어떻게 예배해야 하는가? 아무 의사 소통 없는 위기의 때에 어떻게 계속 하나님과의 관계를 유지할 수 있는가? 눈에 눈물이 가득 고여 있는데 어떻게 예수님만 바라볼 수 있는가? 욥이 한 대로 하면 된다. 그 때 그는 바닥에 엎드려 이렇게 말했다. "욥이 일어나 겉옷을 찢고 머리털을 밀고 땅에 엎드려 경배하며 가로되 내가 모태에서 적신이 나왔사온즉 또한 적신이 그리로 돌아가올지라 주신 자도 여호와시요 취하신 자도 여호와시오니 여호와의 이름이 찬송을 받으실지니이다 하고"(욥 1:20-21).

하나님께 솔직한 감정을 말하라

하나님께 마음을 모두 털어놓으라. 감정을 모두 쏟아내라. 하나님은 우리의 의심, 분노, 두려움, 슬픔, 혼란 그리고 궁금증들을 모두 감당하실 수 있기 때문이다. 욥은 이렇게 표현했다. "저는 조용히 있을 수 없습니다. 저는 화가 났고 분개하고 있습니다. 말을 해야겠습니다!"(욥 7:11, TEV) 그는 하나님이 멀리 계신다고 느꼈을 때 "내 생애에 있어서 최고의 시절, 하나님과의 우정이 내 집안을 축복했던 그날이 돌아올 수 있었으면"(욥 29:4, NIV)이라고 외쳤다. 하나님은 우리의 의심, 분노, 두려움, 슬픔, 혼란 그리고 의문들을 모두 감당하실 수 있다.

하나님 앞에서 절망적인 상황을 인정하는 것이 믿음의 표현이라는 것을 알았는가? 하나님을 신뢰하는 동시에 절망을 느끼며 다윗은 이렇게 썼다. "나는 굳게 믿고 말하였다. '나는 완전히 망했구나'"(시 116:10, NCV). 이것은 모순처럼 들린다. "나는 하나님을 신뢰하지만 완전히 파멸되었다!" 그렇지만 이와 같은 다윗의 솔직함 속에는 그의 깊은 믿음이 드러나고 있다. 첫째, 그는 하나님을 신뢰했고 둘째, 그는 하나님이 자신의 기도를 들어주실 것을 믿었으며 셋째, 그는 자신의 감정대로 하나님께 솔직하게 이야기해도 여전히 하나님은 자신을 사랑하실 것이라고 믿었다.

하나님이 어떤 분이신지에 초점을 맞추라

그분은 한결같은 분이시다. 상황과 감정에 상관없이 하나님의 변하지 않는 특성에 매달리라. 우리가 알고 있는 하나님에 대한 불변의 진리들을 머리 속에 떠올리라. 그분은 좋으신 하나님이시다. 그분은 나를 사랑하신다. 나와 함께하신다. 내가 겪고 있는 일들을 아신다. 나를 돌보신다. 그리고 그분은 나의 삶에 대해 멋진 계획을 가지고 계신다. V. 레이몬드 에드맨(V. Raymond Edman)은 말한다. "하나님이 빛 가운데서 하신 말씀에 대해 어둠 속에서 의심하지 말라."

욥의 경우, 그의 삶이 하나하나 망가져가고 있을 때 하나님은 침묵하셨다. 그러나 그때에도 욥은 여전히 하나님께 찬양을 드릴 수 있는 이유들을 발견했다.

- 그분은 선하시며 사랑이 많은 하나님이시다(욥 10:12).
- 그분은 전능하시다(욥 37:5, 23, 42:2).
- 그분은 내 삶의 모든 구체적인 부분까지 아신다(욥 23:10, 31:4).
- 그분이 모든 것을 통제하신다(욥 34:13).
- 그분은 내 삶에 대한 계획을 가지고 계시다(욥 23:14).

• 그분은 나를 구원하실 것이다(욥 19:25).

약속을 지키시는 하나님을 믿으라

영적으로 메마른 시기를 지날 때 우리는 우리의 감정이 아닌 하나님의 약속을 인내함으로 의지해야 하고, 그 기간 동안 하나님이 우리를 더욱 깊은 성숙의 단계로 이끌고 계심을 깨달아야 한다. 감정에 바탕을 둔 우정은 그 깊이가 얕을 수밖에 없다.

그러므로 어려운 일 때문에 마음의 어려움을 당해서는 안 된다. 상황이 하나님의 특성을 바꿀 수는 없다. 하나님의 은혜는 상황이 어떻든 상관없이 여전히 우리의 삶에 충만하게 임하고 있으며, 하나님은 여전히 우리 편에서 우리가 느끼든 못 느끼든 서 계신다. 확신을 가질 수 없는 상황 속에서도 욥은 하나님의 말씀을 붙잡았다. 그는 이렇게 말했다. "내가 그의 입술의 명령을 어기지 아니하고 일정한 음식보다 그 입의 말씀을 귀히 여겼구나" (욥 23:12).

하나님의 말씀에 대한 이러한 믿음 때문에 욥은 아무리 어려운 상황 속에서도 신실할 수 있었다. 소망은 기대하는 마음으로 계속 기도하는 것이다. 그의 믿음은 고통 속에서도 강했다. "하나님이 나를 죽이실지라도 나는 계속 그를 신뢰할 것이다" (욥 13:15, CEV).

하나님께 버림받았다고 느끼지만 그런 우리의 감정에 상관없이 하나님을 계속 신뢰한다면 이것이야말로 우리가 가장 깊게 하나님께 예배드리는 것이다.

하나님께 버림받았다고 느끼지만
그런 우리의 감정에 상관없이 하나님을 계속 신뢰한다면
이것이야말로 우리가 가장 깊게
하나님께 예배드리는 것이다.

하나님이 이미 우리를 위해 하신 일들을 기억하라

만약 하나님이 다른 것은 하나도 해주지 않으셨다 치더라도, 예수님이 십자가에서 우리를 위해 해주신 것만으로도 그분은 우리의 남은 삶 동안 찬양받기에 합당한 분이시다. 하나님의 아들이 우리를 위해 죽으셨다. 이것이 우리가 예배드리는 가장 큰 이유다.

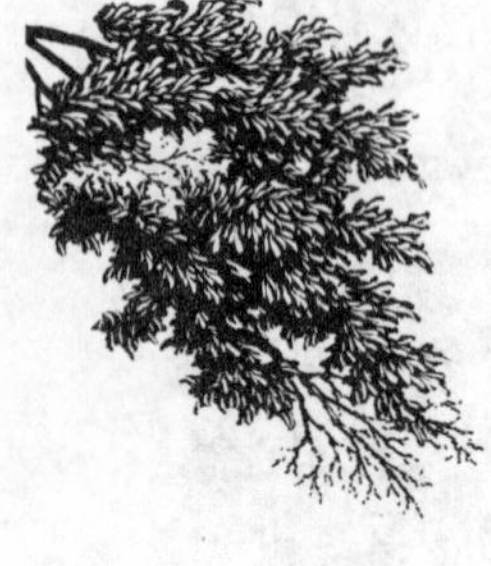

불행히도 우리는 우리를 대신하여 하나님이 치르신 엄청난 희생, 그때 일어났던 끔직한 세부 사항들을 잊곤 한다. 그것은 우리가 익숙해졌기 때문이다. 그리고 익숙함은 자기 만족으로 이끈다. 십자가에 못 박혀 돌아가시기 전에도 하나님의 아들은 옷이 벗겨진 채 형체를 알아볼 수 없을 정도로 맞고, 채찍질당했으며, 조롱당했고, 가시 면류관을 쓰셨으며, 사람들은 그분을 경멸하며 침을 뱉었다. 잔인한 인간들에게 학대받고 조롱당했으며 동물만도 못한 취급을 받으셨다.

그 때, 피를 너무 많이 쏟아 의식을 거의 잃은 채로 그분은 힘겨운 십자가를 지고 언덕을 올라가서 십자가 위에서 못 박히시고, 십자가 처형 중 가장 참기 힘든 죽음의 고문 과정, 즉 천천히 죽도록 방치되셨다. 그분의 피가 흐르고 있을 때 야유하던 사람들이 모욕적인 말을 하고, 고통을 비웃으며, 그가 진정 하나님이냐고 조롱했다.

예수님이 모든 인류의 죄를 짊어지시는 동안 하나님은 그 추한 광경에서 눈을 떼셨고 예수님은 절망 속에서 이렇게 외치셨다. "나의 하나님이시여, 왜 나를 버리시나이까?" 예수님은 스스로를 구하실 수도 있었지만 그랬다면 우리를 구원하실 수 없었을 것이다.

인간의 말로는 그 순간의 암울함을 표현할 수 없다. 왜 하나님은 예수님이 그렇게 무시무시하고 악한 학대를 당하게 두셨을까? 왜일까? 바로 우리가 영생을 지옥에서 보내지 않도록 하기 위해서, 그래서 우리가 그분의 영광을 영원히 함께 누리게 하기 위해서다. 성경은 이렇게 말한다. "그리스도는 죄가 없으셨지만 우리가 하나님과 연합하여 그의 의로움을 함께 나눌 수 있도록 하기 위해서 하나님은 예수님에게 그 죄값을 대신 치르게 하셨다" (고후 5:21, TEV).

예수님은 우리가 모든 것을 갖게 하시려고 모든 것을 버리셨다. 그분이 죽으심으로 우리는 영원히 살 수 있게 되었다. 그 사실 하나만으로도 우리는 하나님께 감사해야 하고 찬양해야 한다. 다시는 무엇에 대해 감사해야 할지 고민해서는 안 된다.

Day 14

내 삶의 목적에 대하여

생각할 점 : 내가 어떻게 느끼든 하나님은 실제로 존재하신다.

외울 말씀 : "내가 과연 너희를 버리지 아니하고 과연 너희를 떠나지 아니하리라" (히 13:5).

삶으로 떠나는 질문 : 하나님이 멀리 계신 것처럼 느껴질 때 어떻게 하면 그분이 계시다는 사실에 초점을 맞출 수 있을까?

두번째 목적

우리는 하나님의 가족으로 태어났다

"나는 포도나무요 너희는 가지니" (요 15:5).

"이와 같이 우리 많은 사람이 그리스도 안에서 한 몸이 되어

서로 지체가 되었느니라"

(롬 12:5).

15

하나님의 가족으로 태어났다

"하나님은 모든 것을 만드셨고,
모든 것은 하나님의 영광을 위해 있다.
그분은 그 영광을 함께 나눌 많은 자녀들을 원하셨다"
(히 2:10, NCV).

"아버지께서 우리를 얼마나 사랑하고 계신지 생각해 보십시오.
하나님께서는 우리를 너무나 사랑하셔서,
우리를 그분의 자녀라고 불러 주셨습니다.
이제 우리는 정말로 그분의 자녀입니다.
그러나 세상 사람들은 우리를 이해하지 못합니다.
왜냐하면 그들은 하나님을 모르기 때문입니다."
(요일 3:1, 쉬운성경)

우리는 하나님의 가족으로 태어났다.

하나님은 가족을 원하시고 우리가 가족이 되도록 우리를 만드셨다. 이것이 하나님이 우리의 삶에 대해 갖고 계시는 두번째 목적이다. 그분은 우리가 태어나기 전부터 이것을 계획하셨다. 성경은 하나님을 사랑하고, 그분에게 영광을 돌리며, 영원히 그분과 함께 통치할 하나님의 가족을 만드는 이야기다. 에베소서 1장 5절은 말한다. "그 기쁘신 뜻대로 우리를 예정하사 예수 그리스도로 말미암아 자기의 아들들이 되게 하셨으니."

하나님은 사랑이시기 때문에 관계를 소중하게 여기신다. 관계를 중요하게 여기시는 것은 그분의 본성이시다. 그분은 자신을 가족과 관련된 어휘로 표현하신다. 아버지, 아들 그리고 성령. 이 삼위일체는 하나님 자신에 대한 관계다. 관계적인 조화면에서는 완벽한 형태이고 우리는 그것이 내포하는 의미를 연구해야 한다.

하나님은 항상 스스로 사랑하는 관계 안에 존재해오셨기 때문에 절대 외롭지 않으시다. 그래서 필요에 의해서가 아니라 당신이 원하셔서 우리를 창조하시고, 당신의 가족으로 받아들일 계획을 세우셨으며, 당신의 모든 것을 우리와 나누기로 하셨다. 이것이 하나님께는 커다란 기쁨이 되기 때문이다. 성경은 이렇게 말한다. "그분이 진리의 말씀을 통해 우리에게 새 생명을 주시고 우리가 당신의 새 가족의 첫 자녀들이 된 날이 당신에게는 기쁨의 날이었다" (약 1:18, LB).

우리가 그리스도를 믿을 때 하나님은 우리의 아버지가 되시고 우리는 그분의 자녀가 되며, 다른 믿는 사람들은 우리의 형제자매가 되고 교회는 우리의 영적인 가족이 된다. 하나님의 가족은 과거, 현재 그리고 미래의 모든 믿는 사람들을 포함한다.

하나님이 모든 인류를 창조하셨지만 모든 사람이 그분의 자녀가 되는 것은 아니다. 하나님의 가족이 되는 방법은 새롭게 태어나는 것뿐이다. 우리는 처음 세상에 태어나면서 사람의 가족이 되었지만, 두번째 다시 태어남으로써 하나님의 가족이 된다. 하나님은 "우리에게 다시 태어나는 특권을 주셨고 이로 인해 하나님 가족의 구성원이 되었다" (벧전 1:3, LB - 참고, 롬 8:15-16).

누구나 하나님의 가족이 될 수 있지만(막 8:34, 행 2:21, 롬 10:13, 벧후 3:9) 한 가지 조건이 있다. 그것은 예수님 안에서의 믿음이다. 성경은 이렇게 말한다. "너희들은 그리스도 예수 안에서 믿음을 통해 하나님의 자녀가 되었다"(갈 4:7 하, NLT).

우리의 영적인 가족은 혈육 관계의 가족보다 더 중요한데 그것은 영적인 가족은 영원히 함께할 것이기 때문이다. 물론 이 세상에서 우리의 가족은 하나님이 주신 멋진 선물이지만 그것은 일시적이며 때때로 이혼, 먼 거리, 노화 그리고 죽음으로 깨지곤 한다. 반면에 우리의 영적인 가족, 즉 다른 믿는 사람들과의 관계는 영원토록 계속 될 것이다. 그것은 훨씬 강한 유대 관계이고 피로 맺어진 관계보다 더 영원하다. 바울은 하나님이 우리를 함께 묶으신 영원한 목적을 생각하려고 멈출 때마다 이렇게 찬양했다. "그러므로 이제 나는 하나님 아버지께 무릎을 꿇고 기도합니다. 하늘과 땅에 있는 성도는 그분께로부터 참생명의 이름을 받은 자들입니다"(엡 3:14-15, 쉬운 성경).

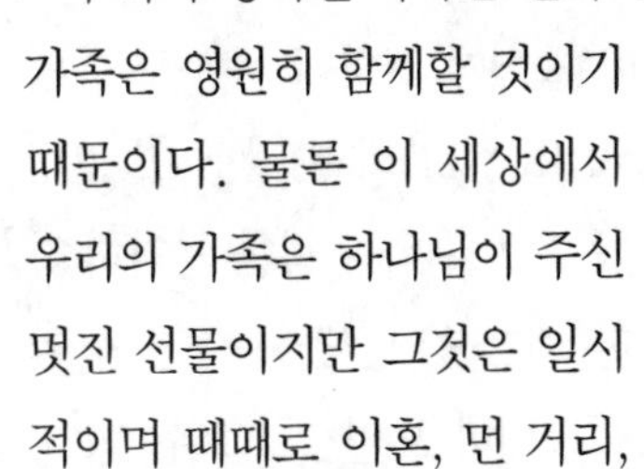

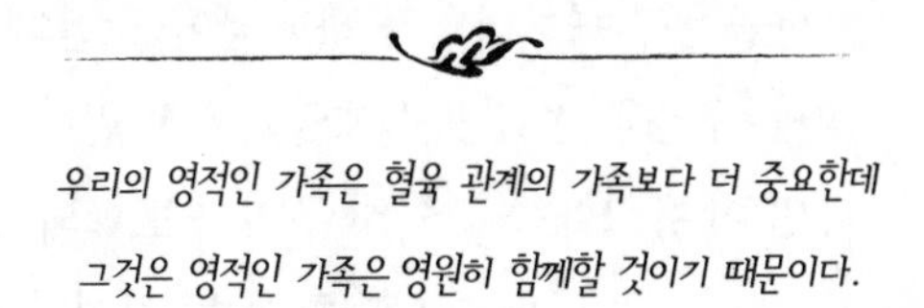

우리의 영적인 가족은 혈육 관계의 가족보다 더 중요한데 그것은 영적인 가족은 영원히 함께할 것이기 때문이다.

하나님의 가족이 되는 유익

영적으로 새롭게 태어나 하나님의 가족이 된 순간 우리는 엄청난 생일 선물을 받았다. 가족의 이름, 가족들끼리 닮은 점, 특권, 친밀한 관계 그리고 유산을 받았다(요일 3:1, 롬 8:29, 갈 4:6-7, 롬 5:2, 고전 3:23, 엡 3:12, 벧전 1:3-5, 롬 8:17). 성경은 이렇게 말한다. "아들이면 하나님으로 말미암아 유업을 이을 자니라"(갈 4:7).

신약에서 하나님은 우리의 엄청난 '유산'에 대해 계속 강조하신다. "나의 하나님이 그리스도 예수 안에서 영광 가운데 그 풍성한 대로 너희 모든 쓸 것을 채우시리라"(빌 4:19). 하나님의 자녀로서 우리는 가족의 재산을 나누어 갖게 된다. 이 땅에서 우리는 "풍성함, 그의 은혜, 친절함, 인내, 영광, 지혜 ,힘 그리고 자비" (엡 1:7, 롬 2:4, 9:23, 11:33, 엡 2:4, 3:16)를 얻었다. 하지만 영원한 나라에서 우리는 더 많은 유산을 받게 될 것이다.

바울은 "나는 너희가 하나님이 당신의 백성들에게 얼마나 풍부하고 엄청난 유산을 주셨는지 깨닫기를 바란다" (엡 1:18, NLT)라고 말했다. 그렇다면 이 유산에는 정확히 무엇이 포함되어 있는가? 첫째, 우리는 영원히 하나님과 함께하게 될 것이다(살전 4:17, 5:10). 둘째, 우리는 완전히 변화하여 그리스도처럼 될 것이다(요일 3:2, 고후 3:18). 셋째, 우리는 모든 아픔, 죽음 그리고 고통으로부터 자유로워질 것이다(계 21:4). 넷째, 우리는 상급을 받을 것이고 섬김의 자리에 재배정될 것이다(막 9:41, 10:30, 고전 3:8, 히 10:35, 마 25:21, 23). 다섯째, 우리는 그리스도의 영광 안에서 함께 나누게 될 것이다(롬 8:17, 골 3:4, 살후 2:14, 딤후 2:12, 벧전 5:1). 이 얼마나 엄청난 유산인가! 우리가 생각하는 것보다 우리는 훨씬 부유하다.

성경은 이렇게 말한다. "썩지 않고 더럽지 않고 쇠하지 아니하는 기업을 잇게 하시나니 곧 너희를 위하여 하늘에 간직하신 것이라" (벧전 1:4). 이는 우리의 영원한 유산은 값으로 따질 수가 없으며, 순결하고, 영원하며, 보호되고 있다는 것을 의미한다. 그 누구도 우리에게서 그것을 빼앗아갈 수 없다. 전쟁, 경제 불황, 혹은 재난으로도 파괴될 수 없다. 우리가 기대하고 바라보고 얻기 위해 노력해야 하는 것은 은퇴가 아니라 이 유산이다. 바울은 이렇게 말했다. "무슨 일을 하든지 마음을 다하여 주께 하듯하고 사람에게 하듯 하지 말라 이는 유업의 상을 주께 받을 줄 앎이니 너희는 주 그리스도를 섬기느니라" (골 3:23-24). 은퇴는 근시안적인 목표다. 우리는 영생의 빛 가운데서 살아야 한다.

세례 : 진정한 하나님의 가족 되기

건강한 가족은 가족으로서의 자부심이 있다. 구성원들이 그 가족의 일원으로 알려지는 것을 부끄러워하지 않는다. 하지만 슬프게도 나는 예수님의 명령에 따라, 즉 세례를 통해 하나님의 가족임을 알리려고 하지 않는 사람들을 많이 보았다.

세례는 선택하거나 미룰 수 있는 의식이 아니다. 그것은 우리가 하나님의 가족임을 나타내주는 것이다. 세례는 세상에 "나는 하나님의 가족이라는 것이 부끄럽지 않다"라고 말하는 것이다. 그것이 부끄러운가? 예수님은 이것이 가족 구성원 모두가 해야 할 아름다운 것이라고 말씀하셨다. 그분은 우리에게 "그러므로 너희는 가서 모든 족속으로 제자를 삼아 아버지와 아들과 성령의 이름으로 세례를 주고"(마 28:19)라고 말씀하셨다.

몇 년 동안 나는 왜 예수님의 지상명령에서 세례가 전도와 훈련과 똑같이 중요하게 다루어지는지 고민했다. 왜 세례가 그토록 중요할까? 왜냐하면 그것이 우리 삶의 두번째 목적을 상징하기 때문이다. 그것은 하나님의 영원한 가족의 교제에 편입되는 것이다.

세례는 엄청난 의미를 담고 있다. 세례를 받는 것은 우리의 믿음을 선포하고, 그리스도의 죽으심과 부활하심에 함께 동참함으로 옛 삶이 죽었음을 나타내며, 그리스도 안에서 새 삶을 살고 있음을 세상에 알리는 의식이다. 또한 우리가 하나님의 가족이 되었음을 축하하는 것이기도 하다.

세례를 받는 것은 영적인 진리에 대한 가시적인 그림이라 할 수 있는데, 하나님이 우리를 가족의 일원으로 받아들이신 순간 어떤 일이 일어났는지 나타내주기 때문이다. "우리가 유대인이나 헬라인이나 종이나 자유자나 다 한 성령으로 세례를 받아 한 몸이 되었고 또 다 한 성령을 마시게 하셨느니라"(고전 12:13).

그러나 세례가 우리를 하나님의 가족이 되게 해주는 것은 아니다. 그것은 그리스도 안에서의 믿음으로만 가능하다. 세례는 그 사실을 보여주는 것뿐이다. 결혼 반지처럼 우리의 마음속에 있는 내면적인 헌신의 가시적인 표시물일뿐이다. 그러므로 세례는 우리가 하나님의 가족이 된 후 바로 행하여할 의식이지 영적으로 성장할 때까지 미뤄두는 것이 아니다. 세례를 받기 위해 성경에서 제시하는 조건은 단 한 가지, 우리가 하나님을 믿어야 한다는 것뿐이다(행 2:41, 8:12-13, 8:35-38).

신약에서는 사람들이 믿는 순간 세례를 받았다. 오순절에는 3천 명이 그리스도를 받아들인 날 세례를 받았다. 에티오피아의 한 지도자는 개종한 그 순간 바로 그곳에서 세례를 받았고, 바울과 실라는 빌립보의 간수와 가족에게 자정에 세례를 주었다. 신약에서 세례를 뒤로 미룬 경우는 단 한 번도 없었다. 만일 그리스도에 대한 믿음의 표현이자 예수님의 명령인 세례를 아직 받지 않았다면 즉시 받으라.

가장 위대한 삶의 특권

성경은 이렇게 말한다. "예수님과 그분이 거룩하게 하신 모든 백성은 한 가족이다. 그래서 그분은 그들을 형제자매라 부르는 것을 부끄러워하지 않으신다"(히 2:11, CEV). 이 엄청난 진리가 마음속 깊이 뿌리 박히게 하라. 우리는 하나님의 가족이고, 예수님이 우리를 거룩하게 하셨기 때문에 하나님은 우리를 자랑스럽게 여기신다. 예수님의 말씀은 정확하다. "손을 내밀어 제자들을 가리켜 가라사대 나의 모친과 나의 동생들을 보라 누구든지 하늘에 계신 내 아버지의 뜻대로 하는 자가 내 형제요 자매요 모친이니라 하시더라"(마 12:49-50). 하나님의 가족이 되는 것은 가장 큰 영광이고 특권이다. 그 어떤 것도 이에 비할 수 없다. 우리가 중요하지 않고, 사

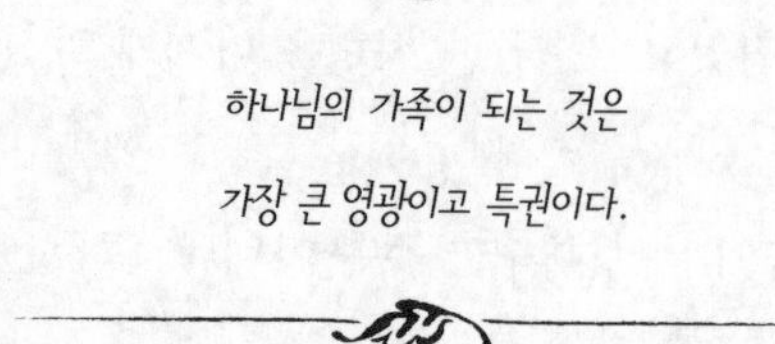

랑받지 못하며, 불안하다고 느낄 때마다 우리가 누구에게 속하는지를 기억하라.

Day 15

내 삶의 목적에 대하여

생각할 점 : 나는 하나님의 가족으로 태어났다.

외울 말씀 : "그 기쁘신 뜻대로 우리를 예정하사 예수 그리스도로 말미암아 자기의 아들들이 되게 하셨으니"(엡 1:5).

삶으로 떠나는 질문 : 어떻게 하면 다른 크리스천들을 내 가족처럼 대할 수 있을까?

16

가장 중요한 것

"내가 내게 있는 모든 것으로 구제하고
또 내 몸을 불사르게 내어 줄지라도
사랑이 없으면 내게 아무 유익이 없느니라"
(고전 13:3).

"또 사랑은 이것이니 우리가 그 계명을 좇아 행하는 것이요
계명은 이것이니 너희가 처음부터 들은 바와 같이
그 가운데서 행하라 하심이라"
(요이 1:6).

삶은 사랑에 관한 것이다.

하나님 자신이 사랑이시기에, 하나님이 우리가 이 땅에서 배우기 원하시는 가장 중요한 교훈은 어떻게 사랑하느냐이다. 사랑을 통해서 우리는 그분과 가장 닮아갈 수 있고, 그래서 사랑은 그분이 내린 모든 명령의 근본이라고 말할 수 있다. "온 율법은 네 이웃 사랑하기를 네 몸같이 하라 하신 한 말씀에 이루었나니"(갈 5:14).

이기심 없이 사랑하는 방법을 배운다는 것은 쉬운 일이 아니다. 그것은 자기 중심적인 우리의 본성에 정반대 되는 모습이기 때문이다. 그래서 우리는 사랑하는 법을 평생 동안 배워야 한다. 물론 하나님은 우리가 모든 사람

을 사랑하기 원하시지만, 특히 하나님의 가족 안에서 서로 사람을 사랑하는 법을 배우기 원하신다. 우리가 이미 살펴보았듯이 이것이 우리 삶의 두번째 목적이다. 바울은 우리에게 이렇게 말한다. "모든 사람을 존중하되 하나님의 사람들에게 특별한 사랑을 주라" (벧전 2:17, CEV). 그리고 바울은 그 이야기를 반복한다. "누군가를 도울 기회가 생기면 마땅히 그를 도와야 한다. 그러나 하나님 가족에 속한 믿는 자들에게 특별한 관심을 두어야 한다" (갈 6:10, NCV).

하나님은 왜 다른 믿는 사람들에게 특별한 관심을 보이라고 말씀하시는가? 왜 그들이 사랑에서 우선순위를 차지하게 되는가? 그 이유는 무엇보다도 하나님의 가족 안에서 서로 사랑하는 모습이 사람들에게 알려지기를 바라시는 하나님의 마음 때문이다. 예수님은 도덕적 가치나 교리가 아닌 서로에 대한 사랑이 세상에 보여지는 가장 중요한 증거라고 말씀하셨다. 예수님은 이렇게 말씀하셨다. "너희가 서로 사랑하면 이로써 모든 사람이 너희가 내 제자인 줄 알리라" (요 13:35).

천국에서 우리는 하나님의 가족으로서 영원히 살게 될 것이다. 하지만 그 전에 우리는 이 땅에서 그 영원한 사랑을 위해 준비하는 기간을 보내야 한다. 물론 그것이 쉬운 일은 아니다. 하나님은 우리에게 '가족으로서의 책임' 을 부여하심으로써 그 훈련을 시키신다. 그리고 그 가운데 가장 중요한 것은 서로를 사랑하는 연습을 하는 것이다.

하나님은 우리가 사랑의 기술을 터득할 수 있도록 다른 믿는 사람들과 정기적이고 친밀한 교제를 갖기 원하신다. 혼자서는 사랑을 배울 수 없다. 우리는 짜증나게 하고, 불완전하며, 당황하게 하는 사람들과 함께 있어야 한다. 교제를 통해서 우리는 세 가지 진리를 배울 수 있다.

삶을 가장 잘 사용하는 것은 사랑하는 것이다

사랑은 우리의 최우선 순위여야 하고, 최고 목표여야 하며, 가장 큰 야망이어야 한다. 사랑은 우리의 삶에서 하나의 좋은 부분이 아니고, 가장 중요한 부분이다. 성경은 이렇게 말한다. "사랑이 너희의 최고 목표가 되게 하라" (고전 14:1, LB).

마치 10대 목표 가운데 하나인 것처럼 "내가 삶에서 원하는 것 가운데 하나가 사랑이다"라고 말하는 것으로는 충분하지 않다. 사랑의 관계는 그 무엇보다도 중요하게 여겨져야 한다. 왜 그럴까?

사랑 없는 삶은 가치가 없다

바울은 이렇게 말한다. "내가 내게 있는 모든 것으로 구제하고 또 내 몸을 불사르게 내어 줄지라도 사랑이 없으면 내게 아무 유익이 없느니라" (고전 13:3).

우리는 인간 관계를 우리의 하루 일과 중간에 끼워 넣어야 하는 것쯤으로 생각하고 행동할 때가 있다. 자녀들을 위한 시간을 찾아보거나, 사람들을 위해 시간을 내는 것에 대해 이야기하곤 한다. 이것은 마치 다른 사람들과의 관계가 우리 삶의 여러 임무 가운데 하나인 듯한 인상을 준다. 하지만 하나님은 인간 관계가 우리 삶의 전부라고 말씀하신다.

하나님은 인간 관계가 우리 삶의 전부라고 말씀하신다.

십계명 중 네 계명은 하나님과의 관계에 관한 것이고, 나머지 여섯 계명은 사람들과의 관계에 관한 것이다. 하지만 결국 모두가 관계를 맺는 것과 관련이 있다. 후에 예수님은 하나님이 중요하게 여기시는 것을 두 마디로 요약하셨다. 하나님을 사랑하고 사람을 사랑하는 것이다. "예수께서 가라사대 네 마음을 다하고 목숨을 다하고 뜻을 다하여 주 너의 하나님을 사랑하라 하셨으니 이것이 크고 첫째 되는 계명이요 둘째는 그와 같으니 네 이웃을 네 몸과 같이 사랑하라 하셨으니 이 두 계명이 온 율법과 선지자의 강령이니라"(마 22:37-40). 하나님을 사랑하는 방법을(예배) 배운 후에 다른 사람을 사랑하는 것을 배우는 것이 우리 삶의 두번째 목적이다.

인생에서 가장 중요한 것은 성공이나 성취가 아닌 관계다. 그런데 우리는 왜 관계를 중요하게 생각하지 않는 것일까? 일이 많아질수록 우리는 관계에 대해 생각하고 그 관계에 들이는 시간, 에너지 그리고 관심을 줄이려고 한다. 하나님께 가장 중요한 것이 급한 일들로 인해 바뀌게 된다.

바쁘게 사는 것은 관계를 맺는 데 가장 큰 적이다. 우리는 삶을 영위하고, 일을 하며, 계산서를 지불하고, 목표를 달성하는 것이 삶의 목적인 것처럼 도취되어 버리지만 그것이 삶의 목적이 아니다. 삶의 목적은 하나님을 사랑하고 사람을 사랑하는 것을 배우는 것이다. 삶에서 사랑을 빼면 아무것도 남지 않는다.

사랑은 영원하다

사랑을 최우선에 두어야 한다고 하나님이 말씀하시는 또 다른 이유는 사랑은 영원하기 때문이다. "그런즉 믿음, 소망, 사랑, 이 세 가지는 항상 있을 것인데 그 중에 제일은 사랑이라"(고전 13:13).

사랑은 유산을 남긴다. 이 땅에 가장 오래 영향을 끼치는 것은 우리의 성과나 재산이 아니라, 우리가 다른 사람을 어떻게 대했느냐이다. 테레사 수녀(Mother Teresa)가 말했듯이 "우리가 무엇을 하느냐가 아니라 그 일에 얼만큼 사랑을 쏟았는지가 중요하다." 사랑은 영원한 유산의 비밀 열쇠다.

나는 많은 사람들의 임종 순간에 그들을 곁에서 지켜보았다. 그들이 영생의 삶으로 막 들어서려던 순간 단 한 사람도 "내 졸업장을 가져와! 다시 한 번 그 졸업장을 보고 싶어. 내가 받은 상, 메달 그리고 금시계를 보여줘"라고 말하는 것을 본 적이 없다. 이 땅에서의 삶이 끝날 때 사람들이 주위에 두고 싶어하는 것은 물건이 아니다. 우리가 원하는 것은 사람이다. 우리가 사랑하고 관계를 맺었던 사람들이다.

인생의 마지막 순간에 모든 사람들은 그들이 맺어왔던 관계들이 삶의 전부였다는 사실을 깨닫는다. 그것을 좀더 빨리 깨닫는 것이 현명하다. 마지막 순간 그것이 가장 중요하다는 것을 깨달을 때까지 기다리지 말라.

우리는 사랑으로 평가받는다

사랑을 배우는 것을 삶의 목표로 삼는 세번째 이유는 영원한 나라에서 평가받을 부분이 바로 그것이기 때문이다. 하나님이 영적인 성숙함을 측정하시는 척도 가운데 하나가 바로 우리의 인간 관계다. 천국에서 하나님은 "너의 직업, 예금 계좌 그리고 취미에 대해 이야기해보아라"고 말씀하지 않으실 것이다. 대신 우리가 다른 사람들을 어떻게 대했는지, 특히 도움을 필요로 하는 사람들에게 어떻게 했는지를 보실 것이다(마 25:34-46). 예수님은 당신을 사랑하는 방법은 하나님의 가족을 사랑하고 그들의 현실적인 필요들을 돌아보는 것이라고 말씀하셨다. "내가 진실로 너희에게 이르노니 너희가 여기 내 형제 중에 지극히 작은 자 하나에게 한 것이 곧 내게 한 것이니라" (마 25:40).

영생에 들어설 때 우리는 모든 것을 이 땅에 남겨두고 가게 된다. 우리가 가지고 가는 것은 성품뿐이다. 성경은 이렇게 말한다. "그리스도 예수 안에서는 할례나 무할례가 효력이 없되 사랑으로써 역사하는 믿음뿐이니라" (갈 5:6).

그래서 나는 당신이 아침에 눈을 뜰 때마다 무릎을 꿇거나, 침대에 걸터앉아서 이렇게 기도할 것을 제안한다. "하나님, 제가 오늘 어떤 일을 성취하든지 그렇지 못하든지 저는 당신을 사랑하고 다른 사람을 사랑하는 데에 시간을 투자할 것입니다. 그것이 삶의 진정한 의미이기 때문입니다." 하루를 낭비한다면 하나님이 왜 또 새로운 날을 주시겠는가?

사랑의 가장 좋은 표현은 시간이다

어떤 것의 중요도는 우리가 그것에 얼마나 시간을 투자하느냐로 측정할 수 있다. 더 많은 시간을 투자할수록 그것이 그만큼 중요하고 소중하다는 것을 나타내는 것이기 때문에, 어떤 사람의 우선순위를 알고 싶다면 그가 시간을 어떻게 활용하는지를 보라.

시간은 우리가 받은 가장 소중한 선물이다. 왜냐하면 시간은 한정되어 있기 때문이다. 돈을 더 많이 벌 수는 있지만 시간을 더 만들 수는 없다. 누군가에게 우리의 시간을 들인다면 우리는 그 사람에게 다시는 돌려받지 못할 삶의 일부를 주는 것이다. 우리의 시간은 우리의 삶이다. 그렇기 때문에 시간은 우리가 누군가에게 줄 수 있는 가장 좋은 선물이다.

시간은 우리가 누군가에게 줄 수 있는 가장 좋은 선물이다.

관계가 중요하다고 말하는 것으로는 충분하지 않다. 우리는 그들에게 시간을 투자함으로써 그 사실을 증명해주어야 한다. 말 자체만으로는 가치가 없다. "자녀들아 우리가 말과 혀로만 사랑하지 말고 오직 행함과 진실함으로 하자"(요일 3:18). 관계를 발전시키는 데는 시간이 걸린다. 그리고 사랑의 가장 좋은 표현 방법은 바로 '시간'을 투자하는 것이다.

사랑의 본질은 우리가 생각하거나 행동하거나 다른 사람에게 무엇을 제공하는 것이 아니라, 우리가 우리의 것을 얼만큼 주느냐이다. 누군가에게 줄 수 있는 가장 큰 선물은 바로 우리 자신이다. 특히 남성들은 이것을 잘 이해하지 못한다. 많은 남성들이 "저는 제 아내와 아이들을 이해할 수 없어요. 저는 그들이 필요로 하는 것을 모두 채워줍니다. 도대체 무엇을 더 원하는 건가요?" 라고 내게 말한다. 그들은 당신을 원한다. 당신의 눈, 귀, 시간, 관심을 원하고, 당신이 그들과 함께하고 그들에게 초점을 맞춰주길 바란다. 어떤 것도 이것들을 대신할 수 없다.

사랑하는 사람에게 가장 바라는 선물은 다이아몬드나 장미, 초콜릿이 아니다. 바로 관심의 집중이다. 사랑은 또 다른 누구에게 열중하고 집중하는 것이기 때문에 사랑하는 그 순간 우리 자신에 대해 잊어버릴 수도 있다. 관심은 "나의 가장 소중한 자산인 내 시간을 줄 만큼 당신을 소중하게 생각해" 라고 말해준다. 우리의 시간을 투자할 때마다 우리는 희생을 하는 것이고, 이 희생이 사랑의 본질이다. 예수님이 그 모범을 보여주셨다. "그리스도께서 너희를 사랑하신 것 같이 너희도 사랑 가운데서 행하라 그는 우리를 위하여 자신을 버리사 향기로운 제물과 생축으로 하나님께 드리셨느니라" (엡 5:2).

우리는 사랑하지 않고도 무엇을 내어줄 수는 있지만, 내어주지 않으면서 사랑할 수는 없다. "하나님이 세상을 이처럼 사랑하사 독생자를 주셨으니" (요 3:16). 사랑은 포기를 의미한다. 내가 선호하는 것들, 안락함, 목표, 안전, 돈, 에너지 또는 시간 등을 다른 사람의 유익을 위해 기꺼이 양보하는 것이다.

사랑하기 가장 좋은 때는 바로 지금이다

때때로 사소한 일을 할 때는 머뭇머뭇하는 것이 정당한 반응이 되기도 한다. 그러나 사랑은 가장 중요한 것이기 때문에 항상 최우선시 되어야 한다. 성경은 이를 반복해서 강조한다. 성경은 이렇게 말하고 있다. "기회가 있을 때마다 우리는 다른 사람에게 선을 행해야 한다"(갈 6:10, NLT). "모든 기회를 선을 행하는 데 사용하라"(엡 5:16, NCV). "가능한 순간마다 도움을 필요로 하는 사람들에게 선을 행하라. 지금 도움을 줄 수 있다면 절대로 내일까지 기다리라고 말하지 말라"(잠 3:27, TEV).

왜 지금이 사랑을 표현하기에 가장 좋은 순간인가? 그것은 우리가 그 기회를 얼마나 오래 가지고 있을지 모르기 때문이다. 상황은 변한다. 사람은 죽고 아이들은 자란다. 또한 우리에게 내일이 있다고 아무도 장담할 수 없다. 만약 우리가 사랑을 표현하고 싶다면 바로 지금 해야 한다.

언젠가 하나님 앞에 설 것이라는 사실을 염두에 두고 생각해보아야 할 질문들이 있다. 사람보다 일이나 물건이 더 중요했던 순간들에 대해 어떻게 설명할 것인가? 누구와 더 많은 시간을 보내도록 노력해야 하는가? 그것을 가능하게 하기 위해 하루 일과 중에 정리해야 할 것은 무엇인가? 어떤 희생을 치뤄야 하는가?

삶을 가장 아름답게 사는 방법은 사랑하는 것이다. 사랑에 대한 가장 좋은 표현은 시간이다. 그리고 사랑하기 가장 좋은 순간은 바로 지금이다.

Day 16
내 삶의 목적에 대하여

생각할 점 : 삶은 사랑이다.

외울 말씀 : "온 율법은 네 이웃 사랑하기를 네 몸 같이 하라 하신 한 말씀에 이루었나니"(갈 5:14).

삶으로 떠나는 질문 : 인간 관계가 나에게 최우선 순위라고 정직하게 말할 수 있는가? 그렇다고 어떻게 확신할 수 있는가?

17

우리가 있어야 할 곳

"그러므로 이제부터 너희가 외인도 아니요 손도 아니요
오직 성도들과 동일한 시민이요 하나님의 권속이라"
(엡 2:19).

"이 집은 살아 계신 하나님의 교회요
진리의 기둥과 터이니라"
(딤전 3:15).

우리는 믿어야 할 뿐 아니라 어느 곳에 속해야 한다.

완전하고 죄가 없었던 에덴 동산과 같은 환경에서도 하나님이 "사람이 혼자 사는 것이 좋지 못하니"(창 2:18)라고 말씀하신 것에서 볼 수 있듯이, 우리는 공동체를 구성하여 가족의 구성원으로서 교제하도록 만들어졌다. 그 누구도 혼자서는 하나님의 목적을 달성할 수 없다.

성경은 외딴 곳에서 홀로 지내는 성인들 또는 믿는 사람들로부터 고립되어 교제를 하지 않는 영적인 은둔자들에 대해서는 한 번도 언급하지 않았다. 대신 성경은 우리는 함께 이 땅에 보내심을 받고, 함께 생활하도록 되어 있으며, 한 가족으로 지음받았고, 그 구성원이며, 하나님의 상속자이고, 서로 어울리도록 만들어졌고, 함께 하늘로 올라갈 것이라고 말한다(고전 12:12, 엡 2:21, 22, 3:6, 4:16, 골 2:19, 살전 4:17). 우리는 더 이상 홀로 지내는 존재가 아니다.

그리스도와의 관계가 개인적이기는 하지만, 하나님은 그것을 사적인 일이 되도록 계획하지는 않으셨다. 하나님의 가족 안에서 우리는 다른 믿는 사람들과 연결되어 있고, 우리는 영원히 서로에게 속한다. 성경은 이렇게 말한다. "이와 같이 우리 많은 사람이 그리스도 안에서 한 몸이 되어 서로 지체가 되었느니라" (롬 12:5).

그리스도를 따른다는 것은 그분을 믿을 뿐 아니라 그분께 속한다는 것도 포함된다. 우리는 그분의 몸의 지체다. C. S. 루이스는 '멤버십(membership)' 이라는 단어의 뿌리는 기독교에 있는데, 세상이 그 본래의 의미를 모두 퇴색시켰다고 지적했다. 상점들은 멤버들에게 할인 혜택을 주고, 광고주들은 이를 이용해 메일링 리스트를 만든다. 교회에서 멤버십은 어떤 요구 조건이나, 기대 사항 없이 단순히 교적부에 이름을 올리고 마는 것으로 그 의미가 축소되었다.

바울에게 있어서 교회의 구성원이 되는 것은 살아 있는 몸의 중요한 기관이 되는 것이었고, 그리스도의 몸에 없어서는 안 되는, 서로 연결되어 있는 기관이 된다는 의미였다(롬 12:4-5, 고전 6:15, 12:12-27). 우리는 멤버십의 이러한 성경적 의미를 되찾고 이를 실천해야 한다. 교회는 하나의 몸이지 건물이 아니며, 유기체이지 조직이 아닌 것이다

몸의 기관들이 제 목적을 달성하기 위해서는 몸에 연결되어 있어야 한다. 그리스도의 몸의 일부로서 우리도 마찬가지다. 우리가 그리스도의 몸에서 특정한 역할을 수행하도록 만들어졌음에도 불구하고 살아 있는 지역 교회에 속하지 않으면 삶의 이 두 번째 목적을 놓치게 될 것이다. 우리는 인간 관계를 통해서 우리의 역할을 발견한다.

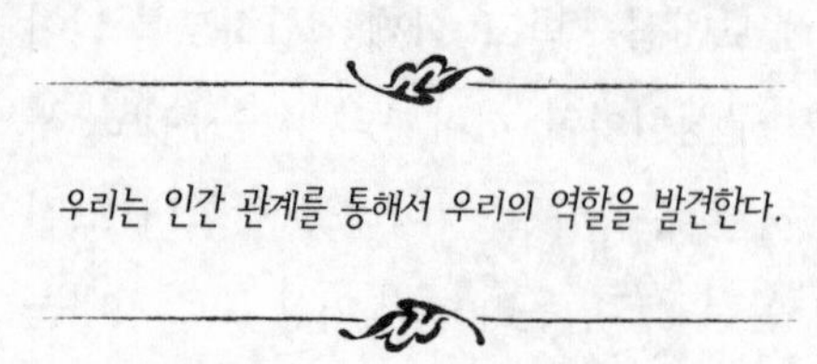

성경은 이렇게 말한다. "각 지체가 몸 전체를 통하여 그 의미를 찾는 것이지 몸이 각 지체에서 그 의미를 찾는 것이 아니다. 우리가 말하고 있는 몸은 선택받은 이들로 구성된 그리스도의 몸이다. 우리 각자는 그의 몸에서 우리가 해야 할 기능과 또 우리가 갖는 의미를 찾아야 한다. 잘린 손가락이나 발가락이 된다면 우리는 별 가치가 없지 않은가?" (롬 12:4-5, Msg)

만일 한 기관이 몸에서 분리되었다면 그것은 무력해지거나 기능을 완전히 상실할 것이다. 그것이 홀로 존재할 수 없는 것과 같이 우리도 마찬가지다. 교회에서 공급을 받지 못하면 우리의 영적인 삶은 시들기 시작하고 결국 영적인 모습은 완전히 없어지게 될 것이다(엡 4:16). 그렇기 때문에 영적으로 침체하기 시작하면 가장 먼저 나타나는 증상이 교회를 잘 나가지 않는 것이다. 우리가 교제를 소홀히 할 때 다른 모든 것도 무너지기 시작한다.

하나님의 가족으로서의 멤버십은 사소하거나 쉽게 간과할 수 있는 것이 아니다. 교회가 세상에 대한 하나님의 과업이기 때문이다. 예수님은 "내가 교회를 세울 것이고 어둠의 권세가 그것을 정복하지 못할 것이다" (마 16:18, NLT)라고 말씀하셨다. 교회는 파괴될 수 없고 영원히 존재할 것이다. 우주보다도 오래 존재할 것이고 그 안에서의 우리의 역할도 마찬가지다. "나는 교회가 필요없어" 라고 말하는 사람만큼 거만하거나 무지한 사람은 없다. 예수님은 교회를 위해 십자가에서 고통받으셨고 교회는 그만큼 중요한 것이다. "그리스도는 교회를 사랑하셨고, 교회를 위해 자신의 생명을 주셨다" (엡 5:25, GWT).

성경은 교회를 '그리스도의 신부' '그리스도의 몸' (고후 11:2, 엡 5:27, 계 19:7)이라 칭했다. 나는 예수님께 "나는 당신을 사랑하지만 당신의 아내는 사랑하지 않습니다" 또는 "나는 당신을 받아들이지만 당신의 몸은 거절하겠습니다" 라고 말하는 것을 상상할 수 없다. 하지만 우리는 교회를 멀리하거나, 교회의 품위를 떨어뜨리거나 교회에 대해 불평을 할 때마다 이러한 태도를 취한다. 하나님은 예수님만큼 교회를 사랑하라고 우리에게 명령하신다. 성경은 이렇게 말한다. "너의 영적인 가족을 사랑하라" (벧전 2:17, Msg).

교회에서의 교제

역사상 모든 믿는 사람들을 가리키는 몇몇 중요한 경우를 제외하고 신약에서 '교회' 라는 단어가 사용되는 경우는 거의 대부분 눈에 보이는 지역 교회를 의미했다. 신약 성경은 크리스천이 지역 교회에 속하는 것을 당연한 것으로 여기고 있다. 교회에 속하지 않는 크리스천들은 대중 전체에 부정적인 영향을 미치는 죄 때문에 모임에서 제외되고 교회의 처벌을 받고 있는 사람들뿐이었다 (고전 5:1-13, 갈 6:1-5).

성경은 크리스천들이 교회가 없이는 몸이 없는 기관과 같고, 무리를 잃어버린 양과 같으며, 가족이 없는 아이와 같다고 말한다. 즉 그것은 지극히 부자연스러운 일이라고 말하고 있다. "그러므로 이제부터 너희가 외인도 아니요 손도 아니요 오직 성도들과 동일한 시민이요 하나님의 권속이라" (엡 2:19).

그러나 오늘날의 문화인 독립적인 개인주의는 많은 영적인 고아들, '떠돌아다니는 믿는 자들' 을 만들어냈다. 정체성, 책임 또는 헌신 없이 이 교회에서 저 교회로 떠돌아다니며 지역 교회에 속하지 않고도 '좋은 크리스천' 이 될 수 있다고 믿고 있는 사람들이다. 하지만 하나님은 이들의 행동에 절대 동의하지 않으실 것이다. 왜냐하면 성경은 우리가 지역 교회에 꼭 헌신하고, 활발히 교제해야 하는 이유를 여러 가지로 들고 있기 때문이다.

왜 교회 가족이 필요한가

교회 가족은 우리가 진정한 크리스천임을 증명해준다

제자들의 그룹에 속해 있지 않으면서 그리스도를 따른다고 주장할 수 없다. 예수님은 말씀하신다. "너희가 서로 사랑하면 이로써 모든 사람이 너희가 내 제자인줄 알리라"(요 13:35).

우리가 다른 배경, 인종, 사회적 지위에도 불구하고 사랑 안에서 교회 식구로서 하나가 되면 그것이 세상에 대한 증거다(갈 3:28, 참고 - 요 17:21). 우리는 홀로 그리스도의 몸이 아니다. 우리는 그것을 표현해줄 다른 이들을 필요로 한다. 따로가 아니라 함께 우리는 그분의 몸이다(고전 12:27).

교회 가족은 우리를 자기 중심적인 고립에서 건져준다

교회는 하나님의 가족과 어울리는 방법을 배우는 교실과 같다. 그곳은 이타적이고 동정적인 사랑을 연습하는 실험실이라고 볼 수 있다. "만일 한 지체가 고통을 받으면 모든 지체도 함께 고통을 받고 한 지체가 영광을 얻으면 모든 지체도 함께 즐거워하나니"(고전 12:26). 보통 사람들, 불완전한 믿는 사람들과의 정기적인 만남을 통해서만 우리는 진정한 교제를 배울 수 있고, 서로 연관되어 있고 서로 의지하는 신약의 진리를 경험할 수 있다(엡 4:16, 롬 12:4-5, 골 2:19, 고전 12:25).

성경적인 교제는 우리가 예수 그리스도에게 그러하듯 서로에게 헌신하는 것이다. 하나님은 우리가 서로를 위해 삶을 나누기를 바라신다. 요한복음 3장 16절을 잘 알고 있는 많은 크리스천들이 요한일서 3장 16절은 잘 모른다. "그가 우리를 위하여 목숨을 버리셨으니 우리도 형제들을 위하여 목숨을 버리는 것이 마땅하니라"(요일 3:16). 하나님은 우리가 이런 희생적인 사랑을 다른 믿는 사람들에게 보여주기를 원하신다.

교회 가족은 우리가 영적으로 성장하도록 도와준다

방관자의 입장에서 수동적으로 교회를 다니는 것으로는 영적인 성장을 할 수 없다. 교회 생활에 참여해야만 영적으로 성장할 수 있다. 성경은 이렇게 말한다. "각 부분이 제 역할을 하므로 다른 부분들의 성장을 돕게 되고, 그래서 몸 전체가 건강하고 사랑으로 가득하며 성장할 수 있게 된다" (엡 4:16, NLT).

신약에서 '서로' 라는 말이 50번 이상 등장한다. 우리는 서로를 사랑하고, 서로를 위해 기도하며, 서로를 격려하고, 권고하며, 문안하고, 섬기며, 가르치고, 받아들이며, 존경하고, 서로의 짐을 나누어지며, 또한 서로 용서하고, 서로에게 복종하며, 헌신하는 등 여러 가지 다른 일들을 서로 하라는 명령을 받았다. 이것이 성경적인 멤버십이다. 이것이 우리가 '가족으로서 행해야 하는 책임' 이고 교회에 속해 교제함으로 이루기를 하나님이 바라시는 일이다. 우리는 누구와 이렇게 교제하고 있는가?

우리 주위에 우리를 방해하는 사람이 없으면 거룩해지기가 더 쉽다고 생각할 수 있지만, 이것은 거짓되고 시험이 없는 거룩함이다. 고립은 속임을 낳는다. 주위에 우리에게 도전하는 사람이 없을 때 자신이 성숙하다고 착각하는 것은 아주 쉬운 일이다. 하지만 진정한 성숙함은 관계에서 드러난다.

우리가 성장하는 데에는 성경 말씀을 믿는 것, 그 이상의 것이 필요하다. 우리는 다른 믿는 사람들이 필요하다. 서로에게 배우고, 서로에게 행동의 책임을 점검받을 수 있는 관계를 통해서 더 빠르고 강하게 성장할 수 있다. 다른 사람들이 하나님이 그들에게 가르쳐주신 것을 가지고 우리와 나눌 때에 우리도 역시 배우고 성장하는 것이다.

그리스도의 몸이 우리를 필요로 한다

하나님은 우리에게 그의 가족 안에서의 독특한 역할을 주셨다. 이것이 우리의 사역이고 하나님은 이 임무를 위해 우리에게 많은 재능을 주셨다. "은사는 교회를 돕는 데 사용하라고 주신 선물이다"(고전 12:7, NLT).

하나님은 우리가 교회에서 우리의 은사를 발견하고, 발전시키며, 사용하기를 원하신다. 우리에게 더 넓은 범위의 사역이 있을지도 모르지만 그것은 우리가 교회 사역을 하고 난 후 추가적으로 하는 것이다. 예수님은 우리의 사역을 세워주시겠다고 약속하신 것이 아니라 당신의 교회를 세우시겠다고 약속하셨다.

예수님은 우리의 사역을 세워주시겠다고 약속하신 것이 아니라 당신의 교회를 세우시겠다고 약속하셨다.

세계 전역에 걸쳐서 그리스도의 일에 동참하게 된다

예수님이 이 땅 위를 걸으셨을 때 하나님은 그리스도의 육신의 몸을 통해 일하셨지만, 오늘날에는 당신의 영적인 몸을 사용하신다. 교회는 하나님이 이땅에서 사용하시는 도구다. 우리는 믿는 사람들이 서로 사랑함으로써 하나님의 사랑을 증거할 뿐 아니라, 하나님을 알지 못하는 세상의 구석구석에 이 사랑을 전해야 하는 아주 멋진 특권을 받았다. 그리스도의 몸의 지체로서 우리는 그분의 손, 발, 눈 그리고 심장이 되어서 이 세상에서 그리스도를 위해 일하는 것이다. 우리는 각자 이바지해야 할 부분이 있다. 바울은 우리에게 이렇게 말한다. "우리는 그의 만드신바라 그리스도 예수 안에서 선한 일을 위하여 지으심을 받은 자니 이 일은 하나님이 전에 예비하사 우리로 그 가운데서 행하게 하려 하심이니라"(엡 2:10).

교회 가족은 타락의 유혹에서 우리를 지켜준다

우리는 그 누구도 유혹에 대한 면역이 없다. 상황이 되면 우리 누구나 죄를 지을 수 있다(고전 10:12, 렘 17:9, 딤전 1:19). 하나님은 이것을 아시고 우리가 서로 책임을 점검하게 하셨다. 성경은 이렇게 말한다. "오직 오늘이라 일컫는 동안에 매일 피차 권면하여 너희 중에 누구든지 죄의 유혹으로 강퍅케 됨을 면하라"(히 3:13). 그렇기에 "네 일이나 알아서 해라"는 말은 크리스천들이 사용해서는 안 될 말이다. 우리는 서로의 삶에 관여해서 공동체의 삶을 살도록 부름받았다. 만일 지금 누군가 영적으로 흔들리고 있는 사람을 본다면 그들을 쫓아가서 교제 가운데로 다시 데리고 오는 것이 우리의 책임이다. 야고보는 우리에게 이렇게 말한다. "만일 하나님의 진리로부터 멀어져 방황하고 있는 사람을 안다면 그들을 단념하지 말고 그들을 찾아가라. 그리고 그들을 다시 데리고 오라"(약 5:19, Msg).

교회로 인한 유익 가운데 하나는 지도자들을 통하여 영적인 보호의 역할을 감당하게 한다는 것이다. 하나님은 당신의 양 무리를 영적 전쟁으로부터 지키고, 보호하고, 지도하고, 돌보도록 목자들을 허락하셨다(행 20:28-29, 벧전 5:1-4, 히 13:7, 17). 우리는 "그들은 여러분의 영혼을 지키는 사람들이요, 이 일을 장차 하나님께 보고드릴 사람들입니다"(히 13:17, 표준새번역)라고 배웠다.

사탄은 교회에서 멀어지고 마음이 떠난 사람들을 좋아한다. 하나님의 가족들로부터 고립되어 있는 사람들과 영적인 지도자로부터 점검받을 수 없는 상황에 처한 사람들을 좋아한다. 왜냐하면 이들은 사탄의 속임수에 대항할 힘이 없기 때문이다.

모든 것은 교회 안에 있다

나는 「새들백교회 이야기(The Purpose Driven Church, 도서출판 디모데)」에서 건강한 교회가 건전한 삶에 꼭 필요한 요소임을 설명했다. 나는 그 책도 꼭 읽을 것을 권한다. 교회의 목적이 하나님이 우리에게 가지고 계신 이 땅에서의 목적을 성취하는 데 도움을 주는 것임을 이해하는 데 유익하기 때문이다. 그분은 우리의 가장 깊은 다섯 가지 필요를 채워주시기 위해서 교회를 세우셨다. 추구해야 할 목적, 함께 살 사람들, 살면서 지킬 원칙들, 종사할 직업 그리고 살아갈 힘. 사실, 이 모든 것을 한꺼번에 모두 받을 수 있는 곳은 교회밖에 없다.

하나님이 교회에 대해 가지고 계신 다섯 가지 목적은 우리의 삶에 대해 가지고 계신 목적과 일치한다. 예배는 하나님께 집중하도록 도와준다. 그리고 교제는 삶의 문제들에 대처하도록 도와준다. 제자 훈련은 믿음을 지키도록 해주고, 사역은 우리의 재능을 발견하도록 도움을 준다. 전도는 우리가 임무를 수행하도록 도와준다. 이 세상에서 교회 같은 곳은 아무 데도 없다.

우리의 선택

모든 아이는 태어나면서부터 자동적으로 인류라는 공통된 가족이 되었다. 하지만 그 아이가 보살핌을 받으며, 건강하고 강하게 성장하기 위해서는 특정한 가족의 구성원이 되어야 한다. 영적인 면에서도 마찬가지다. 우리는 다시 태어나면서 자동적으로 하나님의 큰 가족이 되었다. 그렇지만 우리 자신이 그 가족의 실제 모습인 교회의 일원이 되어야 한다.

교회를 다니는 것과 교회의 구성원이 되는 것의 차이는 헌신의 정도다. 단순히 교회를 다니는 사람들은 방관자이고, 구성원들은 참여자다. 또한 단순히 교회를 다니는 사람들은 소비자이고, 구성원들은 기여자다. 교회를 그냥 다니는 사람들은 책임을 공유하지 않고 이득만을 바란다. 이것은 단순히 동거를 하는 커플과 결혼을 통해 서로에게 헌신하기로 한 커플의 차이와도 같다.

왜 교회의 구성원이 되는 것이 중요한가? 왜냐하면 그것이 우리가 영적인 형제 자매들에게 헌신하고 있음을 이론이 아닌 실제로 보여주고 있기 때문이다. 하나님은 우리가 하나님이 사랑하신 것처럼 이상적인 사람이 아닌 실제의 사람을 사랑하기 원하신다. 우리는 완벽한 교회를 찾기 위해 평생 시간을 보낼 수도 있다. 하지만 절대로 찾을 수 없다. 하나님처럼 우리는 불완전한 죄인들을 사랑하도록 부름받았다.

사도행전에서 예루살렘의 크리스천들은 서로에 대해 매우 구체적으로 노력했다. 그들은 교제에 열심으로 임했다. 하나님은 오늘날 우리도 이렇게 하기를 바라신다. 성경은 말한다. "저희가 사도의 가르침을 받아 서로 교제하며 떡을 떼며 기도하기를 전혀 힘쓰니라"(행 2:42). 하나님은 오늘날 우리도 그와 똑같은 것들에 헌신하기를 바라신다.

크리스천의 삶은 그리스도에게 헌신하는 것 이상이다. 다른 크리스천들에 대한 우리의 헌신을 포함한다. 마케도니아의 크리스천들은 이것을 이해했다. 바울은 이렇게 말했다. "그들은 우리가 기대했던 것 이상으로 먼저 자신을 주님께 드리고 난 후에 하나님의 뜻대로 우리에게도 주었던 것입니다"(고후 8:5, 쉬운성경). 하나님의 자녀가 된 후에 교회의 구성원이 되는 것은 자연스러운 과정이다. 우리는 그리스도에게 우리 자신을 헌신함으로써 크리스천이 된다. 하지만 우리가 교회의 멤버가 되기 위해서는 믿는 사람들의 모임에 헌신해야 한다. 첫번째 결심으로 우리는 구원을 받고, 두번째 결심으로 교제할 수 있게 된다.

Day 17

내 삶의 목적에 대하여

생각할 점 : 나는 믿어야 할 뿐 아니라 교회에 속하도록 부름받았다.

외울 말씀 : "이와 같이 우리 많은 사람이 그리스도 안에서 한 몸이 되어 서로 지체가 되었느니라" (롬 12:5).

삶으로 떠나는 질문 : 나는 하나님의 가족을 사랑하고 그들에게 헌신했다는 것을 보여줄 정도로 교회에 참여하고 있는가?

18

삶을 함께 경험하기

"평강을 위하여
너희가 한 몸으로 부르심을 받았나니"
(골 3:15).

"형제가 연합하여 동거함이
어찌 그리 선하고 아름다운고"
(시 133:1).

삶은 공유하도록 되어 있다.

하나님은 우리가 함께 삶을 경험하기를 바라신다. 성경은 이러한 공유된 경험을 교제(fellowship)라고 부른다. 하지만 오늘날 이 단어는 그 성경적인 의미를 거의 상실했다. 교제는 이제 가벼운 대화를 나누고, 함께 어울리며, 음식을 먹고, 즐거운 시간을 보내는 것을 나타내는 말이 되었다. "이 시간 이후에 교제의 시간이 있습니다. 남아주세요"라는 말은 "다과가 있으니 기다려주세요"라는 의미가 되었다. 하지만 진정한 교제는 예배에 참석하는 것 이상의 의미를 지니고 있다. 교제는 함께 삶을 경험하는 것이다. 그것에는 이기적이지 않은 사랑, 진실한 나눔, 실제적인 섬김과 희생적으로 서로에게 베풀고 서로에게 위로를 주는 것을 포함한, 신약에서 발견할 수 있는 모든 '서로'에 대한 명령들이 포함되어 있다.

교제에 있어서 그 크기는 매우 중요하다. 작을수록 좋다. 큰 무리와 함께 예배를 드릴 수는 있지만 교제는 할 수 없다. 그룹의 크기가 커져 열 명 이상이 되면 사람들이 참여하지 않기 시작하고, 소수의 사람들이 주도하기 시작한다.

예수님은 소수의 제자들을 두고 사역하셨다. 예수님은 더 많은 사람들을 선택하실 수도 있었지만, 모두 참여할 수 있는 소그룹은 열두 명 이상이 되어서는 안 된다는 사실을 아셨다.

그리스도의 몸은 우리의 몸처럼 여러 작은 세포들의 집합체다. 우리의 몸과 그리스도의 몸의 생명은 그 세포에 담겨 있기 때문에 모든 크리스천들은 교회 내의 여러 소그룹에 참여해야 한다. 가정에서 모이는 소그룹도 있고, 주일학교 모임도 있으며, 성경공부 모임도 있다. 큰 모임이 아닌 바로 이러한 소그룹에서 진정한 공동체가 형성된다. 교회를 배라고 생각한다면 소그룹은 배에 붙어 있는 구명 보트다.

하나님은 소그룹으로 모이는 크리스천들에게 엄청난 약속을 하셨다. "두 세 사람이 내 이름으로 모인 곳에는 나도 그들 중에 있느니라"(마 18:20). 하지만 불행하게도 소그룹에 속했다고 해서 꼭 진정한 공동체를 경험하게 되는 것은 아니다. 많은 주일학교 모임이나 성경공부 모임들이 외면에 치중하고 있기 때문에 진정한 교제를 경험하는 것이 무엇인지 전혀 모른다. 진정한 교제와 그렇지 못한 교제의 차이는 무엇일까?

진정한 교제에서는 사람들이 진실함을 기대한다

진정한 교제는 피상적이고 표면적인 상호 작용이 아니다. 진실하며 때로는 아주 깊은 나눔이다. 그것은 사람들이 자신의 삶에서 일어나고 있는 일들을 진실하게 이야기할 때만 가능해진다. 그들은 상처를 나누고, 감정을 표현하며, 실패를 고백하고, 의심을 보이며, 두려움을 시인하고, 약점을 깨달으며, 기도를 부탁한다.

이러한 진실함을 어떤 교회에서는 전혀 찾아볼 수가 없다. 진실하고 인간적인 분위기 대신 가식적인 모습을 보이고, 본래의 모습을 숨기며, 자기 방어를 하고, 가식적인 친절을 베풀지만 얕은 대화를 나눈다. 사람들은 가면을 쓰고 경계하면서, 그들의 삶이 모두 장미빛인 것처럼 행동한다. 이러한 태도는 진정한 교제를 해치는 것이다.

우리의 삶에 대해 솔직하게 이야기할 때만이 우리는 진정한 교제를 경험할 수 있다. 성경은 이렇게 말한다. "저가 빛 가운데 계신 것 같이 우리도 빛 가운데 행하면 우리가 서로 사귐이 있고 그 아들 예수의 피가 우리를 모든 죄에서 깨끗하게 하실 것이요 만일 우리가 죄 없다 하면 스스로 속이고 또 진리가 우리 속에 있지 아니할 것이요"(요일 1:7-8). 이 세상은 친밀함이 어둠 속에서 생겨난다고 생각하지만, 하나님은 그렇지 않다고 말씀하신다. 우리는 우리의 상처, 잘못, 두려움, 실패 그리고 실수들을 숨기기 위해 어둠을 사용한다. 하지만 빛 가운데서 우리는 그 모든 것을 개방하고 우리가 진정 어떤 사람인지 받아들이게 된다. 물론 진실해지는 것은 위험한 일이고, 용기가 필요하며, 겸손해야 할 수 있다. 노출, 거부 그리고 또다시 상처받을 것에 대한 두려움에 직면하는 것이다. 누가 이런 위험을 감수하겠는가? 하지만 이것이야말로 영적으로 성장할 수 있는 유일한 길이다. 성경은 이렇게 말한다. "이러므로 너희 죄를 서로 고하며 병 낫기를 위하여 서로 기도하라"(약 5:16). 우리는 오직 위험을 감수함으로써 성장한다. 그리고 그 가운데 가장 어려운 일은 우리 자신에게 그리고 다른 사람들에게 솔직해지는 것이다.

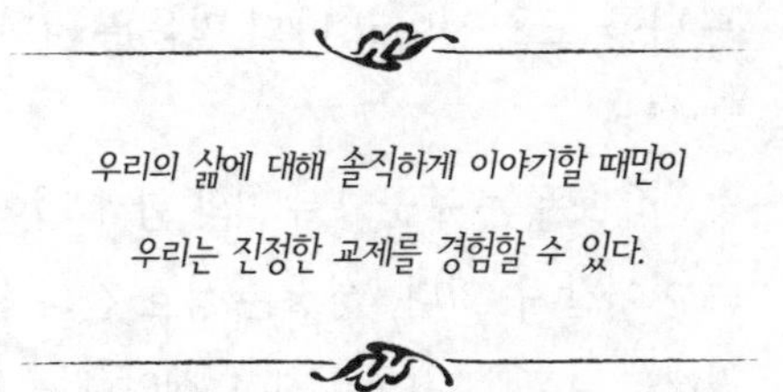

진정한 교제를 통해 사람들은 상호 의존한다

상호 의존은 주고받는 것의 예술이라고 할 수 있다. 서로에게 의지하는 것이다. 성경은 이렇게 말한다. "하나님이 우리의 몸을 디자인하신 방법은 우리가 교회로서 어떻게 함께 살아야 하는지를 이해하기 위한 모델이 된다. 모든 부분은 다른 부분들에게 의존한다" (고전 12:25, Msg). 상호 의존은 교제의 핵심이다. 상호 의존적인 관계를 형성하고, 책임을 나누며, 서로를 돕는 것이다. 바울은 "나는 우리가 믿음으로 서로를 돕기 원한다. 너희의 믿음은 나를 도울 것이고 나의 믿음은 너희를 도울 것이다" (롬 1:12, NCV)라고 말했다.

우리 모두는 누군가 우리와 함께 걸어가고, 우리를 격려해주면 믿음을 계속 이어갈 수 있다. 성경은 상호 간의 책임, 격려, 섬김 그리고 존경에 대한 명령을 담고 있다(롬 12:10). 신약에는 '서로에게' 또 '서로를 위해' 살라고 명령하는 표현이 50번 이상 등장한다. 성경은 말한다. "이러므로 우리가 화평의 일과 서로 덕을 세우는 일을 힘쓰나니" (롬 14:19).

우리가 그리스도의 몸 안에 있는 모든 사람을 책임져야 하는 것은 아니지만, 모든 사람에게 노력해야 하는 책임은 있다. 하나님은 우리가 할 수 있는 모든 것을 통해 그들을 돕기 원하신다.

진정한 교제를 통해 사람들은 공감한다

공감하는 것은 충고를 하거나, 빠르고 표면적인 도움을 주는 것이 아니다. 공감한다는 것은 고통에 함께 참여하고 그 고통을 나누는 것이다. 공감하는 것은 "나는 네가 겪고 있는 것을 안다. 네가 지금 느끼고 있는 감정은 이상한 것도 아니고 잘못된 생각도 아니다"라는 것을 말해준다. 어떤 사람들은 이를 감정 이입이라 부른다. 하지만 성경적인 단어는 공감이다. 성경은 이렇게 말한다. "그러므로 너희는 하나님의 택하신 거룩하고 사랑하신

자처럼 긍휼과 자비와 겸손과 온유와 오래 참음을 옷입고"(골 3:12).

공감을 통해서 두 가지 근본적인 필요를 채울 수 있다. 즉 이해받고, 감정의 정당성을 확인받는 것이다. 우리가 상대방의 감정을 확인해주고 이해해줄 때마다 우리는 교제를 쌓아간다. 문제는 우리가 때때로 너무 급하게 문제를 해결하려고 하기 때문에 공감할 시간을 못 갖는다는 것이다. 또는 스스로의 상처에 너무 묶여 있다. 자기 연민은 다른 사람들에 대한 공감을 메마르게 한다.

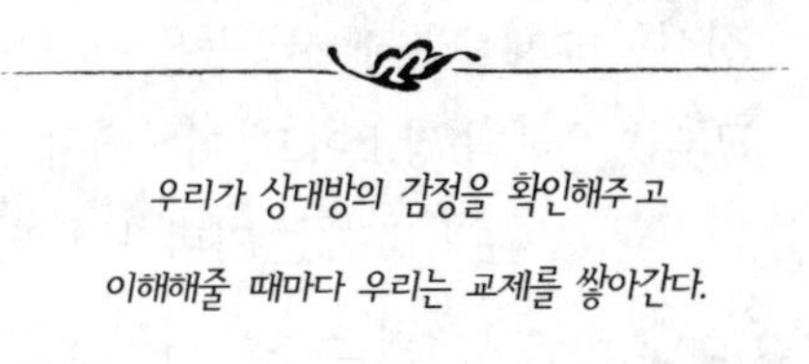

교제에는 여러 단계가 있고 각 단계는 각각 다른 시기에 적용된다. 가장 기초적인 단계는 나눔의 교제 그리고 하나님의 말씀을 함께 공부하는 교제다. 더 깊은 단계는 섬김의 교제이고, 이것은 우리가 선교 여행이나 봉사 활동에 함께 참여하는 것이다. 가장 깊고 친밀한 단계는 함께 고통을 나누는 교제인데(빌 3:10, 히 10:33-34), 이것은 서로의 고통과 슬픔에 참여하고 짐을 함께 짊어지는 것이다. 이 단계를 이해하는 크리스천들이 바로 믿음으로 인해 처형당하고 멸시당하며 순교하는 사람들이다.

성경은 이렇게 명령한다. "너희가 짐을 서로 지라 그리하여 그리스도의 법을 성취하라"(갈 6:2). 우리가 서로에게 가장 필요한 때는 바로 심각한 위기, 깊은 슬픔 그리고 의심의 상황을 지날 때다. 상황이 악화되어 우리의 믿음이 무너지려고 하는 바로 그때에 믿음의 친구를 가장 필요로 하는 것이다. 이런 때 우리는 하나님 안에서 믿음을 갖고 있는 사람이 필요하고, 우리를 이끌어줄 사람이 필요하다. 하나님이 멀게 느껴질 때에도 소그룹 안에서는 그리스도의 몸이 실제로 존재하고 가시적이게 되는 것이다. 이것이 욥이 고통받고 있을 때 가장 필요로 했던 것이다. 그래서 욥은 "고통당하는 친구를 동정하지 않는 것은 하나님을 무시하는 일이야"(욥 6:14, 쉬운성경)라고 절규했다.

진정한 교제를 통해 사람들은 자비를 경험한다

교제는 은혜의 장소이고, 이곳에서는 우리의 실수가 드러나지 않고 덮어진다. 교제는 자비가 정의보다 강할 때 일어난다.

우리는 모두 자비가 필요하다. 이는 우리 모두가 흔들리고 넘어지고 다시 제자리로 돌아오기 위해 도움이 필요하기 때문이다. 우리는 서로에게 자비를 베풀어야 하고 서로에게서 그것을 받을 줄 알아야 한다. 하나님은 이렇게 말씀하신다. "그런즉 너희는 차라리 저를 용서하고 위로할 것이니 저가 너무 많은 근심에 잠길까 두려워하노라"(고후 2:7).

용서 없이는 교제할 수 없다. 하나님은 우리에게 이렇게 경고하신다. "서로에게 악의를 품지 말아라"(골 3:13, LB). 이것은 괴로움과 분노가 교제를 핵심부터 파괴하기 때문이다. 우리 모두는 불완전한 죄인들이기 때문에 함께 오랜 시간을 보내면 때로는 의식적으로, 그리고 때로는 무의식적으로 서로에게 상처를 준다. 성경은 이렇게 말한다. "누가 뉘게 혐의가 있거든 서로 용납하여 피차 용서하되 주께서 너희를 용서하신 것과 같이 너희도 그리하고"(골 3:13).

하나님이 우리를 향해 보여주신 자비의 모습은 우리가 다른 사람에게 자비를 베푸는 동기가 된다. 우리가 다른 사람을 용서할 때 하나님이 우리를 용서하신 것 이상의 용서는 요구하지 않으신다. 누군가 우리에게 상처를 줄 때마다 우리는 선택해야 한다. 나의 에너지를 복수하는 데 사용할 것인가, 아니면 해결을 위해 사용할 것인가? 이 두 가지를 모두 할 수는 없다.

하지만 많은 사람들은 신뢰와 용서의 차이를 이해하지 못하기 때문에 자비를 베푸는 것을 주저한다. 용서는 과거를 잊는 것이다. 신뢰는 미래의 행동에 영향을 주는 것이다.

용서는 상대방이 그것을 구하든 그렇지 않든 간에 바로 해야 하는 것이고, 신뢰는 시간이 지남에 따라 이루어지는 것이다. 그래서 만일 누군가가 우리에게 계속적으로 상처를 준다 해도 하나님은 우리가 바로 용서하기를 바라시지만, 그들을 바로 신뢰할 것을 기대하지는 않으신다. 또한 그들이 계속적으로 우리에게 상처를 주도록 내버려두는 것도 원하지 않으신다. 그들은 시간이 지남에 따라 변하고 있다는 것을 보여주어야 한다. 신뢰를 다시 쌓기에 가장 좋은 곳은 격려와 믿음을 보여주는 소그룹 안에서다.

진정한 교제에 헌신되어 있는 소그룹에 속함으로써 얻을 수 있는 유익이 많다. 그것은 우리가 간과할 수 없는 크리스천으로서의 삶의 일부다. 2천 년 이상 동안 크리스천들은 교제를 위해 정기적으로 소그룹으로 모여왔다. 만일 이런 모임에 속해보지 않았다면 무엇을 놓치고 있는지 잘 모를 것이다.

다음 장에서 우리는 다른 믿는 사람들과 이러한 공동체를 만들기 위해 필요한 것을 살펴볼 것이다. 하지만 이번 장을 통해 진정한 교제가 주는 진실함, 상호 의존, 공감 그리고 자비를 갈구하게 되었기를 바란다. 우리는 공동체를 위해 창조되었다.

Day 18

내 삶의 목적에 대하여

생각할 점 : 내 삶에는 다른 사람들이 필요하다.

외울 말씀 : "너희가 짐을 서로 지라 그리하여 그리스도의 법을 성취하라" (갈 6:2).

삶으로 떠나는 질문 : 예수님을 다른 믿는 누군가와 더 진실한 관계를 맺기 위해 오늘 내가 할 수 있는 한 가지 일은 무엇인가?

19

공동체 가꾸기

"너희들이 함께 어울리고 서로 존중하며 존경하는
노력을 할 때에만 하나님이 보시기에 아름다운,
건강하고 풍요로운 공동체 생활을 할 수 있고
그 결과들을 누릴 수 있다"
(약 3:18, Msg).

"저희가 사도의 가르침을 받아
서로 교제하며 떡을 떼며 기도하기를 전혀 힘쓰니라"
(행 2:42).

공동체는 헌신을 필요로 한다.

성령만이 믿는 사람들 사이의 진정한 교제를 가능하게 하지만, 성령은 우리의 선택과 헌신을 사용해서 역사하신다. 바울은 "평안의 매는 줄로 성령의 하나 되게 하신 것을 힘써 지키라" (엡 4:3)고 말하며 우리의 이중적인 책임을 지적하고 있다. 서로 사랑하는 기독교 공동체를 만들기 위해서는 하나님의 능력과 우리의 노력이 모두 필요하다.

불행히도 많은 사람들은 건강하지 못한 관계의 가정에서 자라나 진정한 교제를 위해 필요한 기술이 부족하다. 그들은 함께 지내고 하나님의 가족 안에서 관계를 맺는 법을 배워야 한다. 다행히 신약 성경은 삶을 나누는 방법에 대해서 많은 설명을 하고 있다. 바울은 "이것을 네게 쓰는 것은… 너로 하나님의 집에서 어떻게 행하여야 할 것을 알게 하려 함이니 이 집은 살아 계신 하나님의 교회요 진리의 기둥과 터이니라"(딤전 3:14-15).

만일 가식적인 교제에 지쳤다면 그리고 소그룹, 주일학교, 교회에서 진정한 교제와 사랑이 넘치는 공동체를 가꿔가고 싶다면 우리는 몇 가지 어려운 결정을 내리고 위험을 감수해야 한다.

공동체를 가꾸려면 정직해야 한다

우리는 문제를 덮거나 무시하고 싶을 때에도 사랑으로 진실을 말할 수 있을 만큼 사랑해야 한다. 주위 사람들이 죄를 범하고 스스로에게 또는 다른 사람들에게 해를 끼칠 때 침묵하는 것은 쉬운 일이지만, 사랑하는 행동은 아니다. 대부분의 사람들은 고통스럽더라도 자신들에게 애정을 가지고 진실을 이야기해줄 사람이 없어서 계속해서 자신을 파멸의 구덩이로 몰아넣고 있다. 우리는 어떤 이야기를 해줄 필요가 있다는 사실을 알면서도 두려워서 말을 하지 못한다. 많은 교제가 바로 이런 두려움으로 와해되었다. 구성원들의 삶이 무너지고 있는 동안 그 누구도 목소리를 높일 용기가 없었다.

성경은 우리에게 "사랑으로 진리를 말하며"(엡 4:15)라고 말하고 있는데 이는 정직함이 없이는 공동체를 유지할 수 없기 때문이다. 솔로몬은 "솔직한 대답이 우정의 징표다"(잠 24:26, TEV)라고 말하면서, 솔직한 대답이 때로는 상대방을 사랑하여 죄를 짓거나, 유혹에 빠지는 것을 막는 것이라고 교훈하고 있다 . 바울은 "형제들아 사람이 만일 무슨 범죄한 일이 드러나거든 신령한 너희는 온유한 심령으로 그러한 자를 바로잡고 네 자신을 돌아보아 너도 시험을 받을까 두려워하라 너희가 짐을 서로 지라 그리하여 그리스도의 법을 성취하라"(갈 6:1-2)고 말했다.

교회 안의 많은 모임과 소그룹은 갈등을 두려워하여 계속 표면적인 데에 머무른다. 긴장이나 불편하게 하는 문제가 제기될 때마다 거짓된 평화를 지키기 위해 그냥 덮어두곤 한다. "긁어 부스럼 만들지 말라"고 주장하는 사람이 개입해서 상황을 진정시키지만, 결국 문제는 해결되지 않고 남아 모두가 내면에 갈등을 품고 지내게 된다. 그리고 모두가 문제를 인식하고는 있지만 아무도 그 문제에 대해 크게 말하지 않는 이러한 상황은 비밀스러운 분위기를 조성하고 또한 소문에 소문을 낳게 된다. 이것에 대한 바울의 해결책은 간단했다. "거짓과 핑계는 이제 없어야 한다. 이웃에게 진실을 말하라. 결국 그리스도의 몸 안에서 우리는 하나다. 다른 사람들에게 거짓말하는 것은 결국 스스로에게 거짓말하는 것이다"(엡 4:25, Msg).

결혼이나 우정, 혹은 교회 안에서의 진정한 교제는 솔직함에 달려 있다. 사실, 갈등의 터널이란 어떤 관계에서든 친밀함으로 가는 길이다. 내면에 깔려 있는 장벽들에 맞서고, 그것들을 허물 생각이 없다면 절대 서로 가까워질 수 없다. 갈등이 올바른 방법으로 해소될 때 우리는 서로의 차이를 알고 그것을 좁혀가면서 가까워지게 된다. 성경은 이렇게 말한다. "책망하는 사람이 아첨하는 사람보다 나중에 더욱 귀히 여김을 받을 것이다"(잠 28:23, 쉬운성경).

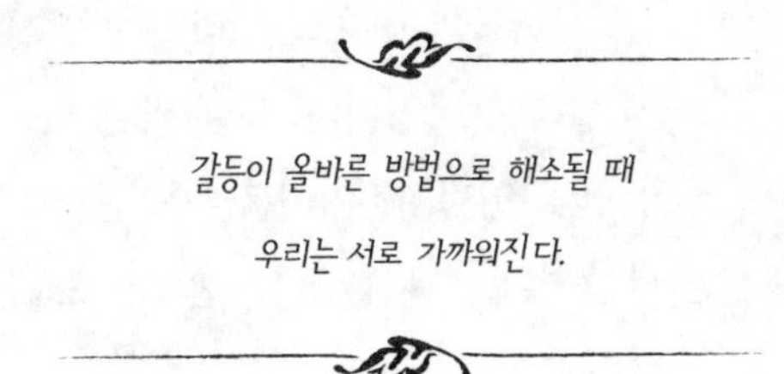

그러나 솔직함은 하고 싶은 말을 아무 때나 아무 곳에서나 하는 것이 아니며 무례함도 아니다. 성경은 모든 일에는 적절한 시간과 방법이 있다고 말한다(전 8:6, TEV). 아무 생각 없이 내뱉는 말들은 오래 지속되는 상처를 남긴다. 하나님은 교회 안에서 말할 때 사랑하는 가족에게 하듯 하라고 말씀하신다. "나이 든 남자의 잘못을 지적할 때에는 모진 말을 사용하지 말고 아버지께 하듯 하며, 어린 남자들에게는 형제처럼 하라. 나이 든 여자에게는 어머니께 하듯 하고, 나이가 어린 여자들에게는 자매를 대하듯 하라"(딤전 5:1-2, GWT).

그러나 슬픈 사실은 교회 안의 많은 모임들이 정직하지 못해 깨져왔다는 것이다. 고린도 교회가 모임 안에 부도덕함이 퍼질 때까지 침묵했던 것에 대해 바울은 비난했다. 그 누구도 그것에 맞설 생각을 하지 않았기 때문에 바울은 말했다. "…내가 이미 편지에 음행하는 사람과 사귀지 말라고 썼습니다. 내 말은 음행하거나, 탐욕스럽거나, 속이거나, 우상 숭배하는 이 세상 사람들과 전혀 어울리지 말라는 의미가 아닙니다. 그러려면 이 세상 밖으로 나가야 합니다. 내가 지금 어울리지 말라고 쓴 것은, 어떤 사람이 그리스도인이라고 말은 하면서 음행하거나, 탐욕이 있거나, 우상을 숭배하거나, 남을 모함하거나, 술에 젖어 살거나, 약탈하거나 그러면, 그런 사람들과 어울리지 말라는 말입니다. 그런 사람들과는 음식도 같이 먹지 말라는 것입니다. 교회 밖에 있는 사람들을 심판하는 것이 내가 상관해야 할 일입니까? 여러분들이 심판해야 할 사람들은 교회 안에서 죄를 짓는 사람들이 아닙니까?"(고전 5:3-12, 쉬운성경).

공동체를 가꾸려면 겸손해야 한다

자신만 중요하게 여기고, 독선적이며, 고집스럽고, 교만한 것은 그 어떤 것보다 빠르게 교제를 파괴한다. 이것이 하나님이 교만을 그토록 싫어하시는 이유다. 교만은 사람들 사이에 벽을 쌓지만 겸손은 다리를 놓고, 관계를 부드럽게 하며, 더 온화하게 해주는 기름 역할을 한다. 그래서 성경은 이렇게 말한다. "다 서로 겸손으로 허리를 동이라"(벧전 5:5). 교제의 올바른 모습은 겸손한 태도다.

그리고 이 구절의 뒷부분은 이렇게 말한다. "하나님이 교만한 자를 대적하시되 겸손한 자들에게는 은혜를 주시느니라"(벧전 5:5). 이것이 우리가 겸손해야 하는 또 다른 이유다. 교만은 우리가 성장하고 변화하고 치유받기 위해 반드시 필요한 하나님의 은혜를 가린다. 우리는 겸손히 하나님의 은혜가 필요함을 인정할 때 은혜를 받을 수 있다. 성경은 내가 교만해질 때마다 나는 하나님의 반대편에 서게 되는 것이라고 말한다. 이것은 아주 어리석고 위험한 삶의 방식이다.

우리는 여러 가지 현실적인 방법으로 겸손을 연습할 수 있는데 우리의 약점을 인정하고, 다른 사람의 약점에 인내하며, 다른 사람의 지적을 받아들이고, 다른 사람을 세워줌으로써 가능하다. 바울은 이렇게 충고한다. "서로 마음을 같이 하며 높은데 마음을 두지 말고 도리어 낮은데 처하며 스스로 지혜 있는체 말라"(롬 12:16). 그리고 빌립보 교인들에게는 이렇게 썼다. "아무 일에든지 다툼이나 허영으로 하지 말고 오직 겸손한 마음으로 각각 자기보다 남을 낫게 여기고 각각 자기 일을 돌아볼 뿐더러 또한 각각 다른 사람들의 일을 돌아보아 나의 기쁨을 충만케 하라"(빌 2:3-4).

겸손은 스스로를 '낮게' 생각하는 것이 아니다. 스스로를 덜 생각하는 것이다. 다른 사람을 더 생각하는 것이다. 겸손한 사람들은 스스로를 생각하는 것보다 다른 사람을 섬기는 것에 더 관심을 갖는다.

공동체를 가꾸려면 공손해야 한다

공손함이란 서로의 차이를 존중하고 서로의 감정을 배려하는 것이며, 우리를 짜증나게 하는 사람들을 인내하는 것이다. 성경은 이렇게 말한다. "우리 각 사람이 이웃을 기쁘게 하되 선을 이루고 덕을 세우도록 할지니라"(롬 15:2). 바울은 디도에게 "아무도 훼방하지 말며 다투지 말며 관용하며 범사에 온유함을 모든 사람에게 나타낼 것을 기억하게 하라"(딛 3:2)고 말하고 있다.

모든 교회는 그리고 모든 소그룹 안에는 적어도 한 명 이상 서로 어울리기 '어려운' 사람들이 있다. 이들은 특별히 감정적으로 문제가 있거나, 안정되지 못하거나, 다른 사람을 화나게 하는 버릇이 있거나, 다른 사람들과 어울리는 기술이 부족할 수 있다. 즉 그들은 '하나님의 은혜를 특별히 더 필요로 하는 사람들' 이다.

그러나 하나님이 그들을 우리 가운데 보내신 것은 그들과 우리 모두의 유익을 위해서다. 그들은 우리가 성장할 수 있고, 또한 우리의 교제를 시험해 볼 수 있는 기회를 준다. 우리는 그들을 형제자매와 같이 사랑하고 존중할 것인가?

한 개인이 얼마나 똑똑하고 아름답고 재능이 많은지에 따라 가족으로 받아들여지는 것이 아니라 단지 서로 속해 있기 때문에 한 가족이 되는 것이다. 우리는 가족을 방어하고 보호한다. 그래서 어떤 가족이 조금은 바보스럽더라도 그는 가족의 한 구성원이다. 마찬가지로 성경은 이렇게 말한다. "사랑하는 가족처럼 서로에게 헌신하라. 서로에게 최대한 경의를 표하라" (롬 12:10, GWT).

사실, 우리 모두에게는 특이한 버릇과 다른 사람을 짜증나게 하는 특성이 있다. 그러나 공동체란 서로 얼마나 잘 어울리느냐와는 상관이 없다. 우리의 교제의 바탕은 하나님과의 관계다. 우리는 가족이기 때문이다.

서로에게 공손할 수 있는 방법은 사람들이 어떤 삶을 살아왔는지 이해하는 것이다. 그들의 과거를 알아보라. 그들이 어떤 삶을 살아왔는지를 안다면 우리는 그들을 더 많이 이해할 수 있을 것이다. 그들이 앞으로 얼마를 더 가야 하는지를 생각하는 대신에 그들이 아픈 상처에도 불구하고 얼만큼 멀리 왔는지를 생각하라.

공손함의 또 다른 부분은 다른 사람들이 어떤 것에 대해 의심한다고 그들을 얕보지 않는 것이다. 우리가 같은 것을 두려워하지 않는다고 해서 다른 사람들이 느끼는 감정이 근거가 없는 것은 아니다. 진정한 공동체는 서로 의심과 두려움을 나누고, 그로 인해 상대방이 판단받지 않을 수 있다는 사실을 알 때 세워진다.

공동체를 가꾸려면 비밀을 지켜야 한다

따뜻하게 받아들여지고, 비밀을 지켜줄 것이라는 신뢰가 있을 때에만 사람들은 가장 깊은 곳의 상처, 필요 그리고 실수들에 대해 이야기하고 마음을 연다. 그러나 비밀을 지키는 것이 다른 형제자매들이 죄를 지을 때 그것에 대해 침묵하는 것을 의미하지는 않는다. 비밀을 지킨다는 것은 그룹 안에서 나눈 이야기들은 구성원들만이 알고 있고, 그 문제를 해결하기 위해 함께 노력하며, 그것에 대해 다른 사람들과 험담하지 않는 것이다.

하나님은 소문을 싫어하신다. 특히 다른 사람의 '기도 제목' 이라는 이름하에 전해지는 것을 매우 싫어하신다. 하나님은 이렇게 말씀하신다. "소문은 악한 사람들에 의해 퍼진다. 그들은 문제를 더 어렵게 만들고 친구 사이를 갈라놓는다"(잠 16:28, TEV). 소문은 항상 상처를 낳고 분열을 초래한다. 그리고 하나님은 교회 안에서 분열을 일으키는 사람들에 대해서 어떻게 해야 하는지 분명하게 말씀하신다(딛 3:10). 그들은 자신들의 행동에 대해 비난받으면 화를 내고 그룹이나 교회를 떠날지도 모른다. 그러나 교회 안에서의 교제는 그 어떤 개인보다 중요하다.

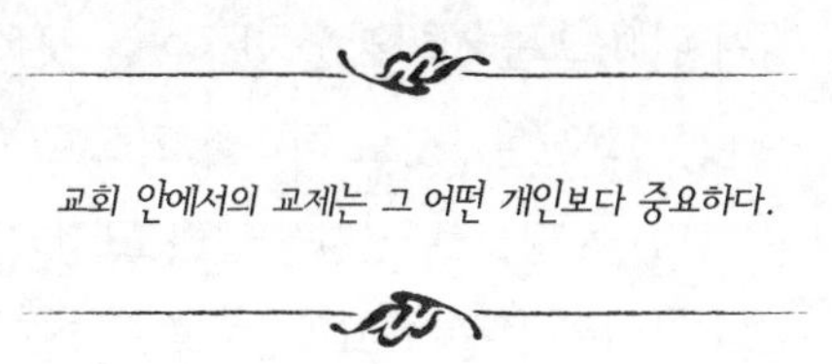

공동체를 가꾸려면 자주 만나야 한다

우리가 속한 그룹과 진정한 교제를 나누기 위해서는 자주 그리고 정기적으로 만나야 한다. 관계를 맺는 것은 시간이 걸리는 일이다. 성경은 우리에게 이렇게 말한다. "모이기를 폐하는 어떤 사람들의 습관과 같이 하지 말고 오직 권하여 그날이 가까움을 볼수록 더욱 그리하자"(히 10:25). 우리는 함께 만나는 습관을 길러야 한다. 습관은 이따금 하는 행동이 아니고 자주 하는 행동을 일컫는 말이다. 우리는 사람들과 깊은 관계를 맺기 위해서 아주 많은 시간을 함께해야 한다. 그렇지 않기 때문에 많은 교회의 모임들이 깊이가 없는 교제를 하는 것이다. 우리는 함께 충분한 시간을 보내지 않으며, 함께 보내는 시간도 주로 한 사람의 이야기를 듣는 데 투자한다.

공동체는 내가 가고 싶을 때에만 가는, 그런 편리함에 바탕을 두고 있는 것이 아니다. 나의 영적인 건강함을 위해서 공동체가 필요하다는 확신 위에 만들어진다. 그 중요성을 믿기 때문에 원하지 않을 때에도 만난다. 교제는 시간의 투자를 필요로 하는 것이다.

초대교회 크리스천들은 매일 만났다. "날마다 마음을 같이 하여 성전에 모이기를 힘쓰고 집에서 떡을 떼며 기쁨과 순전한 마음으로 음식을 먹고"(행 2:46). 진정한 교제를 위해서는 시간을 투자해야 한다.

만일 당신이 소그룹이나 모임에 속해 있다면 다음의 아홉 가지 사항을 지키기 위한 그룹 서약서를 만들어볼 것을 권한다. "우리는 서로 솔직한 감정을 나누고(진실), 서로 격려하고(상호 의존), 서로 돕고(동감), 서로 용서하고(자비), 사랑으로 진실을 말하고(정직), 우리의 약점을 인정하고(겸손), 서로의 차이를 존중하고(공손), 말을 퍼트리지 않고(비밀을 지킴), 이 모임을 최우선 순위로 둘 것이다(자주 만남)."

이 특성들을 보면 진정한 교제가 이루어지지 않는 이유를 명확하게 알 수 있다. 그것은 서로 의지하기 위해서 우리의 자기 중심적이고 독단적인 것을 모두 버려야 한다는 것을 의미한다. 하지만 그것을 통해 누리는 유익함은 우리가 치르는 비용보다 훨씬 크다. 그리고 우리가 천국을 준비할 수 있게 해준다.

Day 19

내 삶의 목적에 대하여

생각할 점 : 공동체는 헌신을 필요로 한다.

외울 말씀 : "그가 우리를 위하여 목숨을 버리셨으니 우리가 이로써 사랑을 알고 우리도 형제들을 위하여 목숨을 버리는 것이 마땅하니라" (요일 3:16).

삶으로 떠나는 질문 : 내가 속한 소그룹이나 교회가 진정한 공동체의 특성을 가꾸어가도록 내가 도울 수 있는 것은 무엇인가?

20

깨어진 관계 회복하기

"모든 것이 하나님께로 났나니
저가 그리스도로 말미암아
우리를 자기와 화목하게 하시고
또 우리에게 화목하게 하는 직책을 주셨으니"
(고후 5:18).

관계들은 항상 회복할 만한 가치가 있다.

삶이 사랑하는 방법을 배우는 것이기 때문에, 하나님은 우리가 관계를 소중히 여기고 불화나 상처 혹은 갈등이 있을 때마다 그 관계를 깨뜨리기보다는 유지하는 노력을 하기 원하신다. 사실 성경은 하나님이 우리에게 관계 회복의 사역을 주셨다고 말하고 있다(고후 5:18). 그래서 신약의 상당 부분이 우리에게 함께 살아가는 방법을 가르치는 데 할애되어 있다. 바울은 "만일 너희가 그리스도를 통해 배운 것이 조금이라도 있다면, 그의 사랑이 너희의 삶을 조금이라도 변화시켰다면, 그리고 성령님과 교통하는 것이 조금이라도 너희에게 의미가 있다면, 서로 화합하고 사랑하며, 영적으로 깊은 관계를 맺는 친구가 되어라"(빌 2:1-2, Msg)고 권면하고 있다. 바울은 다른 사람과 어울리는 우리의 능력이 영적인 성숙의 척도라고 가르쳤다(롬 15:5, Msg).

그리스도가 제자들이 서로 사랑하는 것으로 세상에 알려지기를 원하셨기에(요 13:35), 깨어진 관계는 믿지 않는 사람들에게 은혜를 끼치지 못하는 모습이다. 그래서 바울은 또한 고린도 교회의 성도들이 당파로 나누어지고, 서로 고소까지 하는 것을 부끄러워했다. 그는 "내가 너희를 부끄럽게 하려 하여 이 말을 하노니 너희 가운데 그 형제간 일을 판단할 만한 지혜 있는 자가 이같이 하나도 없느냐"(고전 6:5)라고 썼다. 그는 교회 안에 그 누구도 평화롭게 갈등을 해결할 만큼 성숙한 사람이 없다는 사실에 충격을 받았다. 같은 편지에서 그는 또한 "형제들아 내가 우리 주 예수 그리스도의 이름으로 너희를 권하노니 다 같은 말을 하고 너희 가운데 분쟁이 없이 같은 마음과 같은 뜻으로 온전히 합하라"(고전 1:10)고 말했다.

만약 하나님의 복을 받기 원하고, 하나님의 자녀로 알려지고 싶다면 중재하는 법을 배우라. 예수님은 "화평케 하는 자는 복이 있나니 저희가 하나님의 아들이라 일컬음을 받을 것임이요"(마 5:9)라고 말씀하신다. 예수님이 "평화를 사랑하는 자들은 복을 받을 것이다"라고 말씀하시지 않은 것을 기억하라. 왜냐하면 모든 사람이 평화를 사랑하기 때문이다. 또한 그분은 "평화로운 자들은 복을 받을 것이다"라고 말씀하시지도 않았다. 이들은 그 어떤 것에도 흔들리지 않는다. 예수님은 말씀하셨다. "평화를 위해 일하는 자들은 복을 받을 것이다." 그들은 갈등을 해결하기 위해 적극적으로 노력하는 사람들이다. 중재자의 위치가 힘들기 때문에 많은 사람들이 하려고 하지 않는다.

우리가 하나님의 가족으로 지어졌기 때문에, 그리고 삶의 두번째 목적이 서로 사랑하고 인간 관계를 맺는 방법을 배우는 것이기 때문에, 화평하게 하는 것이 우리가 개발할 수 있는 가장 중요한 기술 가운데 하나다. 불행히도, 우리 대부분은 갈등을 해소하는 방법을 배우지 못했다.

화평케 한다는 것은 갈등을 피하는 것이 아니다. 문제를 피하고, 문제가 없는 것처럼 숨기고, 또 그것에 대해 이야기하는 것을 두려워하는 것은 비겁한 자의 모습이다. 평화의 왕, 예수님은 갈등을 두려워하지 않으셨다. 때때로 그분은 모든 사람을 위해 갈등을 일으키기도 하셨다. 때로 우리는 갈등을 피해야 하고, 또한 때때로 갈등을 만들어야 하며, 때로는 그 갈등을 해결해야 한다. 그렇기 때문에 우리는 성령의 계속적인 인도하심을 위해 기도해야 한다.

또한 화평케 한다는 것이 양보를 의미하는 것도 아니다. 항상 양보하고, 주장을 내세우지 않으며, 다른 사람들이 밟고 지나가도록 두는 것은 예수님이 의도하신 것이 아니다. 예수님은 많은 문제들 앞에서 악한 반대자들과 대면하여 물러서기를 거부하셨다.

관계를 회복하는 법

하나님은 "우리를 서로 간의 관계 회복을 위해 부르셨다"(고후 5:18, Msg). 관계 회복을 위한 일곱 가지 성경적인 방법을 살펴보면 다음과 같다.

사람에게 이야기하기 전에 하나님께 이야기하라

하나님과 먼저 그 문제에 대해 의논하라. 친구와 이야기하기 전에 먼저 기도한다면 하나님은 우리의 마음을 바꾸시거나, 우리의 도움으로 상대방의 마음을 변화시키신다는 것을 발견할 것이다. 관계들을 놓고 더 기도한다면, 분명 그 관계들은 더 원만해질 것이다.

다윗이 시편을 통해 그랬듯이, 기도를 통해 하나님께 마음을 쏟아놓으라. 하나님께 낙담한 마음에 대해 이야기하라. 그분에게 울부짖으라. 그분은 우리의 분노, 상처, 불안 등의 감정에 대해 놀라거나 당황해하지 않으신다. 그러니 자신의 감정을 정확하게 이야기하라.

대부분의 갈등은 필요가 충족되지 못할 때 일어나는데 그 필요 가운데는 하나님만이 채워주실 수 있는 것들도 있다. 그래서 우리의 친구나 배우자, 상사, 혹은 가족 가운데 그 누군가가 하나님만이 채워주실 수 있는 우리의 필요를 채워줄 것을 기대한다면, 그것은 실망과 괴로움을 자초하는 것이다. 하나님을 제외한 그 누구도 우리의 모든 필요를 채워줄 수 없다.

사도 야고보는 대부분의 갈등이 기도의 부족으로 생긴다고 지적했다. "너희 중에 싸움이 어디로, 다툼이 어디로 좇아 나느뇨 너희 지체 중에서 싸우는 정욕으로 좇아 난 것이 아니냐 너희가 욕심을 내어도 얻지 못하고 살인하며 시기하여도 능히 취하지 못하나니 너희가 다투고 싸우는도다 너희가 얻지 못함은 구하지 아니함이요" (약 4:1-2). 그러나 우리는 하나님께 눈을 돌리기 전에 다른 사람들이 우리를 기쁘게 해주기를 기대한다. 그리고는 그들이 우리를 실망시켰다고 화를 낸다. 그때 하나님은 "나에게 왜 먼저 오지 않았느냐?" 라고 말씀하실 것이다.

항상 먼저 다가가라

우리가 피해자이든 가해자이든 상관없다. 하나님은 우리가 먼저 움직이기를 기대하신다. 상대방이 행동을 취할 때까지 기다리지 말라. 그들에게 먼저 다가가라. 깨어진 관계의 회복은 매우 중요해서, 예수님은 이를 예배보다 우선순위에 두라고 명령하셨다. "그러므로 예물을 제단에 드리다가 거기서 네 형제에게 원망들을 만한 일이 있는 줄 생각나거든 예물을 제단 앞에 두고 먼저 가서 형제와 화목하고 그 후에 와서 예물을 드리라" (마 5:23-24).

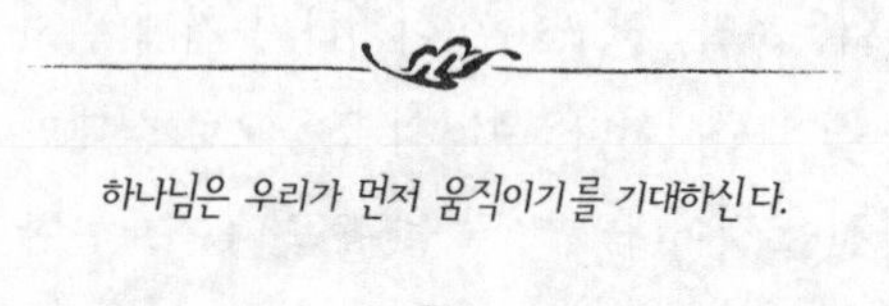

관계가 왜곡되고 깨어지면 바로 갈등을 해결하기 위한 화목의 자리를 마련하라. 미루거나 핑계를 대거나 "언젠가는 해결할게" 라고 약속하지 말라.

가능한 한 빨리 얼굴을 맞대고 만날 계획을 잡으라. 뒤로 미루면 분노만 깊어지고 문제가 더 심각해질 뿐이다. 갈등은 시간이 해결해주지 않는다. 시간이 지나면 상처는 곪는다.

재빠르게 행동하면 우리의 영적인 손실도 적어진다. 성경은 해결되지 않은 갈등은 우리를 비참하게 할 뿐 아니라, 하나님과의 교제와 기도의 응답을 막는다고 말한다(벧전 3:7, 잠 28:9). 때문에 욥의 친구들은 욥에게 "분노가 미련한 자를 죽이고" "너 분하여 스스로 찢는 자야"(욥 5:2, 18:4)라고 말한 것이다.

화목을 위한 만남의 성공 여부는 적절한 시간과 장소를 선택하는 데 있다. 두 당사자가 피곤하거나, 마음이 급하거나, 누군가의 방해를 받을 만한 시간에는 만나지 말라. 만나기에 가장 좋은 시간은 두 사람이 모두 최상의 상태에 있을 때다.

그들의 감정에 공감하라

입보다는 귀를 더 많이 사용하라. 의견 차이를 좁히기 위해 어떤 시도를 하기 전에 사람들의 심정이 어떤지 먼저 들어보아야 한다. 바울은 "자신의 일들만 돌아보지 말고 서로의 일들도 돌아보라"(빌 2:4, TEV)고 충고했다. '돌아보다'라는 표현의 그리스어는 스코포스(skopos)다. 이 단어는 망원경(telescope) 그리고 현미경(microscope)의 어원으로서 매우 깊은 관심을 갖는다는 의미다. 사실보다는 그들의 감정에 초점을 맞추라. 해결이 아닌 공감으로 시작하라.

처음부터 사람들이 그 감정에서 벗어나게 하려고 말로 충고하지 말라. 그냥 그들의 이야기를 들으라. 그래서 그들이 방어하지 않고 감정의 짐을 덜게 하라. 동의하지 않더라도 이해한다는 표현으로 고개를 끄덕이라. 감정이 항상 진실되거나 논리적이지는 못하다. 다윗이 "내 마음이 슬프고 가슴이 찢어질 듯 아파도 내가 어리석은 탓에 깨닫지 못하고 있었습니다. 나는 주 앞에서 마치 짐승과 같았습니다" (시 73:21-22, 쉬운성경)라고 고백한 것처럼 사실 분노는 우리를 어리석은 방법으로 생각하고 행동하게 한다. 우리 모두는 상처를 받으면 짐승처럼 행동한다.

이와는 반대로, 성경은 "노하기를 더디하는 것이 사람의 슬기요 허물을 용서하는 것이 자기의 영광이니라" (잠 19:11)라고 말하고 있다. 즉 인내는 지혜에서 나오고 지혜는 다른 사람들의 의견을 듣는 데서 나온다. 다른 사람의 말을 귀담아듣는 것은 "나는 당신의 의견을 존중합니다. 나는 당신과의 관계를 소중히 생각하며 당신은 나에게 중요한 존재입니다"라고 말하는 것이다. 사람들은 우리가 그들에 대해 관심이 있다는 사실을 알기 전에는 우리가 알고 있는 것들에 대해 관심을 갖지 않는다. 상투적인 표현이기는 하지만 이 말은 사실이다.

교제를 회복하기 위해서 "우리는 다른 사람들이 가지고 있는 의심과 두려움을 배려해주어야 한다… 우리 자신보다는 다른 사람을 기쁘게 하고 그를 위해 좋은 일을 하자" (롬 15:2, LB). 다른 사람의 분노를 인내하며 들어주는 것은 희생이다. 특히나 그 분노가 근거가 없는 것일 때는 더욱 그러하다. 하지만 그 어떤 희생도 갈보리 언덕의 희생을 따라갈 수 없다. 예수님이 우리를 섬기기 위해 사랑으로 인내하셨던 그 분노와 모욕을 기억하라. "그리스도께서는 자신을 기쁘게 하지 않으시고, 성경에 '주님을 모욕한 사람들의 모욕이 제게 임하였습니다' 라고 기록된 대로 사셨습니다" (롬 15:3, 쉬운성경).

나에게도 잘못이 있음을 고백하라

만일 당신이 진지하게 관계의 회복에 대해 생각하고 있다면 우선 자신의 실수나 죄를 인정하는 것에서부터 시작해야 한다. 예수님은 그것이 상황을 더 명확하게 보는 방법이라고 말씀하셨다. "외식하는 자여 먼저 네 눈속에서 들보를 빼어라 그 후에야 밝히 보고 형제의 눈 속에서 티를 빼리라" (마 7:5).

우리는 모두 자기 시각으로는 보지 못하는 부분이 있기 때문에 갈등이 있는 당사자와 만나기 전에 제삼자에게 자신의 행동을 평가하는 데 도움을 달라고 부탁해야 한다. 또한 하나님께 자신의 잘못이 어느 정도인지를 여쭤보아야 한다. '내가 문제인가? 내가 비현실적이고 둔한가? 혹은 내가 너무 예민한가?' 를 생각해보아야 한다. 성경은 이렇게 말한다. "만일 우리가 죄 없다 하면 스스로 속이고 또 진리가 우리 속에 있지 아니할 것이요" (요일 1:8).

고백은 화해의 아주 강력한 도구다. 갈등을 해결하는 방법이 때로는 본래의 문제보다 더 큰 상처를 낳는다. 우리가 스스로의 실수를 겸손하게 인정하기 시작한다면 상대방도 화를 풀고 공격을 늦춘다. 왜냐하면 그들은 아마도 우리가 방어적일 것이라고 기대했기 때문이다. 핑계를 대거나 책임을 전가하지 말라. 정직하게 그 갈등의 원인을 제공한 정도의 대가를 치루라. 자신의 실수에 대한 책임을 인정하고 용서를 구하라.

사람을 공격하지 말고 문제를 공격하라

누구의 잘못인가를 가리는 데 너무 많은 노력을 쏟으면 문제를 해결할 수 없다. 우리는 둘 가운데 하나를 선택해야 한다. "유순한 대답은 분노를 쉬게 하여도 과격한 말은 노를 격동하느니라" (잠 15:1). 화를 내면서 하고자 하는 말을 올바르게 전달할 수는 없다. 그렇기 때문에 단어 선택을 현명하게 해야 한다. 부드러운 대답이 언제나 가시 돋친 말보다 낫다.

갈등을 해결하려고 할 때 어떻게 말하느냐는 무슨 말을 하느냐 만큼 중요하다.

갈등을 해결하려고 할 때 어떻게 말하느냐는 무슨 말을 하느냐 만큼 중요하다. 만일 공격적으로 말을 한다면, 그 말을 듣는 사람도 방어적이 될 것이다. 하나님은 우리에게 이렇게 말씀하신다. "마음이 지혜로운 자는 슬기롭다 하고, 사람들은 부드러운 말을 잘 듣는다" (잠 16:21, 쉬운성경). 귀에 거슬리는 말을 하면서 상대방을 설득할 수 없다.

냉전 시대 당시 양측은 너무 파괴적이어서 사용해서는 안 되는 몇 가지 무기를 정해놓았다. 오늘날에도 생화학 무기의 사용이 금지되어 있고, 핵무기 비축량도 줄이고 있으며, 많은 핵무기를 없애고 있다. 교제를 위해서 우리는 비난, 비하, 비교, 판단, 모욕, 멸시 그리고 빈정대는 태도 등 관계에 있어서의 핵무기들이 들어 있는 무기고를 파괴해야 한다. 바울은 이것을 다음과 같이 요약해놓았다. "무릇 더러운 말은 너희 입밖에도 내지 말고 오직 덕을 세우는 데 소용되는 대로 선한 말을 하여 듣는 자들에게 은혜를 끼치게 하라" (엡 4:29).

할 수 있는 한 협력하라

바울은 "할 수 있거든 너희로서는 모든 사람으로 더불어 평화하라" (롬 12:18)고 말했다. 평화에는 항상 대가가 따른다. 때로는 그 대가가 우리의 자존심일 수도 있고, 자기 중심성일 수도 있다. 교제를 위해서 우리는 양보하고, 상대방에게 맞추며, 상대방의 필요에 호의를 보이는 데 최선을 다해야 한다(롬 12:10, 빌 2:3). 성경은 예수님의 일곱번째 산상수훈을 이렇게 표현하고 있다. "너희가 사람들에게 경쟁이나 싸움이 아닌 협력하는 방법을 보여줄 때에 너희는 복을 받는다. 그때가 바로 너희가 진정 누구이며, 하나님의 가족 안에서 어떤 역할을 해야 하는지를 발견하는 때다" (마 5:9, Msg).

해결이 아닌 화해를 강조하라

모든 사람이 모든 것에 대해 동의할 것을 기대하는 것은 비현실적이다. 해결은 문제에 초점을 맞추는 반면, 화해는 관계에 초점을 맞춘다. 우리가 화해에 초점을 맞출 때 문제는 그 중요성을 잃고 무의미하게 되어버린다.

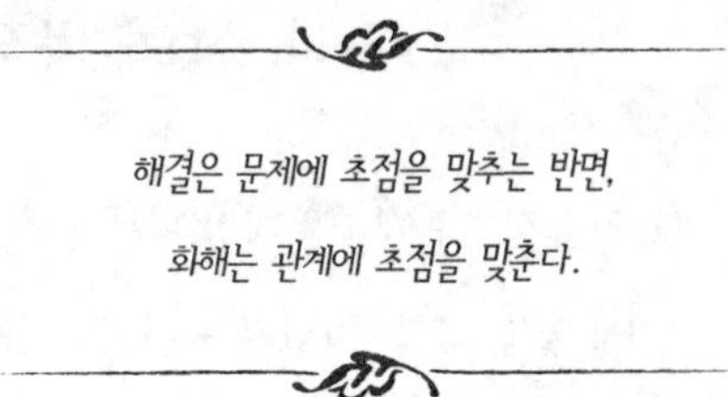

서로 간의 차이를 극복하지 못해도 관계는 다시 세워질 수 있다. 크리스천들 사이에서도 정당하고 솔직한 의견 차이나 이견이 있다. 하지만 우리는 불쾌감을 주지 않으면서 그 의견에 반대할 수 있다. 똑같은 다이아몬드도 보는 각도에 따라 다르게 보인다. 하나님은 획일이 아닌 연합을 원하신다. 그렇기 때문에 우리는 모든 문제에 대해 같은 시각으로 바라보지 않고도 함께 살아갈 수 있다.

그렇다고 해서 문제의 해결책을 찾는 것을 포기하라는 것은 아니다. 우리는 계속적으로 논의하고 논쟁해야 할지도 모른다. 하지만 이 모든 것이 영적인 조화 내에서 이루어져야 한다. 화해는 그 문제 자체가 아닌 이미 표면에 떠오른 부분을 해결하는 것이다.

이 과를 읽고 누구에게 연락해야 하는가? 누구와 관계를 회복해야 하는가? 단 일초도 더 지체하지 말라. 지금 책을 잠시 덮고 그 사람에 대해 하나님과 이야기하라. 그리고 전화를 들고 그 과정을 시작하라. 이 일곱 가지 단계는 간단하지만 쉽지 않다. 관계를 회복하는 데는 많은 노력이 필요하기 때문에 베드로는 "다른 사람과 평화롭게 살기 위해 열심히 노력하라"(벧전 3:11, NLT)고 우리에게 권고하는 것이다. 그러나 우리가 평화를 위해 일한다면 이는 하나님이 하실 것을 그대로 하는 것임을 기억하라. 그래서 하나님은 평화를 위해 애쓰는 사람들을 당신의 자녀라 부르시는 것이다(마 5:9).

Day 20

내 삶의 목적에 대하여

생각할 점 : 관계들은 항상 회복할 만한 가치가 있다.

외울 말씀 : "할 수 있거든 너희로서는 모든 사람으로 더불어 평화하라" (롬 12:18).

삶으로 떠나는 질문 : 내가 오늘 깨어진 관계를 회복해야 할 사람은 누구인가?

21

교회를 보호하기

"평안의 매는 줄로 성령의
하나 되게 하신 것을 힘써 지키라"
(엡 4:3).

"무엇보다 사랑이 너희의 삶을
인도하게 하라. 그러면 교회 전체가
완벽한 조화를 이루게 될 것이다"
(골 3:14, LB).

교회의 하나 됨을 보호하는 것이 우리의 일이다.

교회의 하나 됨이란 신약 성경에서 천국이나 지옥에 관한 얘기보다도 더 많이 언급될 만큼 중요하다. 하나님은 우리가 서로 하나 됨과 조화를 경험하기 원하신다.

하나 됨은 교제의 영혼이다. 하나 됨이 파괴되는 것은 그리스도의 몸에서 심장이 찢겨져나가는 것과 같다. 하나 됨은 우리가 하나님의 교회에서 삶을 함께 경험하기를 바라시는 하나님의 방법의 본질이고 핵심이다. 그것의 모범은 삼위일체의 하나님이시고, 우리도 이처럼 연합하기를 원하신다. 하나님은 희생적인 사랑, 겸손한 이타주의 그리고 완벽한 조화의 최고의 모범이시다.

하늘에 계신 아버지는 모든 부모들과 마찬가지로, 자녀들이 서로 어울려 지내는 모습에 기뻐하신다. 예수님은 로마 군병들에게 잡히시기 전 생의 마지막 순간에 우리의 하나 됨을 위해 뜨겁게 기도하셨다(요 17:20-23). 그 고통스러운 시간 속에서 그분에게 가장 중요한 것은 우리의 하나 됨이었다. 이것은 그 문제가 얼마나 중요한지를 보여준다.

세상에서 교회보다 하나님께 소중한 것은 없다. 그분은 교회를 위해 가장 큰 값을 치르셨고, 교회가 분열, 갈등 그리고 부조화로 인한 치명적인 손상으로부터 보호받기를 원하신다. 우리가 하나님의 가족이라면 교제를 나누는 곳, 즉 속한 교회의 연합을 지키는 것이 우리의 책임이다. 우리는 하나 됨을 지키고, 교제를 보호하며, 교회 가족과 모든 믿는 사람들 간의 조화를 이루기 위해 할 수 있는 것을 모두 하라고 예수 그리스도로부터 위임받았다. 성경은 이렇게 말한다. "평안의 매는 줄로 성령의 하나 되게 하신 것을 힘써 지키라"(엡 4:3). 어떻게 그렇게 할 수 있을까? 성경은 우리에게 실제적인 충고를 해준다.

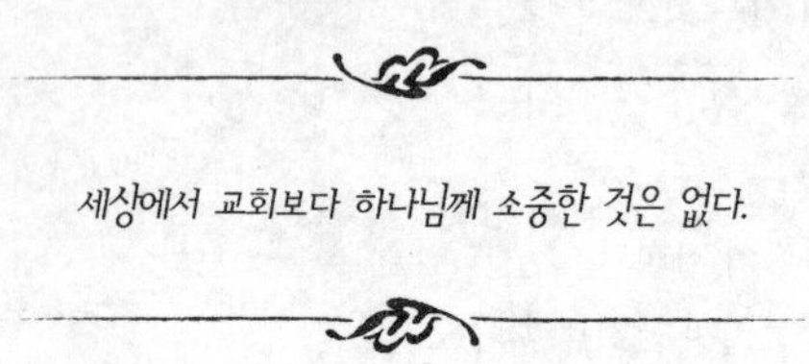
세상에서 교회보다 하나님께 소중한 것은 없다.

서로의 차이보다는 공유하는 것에 초점을 맞추라

바울은 우리에게 이렇게 말했다. "이러므로 우리가 화평의 일과 서로 덕을 세우는 일을 힘쓰나니"(롬 14:19). 믿는 사람들로서 우리는 한 분 주님, 한 몸, 한 목적, 한 아버지, 한 성령, 한 희망, 한 믿음, 한 세례 그리고 한 사랑을 공유한다(롬 10:12, 12:4-5, 고전 1:10, 8:6, 12:13, 엡 4:4, 5:5, 빌 2:2). 그리고 우리는 같은 구원, 같은 삶 그리고 같은 미래를 공유한다. 이는 우리가 열거할 수 있는 차이점들보다 훨씬 중요한, 우리가 집중해야 할 요소들이다.

우리를 각기 다른 인격, 배경, 인종 그리고 취향을 갖도록 하신 분이 하나님임을 우리는 기억해야 한다. 그래서 우리는 이 차이를 단지 참아내는 것이 아니라 소중히 여기고 즐겨야 한다. 하나님은 획일성이 아닌 하나 됨을 원하신다. 그러나 하나 됨을 위해서 사소한 차이점들이 우리를 갈라놓게 두어서는 안 된다. 대신 우리는 가장 중요한 것에 초점을 맞추어야 한다. 바로 그리스도가 우리를 사랑하신 것처럼 서로를 사랑하는 법을 배우고, 우리 각자와 교회에 주신 하나님의 다섯 가지 목적을 이루는 것이다.

갈등은 주로 초점이 덜 중요한 문제들, 성경이 말하는 '논쟁의 여지가 있는 문제들' 로 옮겨진 것을 의미한다(롬 14:1, 딤후 2:23). 우리가 인격, 선호하는 것, 해석, 스타일, 혹은 방법 등에 초점을 맞출 때 분열은 항상 일어난다. 그러나 만약 우리가 서로를 사랑하고 하나님의 목적을 이루어드리는 것에 집중한다면, 조화를 이룰 수밖에 없다. 바울은 이것을 간절히 원했다. "형제들아 내가 우리 주 예수 그리스도의 이름으로 너희를 권하노니 다 같은 말을 하고 너희 가운데 분쟁이 없이 같은 마음과 같은 뜻으로 온전히 합하라" (고전 1:10).

현실적인 기대를 하라

하나님이 원하시는 진정한 교제가 어떤 것인지 발견한 후에는, 교회 내의 이상과 현실의 괴리 때문에 절망하기 쉽다. 그래도 우리는 그런 불완전함에도 불구하고 열정을 가지고 교회를 사랑해야 한다. 비판하면서 이상을 추구하는 것은 성숙하지 못한 행동이다. 반면에, 이상에 대한 노력 없이 현실에 안주하는 것은 자기 만족일뿐이다. 성숙함이란 이 둘 사이의 긴장 속에서 사는 것이다.

다른 믿는 사람들이 우리를 실망시키고 절망하게 할 수도 있지만, 그렇다고 그것이 그들과의 교제를 끝내는 핑계가 될 수 없다. 그들이 가족처럼 행동하지 않을지라도 그들은 우리의 가족이고, 우리는 그들을 떠나버릴 수 없다. 대신 하나님은 이렇게 말씀하신다. "모든 겸손과 온유로 하고 오래 참음으로 사랑 가운데서 서로 용납하고"(엡 4:2).

물론 사람들은 타당한 많은 이유들로 교회에서 멀어진다. 갈등, 상처, 위선, 무시, 인색함, 형식주의 그리고 그 밖의 죄들이 그 이유가 된다. 하지만 이런 이유들로 충격을 받고 놀라기보다 우리는 교회가 우리를 포함한 죄인들로 구성되어 있다는 사실을 기억해야 한다. 우리는 죄인이기 때문에, 때로는 의식적으로 때로는 무의식적으로 서로 상처를 준다. 그럴 경우 교회를 떠나기보다는 가능하다면 남아서 그 문제를 해결하려고 노력해야 한다. 도망가는 것보다는 화해하는 것이 더 성숙한 인격과 깊은 교제로 나아가는 길이다.

교회에 한 번 실망하거나 환멸을 느꼈다고 해서 떠나는 것은 성숙하지 못한 행동이다. 하나님은 우리와 다른 사람들에게 가르쳐주시고자 하는 것들이 있다. 더군다나 우리가 탈출해서 갈 수 있는 완벽한 교회는 없다. 모든 교회는 나름대로의 약점과 문제점들을 가지고 있다. 우리는 곧 다시 실망하게 될 것이다.

그루초 막스(Groucho Marx)는 그를 받아주는 그 어떤 모임에도 속하고 싶지 않다고 이야기한 것으로 유명하다. 만일 교회가 완벽해서 우리를 만족시켜줄 수 있다면, 그 완벽함 때문에 우리는 그 교회의 구성원이 될 수 없다. 왜냐하면 우리는 완벽하지 않기 때문이다.

나치에 대항하다 순교한 독일 목사 디트리히 본회퍼(Dietrich Bonhoffer)는 「신도의 공동생활(Life Together)」이라는 고전을 남겼다. 그 책에서 그는 교회에 대한 환멸은 우리의 완벽함에 대한 잘못된 기대를 없애주기 때문에 좋은 것이라고 했다. 교회가 완벽해야 사랑받는다는 환상을 빨리 버리면 버릴수록 우리는 더 빨리 겉모습을 버리고, 우리 모두가 불완전하며 은혜를 필요로 한다는 사실을 받아들일 것이다. 이것이 진정한 공동체의 시작이다.

모든 교회가 이러한 푯말을 내걸 수도 있다. “완벽한 사람은 지원하지 않아도 됩니다. 이곳은 스스로가 죄인이고 은혜가 필요하다는 것을 인정하며, 영적으로 성장하길 원하는 사람만을 위한 곳입니다.”

본회퍼는 “믿는 사람들이 모인 공동체 자체보다 공동체에 대한 자신의 꿈을 더 사랑하는 사람은 그 공동체를 파괴하는 사람이다. 만일 우리가 속한 공동체에 대해 경험이나 예산의 부족, 약점, 작은 믿음 그리고 어려움에도 불구하고 매일 감사하지 않으면서 모든 것이 하찮고 사소하다고 불평만 한다면 우리는 하나님이 세우신 공동체의 성장을 막는 것이다”[1]고 말했다.

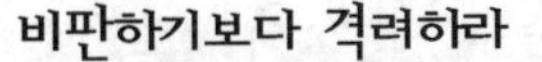

비판하기보다 격려하라

공동체에 참여하고 기여하는 것보다는 한 발짝 뒤로 물러서서 섬기는 사람들을 비판하는 것이 항상 더 쉽다. 하나님은 서로를 비판하거나 비교하거나 판단하지 말라고 계속해서 경고하신다(롬 14:13, 약 4:11, 엡 4:29, 마 5:9, 약 5:9).

우리가 다른 믿는 사람이 믿음에서 그리고 진정한 신념에서 한 행동을 비난하면 우리는 하나님의 일을 방해하는 것이다. “남의 하인을 판단하는 너는 누구뇨 그 섰는 것이나 넘어지는 것이 제 주인에게 있으매 저가 세움을 받으리니 이는 저를 세우시는 권능이 주께 있음이니라”(롬 14:4).

바울은 다른 믿는 사람들이 우리와 다른 신념을 가졌다고 판단하거나 멸시해서는 안 된다고 덧붙인다. “네가 어찌하여 네 형제를 판단하느뇨 어찌하여 네 형제를 업신여기느뇨 우리가 다 하나님의 심판대 앞에 서리라”(롬 14:10).

우리가 다른 믿는 사람을 판단할 때마다 네 가지 일이 순간적으로 일어난다. 우리는 하나님과의 교제를 잃게 되고, 우리의 교만과 불안을 드러내게 되며, 하나님의 심판을 받게 되고, 교회의 교제를 해치게 된다. 비판적인 영은 희생이 따르는 악이다.

성경은 사탄을 '우리 형제들을 고소하던 자' (계 12:10, 쉬운성경)라고 부른다. 비난하고 불평하며 하나님의 가족을 비판하는 것은 사탄의 일이다. 우리가 비판할 때마다 우리는 사탄에게 속아 그의 일을 대신해주는 꼴이 된다. 아무리 우리가 다른 크리스천들과 동의하지 않는다 해도 그들이 우리의 적이 아니라는 사실을 꼭 기억하라. 우리가 다른 믿는 사람을 비교하고 비난하는 데 보낸 모든 시간은 교제와 연합을 이루는 데 쓰여야 했던 시간이다. 성경은 이렇게 말한다. "우리의 모든 힘을 서로 사이좋게 쓰기로 동의하자. 격려하는 말로 서로를 돕자. 잘못을 지적해서 서로를 끌어내리지 말자" (롬 14:19, Msg).

험담을 귀담아듣지 말라

험담은 우리가 그 문제나 해결책과 전혀 관계가 없을 때 남에게 정보를 전하는 것이다. 우리는 험담을 퍼뜨리는 것이 잘못임을 안다. 하지만 우리가 교회를 보호하기 원한다면 험담을 귀담아들어서도 안 된다. 험담에 귀 기울이는 것은 훔친 물건을 받는 것과 같다. 우리도 똑같이 죄를 짓는 것이다.

누군가 우리에게 다른 사람을 험담하려 할 때 용기를 내어서 "그만하세요. 저는 그것을 알 필요가 없습니다. 그 사람과 직접 이야기해보셨나요?" 라고 말하라. 우리에게 험담을 늘어놓는 사람은 우리에 대해서도 험담을 한다. 그들을 믿어서는 안 된다. 만일 우리가 다른 사람에 대한 험담에 귀를 기울인다면, 하나님은 우리를 악을 행하는 자라 부르실 것이다(잠 17:4, 16:28, 26:20, 25:9, 20:19). "악을 행하는 자만이 악을 행하는 자의 말을 듣는다" (잠 17:4, CEV). "이들은 자신만을 생각하고 교회를 분열시키는 자들이다" (유

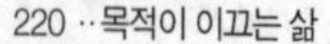

1:19, Msg).

하나님의 양우리 속에서 때로 가장 큰 상처를 늑대가 아닌 다른 양으로부터 받는다는 것은 슬픈 일이다. 바울은 동족을 잡아먹는 식인종 같은 크리스천들이 교제를 해치는 것에 대해 경고했다(갈 5:15, AMP). 성경은 이러한 사람들을 피해야 할 대상이라고 말한다. "두루 다니며 한담하는 자는 남의 비밀을 누설하나니 입술을 벌린 자를 사귀지 말지니라"(잠 20:19). 교회 내의 갈등을 가장 빨리 해결하는 방법은 험담을 퍼뜨리는 이들과 사랑의 모습으로 대면하여 그만하도록 요구하는 것이다. 솔로몬은 이렇게 지적했다. "나무가 다하면 불이 꺼지고 말장이가 없어지면 다툼이 쉬느니라"(잠 26:20).

갈등을 해결하는 하나님의 방법을 익히라

지난 장에서 언급한 원칙들 말고도 예수님은 교회의 갈등을 해결하는 세 단계의 간단한 과정을 제시해주셨다. "만일 네 형제가 너에게 상처를 주면 그에게 가서 이야기하고 너희 둘이서 문제를 해결하라. 만일 그가 너의 말을 듣는다면 너는 친구를 얻은 것이다. 만일 그가 듣지 않는다면 두세 사람을 데리고 가서 그 자리에서 다시 한 번 이야기를 하라. 그래도 듣지 않는다면 이를 교회에 알리라"(마 18:15-17, Msg).

갈등이 일어나고 있을 때 상대방에게 용기를 내어 직접 얘기하기보다는 제삼자에게 불평을 늘어놓는 것이 인간의 본성이다. 하지만 이것은 상황을 더 악화시킬 뿐이다. 그것보다 우리는 관련된 사람에게 직접 가야 한다.

개인적으로 대면하는 것이 항상 첫번째 단계이고, 이는 빠를수록 좋다. 만일 단둘이서 문제를 해결할 수 없다면, 그 다음 단계는 그 문제를 확인하고 관계를 회복하기 위해 몇 사람의 도움을 받는 것이다. 만일 상대방이 계속 고집을 부린다면 어떻게 할 것인가? 예수님은 교회에 알리라고 말씀하신다. 그래도 그 사람이 계속 거부한다면, 그 사람을 믿지 않는 사람처럼 대해야 한다(마 18:17, 고전 5:5).

목사와 지도자들을 지지해주라

완벽한 지도자는 없다. 하지만 하나님은 그들에게 교회의 하나 됨을 지킬 책임과 권위를 주셨다. 사람들 사이의 갈등 속에서 이것은 고맙지 않은 일이다. 목사들은 상처를 받았거나, 갈등하고 있거나, 성숙하지 못한 교인들 사이에서 중재하는 유쾌하지 않은 역할을 해야 한다. 그들은 또한 모두를 기쁘게 해야 하는 불가능한 임무도 받았다. 이것은 예수님도 하시지 못한 일이다.

성경은 우리가 섬기는 사람들과 어떤 관계를 맺어야 하는지 분명하게 말하고 있다. "너희를 인도하는 자들에게 순종하고 복종하라 저희는 너희 영혼을 위하여 경성하기를 자기가 회계할 자인 것같이 하느니라 저희로 하여금 즐거움으로 이것을 하게 하고 근심으로 하게 말라 그렇지 않으면 너희에게 유익이 없느니라"(히 13:17).

언젠가 목사들은 하나님 앞에 서서 그들이 우리들을 얼마나 잘 돌보았는지에 대해 회계하게 될 것이다. 하지만 우리도 책임이 있다. 우리도 하나님 앞에서 얼마나 지도자들에게 순종했는지 회계할 것이다.

성경은 목사들에게 불화를 일으키는 사람들을 어떻게 다루어야 하는지 구체적으로 이야기해준다. 그들과의 논쟁을 피하고, 그들의 변화를 위해 기도하면서 조용히 타이르고, 논쟁하기 좋아하는 사람들에게 경고하며, 조화와 연합을 구하고, 지도자들을 존경하지 않는 사람들을 훈계하며, 두 번의 경고를 무시할 때에는 그들과의 관계를 끊어야 한다(딤후 2:14, 23-26, 빌 4:2, 딛 2:15-3:2, 10-11).

우리를 영적으로 인도하고 섬기는 사람들을 존경하면서 우리는 교회를 보호해야 한다. 목사들과 장로들은 우리의 격려, 기도, 감사 그리고 사랑을 필요로 한다. 우리는 다음과 같은 명령을 받았다. "형제 여러분, 여러분 가운데 수고하고 주님의 말씀을 가르치며 지도하는 분들을 존경하십시오. 여러분을 위해 일하는 그들을 각별한 사랑으로 대해 주십시오. 서로 화목하게 지내기 바랍니다"(살전 5:12-13, 쉬운성경).

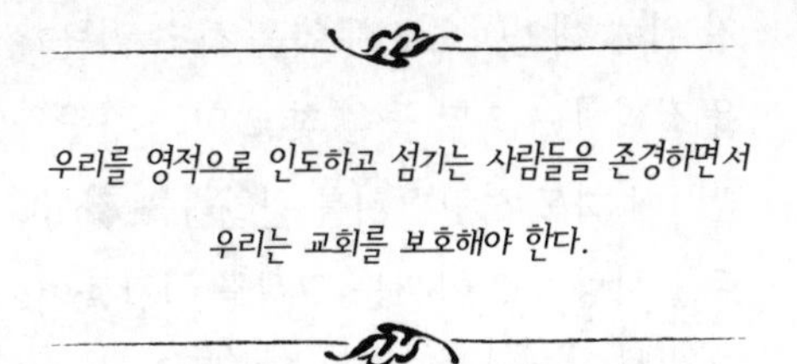

나는 당신에게 교회의 하나 됨을 보호하고 증진시키는 책임을 받아들일 것을 요구한다. 그것에 전력을 다하라. 그러면 하나님이 기뻐하실 것이다. 그렇게 하는 것이 항상 쉽지는 않다. 때로 당신은 당신 자신이 아닌 교회를 위해 가장 좋은 선택을 해야 할 것이고, 다른 이들에게 호의를 베풀어야 할 것이다. 이것이 하나님이 당신을 교회라는 가족 공동체로 묶으신 이유이고, 이기심을 버리는 방법을 배우는 것이다. 공동체에서는 '나' 보다는 '우리', '내 것' 보다는 '우리 것' 이라고 말하도록 배운다. 하나님은 이렇게 말하신다. "자신의 이익만을 생각하지 말아라. 다른 믿는 자들과, 그들을 위한 최선이 무엇인지 생각하라"(고전 10:24, NLT).

하나님은 하나 된 교회에 복주신다. 새들백교회에서는 모든 멤버들이 교회의 하나 됨을 보호하겠다는 약속이 포함된 서약서에 서명을 했다. 그 결과 지금까지 한 번도 교회를 분열시키는 갈등이 생긴 적이 없다. 또한 중요한 것은 이렇게 사랑하고 하나 된 교제 덕분에 많은 사람들이 이 교제 안으로 들어오기를 원한다는 것이다. 지난 7년 동안 우리 교회는 9,100명 이상의 새신자에게 세례를 주었다. 하나님이 당신을 찾아온 많은 초신자들을 가장 따뜻한 인큐베이터와 같은 교회로 보내주신다.

우리는 우리가 속한 교회를 조금 더 따뜻하고 사랑이 넘치는 곳으로 만들기 위해 개인적으로 무엇을 하고 있는가? 우리가 속한 지역 사회에는 사랑을 갈망하며 속할 곳을 찾고 있는 사람들이 많다. 진실은, 모든 사람이 사랑받아야 하고 사랑받기를 원한다는 것이다. 만약 모든 교인들이 진정으로 서로를 사랑하고 아끼는 교회를 사람들이 찾는다면, 우리는 밀려오는 그들을 더 이상 수용할 수 없어 교회 문을 잠궈야 할지도 모른다.

Day 21

내 삶의 목적에 대하여

생각할 점 : 교회의 하나 됨을 보호하는 것은 나의 책임이다.

외울 말씀 : "이러므로 우리가 화평의 일과 서로 덕을 세우는 일을 힘쓰나니" (롬 14:19).

삶으로 떠나는 질문 : 내가 속한 교회의 하나 됨을 보호하기 위해서 나는 지금 무엇을 하고 있는가?

세번째 목적

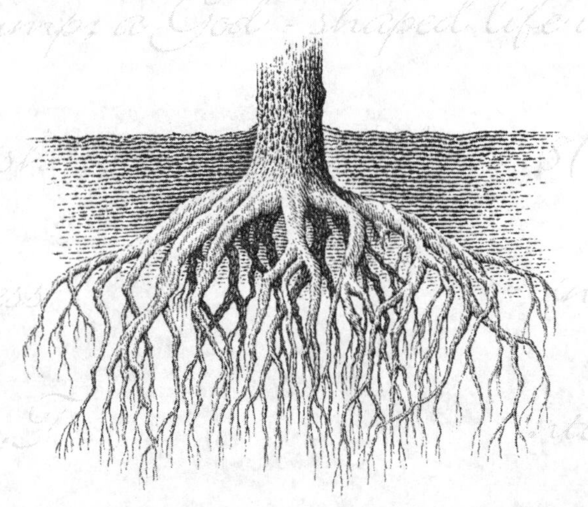

우리는 그리스도를 닮도록 창조되었다

"그 안에 뿌리를 박으며 세움을 입어
교훈을 받은 대로 믿음에 굳게 서서
감사함을 넘치게 하라"
(골 2:7).

22

그리스도를 닮도록 창조되었다

"하나님이 미리 아신 자들로 또한 그 아들의 형상을
본받게 하기 위하여 미리 정하셨으니
이는 그로 많은 형제 중에서 맏아들이 되게 하려 하심이니라"
(롬 8:29).

"우리는 그 아들을 보고
모든 창조물 속에 있는 하나님의 목적을 안다"
(골 1:15, Msg).

우리는 그리스도를 닮도록 창조되었다.

처음부터 하나님의 계획은 우리를 당신의 아들 예수님처럼 만드는 것이었다. 이것이 우리의 운명이고 우리 삶의 세번째 목적이다. 하나님은 우리를 만드실 때 이 의도를 말씀하셨다. "우리의 형상을 따라 우리의 모양대로 우리가 사람을 만들고"(창 1:26).

모든 피조물 가운데 인간만이 '하나님의 형상대로' 창조되었다. 이것은 위대한 특권이며 우리에게 존엄성을 부여해주는 일이다. 우리는 이것이 의미하는 바를 모두 알지 못하지만, 함축되어 있는 몇 가지 측면은 알고 있다. 하나님처럼 우리도 영적인 존재다. 우리의 영은 죽지 않고, 우리의 몸이 사라져도 영은 남을 것이다. 우리는 지적인 존재다. 우리는 생각하고, 논리에 따라 사고하며, 문제를 해결한다. 또한 우리는 하나님처럼 관계를 중시한다. 우리는 진정한 사랑을 주고받는다. 그리고 우리는 도덕적인 의식을 가지고 있다. 우리는 선악을 구분하고, 이 때문에 우리는 하나님에 대한 책임을 가지고 있다.

성경은 믿는 사람뿐 아니라 모든 사람이 하나님의 형상을 부분적으로나마 가지고 있다고 말한다. 그렇기에 살인과 낙태는 잘못된 행동이다. 하지만 그 형상이 완전하지 않고 죄에 의해 손상되고 왜곡되었다(창 6:9, 시 139:13-16, 약 3:9). 그래서 하나님은 우리가 잃어버린 완전한 형상을 다시 찾도록 하기 위해서 이 땅에 예수님을 보내셨다.

완전한 '하나님의 모습, 하나님의 형상' 은 어떤 것일까? 그것은 예수 그리스도의 모습이다. 성경은 예수님이 '하나님과 완전히 일치한다' 라고 말하고 있고 '보이지 않는 하나님의 형상' '그의 존재의 완전한 묘사(고후 4:4, 골 1:15, 히 1:3 - NIV)' 라고 말한다.

사람들은 가족이 서로 닮은 모습을 표현할 때 '부전자전' 이라는 말을 쓴다. 사람들이 내 아이들의 모습에서 나와 닮은 모습을 발견하면 기분이 좋듯이, 하나님 역시 당신의 자녀들이 자신의 형상과 모습을 지니고 있기를 바라신다. 성경은 이렇게 말한다. "하나님을 따라 의와 진리의 거룩함으로 지으심을 받은 새 사람을 입으라" (엡 4:24).

이것만은 짚고 넘어가자. 우리는 절대로 하나님이 될 수 없고 어떤 신도 될 수 없다. 이것이야말로 교만으로 인한 거짓말이고 지금까지 사탄이 가장 오래 사용하고 있는 유혹이다. 사탄은 아담과 하와에게 그의 충고를 들으면 "하나님과 같이 될 것" (창 3:5)이라고 말했다. 오늘날 많은 종교와 뉴에이지 철학은 우리가 신성을 지닐 수 있다든지, 아니면 신이 될 수 있다는 그 오래된 거짓말을 여전히 하고 있다.

신이 되고자 하는 이 욕구는 우리가 우리의 상황, 미래 그리고 주위의 사람들을 통제하려고 할 때 나타난다. 하지만 피조물로서 우리는 절대로 창조주가 될 수 없고 하나님은 우리가 신이 되기를 원하지 않으신다. 대신 우리가 그분의 도덕적 성격을 지닌 하나님을 닮은 사람이 되기를 원하신다. 우리는 이렇게 해야 한다. “너희는 유혹의 욕심을 따라 썩어져 가는 구습을 좇는 옛 사람을 벗어 버리고 오직 심령으로 새롭게 되어 하나님을 따라 의와 진리의 거룩함으로 지으심을 받은 새 사람을 입으라”(엡 4:22, 24).

이 땅에서 하나님이 우리의 삶에 대해 가지고 계신 궁극적인 목적은 편안한 삶이 아니라 그리스도와 같은 인격이다. 하나님은 우리가 영적으로 성장하여 그리스도와 같이 되기를 바라신다. 그러나 그리스도와 같이 된다는 것이 우리의 모든 성격을 버리고 생각 없는 복제물이 되는 것은 아니다. 하나님은 우리에게 각각 독특한 성격을 주셨고, 그래서 우리가 그것을 버리는 것을 원하지 않으신다. 그리스도를 닮는 것은 성격을 바꾸는 것이 아니다. 인격을 개발하는 것이다.

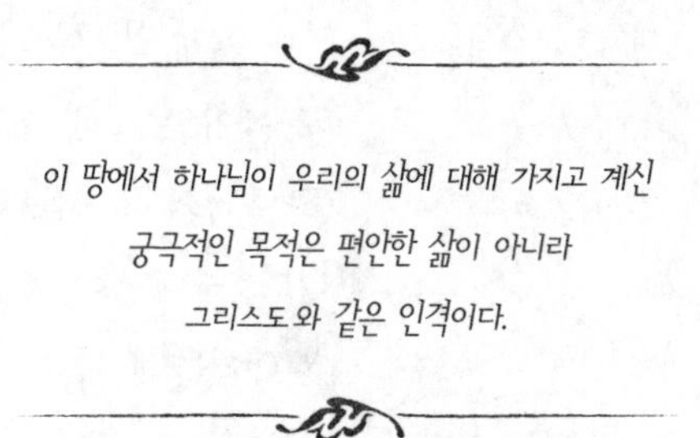

하나님은 우리가 예수님의 산상 수훈(마 5:1-12), 성령의 열매(갈 5:22-23), 사랑에 관한 바울의 위대한 장(고전 13장), 그리고 효과적이고 생산적인 삶을 위한 베드로의 인격 리스트(벧후 1:5-8)에 묘사되어 있는 인격을 개발하기 원하신다. 이 사실을 잊을 때마다 우리는 삶에 대해 절망할 것이다. 왜 이런 일이 나에게 일어나고 있는가? 왜 하나님은 나의 기도에 응답하지 않으시는가? 왜 나는 이런 시련과 고난을 겪어야 하는가? 그러나 삶은 처음부터 어렵도록 만들어졌다. 그래야 우리가 성장할 수 있기 때문이다. 이 땅이 천국이 아님을 기억하라.

많은 크리스천들은 예수님의 ‘풍요로운 삶에 대한 약속’(요 10:10)을 잘못

해석한다. 그것이 완벽한 건강, 편안한 삶의 방식, 끊임없는 행복, 꿈의 실현 그리고 믿음과 기도를 통한 빠른 문제 해결이기를 기대한다. 한마디로 그들은 크리스천의 삶이 이 땅에서 천국의 삶을 누리는 것이라 기대한다.

이러한 자기 도취의 관점은 하나님을 단순히 우리의 이기적인 만족을 채워주기 위해 존재하는 요정쯤으로 취급하게 한다. 하나님은 우리의 종이 아니시다. 만약 우리가 삶이 쉬운 것으로 되어졌다는 생각에 빠진다면 우리는 삶에 대해 심한 환멸을 느끼거나, 현실을 부정하며 살게 될 것이다.

삶이 우리에 대한 것이 아님을 잊지 말라. 우리가 하나님의 목적을 위해 존재하는 것이지 그 반대가 아니다. 하나님이 영생에서 우리를 위한 진짜 삶을 계획해놓으셨는데 왜 이 땅에서 천국과 같은 삶을 주시겠는가? 이 땅에서의 삶은 천국에서의 삶을 위해 우리의 인격을 쌓고, 강화하기 위해 주신 것이다.

하나님의 영이 우리 안에서 역사하고 있다

우리 안에 그리스도를 닮은 성품을 만드는 것은 성령의 일이다. 성경은 이렇게 말한다. "우리가 다 수건을 벗은 얼굴로 거울을 보는 것같이 주의 영광을 보매 저와 같은 형상으로 화하여 영광으로 영광에 이르니 곧 주의 영으로 말미암음이니라" (고후 3:18). 우리가 더욱 예수님을 닮아가는 이 과정을 성화라고 부른다. 이것이 우리 삶의 세번째 목적이다. 우리 스스로 예수님의 성품을 만들고 개발할 수 없다. 새해 새 결심, 의지 그리고 좋은 의도로는 충분하지 않다. 하나님이 우리의 삶에서 보고 싶어하시는 변화를 일으킬 수 있는 힘은 오직 성령만이 가지고 계시다. 성경은 이렇게 말한다. "너희 안에서 행하시는 이는 하나님이시니 자기의 기쁘신 뜻을 위하여 너희로 소원을 두고 행하게 하시나니" (빌 2:13).

'성령의 힘' 이라는 말을 들으면 많은 사람들은 기적적인 일이나 격렬한 감정을 생각한다. 하지만 대부분의 경우 성령의 힘은 우리의 삶에서 조용하고 약하게 나타나기 때문에 우리가 알아차리거나 느낄 수 없다. 그분은 '조용하고 부드러운 목소리' (왕상 19:12, 쉬운성경)로 우리를 가볍게 건드리신다.

그리스도를 닮는 것은 모방이 아니라 그 안에 삶으로써 나타나는 것이다. 즉 그리스도가 우리를 통해 사시게 하는 것이다. "이 비밀은 너희 안에 계신 그리스도시니" (골 1:27). 이것이 실제 생활에서 어떻게 일어나는가? 우리가 하는 선택을 통해서 일어난다. 우리는 그 상황에서 적합한 것을 선택하여 행동하고, 성령이 그것을 위한 힘, 사랑, 믿음 그리고 지혜를 주실 것을 믿는 것이다. 성령이 우리 안에 살고 계시기 때문에 우리가 그것들을 구하기만 한다면 항상 얻을 수 있다.

우리는 성령의 역사하심에 협력해야 한다

성경을 통해 계속 설명되는 중요한 진리를 우리는 알아야 하는데 이는 성령은 우리가 믿음의 발걸음을 옮기는 그 순간에 힘을 드러내신다는 것이다. 여호수아가 요단 강이라는 넘어갈 수 없는 벽을 만났을 때 지도자들이 순종과 믿음으로 흐르는 물에 발을 담근 후에야 강물이 약해졌다(수 3:13-17). 순종은 하나님의 능력을 불러온다.

하나님은 우리가 먼저 행동하기를 기다리시기 때문에 우리에게 힘이 생기거나 확신이 들 때까지 기다리지 말라. 약점이 있어도 행동하라. 두려움과 감정에 상관없이 옳은 일을 하라. 이것이 성령과 협력하고 우리의 인격이 세워지는 방법이다.

성경은 영적인 성장을 설명하면서 이를 씨앗, 건물 그리고 자라나는 아이에 비유했다. 그런데 각 비유는 능동적인 참여를 요구한다. 씨앗은 심어서 가꾸어야 하고, 건물도 사람이 지어야 한다. 그냥 세워지지 않는다. 아이들은 성장하기 위해 먹고 운동을 해야 한다.

구원은 우리의 노력으로 되는 것이 아니지만, 영적인 성장은 우리가 노력해야 얻을 수 있다. 신약 성경에 예수님을 닮아 성장하는 데에 '힘쓰라(눅 13:24, 롬 14:19, 엡 4:3, 딤후 2:15 - NCV, 히 4:11, 벧후 1:5, 3:14)' 는 말이 적어도 여덟 번 등장한다. 그냥 앉아서 성장하기를 기다리는 것이 아니다 .

바울은 에베소서 4장 22-24절에서 그리스도와 같아지기 위해 우리가 져야 할 세 가지 책임에 대해 설명한다. 첫째, 우리는 옛 태도를 버려야 한다. "너희는 유혹의 욕심을 따라 썩어져 가는 구습을 좇는 옛 사람을 벗어 버리고" (엡 4:22).

둘째, 우리는 사고 방식을 바꾸어야 한다. "성령이 너의 사고 방식을 변화시키도록 하라" (엡 4:23, CEV). 성경은 우리가 마음을 새롭게 함으로 새로워진다고 말한다(롬 12:2). 변화(transformed)의 그리스어원은 로마서 12장 2절과 고린도후서 3장 18절에서 사용된 metamorphosis이다. 이 단어는 오늘날 나비 유충이 나비가 되기 위해 거치는 엄청난 변화를 묘사하는 데 사용된다. 하나님이 우리의 사고를 인도하시도록 할 때 우리에게 일어나는 영적인 변화는 매우 아름답다. 그리고 우리는 새로운 곳으로 높이 치솟을 수 있도록 자유롭다.

셋째, 우리는 새롭고 거룩한 습관을 발전시킴으로 그리스도의 성품을 '입어야' 한다. 우리의 성품은 습관을 모두 모아놓은 것이기 때문에 우리가 습관적으로 어떻게 행동하는지를 보여준다. 성경은 이렇게 말한다. "하나님을 따라 의와 진리의 거룩함으로 지으심을 받은 새 사람을 입으라" (엡 4:24).

하나님은 우리의 변화를 위해 당신의 말씀, 사람들 그리고 상황을 이용하신다

이 세 가지 모두는 인격을 개발시키기 위해 꼭 필요한 것들이다. 하나님의 말씀은 우리가 성장하는 데 필요한 진리를 공급해주고, 하나님의 사람들은 우리가 성장하는 데 필요한 지원을 해준다. 그리고 상황은 그리스도와 닮은 모습을 실천할 수 있는 환경을 만들어준다. 만일 하나님의 말씀을 공부하고, 적용하며, 다른 믿는 사람들과 정기적으로 연락하고, 어려운 상황 속에서도 하나님을 신뢰하는 것을 배운다면 우리는 예수님의 모습에 더욱 가까워질 것이다. 우리는 성장에 필요한 이 요소들을 앞으로 각각 살펴볼 것이다.

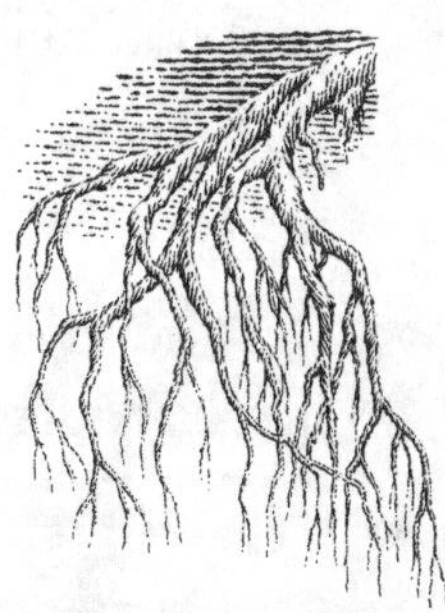

많은 사람들이 영적인 성장을 위해 필요한 것은 성경 공부와 기도가 전부라고 생각하지만, 우리 삶에는 성경 공부와 기도만으로는 절대 바뀌지 않을 것들이 있다. 하나님은 사람들을 사용하신다. 기적을 통해서가 아니라 사람을 통해 일하는 것을 선호하신다. 그래서 우리가 교제를 통해 서로 의지하고 이로 인해 우리가 함께 성장하기를 바라시는 것이다.

많은 종교들에서, 사람들은 영적으로 가장 성숙하고 거룩한 사람들은 다른 사람들과의 접촉이 없는, 산꼭대기 수도원에 홀로 고립된 사람들이라 생각한다. 하지만 이것은 엄청난 오해다. 영적인 성숙은 혼자, 개인적으로 추구하는 것이 아니다. 혼자서는 그리스도처럼 성숙할 수 없다. 다른 사람들과 함께하고 그들과 서로 영향을 주고받아야 한다. 우리는 교회나 사회의 일원이 되어야 한다. 왜일까? 영적인 성숙은 그리스도처럼 사랑하는 것을 배우는 것이므로 혼자서는 이룰 수 없기 때문이다. 그리고 다른 사람들과 교제하지 않으면 예수님처럼 되는 것을 연습할 수 없기 때문이다. 하나님과 다른 사람들을 사랑하는 것이 전부라는 것을 기억하라.

예수님처럼 되는 것은 길고 느린 성장의 과정이다

영적인 성숙은 즉각적이거나 자동적으로 일어나지 않는다. 우리의 남은 삶 동안 계속 이루어질 점차적인 발달 과정이다. 이에 대해 바울은 이렇게 말했다. “우리가 다 하나님의 아들을 믿는 것과 아는 일에 하나가 되어 온전한 사람을 이루어 그리스도의 장성한 분량이 충만한 데까지 이르리니” (엡 4:13).

우리는 아직 과정중에 있다. 우리가 그리스도와 닮아가는 영적인 변화의 과정은 평생 걸릴 것이고, 이 땅에서는 완성되지 않을 것이다. 우리가 천국에 갈 때 또는 예수님이 다시 오실 때 완성될 것이다. 그때, 아직 끝나지 않은 일이 무엇이든 간에 모두 마무리 될 것이다. 성경은 우리가 결국 예수님을 완벽하게 볼 수 있을 때 우리는 완전히 그분과 같아질 수 있다고 말한다. “사랑하는 자들아 우리가 지금은 하나님의 자녀라 장래에 어떻게 될 것은 아직 나타나지 아니하였으나 그가 나타내심이 되면 우리가 그와 같을 줄을 아는 것은 그의 계신 그대로 볼 것을 인함이니” (요일 3:2).

크리스천으로서 살아가는 데 많은 혼란을 겪는 이유는 다음의 단순한 한 가지 사실을 간과해서 생기는 것이다. 하나님은 그 무엇보다 우리의 인격을 쌓는 데에 아주 많은 관심을 갖고 계시다는 점이다. 우리는 ‘어떤 직업을 선택해야 하는가?’ 와 같은 문제들에 대해 하나님이 침묵하실 때 걱정을 한다. 그러나 우리 삶에 대한 하나님의 뜻 가운데는 여러 다른 직업이 있다는 사실을 간과해서는 안 된다. 하나님이 가장 중요하게 여기시는 것은 우리가 무엇을 하든 그리스도와 같은 태도로 임하는 것이다(고전 10:31, 16:14, 골 3:17, 23).

하나님은 우리가 무엇을 하는지(doing) 보다는 어떤 사

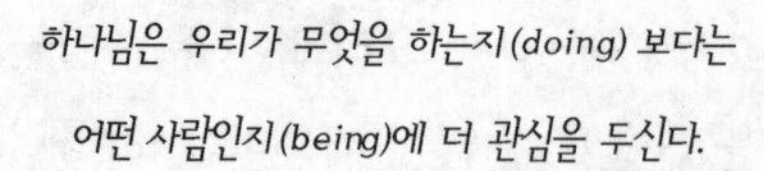

하나님은 우리가 무엇을 하는지(doing) 보다는

어떤 사람인지(being)에 더 관심을 두신다.

람인지(being)에 더 관심을 두신다. 사람은 그 존재 자체로서 중요하다. 그리고 하나님은 우리의 직업보다는 우리의 성품을 더 많이 생각하신다. 이는 우리가 영생으로 갈 때 가지고 가는 것은 직업이 아닌 성품이기 때문이다.

성경은 이렇게 경고한다. "너희는 이 세대를 본받지 말고 오직 마음을 새롭게 함으로 변화를 받아 하나님의 선하시고 기뻐하시고 온전하신 뜻이 무엇인지 분별하도록 하라"(롬 12:2). 그리스도와 닮아가는 데 초점을 맞추려면 문화를 거스르는 결정을 내려야 한다. 그렇지 않으면 친구, 부모, 동료 그리고 문화와 같은 다른 힘이 우리를 그들의 모습으로 만들려고 할 것이다.

슬프게도 많은 기독교 서적을 보면 수많은 크리스천들이 하나님의 위대한 목적을 버리고 개인적인 만족과 감정의 안정을 위해 살고 있다는 것을 알게 된다. 이것은 제자도가 아닌 나르시시즘(narcissism)이다. 예수님은 우리가 이 땅에서 편안하게, 잘 적응하여 살게 하시려고 십자가에서 돌아가신 것이 아니다. 그분의 목적은 그보다 훨씬 깊다. 그분은 우리를 천국에 데려가시기 전에 우리를 그리스도와 같은 모습으로 만들기 원하셨다. 이것이 우리의 가장 큰 특권이고, 즉각적으로 수행해야 할 책임이며, 우리가 궁극적으로 가야 할 종착점이다.

Day 22

내 삶의 목적에 대하여

생각할 점 : 나는 그리스도를 닮도록 창조되었다.

외울 말씀 : "이렇게 해서 우리는 주님의 형상으로 변화하여 점점 더 큰 영광에 이릅니다. 그 영광은 성령이신 주님께로부터 나오는 것입니다" (고후 3:18, 쉬운성경).

삶으로 떠나는 질문 : 내 삶의 어떤 부분에서 예수님을 닮아가기 위해 성령의 능력을 구해야 할까?

23

성장하는 방법

"오직 사랑 안에서 참된 것을 하여
범사에 그에게까지 자랄지라
그는 머리니 곧 그리스도라"
(엡 4:15).

"이제는 더 이상 어린아이가 되어서는 안 됩니다"
(엡 4:14, 쉬운성경).

하나님은 우리가 성장하기를 원하신다.

하늘에 계신 아버지가 우리에 대해 가지고 계신 목표는 우리가 성숙해서 예수 그리스도와 같은 성품을 갖는 것이고, 사랑과 겸손한 섬김의 삶을 사는 것이다. 하지만 슬프게도 수많은 크리스천들이 나이는 들지만 성장하지 않는다. 영적으로 계속 기저귀를 차고 젖병을 빨며 영적 유아 상태에 머물러 있다. 왜냐하면 그들이 성장하려고 의도한 적이 없었기 때문이다.

영적인 성장은 자동적으로 이루어지는 것이 아니다. 의도적인 헌신이 필요하다. 성장하기를 원하고, 성장해야겠다고 결정하고, 성장을 위해 노력하고, 성장을 위해 몸부림쳐야 한다. 그리스도를 닮아가는 과정인 제자도는 항상 결정을 내리는 것에서 시작된다. 예수님은 우리를 부르시고 우리는 그에 반응한다. "예수께서 거기서 떠나 지나가시다가 마태라 하는 사람이 세관에 앉은 것을 보시고 이르시되 나를 좇으라 하시니 일어나 좇으니라"(마 9:9).

첫 제자들이 예수님을 따르기로 결정했을 때 그들은 그 결정에 따르는 모든 것을 이해하지 못했다. 그들은 단순히 예수님의 초대에 응했다. 시작하기 위해 필요한 것은 이것뿐이다. 제자가 되겠다고 결심만 하면 된다.

우리가 결정한 헌신에 따라 우리의 삶의 모습이 결정된다. 그 헌신이 우리를 발전시킬 수도 파괴시킬 수도 있지만, 그 어느 쪽을 결정하더라도 그것이 우리가 어떤 사람인가를 말해줄 것이다. 예를 들어 당신이 무엇에 헌신했는지 나에게 말해준다면, 나는 당신이 20년 후에 어떤 사람이 되어 있을지 말해줄 수 있다. 우리가 어디에 헌신했느냐에 따라서 우리의 미래가 달라진다.

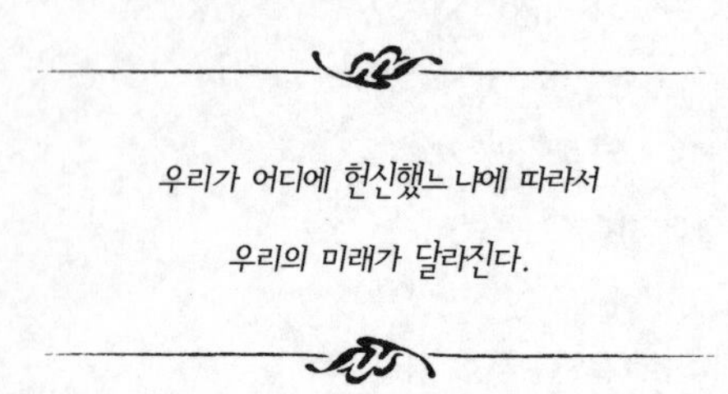

바로 이 점에서 많은 사람들이 그들의 삶에 대한 하나님의 목적을 놓치고 있다. 많은 사람들은 무엇엔가 삶을 헌신하는 것을 두려워하면서 허송 세월을 보낸다. 또 다른 사람들은 다른 가치관들 사이를 오가며 반만 헌신을 하기 때문에 좌절하거나 평범한 삶을 산다. 또 어떤 사람들은 부를 쌓거나, 유명 인사가 되는 것과 같은 세상의 목표들에 완전히 헌신하지만, 결국 실망하고 비통해한다. 모든 선택에는 영원한 결과가 따르므로 현명하게 선택해야 한다.

베드로는 이렇게 경고한다. "우리 주위의 모든 것들이 결국 녹아 사라질 것이기 때문에, 너희는 거룩하고 하나님을 두려워하는 삶을 살아야 한다" (벧후 3:11, NLT).

하나님의 부분과 우리의 부분

그리스도를 닮는 것은 그리스도와 같은 선택을 하고 그 선택을 이행하는

데 성령의 도움을 의지하는 것이다. 우리가 그리스도를 닮아가겠다고 진지하게 결정하는 순간 우리는 새로운 방향으로 행동해야 한다. 옛 관습들은 버리고 새로운 습관을 개발하며, 생각하는 방식을 의도적으로 변화시켜야 한다. 우리는 성령이 이러한 변화를 도우실 것이라고 확신해도 된다. 성경은 이렇게 말한다. "그러므로 나의 사랑하는 자들아 너희가 나 있을 때 뿐 아니라 더욱 지금 나 없을 때에도 항상 복종하여 두렵고 떨림으로 너희 구원을 이루라 너희 안에서 행하시는 이는 하나님이시니 자기의 기쁘신 뜻을 위하여 너희로 소원을 두고 행하게 하시나니"(빌 2:12-13).

이 구절은 영적인 성장의 두 부분을 보여주고 있는데 '이루라', 그리고 '안에서 행하다'가 그것이다. '이루라'(work out)는 우리의 책임이고, '안에서 행하다'(work in)는 하나님의 역할이다. 영적인 성장은 우리와 성령이 협력하여 이루는 것이다. 하나님의 영은 우리 안(in)에서뿐만 아니라 우리와 함께(with) 일하신다.

믿는 사람들을 대상으로 쓴 이 구절은 구원을 받는 방법이 아닌 성장하는 방법에 대한 것이다. 구원을 '위해 노력하라'(work for)고 쓰여 있지 않다. 이미 예수님이 하신 일들에 우리가 무엇을 더할 수는 없기 때문이다. 운동을 할 때 우리는 몸을 얻기 위해 하는 것이 아니라, 몸을 발달시키기 위해 하는 것이다.

퍼즐을 맞출 때, 우리는 이미 모든 조각을 가지고 있다. 우리의 임무는 그 조각들을 가지고 하나의 그림을 만드는 것이다. 농부들이 땅을 경작하는 이유도 땅을 얻기 위한 것이 아니고 이미 갖고 있는 것을 개발하기 위한 것이다. 마찬가지로 하나님은 이미 우리에게 새로운 삶을 주셨다. 이제 우리의 책임은 그 삶을 '두려움과 떨림으로' 개발하는 것이다. 그것은 영적 성장에 진지하게 임한다는 것을 의미한다. 사람들이 그리스도를 닮아가는 것을 가볍게 여기는 것은 그 영향력에 대해 제대로 이해하지 못하기 때문이다(이에 대해서 우리는 4, 5 장에서 살펴보았다).

자동 조종 장치 바꾸기

우리의 삶을 바꾸기 위해서는 생각하는 방법을 바꿔야 한다. 우리가 하는 모든 일 뒤에는 우리의 생각이 있다. 모든 행동에는 믿음에 따른 동기 부여가 있고, 모든 행위는 태도에 의해 유발된다. 하나님은 심리학자들이 이것을 깨닫기 몇천 년 전에 이미 이 사실을 밝혀주셨다. "너희의 사고 방식에 주의하라. 너희의 삶이 생각에 의해 이루어진다" (잠 4:23, TEV).

어떤 호수에서 자동 조종 장치가 동쪽으로 가도록 설정되어 있는 고속 보트를 타고 있다고 상상해보자. 방향을 바꿔서 서쪽으로 가겠다고 결심한다면, 보트의 방향을 바꾸는 방법은 두 가지가 있다. 하나는 키를 잡고 물리적인 힘을 이용해 억지로 그 방향을 반대로 바꾸는 것이다. 의지력으로 그 장치를 버텨낼 수 있을지는 모르지만, 계속적인 저항을 느낄 것이고 결국 팔 힘이 빠져 키를 놓치게 될 것이다. 그리고 배는 바로 다시 원래 설정되어 있던 방향인 동쪽을 향해 가게 될 것이다.

마찬가지로 우리가 우리의 삶을 의지로 바꾸려고 할 때 바로 이런 현상이 발생한다. "나는 적게 먹고, 담배를 끊고, 정리하는 습관을 만들고, 지각하는 버릇을 없앨 것이다"라고 말한다. 물론 의지로 단기간의 변화는 가져올 수 있을지 모르지만, 근본적인 문제를 해결하지 못했기 때문에 속으로는 계속 스트레스가 쌓인다. 그 단기간의 변화는 자연스럽게 느껴지지도 않을 것이고, 그래서 결국 다이어트를 포기하고, 운동을 그만두게 된다. 그리고 바로 예전의 모습으로 돌아간다.

보다 좋고 쉬운 방법이 있다. 당신의 자동 조종 장치, 당신의 사고 방식을 바꾸라. 성경은 이렇게 말한다. "너희는 이 세대를 본받지 말고 오직 마음을 새롭게 함으로 변화를 받아 하나님의 선하시고 기뻐하시고 온전하신 뜻이 무엇인지 분별하도록 하라" (롬 12:2). 영적인 성장으로 가는 첫 단계는 사고 방식을 바꾸는 것이다. 변화는 항상 우리의 머리 속에서 먼저 일어난다. 우리의 사고 방식은 느낌을 결정짓고, 우리의 느낌은 행동에 영향을 미친다. 바울은 이렇게 말했다. "너희의 사고와 태도를 영적으로 새롭게 해야 한다" (엡 4:23, NLT).

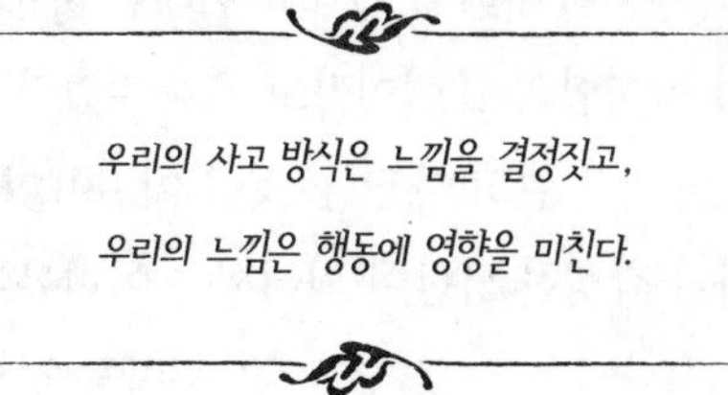

그리스도와 같이 되기 위해서는 그리스도의 사고를 가져야 한다. 신약은 이러한 정신적인 전환을 '회개' 라고 부른다. 그리스어로는 '생각을 바꾸는 것' 이라는 의미다. 회개하는 것은 우리가 하나님, 자기 자신, 죄, 다른 사람들, 삶, 우리의 미래 그리고 그 외의 모든 것에 대한 우리의 생각을 바꾸는 것을 의미한다. 예수님의 태도와 관점을 갖게 되는 것이다.

우리는 이러한 명령을 받았다. "예수 그리스도와 같은 방법으로 생각하라" (빌 2:5, CEV). 예수님과 같이 생각하는 데는 두 부분이 있다. 이렇게 사고를 전환하는 첫 부분은 성숙하지 못한 생각들을 중단하는 것인데 그 생각들은 자기 중심적이고 자기만을 위해 노력하는 생각들이다. 성경은 이렇게 말한다. "형제들아 지혜에는 아이가 되지 말고 악에는 어린아이가 되라 지혜에 장성한 사람이 되라" (고전 14:20). 당연히 아기들은 매우 이기적이다. 자기 자신과 자신의 필요만 생각한다. 그들은 줄줄 모르고 받기만 한다. 그것이 바로 성숙하지 못한 사고다. 불행히도 많은 사람들이 그러한 사고 수준을 넘어서지 못한다. 성경은 이기적인 생각이 죄된 행동의 근원이라고 말한다. "육신을 좇는 자는 육신의 일을, 영을 좇는 자는 영의 일을 생각하나니" (롬 8:5).

예수님과 같이 생각하는 것의 둘째 부분은 성숙한 생각을 하는 것이다. 이는 자신이 아닌 다른 사람에게 초점을 맞추며 생각하는 것이다. 바울이 진정한 사랑에 대해서 언급한 위대한 사랑 장에서 그는 다른 사람을 생각하는 것이 성숙함의 표현이라고 결론지었다. "내가 어렸을 때에는 말하는 것이 어린아이와 같고 깨닫는 것이 어린아이와 같고 생각하는 것이 어린아이와 같다가 장성한 사람이 되어서는 어린아이의 일을 버렸노라" (고전 13:11).

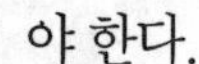

오늘날 많은 사람들은 영적인 성숙의 정도가 성경 지식과 교리를 얼마나 많이 아는지로 결정된다고 생각한다. 지식이 성숙한 정도를 결정해주는 하나의 부분이긴 하지만, 그것이 전부는 아니다. 크리스천의 삶은 교리와 확신 그 이상의 것이다. 그 삶에는 행동과 성품이 포함된다. 우리의 행동은 우리가 알고 있는 교리와 일치해야 하고, 우리의 믿음은 그리스도와 같은 행동이 함께 따라야 한다.

기독교는 종교나 철학이 아니고 관계와 삶의 방식에 관한 것이다. 그 방식의 핵심은 예수님처럼 자신보다 다른 사람을 먼저 생각하는 것이다. 성경은 이렇게 말한다. "우리 각 사람이 이웃을 기쁘게 하되 선을 이루고 덕을 세우도록 할지니라 그리스도께서 자기를 기쁘게 하지 아니하셨나니" (롬 15:2-3).

다른 사람에 대해 생각하는 것은 그리스도를 닮아가는 가장 중요한 증거다. 이러한 생각은 자연스럽게 드는 것이 아니고, 문화를 거스르는 것이며, 어려운 것이다. 다행히 우리를 도우시는 손길이 있다. "하나님은 우리에게 당신의 영을 주셨다. 그래서 우리는 이 세상 사람들과는 다른 방향으로 생각하게 되었다" (고전 2:12, CEV). 다음 몇 장에 걸쳐 성령이 우리의 성장을 돕기 위해 사용하시는 도구들을 살펴볼 것이다.

Day 23

내 삶의 목적에 대하여

생각할 점 : 성장하기에 늦은 때는 없다.

외울 말씀 : "너희는 이 세대를 본받지 말고 오직 마음을 새롭게 함으로 변화를 받아 하나님의 선하시고 기뻐하시고 온전하신 뜻이 무엇인지 분별하도록 하라" (롬 12:2).

삶으로 떠나는 질문 : 삶의 어떤 부분에서 나의 사고 방식을 버리고 하나님의 사고 방식을 따라야 하는가?

24

진리로 인한 변화

"사람이 떡으로만 살 것이 아니요
하나님의 입으로 나오는 모든 말씀으로 살 것이라"
(마 4:4).

"그 말씀이 너희를 능히 든든히 세우사
거룩케 하심을 입은 모든 자 가운데
기업이 있게 하시리라"
(행 20:32).

진리는 우리를 변화시킨다.

영적인 성장은 거짓을 진리로 대체시키는 과정이다. 예수님은 "저희를 진리로 거룩하게 하옵소서 아버지의 말씀은 진리니이다"(요 17:17)라고 기도하셨다. 하나님의 영은 하나님의 말씀을 통해 우리를 하나님의 아들과 같이 만드신다. 성화는 계시를 필요로 한다. 예수님과 닮아가기 위해서 우리의 삶을 그분의 말씀으로 채워야 한다. 성경은 이렇게 말한다. "이는 하나님의 사람으로 온전케 하며 모든 선한 일을 행하기에 온전케 하려 함이니라"

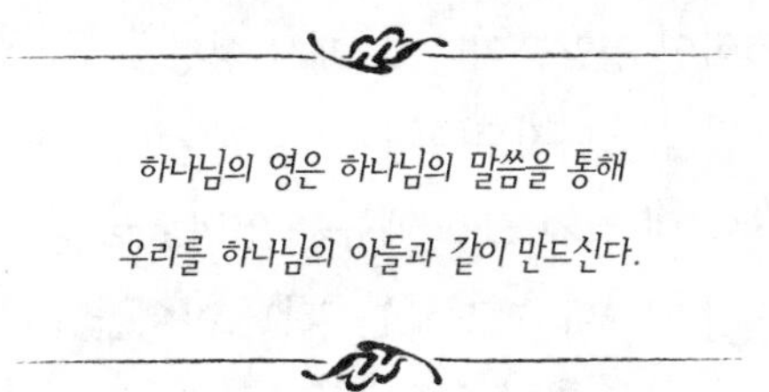

(딤후 3:17).

하나님의 말씀은 다른 말들과는 다르다. 그 말씀은 살아 있다(히 4:12, 행 7:38, 벧전 1:23). 예수님은 "내가 너희에게 이른 말이 영이요 생명이라" (요 6:63)고 말씀하셨다. 하나님이 말씀하실 때 세상의 것들이 변한다. 우리 주위에 있는 모든 피조물이 "하나님이 존재하라" 고 명하셨기 때문에 존재하고 있는 것이다. 그분이 모든 것을 말씀으로 존재하게 하셨기 때문에 하나님의 말씀 없이 우리는 살아 있지도 못할 것이다.

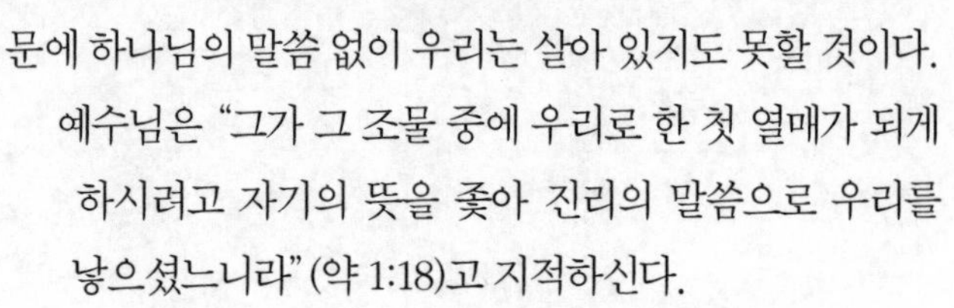

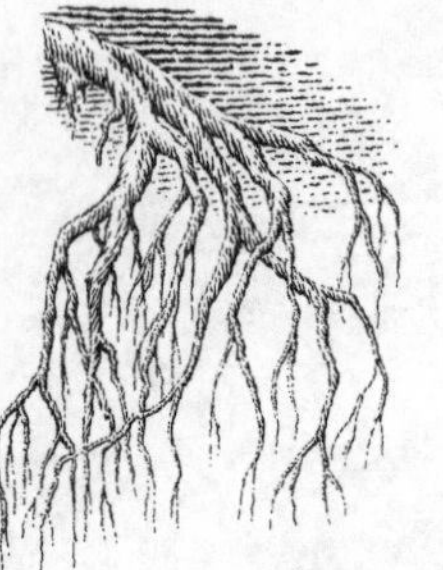

예수님은 "그가 그 조물 중에 우리로 한 첫 열매가 되게 하시려고 자기의 뜻을 좇아 진리의 말씀으로 우리를 낳으셨느니라" (약 1:18)고 지적하신다.

성경은 단순한 교리 안내서가 아니다. 하나님의 말씀은 생명을 불어넣고, 믿음을 만들며, 변화를 일으키고, 귀신들을 떨게 하며, 기적을 행하고, 상처를 치유하며, 인격을 형성하고, 유혹을 이기며, 희망을 주고, 권세를 주며, 우리의 마음을 깨끗하게 하고, 많은 것들을 존재하게 하며, 우리의 영원한 미래를 보장한다. 우리는 하나님의 말씀 없이 살 수 없는 존재다. 그렇기에 절대로 하나님의 말씀을 당연한 것으로 받아들여서는 안 된다. 욥은 이렇게 말했다. "나는 매일의 양식보다 하나님의 말씀을 더 중요하게 여긴다" (욥 23:12, NIV).

하나님의 말씀은 우리의 목적을 이루기 위해 꼭 필요한, 가장 중요한 영적인 영양분이다. 그래서 성경을 우리의 우유(젖), 빵(떡), 요리(밥) 그리고 달콤한 디저트(꿀)라 부르는 것이다(벧전 2:2, 마 4:4, 고전 3:2, 시 119:103). 이 네 가지 코스 메뉴는 영적으로 강건해지고 성장하기 위해 필요한 성령의 메뉴다. 베드로는 "갓난 아이들같이 순전하고 신령한 젖을 사모하라 이는 이로 말미암아 너희로 구원에 이르도록 자라게 하려 함이라" (벧전 2:2)고 충고한다.

하나님의 말씀에 거하기

오늘날 성경은 그 어느 때보다 많이 인쇄되었지만 먼지만 잔뜩 묻힌 채 선반 위에 놓여 있다. 영적인 거식증에 걸린 수백만의 크리스천들이 영적인 영양 실조로 굶어 죽어가고 있다. 그래서 예수님의 건강한 제자가 되기 위해서는 하나님의 말씀을 공급받는 것이 최우선 순위가 되어야 한다. 예수님은 그것을 '거하는 것(abiding)'이라고 표현하신다. 그분은 "너희가 내 말에 거하면 참 내 제자가 되고"(요 8:31)라고 말씀하셨다. 하나님의 말씀 안에 거하는 것은 매일 해야 하는 세 가지 결심을 포함하고 있다.

그분의 권위를 인정해야 한다

성경이 삶의 권위 있는 기준이 되어야 한다. 방향 설정을 위한 나침반, 현명한 결정을 내리기 위한 상담자 그리고 모든 것을 평가할 때 필요한 기준이 되어야 한다. 성경은 항상 우리 삶에서 처음과 마지막에 고려하는 것이어야 한다.

우리가 하는 잘못은 대부분 신뢰할 수 없는 권위를 바탕으로 결정을 내리기 때문에 발생한다. 문화('모두가 그렇게 하니까'), 전통('항상 그렇게 해왔으니까'), 이성('논리적이니까'), 또는 감정('옳은 일처럼 느껴져서')에 의존한다. 이 네 가지 모두는 인간의 타락으로 망가진 것들이다. 우리에게 필요한 것은 완벽한 기준이고, 그것은 우리를 절대로 잘못된 길로 인도하지 않는다. 오직 하나님의 말씀만이 그 필요를 채운다. 솔로몬은 우리에게 "하나님의 모든 말씀은 오점이 없다"(잠 30:5, NIV)는 것을 상기시켜준다. 그리고 바울은 "모든 성경은 하나님의 감동으로 된 것으로 교훈과 책망과 바르게 함과 의로 교육하기에 유익하니"(딤후 3:16)라고 설명한다.

빌리 그래함(Billy Graham)은 사역 초기에 성경의 권위와 정확성에 대한 의심으로 고통스러워했다. 달 밝은 어느 날 밤, 그는 무릎을 꿇고 눈물을 흘리며 하나님께 기도했다. 그 순간부터 이해 못한 구절들이 있더라도 성경을 자신의 삶과 사역의 유일한 권위로 온전히 신뢰하겠다고. 그날부터 그의 삶은 비범한 능력과 효과적인 사역의 복을 누렸다.

오늘 우리가 내릴 수 있는 가장 중요한 결정은 무엇이 우리의 삶에서 최고 권위를 갖게 할 것인가를 결정짓는 것이다. 문화, 전통, 이성 또는 감정과는 무관하게 결정하라. 성경을 최종 권위자로 선택하라. 무슨 일이든 결정을 내릴 때 "성경은 뭐라고 말씀하고 있나?"라는 질문을 하기로 결심하라. 하나님이 무엇을 하라고 말씀하시면 그것이 논리에 맞지 않거나, 그것을 하기가 싫을지라도 하나님의 말씀을 믿고 그것을 하겠다고 마음에 새겨라. 바울의 말을 개인적인 믿음의 확인으로 삼으라. "율법과 및 선지자들의 글에 기록된 것을 다 믿으며"(행 24:14).

진리를 내 것으로 만들어야 한다

단순히 성경을 믿는 것만으로는 충분하지 않다. 우리의 마음을 그것으로 채우고 성령이 진리를 통해 우리를 변화시킬 수 있도록 해야 한다. 여기에는 다섯 가지 방법이 있다. 성경을 받아들이고(receive), 읽고(read), 연구하고(research), 기억하고(remember), 반영하는(reflect) 것이다.

첫째, 하나님의 말씀을 열린 마음으로 들이고 그것을 인정할 때 말씀을 받아들이는 것이라 할 수 있다. 씨 뿌리는 사람의 비유를 통해 우리는 하나님의 말씀이 우리의 삶에서 뿌리를 내리고 열매를 맺는 것은 우리의 받아들이는 정도에 달려 있음을 알 수 있다. 예수님은 받아들이지 않는 세 가지 태도를 명시하셨다. 닫힌 마음(굳은 땅), 겉모습만 있는 피상적인 마음(얕은 땅), 그리고 혼란스러운 마음(잡초가 있는 땅)이 그것이다. 그리고 그분은 "너희가 얼마나 주의 깊게 듣는지 생각해보라"(눅 8:18, NIV)고 말씀하신다.

설교나 성경 공부를 통해 아무것도 배우는 것이 없다고 느낄 때마다 우리는 스스로의 태도, 특히 교만함에 대해 검토해보아야 한다. 하나님은 우리가 겸손하고 받아들이는 자세로 있을 때는 가장 지루하게 가르치는 교사를 통해서도 가르침을 주신다. 야고보는 이렇게 충고한다. "그러므로 더러움과 넘치는 악을 모두 버리고, 온유한 마음으로 여러분 속에 심어 주신 말씀을 받아들여야 합니다. 그 말씀에는, 여러분의 영혼을 구원할 능력이 있습니다"(약 1:21, 표준새번역).

둘째, 2천 년 역사 대부분의 시간 동안, 성직자들만이 개인적으로 성경을 읽을 수 있었다. 하지만 이제 수십 억의 사람들이 성경을 읽을 수 있게 되었다. 그럼에도 불구하고, 많은 믿는 사람들이 성경을 읽는 것보다 일간지를 읽는 것에 더 열심을 내는 사실을 생각하면 우리가 성장하지 못하는 것은 놀라운 일이 아니다. 텔레비전을 3시간 보고 성경은 3분 읽으면서 영적인 성장을 기대할 수 없다.

성경을 '표지에서 표지까지' 믿는다고 주장하는 사람들 가운데 대부분은 성경을 처음부터 끝까지 읽지도 않았다. 하지만 만일 15분씩 매일 성경을 읽는다면 1년이면 성경 전체를 읽을 수 있을 것이다. 하루에 30분짜리 텔레비전 프로그램을 하나 안 본다면 1년 동안 성경 전체를 두 번이나 읽을 수 있게 된다.

성경을 매일 읽으면 우리는 하나님의 음성이 들리는 범위 안에 머물게 된다. 그래서 하나님은 이스라엘의 왕들에게 근처에 성경을 두라고 지시하셨다. "항상 지니고 매일 읽어야 한다"(신 17:19, NCV). 하지만 근처에 두기만 하지 말라. 규칙적으로 읽으라. 성경 읽기 계획을 세우는 것이 도움이 된

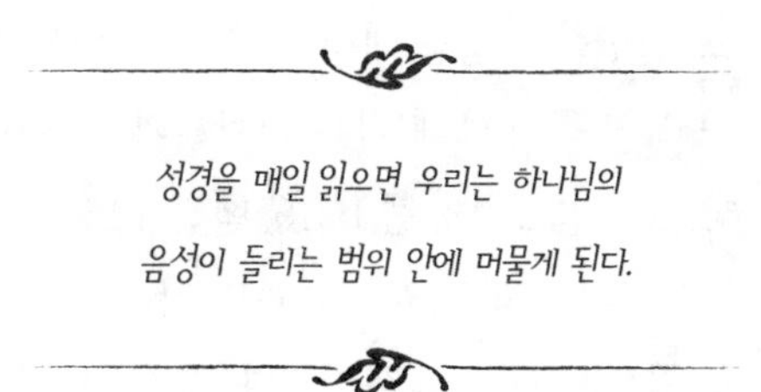

다. 그러면 임의대로 여기저기 읽지 않고, 어느 한 권도 빠뜨리지 않게 된다.

셋째, 성경을 연구하고 공부하는 것이 그분의 말씀 안에 거할 수 있는 방법이다. 성경을 읽는 것과 성경을 공부하는 것의 차이에는 두 가지가 있다. 그 구절에 대한 질문을 던지는 것과 나의 생각을 적는 것이 포함되면 그것은 성경 공부다. 종이나 컴퓨터에 본인의 생각을 쓰지 않고서 성경을 공부했다고 말할 수 없다.

성경 공부의 여러 다른 방법들에 대해서 설명할 지면은 부족하지만, 성경 공부 방법에 관한 좋은 책들이 많다. 그 가운데는 내가 20년 전에 쓴 책도 있다.[1] 좋은 성경 공부의 비밀은 올바른 질문을 하느냐는 것이다. 각각 다른 방법으로 다른 질문을 해야 한다. 잠시 멈추고 누가? 무엇을? 언제? 어디서? 왜? 그리고 어떻게?와 같은 간단한 질문을 해도 훨씬 많은 것을 발견할 수 있다. 성경은 이렇게 말한다. "자유하게 하는 온전한 율법을 들여다보고 있는 자는 듣고 잊어버리는 자가 아니요 실행하는 자니 이 사람이 그 행하는 일에 복을 받으리라"(약 1:25).

하나님의 말씀 안에 거하는 네번째 방법은 그것을 기억하는 것이다. 기억력은 하나님이 주신 선물이다. 기억력이 좋지 않다고 생각할지도 모르지만, 우리는 이미 수백만 가지의 생각, 진리, 사실 그리고 숫자들을 기억하고 있다. 우리에게 중요한 것들을 기억하고 있다. 하나님의 말씀이 중요하다면 우리는 시간을 들여 그것을 암기할 것이다.

성경 말씀을 외울 때 엄청난 혜택들이 있다. 그것은 우리가 유혹을 이기고, 현명한 결정을 내리고, 스트레스를 줄이고, 신뢰를 쌓고, 좋은 충고를 해주고, 믿음에 대해 다른 사람들과 나눌 때 많은 도움이 된다(시 119:11, 49-50, 105, 잠 22:18, 렘 15:16, 벧전 3:15).

우리의 기억력은 근육과도 같다. 더 많이 사용할수록 더 강해지고, 말씀을 외우는 것도 더 쉬워진다. 우선, 이 책에서 감동을 받은 구절들을 뽑아 작은 카드에 적어 들고 다니라. 그리고 하루 동안 그 구절을 크게 읽으며 복습하라. 어디서든지 외울 수 있다. 일을 하면서, 운동을 하면서, 운전을 하면서, 누구를 기다리면서, 혹은 잠자기 전에도 할 수 있다. 성경 구절을 잘 외우는 비밀 세 가지는 반복, 반복 그리고 반복이다. 성경은 이렇게 말한다. "그리스도의 말씀이 너희 속에 풍성히 거하여 모든 지혜로 피차 가르치며 권면하고"(골 3:16).

하나님의 말씀 안에 거하는 다섯번째 방법은 그것을 반영하는 것이다. 성경은 이를 '묵상'이라 부른다. 많은 사람들은 묵상하는 것을 마음을 비우고 이런저런 생각에 잠기는 것으로 여기는데, 이는 성경이 말하는 묵상과는 정반대다. 묵상은 한 가지에 초점을 맞추고 생각하는 것이다. 그것은 엄청난 노력을 필요로 한다. 한 구절을 선택해서 계속 그 구절을 떠올리고 숙고하는 것이다.

11장에서 언급했듯이 걱정할 줄 안다면, 묵상하는 방법도 이미 알고 있는 것이다. 걱정은 부정적인 것에 대해 계속 생각하는 것이고, 묵상은 우리의 문제 대신 하나님의 말씀에 초점을 맞춰 계속 생각하는 것이다.

우리의 삶을 바꾸고, 예수님을 닮아가는 데 날마다 성경을 묵상하는 것보다 더 유익한 것은 없다. 우리가 시간을 들여 하나님의 진리를 묵상하고 그리스도가 보여주신 모범들을 따를 때, 우리는 "주님과 같은 모습으로 변화하여, 점점 더 큰 영광에 이르게"(고후 3:18, 표준새번역) 된다.

성경 속에서 하나님이 묵상에 대해 말씀하신 것들을 모두 찾아보면, 하나님이 묵상하는 사람들에게 약속하신 유익함들로 인해 매우 놀랄 것이다. 하나님이 다윗을 "내 마음에 합한 사람"(행 13:22)이라고 말씀하신 이유 가운데 하나가 다윗이 하나님의 말씀을 즐겨 묵상했기 때문이다. 다윗은 말했다. "내가 주의 법을 어찌 그리 사랑하는지요 내가 그것을 종일 묵상하나이다" (시 119:97). 하나님의 진리를 진지하게 묵상하는 것이 바로 응답받는 기도와 성공적인 삶의 비밀이다(요 15:7, 수 1:8, 시 1:2-3).

하나님의 원칙들을 적용해야 한다

말씀을 받아들이고, 읽고, 연구하고, 기억하고, 적용하는 것 이 모두가 실천에 옮겨지지 않으면 모두 헛된 것이다. 우리는 '말씀을 행하는 사람' (약 1:22, KJV)이 되어야 한다. 이것이 가장 힘든 단계인데, 사탄이 매우 집요하게 방해를 하기 때문이다. 사탄은 우리가 배운 것을 실천으로 옮기지 않으면 성경 공부를 하러 가는 것도 신경 쓰지 않는다.

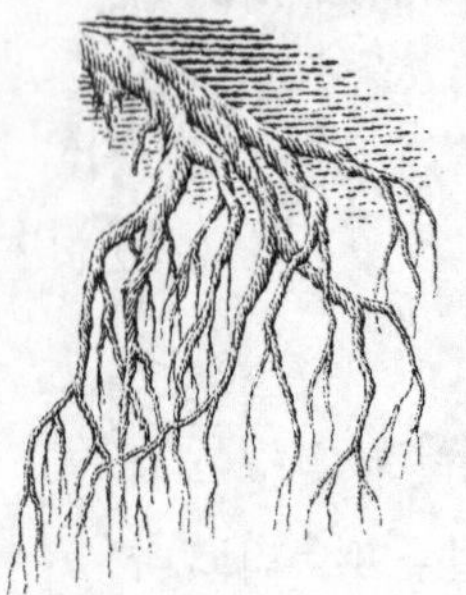

단순히 말씀을 듣고, 읽고, 공부했다고 해서 그것을 내면화했다고 생각하는 것은 스스로를 속이는 것이다. 사실 우리는 다음 수업, 세미나 혹은 성경 학회에 참석하기 너무 바빠 배운 것을 실천할 시간이 없다. 다음 성경 공부 모임에 가는 동안 다 잊어버린다. 적용이 없으면 모든 성경 공부는 무의미하다. 예수님은 말씀하셨다. "그러므로 누구든지 나의 이 말을 듣고 행하는 자는 그 집을 반석 위에 지은 지혜로운 사람 같으리니" (마 7:24). 예수님은 또한 하나님의 복은 단지 아는 것만이 아니라 그 진리에 순종할 때 온다고 지적하셨다. 이렇게 말씀하셨다. "너희가 이것을 알고 행하면 복이 있으리라" (요 13:17).

우리가 개인적인 적용을 피하는 또 하나의 이유는 그것이 어렵고 때로는 고통스럽기 때문이다. 그 진리는 우리를 자유케 할 것이지만, 먼저 우리를 비참하게 만들지도 모른다. 하나님의 말씀은 우리의 동기를 드러내고, 잘못을 지적하며, 죄를 꾸짖고, 우리가 변하기를 기대한다. 그러나 변화를 꺼리는 것은 인간의 본성이고 그래서 하나님의 말씀을 적용하는 것은 어려운 일이다. 그렇기 때문에 우리의 개인적인 적용을 다른 사람들과 나누는 것이

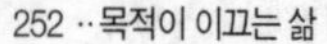

중요하다.

성경 공부를 하는 소그룹에 속하는 것이 얼마나 중요한지에 대해서는 아무리 말해도 과장이 아니다. 우리는 항상 스스로 깨달을 수 없는 것들을 다른 사람들을 통해 배운다. 다른 사람들은 우리가 놓친 부분을 보게 해주고, 하나님의 진리를 현실적으로 적용할 수 있도록 도와줄 것이다.

'말씀을 실천하는 사람' 이 되는 가장 좋은 방법은 말씀을 읽거나, 공부하거나, 묵상한 후에 결심한 것들을 적어놓는 것이다. 하고자 하는 것들을 적어놓는 습관을 기르라. 이 목록은 개인적이어야 하고(우리 자신이 포함되어야 하고), 현실적이어야 하며(실제로 우리가 할 수 있는 것이어야 하고), 증명할 수 있어야 한다(그 기한을 정해놓아야 한다). 모든 적용은 우리와 하나님의 관계, 우리와 다른 사람과의 관계, 혹은 개인의 성격과 관련된 것일 것이다.

다음 장으로 넘어가기 전에, 이 질문에 대해 잠시 생각하는 시간을 가지라. 하나님이 말씀을 통해 이미 행하라고 하신 것 가운데 시작하지 않은 것이 무엇이 있는가? 우리가 해야 하는 그 일에 도움이 되는 작은 행동들을 적어보라. 우리가 그 일에 책임을 질 수 있도록 붙잡아줄 친구에게 이야기를 할 수도 있다. D. L. 무디는 말했다. "성경은 정보를 위한 책이 아니라 변화를 위한 책이다."

Day 24

내 삶의 목적에 대하여

생각할 점 : 진리는 나를 변화시킨다.

외울 말씀 : "너희가 내 말에 거하면 참 내 제자가 되고 진리를 알지니 진리가 너희를 자유케 하리라" (요 8:31-32).

삶으로 떠나는 질문 : 하나님이 성경을 통해서 이미 말씀하신 것 가운데 내가 순종하지 못하고 있는 것은 무엇인가?

25

어려움으로 인한 변화

"우리의 잠시 받는 환난의 경한 것이
지극히 크고 영원한 영광의 중한 것을
우리에게 이루게 함이니"
(고후 4:17).

고통의 불이 거룩한 금을 만든다.
- 귀용 부인 (Madame Guyon)

모든 문제 뒤에는 하나님의 목적이 있다.

그분은 우리의 성품을 개발시키시려고 상황을 이용하신다. 사실, 그분은 우리를 그리스도와 같이 만드시려고 성경보다도 상황을 더 많이 사용하신다. 이유는 간단하다. 이는 우리가 하루 24시간 동안 어떤 상황이든 상황 속에 있기 때문이다.

우리가 이 세상에서 살 때 많은 문제들에 직면할 것이라고 예수님이 경고하셨다(요 16:33). 그 누구도 고통에 대한 면역성은 없으며, 완전히 분리되어 있지도 않다. 그리고 그 누구도 아무런 문제 없는 삶을 순탄하게 살 수 없다. 삶은 문제의 연속이다. 하나를 해결할 때마다 또 다른 하나가 그 자리를 매꾼다. 베드로는 문제에 직면하는 것은 당연한 것이라고 하면서 이렇게 말했다. "사랑하는 자들아 너희를 시련하려고 오는 불 시험을 이상한 일 당하는것같이 이상히 여기지 말고" (벧전 4:12).

하나님은 우리를 그에게로 가까이 오게 하시려고 문제들을 사용하신다. 성경은 이렇게 말한다. "여호와는 마음이 상한 자에게 가까이 하시고 중심에 통회하는 자를 구원하시는도다" (시 34:18). 우리가 경험한 가장 깊고 친밀한 예배는 아마 가장 힘든 때 드린 예배일 것이다. 우리의 마음이 무너져내리고, 세상에 홀로 버려진 것처럼 느껴졌을 때, 아무것도 선택할 수 없고, 심한 고통으로 신음조차 할 수 없을 때였다. 그리고 우리는 하나님께로 얼굴을 향한다. 고통 속에서 우리는 가장 솔직하고 마음에서 우러나오는 정직한 기도를 배운다. 고통 속에 있을 때 우리는 형이상학적인 기도를 할 에너지가 없다.

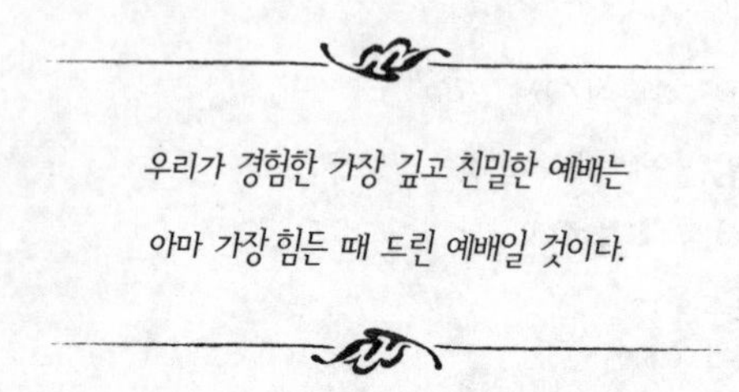

조니 에릭슨 타다(Joni Eareckson Tada)는 이렇게 지적했다. "삶이 잘 풀릴 때 우리는 예수님을 아는 지식으로 슬쩍 넘어갈 수도 있고, 그분을 모방하고 인용하고 그분에 대해 이야기하면서 넘어갈 수도 있다. 하지만 고통 속에서만이 우리는 예수님을 알게 될 것이다." 우리는 고통 속에서 다른 방법을 통해서는 배울 수 없는 하나님에 대해 배운다.

하나님은 요셉을 감옥에 갇히지 않도록 하실 수 있었고(창 39:20-22), 다니엘이 사자굴에 들어가지 않게 하실 수 있었으며(단 6:16-23) 예레미야가 구덩이에 던져지지 않도록 하실 수도 있었다(렘 38:6). 또한 바울이 탄 배가 세 번이나 부서지는 것을 막을 수 있으셨고(고후 11:25), 세 히브리 사람이 불타는 아궁이에 던져지는 것을 막을 수도 있으셨다(단 3:1-26). 하지만 하나님은 그렇게 하지 않으셨다. 그분은 이 문제들이 모두 일어나게 하셨고, 그 결과 그들은 모두 하나님께 더 가까이 가게 되었다.

문제들은 우리가 하나님을 바라보게 하고 우리 자신보다 그분을 더 의지하게 한다. 바울은 이러한 유익함에 대해 이렇게 간증했다. "우리는 감당하기 어려운 환난을 당해, 삶의 소망조차 없었습니다. 마음 속에서는 사망 선고를 받았다는 느낌마저 들었습니다. 그러나 이렇게 된 것은 우리 자신을 의지하지 않고, 죽은 자를 살리시는 하나님을 의지하도록 하기 위해서였습니다"(고후 1:8-9, 쉬운성경). 우리는 하나님만 있으면 된다는 사실을, 우리가 가진 것이 하나님밖에 없을 때가 되어서야 깨달을 것이다.

그 문제가 왜 일어났는지와는 상관없이 우리에게 닥친 어떤 문제도 하나님의 허락 없이는 일어날 수 없다. 하나님의 자녀의 삶에 일어나는 모든 일은 이미 아버지를 한 번 거친 것이고, 사탄이나 다른 이들이 악하게 사용하려 할 때에도 하나님은 그 모든 일들을 선을 위해 사용하신다.

하나님이 주권 속에서 모든 것을 통제하고 계시기 때문에 모든 뜻밖의 사건들은 우리를 위한 하나님의 계획일 뿐이다. 우리가 태어나기 전부터 하나님의 달력에는 우리의 매일의 삶이 적혀 있었기 때문에(시 139:16) 우리에게 일어나는 모든 일은 영적으로 중요하다. 모든 것이! 로마서 8장 28-29절이 그 이유를 말해준다. "우리가 알거니와 하나님을 사랑하는 자 곧 그 뜻대로 부르심을 입은 자들에게는 모든 것이 합력하여 선을 이루느니라 하나님이 미리 아신 자들로 또한 그 아들의 형상을 본받게 하기 위하여 미리 정하셨으니 이는 그로 많은 형제 중에서 맏아들이 되게 하려 하심이니라"(롬 8:28-29).

로마서 8장 28-29절 이해하기

이 구절은 성경에서 가장 많이 잘못 인용되고, 잘못 이해되는 구절이다. 이 구절은 "하나님은 내가 원하는 방향으로 모든 일이 일어나게 하신다"라고 말하지 않는다. 명백히 그것은 사실이 아니다. 또한 "하나님은 모든 일이 이 땅에서 행복한 결말을 맺게 하신다"고 말하시지도 않는다. 그 역시 사실이 아니다. 이 땅에서는 불행한 결말도 많다.

우리는 타락한 세상에서 살고 있다. 오직 천국에서만 모든 일이 하나님의 계획대로 완벽하게 이루어진다. 그래서 우리는 "뜻이 하늘에서 이룬 것같이 땅에서도 이루어지이다"(마 6:10)라고 기도하도록 배우는 것이다.

로마서 8장 28, 29절을 완전히 이해하려면 구절별로 살펴보아야 한다.

"우리가 알거니와"

어려울 때 우리가 갖는 희망은 긍정적인 사고나 소원 혹은 단순히 바라는 것에서 오는 것이 아니다. 그것은 하나님이 우주를 통치하시고 우리를 사랑하신다는 진리에 바탕을 둔 것이다.

"하나님을 사랑하는 자 곧 그 뜻대로 부르심을 입은 자들에게는"

이 약속은 모든 사람을 위한 것이 아니다. 하나님의 자녀들만을 위한 것이다. 하나님의 반대편에 서 있고 자신의 방법을 고집하는 사람들에게는 모든 것이 악하게 작용한다.

"모든 것이"

우리의 삶에 대한 하나님의 계획은 우리에게 일어나는 모든 것, 실수, 죄 그리고 우리의 상처까지 모든 것을 포함한다. 빚, 질병, 이혼 그리고 사랑하는 사람들의 죽음까지도. 하나님은 가장 악한 것에서도 선을 이끌어내실 수 있다. 갈보리 언덕에서 그러셨다.

"합력하여"

각각이나 독립적으로가 아니다. 우리의 삶의 사건들은 하나님의 계획 안에서 조화를 이룬다. 그것들은 각각 독립된 사건이 아니다. 우리를 그리스도와 같이 만드는 과정의 상호 의존적인 부분이다. 케이크를 굽기 위해서는 밀가루, 소금, 계란, 설탕 그리고 기름이 필요하다. 따로 먹으면 별 맛이 없고 심지어 쓰기까지 하다. 하지만 함께 구우면 아주 맛있는 케이크가 된다. 우리의 모든 불쾌한 경험들을 하나님께 맡기면 그분은 그것을 엮어 선을 행하신다.

"선을 이루느니라"

삶의 모든 것이 좋다고 이야기하지는 않는다. 이 세상에서 일어나는 대부분의 일은 악하고 나쁘다. 하지만 하나님은 악에서 선을 끌어내는 것을 전공으로 하신다. 예수 그리스도의 공식 족보에는(마 1:1-16) 네 명의 여자가 등장한다. 다말, 라합, 룻 그리고 밧세바. 다말은 시아버지를 꾀어서 임신한 여자였고, 라합은 창녀였다. 룻은 유대인이 아니면서 유대인 남자와 결혼을 하는 죄를 지었고, 밧세바는 다윗과 간통을 하고 결국 남편은 살해되었다. 그들의 이런 전력들은 내세울 만한 것이 아니었지만, 하나님은 이 죄악으로부터 선을 끌어내셨고, 예수님은 그 핏줄에서 나오셨다. 하나님의 목적은 우리의 문제, 고통 그리고 우리의 죄보다도 크다.

"하나님이… 미리 정하셨으니"

모든 일에는 위대한 디자이너가 있다. 우리의 삶은 우연, 운명 혹은 운의 결과가 아니다. 삶에는 마스터 플랜이 있다. 역사는 그분의 이야기다. 하나님이 조종하신다. 우리는 실수를 하지만 하나님은 절대 실수하지 않으신다. 하나님은 실수를 하실 수 없다. 왜냐하면 그분은 하나님이시기 때문이다.

"이는 그로 많은 형제 중에서 맏아들이 되게 하려 하심이니라"

그분의 목적은 무엇일까? 우리가 '당신의 아들과 같이 되는 것' 이다. 하나님이 우리의 삶에서 발생하게 하신 모든 문제는 그 목적을 위한 것이다.

그리스도와 같은 인격 쌓기

우리는 보석같아서, 역경이라는 망치와 끌로 깎여서 모양을 갖춘다. 만일 보석공의 망치가 거친 모서리를 깎아낼 만큼 강하지 않으면 하나님은 더 큰 해머를 사용하신다. 만일 우리가 정말 고집이 세다면 그분은 드릴을 사용하실 것이다. 그분은 필요한 것은 모두 사용하실 것이다.

모든 문제는 인격을 쌓을 수 있는 기회다. 그리고 그 문제가 더 어려울수록 영적인 근육과 도덕적인 섬유 조직을 만들 수 있는 잠재력은 더 커진다. 바울은 "우리는 이러한 어려움들이 인내를 낳는다는 것을 안다. 그리고 인내는 인격을 낳는다" (롬 5:3-4, NCV)라고 말했다. 겉에서 일어나는 일들은 우리 내면에서 일어나는 것보다 중요하지 않다. 우리가 겪는 상황은 일시적인 것이지만 우리의 인격은 영원할 것이다.

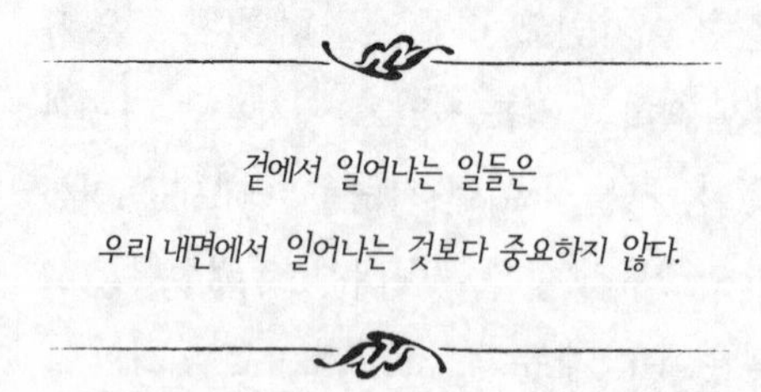
겉에서 일어나는 일들은
우리 내면에서 일어나는 것보다 중요하지 않다.

성경은 때때로 시험을 불순물을 태워 없애는 정제소의 불과 비교한다. 베드로는 "너희 믿음의 시련이 불로 연단하여도 없어질 금보다 더 귀하여 예수 그리스도의 나타나실 때에 칭찬과 영광과 존귀를 얻게 하려 함이라" (벧전 1:7)고 말했다. 어느 한 은 세공인은 "은이 깨끗하다는 것을 어떻게 압니까?" 라는 질문을 받았을 때 "제 모습이 비치는 것을 보고 압니다" 라고 대답했다. 우리의 믿음이 깨끗할 때 사람들은 우리 안에서 예수님의 모습을 볼 수 있다. 야고보는 이렇게 말했다. "이는 너희 믿음의 시련이 인내를 만들어내는 줄 너희가 앎이라"(약 1:3).

하나님이 우리를 예수님과 같이 만들고 싶어하시기 때문에 그분은 우리가 예수님이 경험하신 것과 같은 경험을 하게 하실 것이다. 외로움, 유혹, 스트레스, 비난, 거절 그리고 그 외의 많은 문제들을 겪게 될 것이다. 성경은 예수님이 "고난으로 순종함을 배워서 온전하게 되었은즉"(히 5:8-9)이라고 말한다. 왜 하나님은 당신의 아들이 겪게 하신 고통에서 우리를 제외시켜주시지 않는 것일까? 바울은 이렇게 말한다. "자녀이면 또한 후사 곧 하나님의 후사요 그리스도와 함께한 후사니 우리가 그와 함께 영광을 받기 위하여 고난도 함께 받아야 될 것이니라"(롬 8:17).

예수님처럼 문제에 대처하기

우리가 겪는 문제들이 자동적으로 하나님이 의도하신 결과를 가져오지는 않는다. 많은 사람들은 나아지기보다는 비통해하며, 절대 성장하지 않는다. 우리는 예수님과 같은 방법으로 대처해야 한다.

하나님의 계획은 항상 선하다는 것을 기억하라

하나님은 우리에게 가장 좋은 것이 무엇인지 아시고 우리가 가장 관심 있어 하는 것을 기억하신다. 하나님은 예레미야에게 말씀하셨다. "나 여호와가 말하노라 너희를 향한 나의 생각은 내가 아나니 재앙이 아니라 곧 평안이요 너희 장래에 소망을 주려 하는 생각이라"(렘 29:11). 요셉은 그를 노예로 팔려고 했던 형들에게 "당신들은 나를 해하려 하였으나 하나님은 그것을 선으로 바꾸사"(창 50:20)라고 말할 때부터 이 사실을 이미 이해하고 있었다. 히스기야는 그의 생명을 위협하는 질병에 대해 같은 감정을 보였다. "보옵소서 내게 큰 고통을 더하신 것은 내게 평안을 주려 하심이라 주께서 나의 영혼을 사랑하사 멸망의 구덩이에서 건지셨고 나의 모든 죄는 주의 등

뒤에 던지셨나이다"(사 38:17). 우리가 어떤 문제에서 해방시켜달라고 요청했으나 하나님이 거절하실 때마다 이것을 기억하라. "하나님은 우리의 유익을 위하여 그의 거룩하심에 참예케 하시느니라"(히 12:10)

우리가 스스로의 고통이나 문제가 아닌 하나님의 계획에 초점을 맞추는 것이 중요하다. 예수님은 그렇게 십자가의 고통을 견디셨고 우리는 그분의 모범을 따라야 한다. "믿음의 주요 또 온전케 하시는 이인 예수를 바라보자 저는 그 앞에 있는 즐거움을 위하여 십자가를 참으사 부끄러움을 개의치 아니하시더니 하나님 보좌 우편에 앉으셨느니라"(히 12:2). 나치 수용소에 갇혀 있던 코리 텐 붐(Corrie Ten Boom)은 초점을 잃지 않는 것이 얼마나 큰 힘인지를 설명했다. "만일 이 세상을 보면 우리는 절망할 것이다. 만일 우리 내부를 들여다보면 낙담할 것이다. 하지만 그리스도를 바라보면 안식할 수 있다." 집중을 어디에 하느냐가 우리의 감정을 결정한다. 하나님께 집중할 때 그분을 기쁘시게 한다. 우리의 초점이 감정을 결정할 것이다. 인내의 비밀은 고통은 일시적이지만 그 상급은 영원하다는 것을 기억하는 것이다. 모세가 여러 삶의 문제들을 견딜 수 있었던 것은 "그가 상주심을 바라보았기"(히 11:26) 때문이다. 바울도 같은 방법으로 고통을 이겼다. 그는 이렇게 말했다. "우리의 잠시 받는 환난의 경한 것이 지극히 크고 영원한 영광의 중한 것을 우리에게 이루게 함이니"(고후 4:17).

단기적인 생각에 굴복하지 말라. 마지막 결과에 초점을 맞추라. "우리가 그와 함께 영광을 받기 위하여 고난도 함께 받아야 될 것이니라 생각건대 현재의 고난은 장차 우리에게 나타날 영광과 족히 비교할 수 없도다"(롬 8:17-18).

기뻐하며 하나님께 감사를 드리라

성경은 이렇게 말한다. "범사에 감사하라 이는 그리스도 예수 안에서 너희를 향하신 하나님의 뜻이니라" (살전 5:18). 이것이 어떻게 가능한가? 하나님이 우리에게 '모든 상황에서' 감사하라고 말씀하신 것이지 '모든 상황에 대해' 감사하라고 하신 것이 아님을 기억하라. 하나님은 불의, 죄, 고통, 혹은 그에 따른 이 세상에서의 고통스러운 결과들에 대해 감사할 것을 기대하지 않으신다. 대신, 하나님이 우리의 고통과 문제를 사용해 당신의 목표를 성취한다는 사실에 감사하기를 바라신다.

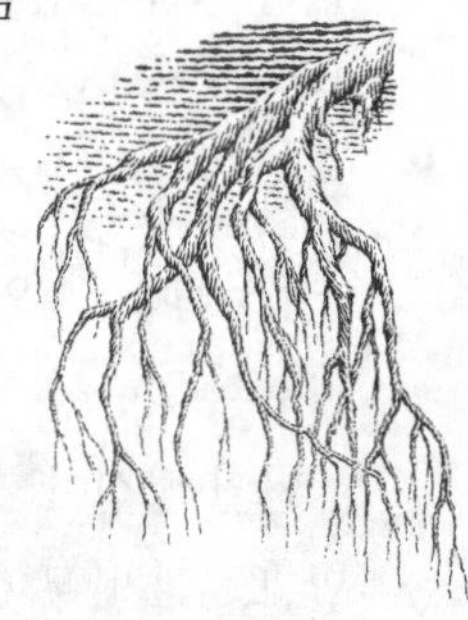

성경은 "주 안에서 항상 기뻐하라" (빌 4:4)고 말한다. "너희 고통에 대해 기뻐하라" 고 말하지 않는다. 그것은 자기 학대다. "주님 안에서" 기뻐하라고 말한다. 어떤 일이 일어나든 우리는 하나님의 사랑, 돌보심, 지혜 그리고 신실하심에 기뻐할 수 있다. 예수님은 말씀하셨다. "그 날에 기뻐하고 뛰놀라 하늘에서 너희 상이 큼이라" (눅 6:23).

하나님이 고통 속에서 우리와 함께하신다는 사실을 알기에 우리는 또한 기뻐할 수 있다. 우리는 안전한 사이드 라인에서 상투적인 말로 격려하시는, 우리와 멀리 떨어져 있는 하나님을 섬기는 것이 아니다. 대신 그분은 우리의 고통 속에서 함께하신다. 예수님은 이 땅에 오심으로 그렇게 하셨고, 지금은 성령을 통해 우리와 함께하신다. 하나님은 우리가 홀로 어려움을 겪지 않도록 우리를 떠나지 않으신다.

포기하지 말라

인내하며 끝까지 버티라. 성경은 이렇게 말한다. "이는 너희 믿음의 시련이 인내를 만들어내는 줄 너희가 앎이라 인내를 온전히 이루라 이는 너희로 온전하고 구비하여 조금도 부족함이 없게 하려 함이라" (약 1:3-4).

인격이 자라는 것은 길고 느린 과정이다. 우리가 삶에서 단지 어려움을 피하거나, 어려움에서 벗어나는 데에 에너지를 사용한다면 우리는 그 과정을 우회하고, 성장을 지연시키며, 결국 더 심한 고통을 겪게 된다. 부정(denial)과 회피(avoidance)에 따르는 아무런 쓸모없는 고통을 겪게 된다. 우리가 성숙한 인격이라는 영원한 결과를 얻게 되면, "저를 위로해주세요"라는 기도는 덜 하게 되고, "더욱 당신을 닮게 해주세요"라고 기도하게 될 것이다.

제멋대로의, 이해할 수 없으며, 목적 없어 보이는 삶의 상황 속에서도 하나님의 일하시는 손길을 본다면 우리는 성숙하고 있다고 생각하면 된다.

만일 당신이 지금 어려움을 겪고 있다면, "왜 나입니까?"라고 질문하지 말고, "내가 무엇을 배우기 원하십니까?"라고 질문하라. 그리고 하나님을 신뢰하며 옳은 일을 하는 데 계속 힘쓰라. "너희에게 인내가 필요함은 너희가 하나님의 뜻을 행한 후에 약속을 받기 위함이라"(히 10:36). 포기하지 말라. 성장하라.

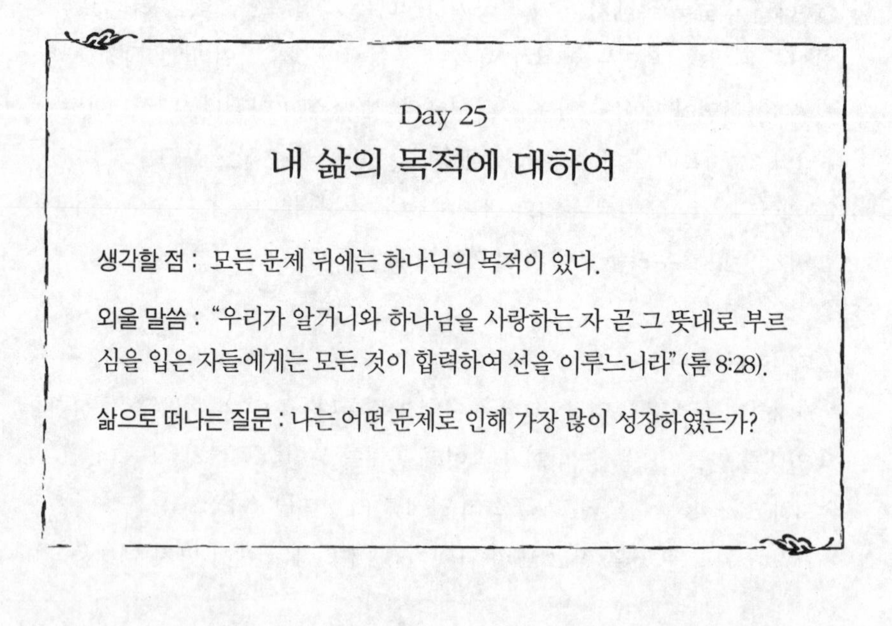

Day 25

내 삶의 목적에 대하여

생각할 점 : 모든 문제 뒤에는 하나님의 목적이 있다.

외울 말씀 : "우리가 알거니와 하나님을 사랑하는 자 곧 그 뜻대로 부르심을 입은 자들에게는 모든 것이 합력하여 선을 이루느니라"(롬 8:28).

삶으로 떠나는 질문 : 나는 어떤 문제로 인해 가장 많이 성장하였는가?

시험을 통해 성장하기

"시험을 참는 자는 복이 있도다
이것에 옳다 인정하심을 받은 후에
주께서 자기를 사랑하는 자들에게 약속하신
생명의 면류관을 얻을 것임이니라"
(약 1:12).

내가 겪은 시험들은 신성함을 가르쳐준 스승이었다.
- 마틴 루터 (Martin Luther)

모든 시험은 선을 행할 수 있는 기회다.

영적으로 성숙해가는 동안, 모든 시험들이 잘못된 일을 할 만큼 옳은 일을 할 수도 있는 기회라는 것을 깨닫는다면 그것은 걸림돌보다는 성장의 발판이 된다. 시험은 선택의 기회를 준다. 사탄은 우리를 파괴하는 중요한 도구로 시험을 사용하는 반면에, 하나님은 그것을 우리를 성장시키는 데 사용하고 싶어하신다. 우리가 죄를 짓는 대신 선을 행하기로 선택할 때마다 우리는 그리스도를 닮아 더욱 자라게 된다.

그것을 이해하기 위해서 우리는 예수님의 성품의 특성들을 이해해야 한다. 그분의 성품을 가장 집약적으로 나타내주는 것은 바로 성령의 열매다. "오직 성령의 열매는 사랑과 희락과 화평과 오래 참음과 자비와 양선과 충성과 온유와 절제니 이같은 것을 금지할 법이 없느니라" (갈 5:22-23).

이 아홉 가지 특성들은 확장된 대계명이고, 예수 그리스도에 대한 아름다운 묘사다. 예수님은 완벽한 사랑, 기쁨, 평안, 인내이시고, 그 외의 한 사람이 갖출 수 있는 모든 특성을 갖추셨다. 성령의 열매를 맺는다는 것은 그리스도를 닮는다는 것이다.

그러면 성령은 우리의 삶에서 이 아홉 가지 열매들을 어떻게 만드시는가? 즉석에서 만들어내시는가? 자고 일어나면 밤새 우리 안에 이 열매들이 가득하게 되는가? 아니다. 열매는 천천히 자라고 익어간다.

다음 문장은 우리가 배우게 될 가장 중요한 영적인 진리 가운데 하나다.

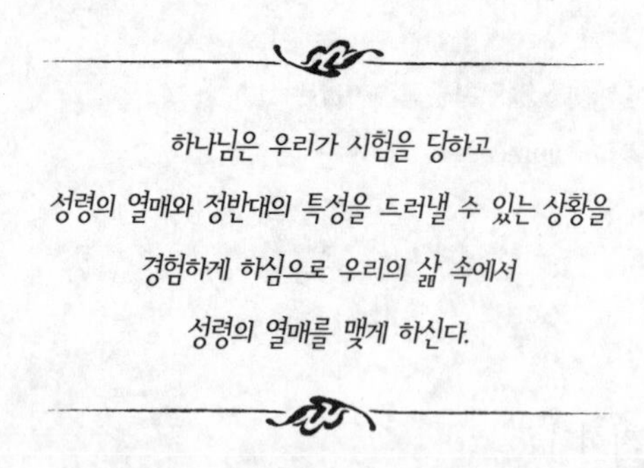

하나님은 우리가 시험을 당하고 성령의 열매와 정반대의 특성을 드러낼 수 있는 상황을 경험하게 하심으로 우리의 삶 속에서 성령의 열매를 맺게 하신다. 인격이 자라는 것은 항상 선택과 관련이 있고, 시험이 바로 그 기회를 제공한다.

예를 들어, 하나님은 사랑스럽지 않은 사람들을 주위에 두셔서 우리에게 사랑을 가르치신다. 사랑할 만하고 우리를 사랑하는 사람들을 사랑하는 것은 성품과 무관하다. 하나님은 우리가 슬픔 속에서 하나님을 찾을 때 진정한 기쁨을 가르쳐주신다. 행복은 외부적인 상황에 달려 있지만, 기쁨은 하나님과의 관계에 바탕을 둔다.

하나님은 우리의 계획대로 일이 진행되지 않고, 혼란스럽고 당황스러운 상황을 경험하게 하심으로 우리 안에 진정한 평안을 허락하신다. 누구든지 아름다운 일몰을 보면서, 혹은 휴가를 즐기면서 평안을 누릴 수 있다. 우리는 걱정과 두려움으로 시험당하는 상황 속에서 하나님을 신뢰하기로 선택함으로써 진정한 평안을 배운다. 이와 마찬가지로 기다려야만 하는 압박을 당하고 분노와 조급함의 시험이 있는 상황 속에서 인내심을 기르게 된다.

하나님은 우리가 선택하게 하시려고 각 열매에 대해 정반대의 상황을 사용하신다. 만일 한 번도 시험을 받아보지 못했다면 선하다고 주장할 수 없다. 신실하지 못할 기회가 없었다면 신실하다고 주장할 수 없다. 정직함은 거짓을 말하게 하는 시험을 이김으로써 만들어지고, 겸손함은 우리가 자만하지 않으려 할 때 자라나며, 인내심은 포기하려는 시험을 이겨낼 때마다 강해진다. 시험을 이길 때마다 우리는 더욱 예수님을 닮아가는 것이다.

시험은 어떻게 다가오는가

사탄이 하는 일은 예측 가능하다는 사실을 알면 도움이 된다. 그는 태초부터 같은 전략과 낡은 속임수를 사용해왔다. 모든 시험은 같은 패턴을 따른다. 그래서 바울은 "우리는 그의 악한 계략에 대해 매우 잘 알고 있다"(고후 2:11, NLT)라고 말했다. 우리는 성경을 통해서 시험은 4단계의 과정을 따른다는 것을 배우는데, 이는 사탄이 아담과 이브 그리고 예수님을 시험할 때도 그렇게 했다.

첫 단계에서 사탄은 우리 안에서 욕구를 일으킨다. 그것은 복수하는 것이나, 다른 사람을 통제하려는 것과 같은 죄악된 욕구일 수도 있고, 사랑, 명예 그리고 즐거움을 누리려는 욕구와 같이 정당하고 정상적인 것일 수도 있다. 시험은 사탄이 우리에게 악한 욕구를 충족시키려 하거나, 정당한 욕구를 잘못된 방법으로, 잘못된 순간에 충족하라고 제안할 때부터 시작된다. 지름길을 조심하라. 그것은 유혹일 수 있다. 사탄은 속삭인다. "너는 그것을 받을 자격이 있어. 재미있고… 위로를 주고… 너를 더 기쁘게 해줄거야!"

우리는 시험이 우리 주위에 놓여 있다고 생각하지만, 하나님은 우리 안에서 시작된다고 말씀하신다. 만일 우리에게 내적인 욕구가 없다면 시험이 우리의 관심을 끌 수 없다. 시험은 항상 상황이 아닌 우리의 마음에서 일어난다. 예수님은 이렇게 말씀하셨다. "속에서 곧 사람의 마음에서 나오는 것은 악한 생각 곧 음란과 도적질과 살인과 간음과 탐욕과 악독과 속임과 음탕과 흘기는 눈과 훼방과 교만과 광패니 이 모든 악한 것이 다 속에서 나와서 사람을 더럽게 하느니라" (막 7:21-23). 야고보는 우리에게 말한다. "너희 안에 악의 군대가 욕망을 가지고 있다" (약 4:1, LB).

두번째 단계는 의심이다. 사탄은 우리가 하나님이 죄에 대해서 하신 말씀을 의심하게 하려고 온갖 애를 쓴다. 그것이 정말 잘못된 것인가? 정말 하나님이 그것을 하지 말라고 하셨나? 하나님은 다른 누군가에게 또는 어떤 시기에만 이것을 금지하려 하신 것은 아닐까? 하나님은 우리가 행복하길 바라시지 않는가? 성경은 이렇게 경고한다. "형제들아 너희가 삼가 혹 너희 중에 누가 믿지 아니하는 악심을 품고 살아 계신 하나님에게서 떨어질까 염려할 것이요" (히 3:12).

세번째 단계는 거짓이다. 사탄은 진실을 말할 능력이 없으며, '거짓의 아비' (요 8:44)라 불린다. 그가 우리에게 어떤 말을 하던지 그 말은 진리가 아니거나 반만 진실이다. 사탄은 자신의 거짓말로 하나님이 이미 말씀하신 것들을 대체하게 한다. 사탄은 이렇게 말한다. "너희는 죽지 않을 것이다. 하나님처럼 더 현명해질 것이다. 아무도 모르게 넘어갈 수 있다. 너희의 문제는 해결될 것이다. 그리고 모두 다 그렇게 하고 있다. 그저 작은 죄일 뿐이다." 하지만 작은 죄는 임신 초기와 같다. 결국 그 모습은 드러나게 될 것이다.

네번째 단계는 불순종이다. 결국 우리는 머리 속에서 하던 생각들을 실천에 옮길 것이다. 처음에는 그저 생각이었던 것이 행동이 되는 것이다. 우리의 관심을 끈 그 무엇에 넘어간 것이다. 우리는 사탄의 거짓을 믿고 야고보가 경고했던 덫에 걸린 것이다. "오직 각 사람이 시험을 받는 것은 자기 욕심에 끌려 미혹됨이니 욕심이 잉태한즉 죄를 낳고 죄가 장성한즉 사망을 낳느니라 내 사랑하는 형제들아 속지 말라" (약 1:14-16).

시험을 이기기

시험이 어떻게 다가오는지를 아는 것은 그 자체로 도움이 된다. 하지만 시험을 이겨내기 위해 취해야 할 몇 가지 구체적인 단계들이 있다.

두려워하지 말라

많은 크리스천들은 그들이 시험을 넘어서지 못한다는 것에 죄의식을 느끼고, 시험을 받는다는 생각에 두려워하며 의기소침해한다. 그들은 단지 시험을 받는다는 것만으로도 부끄러워한다. 이것은 성숙함에 대한 오해다. 우리는 절대로 시험에서 벗어날 수 없다.

어떤 면에서 우리는 시험을 칭찬으로 여길 수 있다. 사탄은 그의 악한 뜻에 따르는 사람들은 시험하지 않는다. 그들은 이미 그의 것이기 때문이다. 우리가 시험을 받는 것은 우리가 약하거나 세상적이어서가 아니라, 사탄이 우리를 싫어하기 때문이다.

우리가 시험을 받는 것은 우리가 약하거나 세상적이어서가 아니라, 사탄이 우리를 싫어하기 때문이다.

또한 시험은 타락한 세상에 살고 있는 인간으로서 당연히 경험하는 것이다. 그것으로 인해 놀라거나 충격을 받거나 낙담하지 말라. 시험을 피할 수 없다는 사실을 현실적으로 받아들이라. 우리는 절대 시험을 피할 수 없다. 성경은 "너희가 시험을 받을 때" 라고 말한다. "만일 너희가 시험을 받으면" 이 아니다. "사람이 감당할 시험밖에는 너희에게 당한 것이 없나니 오직 하나님은 미쁘사 너희가 감당치 못할 시험당함을 허락지 아니하시고 시험당할 즈음에 또한 피할 길을 내사 너희로 능히 감당하게 하시느니라" (고전 10:13).

시험을 받는 것은 죄가 아니다. 예수님도 시험을 받으셨지만 죄를 짓지 않으셨다(히 4:15). 그 시험에 넘어가지 않는 한 죄가 아니다. 이것은 선택의 문제다. 마틴 루터는 말했다. "새가 당신 머리 위로 날아가는 것을 막을 수는 없지만 당신 머리 위에 둥지를 트는 것은 막을 수 있다." 사탄이 우리에게 여러 가지 생각을 하게 하는 것은 막을 수 없지만, 그 생각들에 안주하지 않고 그 생각을 행동으로 옮기지 않도록 선택할 수는 있다.

예를 들어, 많은 사람들은 성적인 매력 혹은 성적인 자극과 욕망의 차이를 모른다. 그것들은 결코 같지 않다. 하나님은 우리 모두를 성적인 존재로 만드셨다. 매력과 자극은 하나님이 인간의 신체적인 아름다움에 자연스럽고 순간적으로 반응하도록 주신 것이지만, 욕망은 고의적으로 의지에 따라 행동하는 것이다. 욕망은 우리의 몸을 통해 하고자 하는 것을 의식적으로 머리 속에서 행하는 선택이다. 여성에 대해 욕망으로 죄를 짓지 않고도 성적으로 매력을 느끼거나 자극을 받을 수도 있다.

많은 사람들, 특히 많은 크리스천 남성들은 하나님이 주신 호르몬이 활동하는 것에 대해 죄의식을 느낀다. 매력적인 여성에 대해 자동적으로 반응할 때 그것을 욕망을 품는 것이라 생각하고 죄의식을 느끼며, 스스로를 비난한다. 하지만 그것에 푹 빠지기 전까지는 매력을 느끼는 것 자체가 욕망은 아니다.

사실, 하나님과 더 가까워질수록 사탄은 우리를 더 시험할 것이다. 우리가 하나님의 자녀가 되는 순간 사탄은 폭력배와 살인범을 고용하듯, 우리를 해치기 위해 계약서를 쓴다. 우리는 그의 적이고, 그는 우리의 타락을 구상

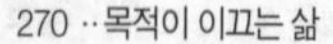

한다.

때때로 기도할 때도 사탄은 우리를 혼란에 빠뜨리고 수치심을 느끼게 하려고 이상한 생각, 악한 생각을 하게 할 수도 있다. 이 때문에 놀라거나 부끄러워하지 말라. 사탄은 우리의 기도를 두려워하며, 이를 막기 위해 무엇이든 한다는 사실을 기억하라. "내가 어떻게 이런 생각을 하지?"라고 생각하며 스스로를 비난하지 말고, 단지 사탄이 하는 방해라 생각하고 즉시 하나님께 초점을 맞추라.

시험의 양상을 파악하고 그것에 대비하라

특히 우리가 시험에 더 약해지는 특정한 상황이 있다. 우리에게 전혀 방해가 되지 않는 상황이 있는 반면, 어떤 상황들은 우리를 바로 시험에 넘어지게 한다. 이러한 상황들이 우리의 독특한 약점이고, 사탄은 이를 분명히 알고 있기 때문에 우리도 그것들을 깨닫고 있어야 한다. 그는 우리가 걸려 넘어지는 것이 무엇인지 정확히 알고, 우리를 그러한 상황에 빠뜨리려고 끊임없이 노력한다. 베드로는 이렇게 경고한다. "깨어 있어라. 악마는 덤벼들 자세를 취하고 있고, 너희가 잠시 한눈파는 상황을 포착하려고 기다리고 있다" (벧전 5:8, Msg).

자신에게 물어보라. "나는 언제 가장 시험에 약한가? 무슨 요일인가? 하루 중 어느 시간대인가?" "어느 곳에서 나는 가장 많이 시험을 받는가? 직장에서? 집에서? 이웃집에서? 헬스 클럽에서? 공항이나 시외의 모텔에서?"

또 이런 질문을 해보라. "내가 최고로 시험당할 때 나와 함께 있는 사람은 누구인가? 친구들? 동료? 낯선 사람들의 무리? 내가 혼자 있을 때?" 또한 이런 질문도 있다. "나를 가장 시험에 들게 하는 상황은 무엇인가?" 지치거나 외롭거나 지루하거나 우울하거나 혹은 스트레스를 받을 때일 수 있다. 아니면 상처를 받았거나 분노하거나 걱정하거나 혹은 큰 성공을 거두었거나 영적으로 충만한 후일 수도 있다.

우리가 받는 시험의 양상을 파악하고 그러한 상황을 가능한 한 피할 준비를 해야 한다. 성경은 계속해서 예측하고 시험에 직면할 준비를 하라고 말한다(마 26:41, 엡 6:10-18, 살전 5:6, 8, 벧전 1:13, 4:7, 5:8). 바울은 "마귀로 틈을 타지 못하게 하라"(엡 4:27)고 말한다. 현명하게 계획을 세우면 시험에 덜 부딪힐 수 있다. 잠언의 충고를 따르라. "네 발의 행할 첩경을 평탄케 하며 네 모든 길을 든든히 하라 우편으로나 좌편으로나 치우치지 말고 네 발을 악에서 떠나게 하라"(잠 4:26-27). "악을 떠나는 것은 정직한 사람의 대로니 그 길을 지키는 자는 자기의 영혼을 보전하느니라"(잠 16:17).

하나님의 도우심을 구하라

천국에는 24시간 응급 전화가 설치되어 있다. 하나님은 우리가 시험을 이기기 위해 도움을 요청하기를 기다리고 계신다. "환난 날에 나를 부르라 내가 너를 건지리니 네가 나를 영화롭게 하리로다"(시 50:15).

나는 이것을 '전자레인지' 기도라고 부른다. 왜냐하면 빠르고 정확하기 때문이다. "도와주세요! SOS! 메이데이!" 시험이 닥치면 하나님과 긴 대화를 나눌 시간이 없다. 그냥 소리치면 된다. 다윗, 다니엘, 베드로, 바울 그리고 수백만 명의 사람들이 어려움에 처했을 때 이런 즉각적인 기도를 했다.

성경은 도움을 구하는 우리의 기도는 반드시 응답을 받는다고 보장한다. 왜냐하면 예수님은 우리의 고통을 함께 아파하시기 때문이다. 예수님도 같은 시험을 당하셨다. "우리에게 있는 대제사장은 우리 연약함을 체휼하지 아니하는 자가 아니요 모든 일에 우리와 한결같이 시험을 받은 자로되 죄는 없으시니라"(히 4:15).

하나님이 우리가 시험을 이기도록 도와주려고 기다리고 계신다면 왜 우리는 더 자주 그분에게 도움을 요청하지 않을까? 솔직히 말하면 때때로 우리는 도움받는 것을 원하지 않는다. 잘못되었다는 것을 알면서도 우리는 시험에 빠진다. 그 순간 우리는 우리 자신에게 무엇이 더 좋은지를 하나님보다 잘 안다고 생각한다.

어떤 때에는 우리가 계속 같은 시험에 빠지는 것이 부끄러워 하나님께 도움을 요청하지 못한다. 하지만 하나님은 우리가 계속 그분에게 되돌아간다고 해서 화를 내시거나, 지루해하시거나, 조급해하지도 않으신다. 성경은 말한다. "그러므로 우리가 긍휼하심을 받고 때를 따라 돕는 은혜를 얻기 위하여 은혜의 보좌 앞에 담대히 나아갈 것이니라"(히 4:16).

하나님의 사랑은 영원하다. 그분은 영원히 인내하신다. 만일 우리가 특정한 시험을 이기기 위해 하루에 200번 하나님께 도움을 구한다 해도 하나님은 기꺼이 자비와 은혜를 베푸실 것이다. 그러니 담대히 나아가라. 옳은 일을 하기 위한 힘을 달라고 구하라. 그리고 그것을 주실 것을 기대하라.

시험은 우리가 계속 하나님께 의지하게 한다. 바람이 불면 나무의 뿌리가 더 튼튼해지는 것과 마찬가지다. 그러니 우리가 시험에 맞설 때마다 우리는 더 예수님을 닮아가는 것이다. 우리가 넘어진다고 해서 그것이 치명적인 것은 아니다. 굴복하거나 포기하는 대신 하나님을 바라보라. 그분의 도우심을 바라고 상급이 기다리고 있음을 기억하라. "시험을 참는 자는 복이 있도다 이것에 옳다 인정하심을 받은 후에 주께서 자기를 사랑하는 자들에게 약속하신 생명의 면류관을 얻을 것임이니라"(약 1:12).

Day 26

내 삶의 목적에 대하여

생각할 점 : 모든 시험은 선을 행할 수 있는 기회다.

외울 말씀 : "시험을 참는 자는 복이 있도다 이것에 옳다 인정하심을 받은 후에 주께서 자기를 사랑하는 자들에게 약속하신 생명의 면류관을 얻을 것임이니라" (약 1:12).

삶으로 떠나는 질문 : 내가 가장 자주 부딪히는 유혹을 이김으로써 그리스도와 같은 어떤 성품을 개발할 수 있을까?

27

시험을 이겨내기

"또한 네가 청년의 정욕을 피하고
주를 깨끗한 마음으로 부르는 자들과 함께
의와 믿음과 사랑과 화평을 좇으라"
(딤후 2:22).

"사람이 감당할 시험밖에는 너희에게 당한 것이 없나니
오직 하나님은 미쁘사 너희가 감당치 못할 시험당함을 허락지 아니하시고
시험당할 즈음에 또한 피할 길을 내사
너희로 능히 감당하게 하시느니라"
(고전 10:13).

항상 빠져나갈 길은 있기 마련이다.

우리는 가끔 이길 수 없을 만큼 시험이 너무 강하다고 느낄 수도 있다. 하지만 그것은 사탄의 거짓말이다. 하나님은 우리가 감당하지 못할 것은 주시지 않는다고 약속하셨다. 그분은 우리가 이기지 못하는 유혹은 허락하지 않으실 것이다. 그러나 우리는 유혹을 이기기 위한 네 가지 성경적인 요소를 행함으로써 우리의 할 바를 해야 한다.

관심을 다른 데로 돌리라

성경 그 어디에도 "시험에 맞서라"는 구절이 없음에 아마 놀랄 것이다. 우

리는 "마귀를 대적하라" (약 4:7)는 말은 들었지만, 그것은 아주 다른 의미이고 이에 대해서는 뒤에서 설명하려고 한다. 대신 우리는 우리의 관심을 다른 곳으로 옮기라는 충고를 들었다. 왜냐하면 생각과 싸우는 것은 효과가 없기 때문이다. 그것은 우리의 관심의 초점을 잘못된 것에 더 집중하게 하고 시험을 더 강하게 만들 뿐이다. 설명을 들어보라.

머리에서 무슨 생각을 없애려고 할 때마다 그것은 더 깊이 우리의 기억에 박힐 것이다. 그 생각에 저항함으로써 우리는 실제로 그것을 더 강화하는 것이다. 유혹이 특히 그렇다. 유혹의 감정과 싸워서는 유혹을 이길 수 없다. 그 감정에 대항할수록 그것은 우리를 더 소진시키고 우리를 더 통제한다. 우리가 그것에 대해 생각할 때마다 그것을 더 강화시키는 것이다.

유혹이 항상 생각에서부터 나오기 때문에 그것을 가장 빨리 중화시키는 방법은 관심을 다른 곳으로 돌리는 것이다. 싸우려고 하지 말고 생각의 채널을 바꾸고 다른 생각에 몰두하라. 이것이 유혹을 이기는 첫번째 단계다.

죄에 대한 전쟁은 우리의 마음속에서 그 승패가 갈린다. 우리의 관심을 끄는 것이 승리할 것이다. 그래서 욥은 "내가 내 눈과 언약을 세웠나니 어찌 처녀에게 주목하랴" (욥 31:1)고 말했고, 다윗은 "내 눈을 돌이켜 허탄한 것을 보지 말게 하시고" (시 119:37)라고 기도했다.

죄에 대한 전쟁은 우리의 마음속에서 그 승패가 갈린다.
우리의 관심을 끄는 것이 승리할 것이다.

텔레비전에서 음식 광고를 보다가 갑자기 배가 고프다고 느낀 적이 있는가? 누군가 기침하는 소리를 듣고 갑자기 당신도 기침을 해야겠다는 생각을 해본 적이 있는가? 다른 사람이 길게 하품하는 것을 보고 갑자기 하품을 하고 싶은 욕구를 느낀 적이 있는가? (어쩌면 지금 이것을 읽으면서 하품을 하고 있을지도 모르겠다) 그것이 생각의 힘이다. 우리는 자연스럽게 우리가 관심을 갖는 쪽으로 움직인다. 무언가에 대해 더 생각하면 할수록 그것은 더 강하게 우리를 붙잡는다.

그래서 "과식하는 것을 그만 두어야 해 … 담배를 끊어야 해 … 정욕을 느끼는 것을 멈춰야 해"라고 반복해서 생각하는 것은 자신을 패배시키는 전략인 것이다. 왜냐하면 그것은 우리가 원하지 않는 것에 초점을 맞추게 하기 때문이다. 마치 "나는 엄마가 한 것처럼 절대 하지 않을 거야"라고 말하는 것이다. 그것은 결국 우리로 하여금 똑같은 일을 반복하게 하는 계기가 된다.

다이어트에 성공하기 어려운 이유는 항상 먹을 것을 생각하기 때문이다. 그러면 당연히 배가 고파진다. 이와 마찬가지로 "떨지 말자!"라고 끊임없이 반복해서 생각하는 연사는 결국 스스로를 떨게 만드는 것이다. 대신 그는 자신의 감정 외의 다른 것에 집중해야 한다. 하나님, 연설의 중요성, 혹은 청중의 필요 등이다.

시험은 우리의 관심을 끄는 것에서부터 시작된다. 우리의 관심을 끄는 것은 우리의 감정을 자극한다. 그리고 그 감정이 행동을 야기시키고, 우리는 느낌대로 행동하게 된다. "나는 이것을 원하지 않아"라고 생각할수록 그것은 더 강하게 우리를 끌어들인다.

시험을 무시하는 것이 그것에 대항해 싸우는 것보다 훨씬 효과적이다. 생각이 다른 곳으로 옮겨가면 시험은 그 힘을 잃는다. 그래서 시험이 전화를 걸면 그와 논쟁하지 말고 수화기를 내려놓으라.

때로는 물리적으로 그 상황을 벗어나는 것을 의미하기도 한다. 이 상황에서는 도망가도 괜찮다. 일어나서 텔레비전을 끄라. 남의 뒷얘기를 하고 있는 무리에서 벗어나라. 영화 중간에 극장을 나오라. 벌에게 쏘이지 않으려면 멀리 떨어져 있으면 된다. 다른 곳으로 관심을 돌리는 데 필요한 것을 무엇이든 해야 한다.

영적으로 우리의 마음은 가장 취약한 기관이다. 시험을 덜 받기 위해서 우리는 마음에 하나님의 말씀과 다른 좋은 생각들을 가득 채워야 한다. 좋은 생각을 함으로써 나쁜 생각들을 누른다. 이것이 대체의 원칙이다. 선으로 악을 극복하는 것이다(롬 12:21). 우리의 관심이 선한 것에 집중되어 있으면 사탄은 우리의 관심을 끌 수 없다. 우리가 이미 다른 생각에 마음을 쏟고 있다면 사탄은 우리의 관심을 끌 수 없다. 그래서 성경은 반복적으로 우리에게 생각의 초점을 맞추라고 말한다. "예수를 깊이 생각하라" (히 3:1). "예수 그리스도를 기억하라" (딤후 2:8). "선하고 찬양받기 합당한 것들로 너희 마음을 채우라. 진실되고 귀하고 올바르고 깨끗하고 사랑스럽고 영광스러운 것들로" (빌 4:8, TEV).

만일 시험을 이기는 문제에 대해 심각하게 고민하고 있다면 마음을 다스리고, 미디어를 통해 무엇을 보고 듣는지 스스로 감시해야 한다. 세상에서 가장 현명한 사람은 이렇게 경고했다. "무릇 지킬 만한 것보다 더욱 네 마음을 지키라 생명의 근원이 이에서 남이니라" (잠 4:23). 무분별하게 쓰레기 같은 생각들이 마음에 들어가지 않게 하라. 취사선택을 해야 한다. 무엇에 대해 생각하는지 신중하게 선택하라. 바울의 모범을 따르라. "모든 생각을 사로잡아 그리스도에게 복종케 하니" (고후 10:5). 평생 연습해야 하는 일이지만 성령의 힘으로 우리는 사고방식을 바꿀 수 있다.

좋은 크리스천 친구나 도와줄 수 있는 그룹과 문제를 나누라

온 세상에 떠벌일 필요는 없지만 적어도 우리가 솔직하게 털어놓을 수 있는 한 사람에게는 이야기할 필요가 있다. 성경은 이렇게 말한다. "두 사람이 한 사람보다 나음은 저희가 수고함으로 좋은 상을 얻을 것임이라 혹시 저희가 넘어지면 하나가 그 동무를 붙들어 일으키려니와 홀로 있어 넘어지고 붙들어 일으킬 자가 없는 자에게는 화가 있으리라" (전 4:9-10).

명확히 하자. 우리는 지금 고질적인 나쁜 습관, 중독, 혹은 유혹과 싸우고 있다. 그리고 우리는 계속 좋은 의도로 시작해 실패하고 그것에 대해 죄의식을 느끼는 것을 반복하고 있다. 절대 이 상황을 혼자서는 극복할 수 없다. 다른 사람들의 도움이 필요하다. 어떤 시험들은 그들을 위해 기도하고, 격려하며, 그들을 믿는 사람의 도움이 있어야만 극복할 수 있다.

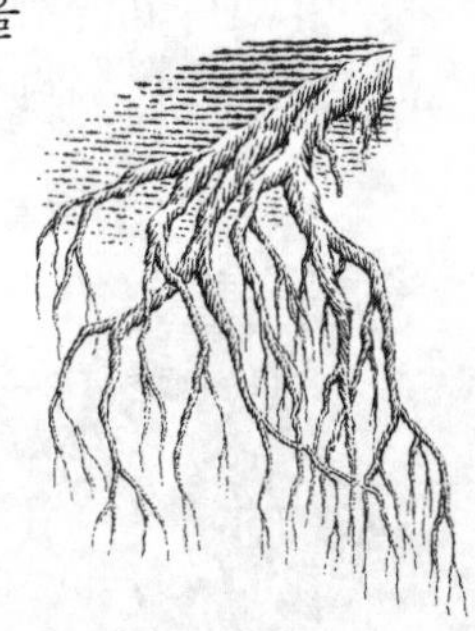

우리를 성장시키고 자유를 누리게 하기 위한 하나님의 계획에는 다른 크리스천들도 포함되어 있다. 진정하고 솔직한 교제는 우리 혼자서 외롭게 싸울 때 절대 움직이려 하지 않는 죄를 대적할 수 있는 것이다. 하나님은 이를 통해서만 우리가 자유로워질 것이라고 말씀하신다. "이러므로 너희 죄를 서로 고하며 병 낫기를 위하여 서로 기도하라 의인의 간구는 역사하는 힘이 많으니라" (약 5:16).

우리를 넘어뜨리는 끊임없는 시험에서부터 정말로 치유받기를 원하는가? 하나님의 해결책은 간단하다. 억누르지 말고 고백하라. 숨기지 말고 표출하라. 감정을 표출하는 것이 치유의 시작이다.

상처를 숨기는 것은 상처를 깊게 할 뿐이다. 문제는 어두운 곳에서 자라고 점점 커진다. 하지만 진리의 빛 가운데로 나오면 그 크기는 줄어든다. 우리는 비밀을 가지고 있는 만큼 아프다. 그러니 가면을 벗고서 완벽한 체하지 말고 자유 가운데로 걸어나오라.

새들백교회에서는 이 원칙에 잠재된 엄청난 힘이 가망 없는 중독증과 계속되는 시험으로부터 사람들을 벗어나게 하는 것을 경험했다. 이는 우리가 회복 축제(Celebrate Recovery)라고 부르는 프로그램을 통해서였다. 이는 예수님의 산상수훈을 바탕으로 한 8단계의 회복 프로그램이고 소그룹을 중심으로 한다. 지난 10년 동안 5,000여 명의 사람들이 온갖 습관과 상처 그리고 중독에서부터 자유로워졌다. 오늘날 이 프로그램은 수천 개의 도시에서 사용되고 있다.

사탄은 우리의 죄와 시험이 독특한 것이기 때문에 우리가 비밀로 지켜야 한다고 생각하기를 바란다. 하지만 우리는 모두 같은 배를 탄 사람들이다. 우리는 모두 같은 시험에 대항하고 있고(고전 10:13), 우리 모두가 다 죄를 지었다(롬 3:23). 수백만 명의 사람들이 지금 우리가 하고 있는 고민을 했고, 지금 우리가 겪고 있는 일들을 똑같이 겪었다.

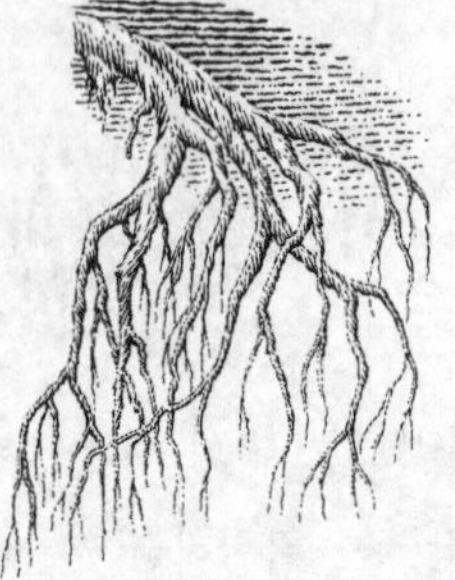

우리가 잘못을 숨기려고 하는 이유는 자만심 때문이다. 우리는 모든 것을 잘 통제하고 있는 것처럼 사람들에게 보이고 싶어한다. 하지만 사실은, 우리가 사람들에게 얘기하지 못하는 부분들은 이미 통제 불능의 상태에 있는 것이다. 재정, 결혼, 자녀, 생각, 성(性), 비밀스러운 습관이나 그 밖의 문제들이 있다. 만일 우리가 이 모두를 혼자 해결할 수 있었다면 아마 이미 그렇게 했을 것이다. 하지만 그렇게 할 수 없다. 의지력과 개인적인 결심으로는 충분하지 않다.

어떤 문제들은 너무 뿌리가 깊고 습관적이고, 혼자 해결하기에는 너무 크다. 우리를 격려하고 지원하고, 우리를 위해 기도하며, 조건 없이 우리를 사랑하고 믿어줄 소그룹이나 믿을 만한 파트너가 필요하다. 그리고 당신도 그들에게 똑같이 베풀어줄 수 있다.

누군가가 나에게 "이 얘기 아무에게도 안 했는데"라고 말을 시작하면 나는 그 사람에 대해 흥분한다. 왜냐하면 나는 그가 곧 위안과 자유함을 경험하게 될 것임을 알기 때문이다. 그를 조이던 압력 밸브는 느슨해지고, 미래에 대한 작은 희망도 보이게 될 것이다. 그것은 하나님이 말씀하시는 대로, 우리의 고통을 좋은 크리스천 친구와 나눌 때 항상 일어난다.

한 가지 곤란한 질문을 던지고 싶다. 문제가 아닌 척 숨기고 있는 것이 무엇인가? 무엇에 대해서 이야기하는 것이 두려운가? 혼자서는 해결하지 못한다. 우리의 연약함을 다른 사람에게 보이는 것이 초라하게 느껴지기도 한다. 하지만 겸손하지 않으면 우리는 나아질 수 없다. 성경은 이렇게 말한다. "그러나 더욱 큰 은혜를 주시나니 그러므로 일렀으되 하나님이 교만한 자를 물리치시고 겸손한 자에게 은혜를 주신다 하였느니라 그런즉 너희는 하나님께 순복할지어다 마귀를 대적하라 그리하면 너희를 피하리라" (약 4:6-7).

악에 대항하라

우리가 스스로를 낮추고 하나님의 도움을 받은 후에는 악에 대항하라고 하나님은 말씀하신다. 야고보서 4장 7절의 후반부에 이렇게 쓰여 있다. "마귀를 대적하라 그리하면 너희를 피하리라." 우리는 사탄의 공격에 수동적으로 우리 자신을 맡겨서는 안 된다. 대항해 싸워야 한다.

신약에서는 크리스천들의 삶을 때때로 악한 세력에 대한 영적 전쟁으로 묘사한다. 그리고 싸우다, 정복하다, 겨루다, 극복하다와 같은 전쟁 용어를 사용한다. 크리스천들은 때때로 적진에서 근무하는 병사에 비유되기도 한다.

우리는 어떻게 마귀에게 대항할 수 있는가? 바울은 이렇게 말한다. "구원의 투구와 성령의 검 곧 하나님의 말씀을 가지라" (엡 6:17). 하나님의 구원을 받아들이는 것이 첫 단계다. 그리스도께 '네' 라고 대답하지 않는 이상 마귀에게 '아니' 라고 말할 수 없다. 그리스도 없이 우리는 악에 대항할 수 없다. 하지만 '구원의 투구' 를 쓰면 우리의 생각은 하나님이 보호하신다. 이것을 기억하라. 만일 우리가 하나님을 믿는다면 사탄은 우리에게 아무것도 강요할 수 없다. 단지 제안할 뿐이다.

둘째, 우리는 하나님의 말씀을 무기로 삼아야 한다. 예수님은 광야에서 사탄의 시험을 받으셨을 때 그렇게 하셨다. 사탄이 시험할 때마다 예수님은 성경 구절을 인용하여 대항하셨다. 사탄과 논쟁하지 않으셨다. 그분은 개인적인 필요를 충족하기 위해 당신의 권세를 사용하라는 시험에 직면했을 때 "나는 배가 고프지 않다"라고 말씀하지 않으셨다. 그분은 성경 구절을 인용하셨을 뿐이다. 우리도 이와 같이 해야 한다. 하나님의 말씀에는 힘이 있고 사탄은 이를 두려워한다.

악마와 논쟁하려 하지 말라. 그는 우리보다 논쟁에 능하고 수천 년 동안 그 연습을 해왔다. 우리는 논리나 스스로의 생각으로 사탄을 이길 수 없지만, 그를 두려움에 떨게 하는 무기인 하나님의 진리를 사용할 수 있다. 그래서 시험을 이기기 위해 성경 구절을 암기하는 것이 절대적으로 필요하다. 예수님이 그러셨듯이 마음에 그 진리를 담고 있어 항상 기억해낼 준비가 되어 있어야 한다.

악마와 논쟁하려 하지 말라. 그는 우리보다 논쟁에 능하고 수천 년 동안 그 연습을 해왔다.

만일 성경 구절들을 암기하지 않는다면 이는 총알 없는 총일뿐이다. 앞으로 남은 평생 동안 일주일에 한 구절씩 암기할 것을 제안한다. 얼마나 더 강력해질지 한 번 상상해보라.

약점을 깨달으라

하나님은 우리에게 자만하거나 스스로를 과신하지 말라고 경고하신다. 그것은 재앙을 부르기 때문이다. 예레미야는 말한다. "만물보다 거짓되고 심히 부패한 것은 마음이라" (렘 17:9). 그것은 우리가 스스로를 속이는 것에 능숙하다는 의미다. 상황만 주어진다면 우리는 누구나 죄를 지을 수 있다. 절대 경계를 늦추지 말고 우리가 시험을 뛰어넘을 수 없음을 생각해야 한다.

스스로를 시험당하기 쉬운 상황에 처하게 하지 말라(잠 14:16). 그 상황을 피하라. 시험을 피하는 것이 시험에서 벗어나는 것보다 쉽다는 것을 기억하라. 성경은 이렇게 말한다. "지나치게 순진하거나 스스로를 과신하지 말라. 너희도 예외는 아니다. 다른 사람 만큼이나 쉽게 넘어질 수 있다. 자신감은 잊어버리라. 아무 소용 없다. 하나님에 대한 신뢰를 키우라"(고전 10:12, Msg).

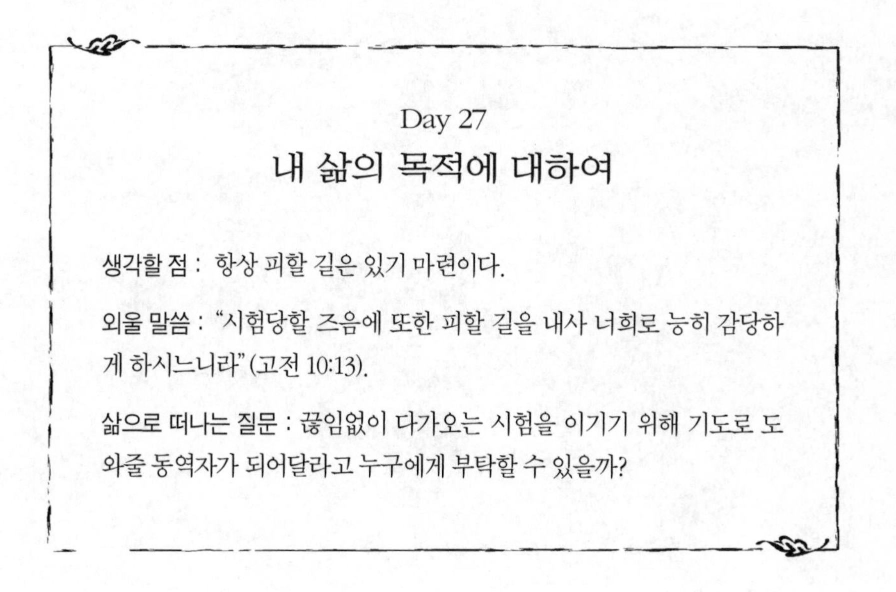

Day 27
내 삶의 목적에 대하여

생각할 점 : 항상 피할 길은 있기 마련이다.

외울 말씀 : "시험당할 즈음에 또한 피할 길을 내사 너희로 능히 감당하게 하시느니라"(고전 10:13).

삶으로 떠나는 질문 : 끊임없이 다가오는 시험을 이기기 위해 기도로 도와줄 동역자가 되어달라고 누구에게 부탁할 수 있을까?

28

시간이 필요하다

"천하에 범사가 기한이 있고 모든 목적이 이룰 때가 있나니"
(전 3:1).

"너희 속에 착한 일을 시작하신 이가
그리스도 예수의 날까지 이루실 줄을
우리가 확신하노라"
(빌 1:6).

성숙을 위한 지름길은 없다.

자라서 성인이 되는 것은 몇십 년이 걸리는 일이고, 과일이 자라서 익는 데도 한 계절이 걸린다. 그리스도를 닮아가는 성품의 개발도 한꺼번에 이루어질 수 없다. 영적인 성장은 육체의 성장과 마찬가지로 시간이 걸린다.

과일을 인위적으로 빨리 익게 하면 그 맛이 떨어진다. 미국에서는 소매점까지 운반하는 과정에서 외관이 상하지 않게 하려고 토마토를 익기 전에 딴다. 그리고 팔기 전에 초록색 토마토에 이산화탄소 기체를 뿌려 바로 빨간색이 되게 한다. 이렇게 처리된 토마토는 먹을 수는 있지만 줄기에 달려 천천히 익은 토마토의 맛에는 한참 못 미친다.

우리가 얼마나 빨리 자랄 것인가를 걱정하는 동안, 하나님은 우리가 얼마나 강하게 자랄 것인가를 걱정하신다. 하나님은 우리의 삶을 영생의 관점에

우리가 얼마나 빨리 자랄 것인가를 걱정하는 동안,
하나님은 우리가 얼마나 강하게 자랄 것인가를 걱정하신다.

서 바라보시고 절대 서두르지 않으신다.

레인 아담스(Lane Adams)는 영적인 성장 과정을 제 2차 세계대전 당시 연합군이 남태평양 지역의 섬들을 해방시키기 위해 사용했던 전략에 비교한다. 먼저 앞바다에 있는 배에서 폭탄을 쏘아 적의 요새를 무너뜨리고 방어력을 약화시켜 섬의 방어 체제를 흔들어놓는다. 그후에 소규모의 해병대원들이 상륙하여 교두보를 세운다. 이 교두보는 연합군이 통제할 수 있는 섬의 작은 지역이다. 이 교두보가 확보되면 그들은 나머지 섬을 해방시키기 위한 긴 과정을 수행하게 된다. 한 번에 조금씩. 결국 많은 대가를 치르지 않고도 섬 전체를 정복하게 된다.

아담스는 이러한 비교를 했다. 그리스도가 전환기를 통해 우리의 삶에 들어오시기 전에, 우리에게 감당하기 어려운 문제들을 줌으로써 우리를 약화시켜야 하는 경우가 있다. 첫 노크에 문을 여는 사람이 있는 반면, 대부분의 사람들은 저항하고 방어한다. 우리가 변화하기 전 단계는 예수님이 "내가 지금 네 마음의 문 앞에 서서 두드리고 있다"라고 말씀하시는 것을 듣는 것이다.

그리스도께 마음을 여는 순간 하나님은 우리 삶에서 교두보를 확보하시는 것이다. 삶 전부를 드렸다고 생각할지 모르지만, 사실 우리의 삶에는 우리가 인식하지 못하고 있는 많은 부분들이 있다. 그 순간 우리가 이해하고 있는 만큼만 하나님께 드릴 수 있다. 그래도 괜찮다. 그리스도가 교두보를 세우신 순간, 그분은 우리의 삶을 완전히 정복하실 때까지 영토를 조금씩 늘려가기 시작하신다. 고통과 전쟁이 따르겠지만, 결과는 의심의 여지가 없다. 하나님은 "너희 속에 착한 일을 시작하신 이가 그리스도 예수의 날까지 이루실 줄을 우리가 확신하노라"(빌 1:6)고 약속하셨다.

제자도는 그리스도를 닮아가는 과정이다. 성경은 이렇게 말한다. "우리가 다 하나님의 아들을 믿는 것과 아는 일에 하나가 되어 온전한 사람을 이루어 그리스도의 장성한 분량이 충만한 데까지 이르리니"(엡 4:13). 그리스도를 닮는 것은 결국 우리가 도착하게 될 목적지다. 하지만 우리의 여정은 평생 계속 될 것이다. 지금까지 우리는 이 여정이 예배를 통해 믿고, 교제를 통해 하나님께 속하며, 제자도를 통해 그리스도와 같이 되는 것을 포함하고 있음을 알았다. 하나님은 매일 우리가 조금 더 하나님을 닮아가기 바라신다. "새 사람을 입었으니 이는 자기를 창조하신 자의 형상을 좇아 지식에까지 새롭게 하심을 받는 자니라"(골 3:10).

오늘날 우리는 속도에 집착한다. 하지만 하나님은 속도보다는 강도와 안정성에 더 관심을 두신다. 우리는 빠르게 변하고, 지름길로 가며, 그 자리에서 해결책을 찾고 싶어한다. 우리는 즉각적으로 우리의 모든 문제를 해결하고, 모든 유혹을 제거하며, 모든 고통으로부터 우리를 해방시켜줄 말씀, 세미나 그리고 경험을 원한다. 그러나 진정한 성숙은 그 경험이 아무리 강력하고 감동적이라 하더라도 단 한 번의 결과로 이루어지는 것이 아니다. 성장은 점차적으로 이루어진다. 성경은 이렇게 말한다. "우리의 삶은 하나님이 우리의 삶 가운데로 들어오시고 우리가 그를 닮아가면서 점점 밝고 아름다워진다"(고후 3:18, Msg).

왜 그렇게 오래 걸리는가?

하나님은 우리를 즉시 변화시키실 수도 있지만 천천히 발전시키는 방법을 택하셨다. 예수님은 제자들을 키우시는 데 매우 신중하셨다. 하나님이 이스라엘 백성들이 당황하지 않게 하시려고 그들이 '점점(조금씩)'(신 7:22) 약속의 땅을 갖게 하셨듯이, 우리의 삶 속에서도 조금씩 늘려가는 방법을 선호하신다. 변화하고 성장하는 데 왜 그렇게 오랜 시간이 걸리는가? 몇 가지 이유가 있다.

우리는 배우는 데 시간이 많이 걸린다

우리는 무엇을 완전히 이해하기 위해서 40-50번씩 다시 배우곤 한다. 같은 문제가 계속 발생하고 우리는 "또야! 이미 배웠는데!"라고 생각한다. 하지만 하나님은 그렇지 않음을 아신다. 이스라엘의 역사는 우리가 하나님으로부터 배운 교훈을 얼마나 빨리 잊어버리고, 얼마나 빨리 옛 습관으로 돌아가는지를 보여준다. 우리에게는 반복 학습이 필요하다.

우리에게는 잊어야 할 것이 많다

많은 사람들이 몇 년 동안에 걸친 개인적인 문제나 인간 관계의 문제들을 가지고 상담자를 찾아간다. 그리고는 "당신이 저를 고쳐주셔야 합니다. 한 시간밖에 없습니다"라고 이야기한다. 그들은 오래 지속되었고 뿌리가 깊은 어려운 문제에 대해 빠른 해결책을 기대한다. 우리가 가진 대부분의 문제들과 모든 나쁜 습관들이 하룻밤 사이에 만들어진 것이 아니기 때문에 그것들이 순식간에 사라지기를 바라는 것은 비현실적이다. 몇 년에 걸쳐 입은 상처를 한순간에 치유할 수 있는 약도, 기도도, 원칙도 없다. 그 상처를 제거하고 대체하는 데에는 많은 노력이 필요하다. 성경은 그것을 '옛 사람을 벗고' '새 사람을 입는다'(롬 13:12, 엡 4:22-25, 골 3:7-10, 14)라고 표현한다.

우리는 자신에 대한 진실을 겸손히 받아들이기를 두려워한다

나는 앞에서 진리가 우리를 자유케 하기는 하지만, 먼저 우리를 비참하게 만들 수도 있다고 말했었다. 우리가 정직하게 성품의 결점들을 받아들일 때

부딪힐 것들에 대한 두려움 때문에 우리는 계속 부인하면서 살게 된다. 하나님이 우리의 잘못이나 실패 위에 진리의 빛을 비추실 때에만 우리는 그것들을 고칠 노력을 할 수 있다. 그래서 우리는 겸손하지 않거나 배우려 하지 않고는 성장할 수 없다.

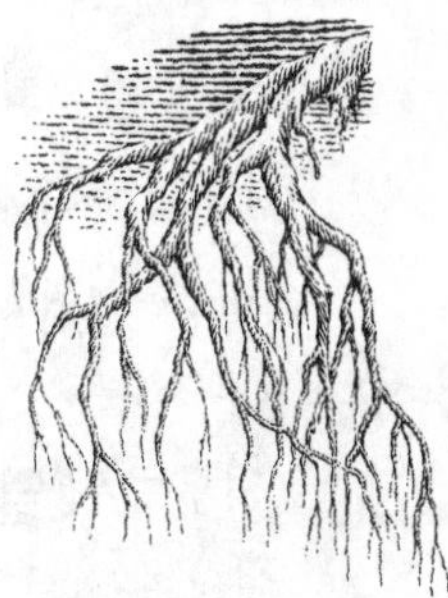

성장하는 것은 두렵고 고통스럽다

변화 없는 성장은 없고, 두려움이나 상실 없는 변화는 없다. 그리고 고통 없는 상실은 없다.

모든 변화에는 상실이 따른다. 새로운 것을 경험하기 위해서는 예전의 방식을 버려야 한다. 우리는 예전의 모습이 자신을 패배하게 만드는 것일지라도 그것을 잃는 것을 두려워한다. 왜냐하면 다 떨어진 신발 한 켤레처럼 그것들은 적어도 편안하고 친숙하기 때문이다.

사람들은 때때로 그들의 결점을 중심으로 정체성을 만들어간다. 우리는 "그건 나다운 거야" "난 원래 그래"라고 말한다. "만일 내가 이 습관이나 상처를 버린다면 나는 누가 되는가"라는 걱정을 무의식적으로 한다. 이 두려움은 당연히 우리의 성장을 더디게 한다.

습관이 자리잡는 데는 시간이 걸린다

우리의 성품이 습관의 종합체라는 사실을 기억하라. 우리가 생각하지 않고도 친절을 베풀 정도로 습관적으로 친절하지 않으면 친절하다고 주장할 수 없다. 항상 정직한 것이 습관이 아닌 이상 정직하다고 주장할 수 없다. 전부가 아닌 대부분의 경우에 부인에게 충실한 남편을 충실하다고 말할 수 없다. 우리의 습관이 우리의 성품을 결정한다.

그리스도의 성품을 닮는 습관을 키우는 방법은 단 한 가지밖에 없다. 계속 연습하는 것이다. 그리고 그것은 시간이 걸린다. 즉각적인 습관이란 것은 없다. 바울은 디모데에게 권고했다. "이 모든 일에 전심 전력하여 너의 진보를 모든 사람에게 나타나게 하라" (딤전 4:15).

만일 우리가 무언가를 계속 연습한다면 결국 그것을 잘하게 된다. 반복은 성품과 기술의 어머니다. 이러한 성품 개발 습관은 때때로 '영성 훈련(spiritual disciplines)' 이라 불린다. 그리고 이에 대해 가르침을 줄 수 있는 책은 많다. 영적인 성장에 관한 추천 도서 목록은 〈부록 2〉를 보라.

서두르지 말라

영적으로 성장하면서 그 과정 속에서 하나님과 협력할 수 있는 방법이 여러 가지 있다.

비록 느끼지 못할지라도 하나님은 우리의 삶에서 일하고 계시다는 사실을 믿으라

영적인 성장은 때로 지루한 일이다. 한 번에 조금씩 나아간다. 점진적인 향상을 기대하라. 성경은 이렇게 말한다. "천하에 범사가 기한이 있고 모든 목적이 이룰 때가 있나니" (전 3:1). 신앙 생활에도 계절이 있다. 때때로 우리는 조금 성장하고(봄), 그 상태를 오래도록 유지하면서 계속 시험을 당할 수도 있다(가을과 겨울).

기적처럼 사라지길 바라는 문제, 습관과 상처들은 어떻게 할 것인가? 기적을 위해 기도하는 것은 좋지만 그 응답이 점진적인 변화이더라도 실망하지 말라. 시간이 지나면 천천히 계속해서 흐르는 물이 가장 단단한 돌을 부수고 큰 돌덩이를 조약돌로 바꾸어놓을 것이다. 시간이 지나면 작은 싹이 10미터가 넘는 큰 삼나무가 되어 있을 것이다.

배운 교훈에 대해 메모를 해놓거나 일기를 써두라

사건을 적는 일기가 아니라 우리가 배우고 있는 것들을 기록하는 것이다. 하나님, 우리 자신, 삶, 관계 그리고 모든 것에 대해 하나님이 보여주신 성찰과 가르쳐주신 삶의 교훈을 모두 적어놓으라. 다시 훑어보고 기억하며 다음 세대에 전달해줄 수 있도록 기록해두라(시 102:18, 딤후 3:14). 우리가 교훈을 다시 배워야 하는 이유는 그것들을 잊어버리기 때문이다. 신앙 일기를 정기적으로 다시 훑어보는 것은 필요 없는 고통과 상처를 피하는 데 도움이 될 것이다. 성경은 이렇게 말한다. "그러므로 모든 들은 것을 우리가 더욱 간절히 삼갈지니 혹 흘러 떠내려갈까 염려하노라"(히 2:1).

하나님과 스스로에 대해 인내심을 가지라. 삶에서 좌절을 느끼는 경우 가운데 하나는 하나님의 시간표가 우리의 것과 일치하지 않기 때문이다. 일의 진행이 느려 보이면 짜증이 날 수도 있다. 하나님은 절대 서두르지 않으시지만 언제나 시간을 정확히 맞추신다는 사실을 기억하라. 그분은 우리가 영원한 세계에서 담당하게 될 역할에 대해 우리를 준비시키시려고 이 땅에서의 삶 전부를 사용하실 것이다.

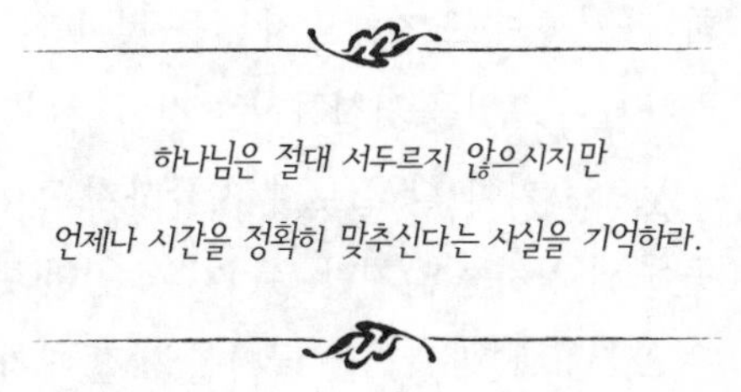
하나님은 절대 서두르지 않으시지만
언제나 시간을 정확히 맞추신다는 사실을 기억하라.

성경에는 하나님이 성품을 개발시키기 위해서, 특히 지도자들을 성장시키기 위해서 긴 과정들을 어떻게 사용하셨는지 잘 보여주는 예들이 있다. 그분은 모세를 준비시키는 데 80년을 사용하셨고, 그 가운데는 광야에서의 40년이 포함되어 있다. 모세는 14,600일 동안 기다리며 "아직 때가 되지 않았나?"를 궁금해했다. 하지만 하나님은 계속 "아직 아니다"라는 대답만 하셨다.

사람들의 주목을 끄는 책 제목들과는 달리 '성숙으로 가는 쉬운 길' 또는

'즉시 거룩한 사람이 되는 비밀' 은 없다. 하나님은 큰 참나무를 만드는 데 100년을 사용하신다. 하지만 버섯은 하룻밤 사이에 만드신다. 위대한 영혼은 고민과 태풍 그리고 고통의 시간을 거쳐 성장한다. 과정에 대해 인내심을 가지라. 야고보는 말한다. "인내를 온전히 이루라 이는 너희로 온전하고 구비하여 조금도 부족함이 없게 하려 함이라" (약 1:4).

낙담하지 말라

하박국 선지자가 하나님이 빠르게 움직이시지 않는 것에 절망하고 있었을 때 하나님은 이렇게 말씀하셨다. "내가 계획한 일들은 바로 일어나지 않을 것이다. 비전이 실현되는 시간은 천천히, 꾸준히, 확실하게 다가온다. 느리게 보여도 절망하지 말라. 이 모든 것이 확실하게 이루어질 것이다. 인내하라! 단 하루도 지체되지 않을 것이다!" (합 2:3, LB). 조금 지연된다고 해서 하나님이 그것을 거절하시는 것이 아니다.

앞으로 가야 할 길보다 지금까지 걸어온 길을 생각하라. 우리가 원하는 곳에 서 있지는 않지만 우리가 서 있던 곳에 있지도 않다. 몇 년 전에 사람들은 PBPGINFWMY라는 글자를 새긴 배지를 달고 다녔다. 이것은 '제발 인내하세요. 하나님은 아직 나에 관한 일을 완성하지 않으셨습니다(Please Be Patient, God Is Not Finished With Me Yet)' 라는 의미였다. 하나님은 우리에 관한 일도 아직 완성하지 않으셨다. 그러니 계속 전진하라. 달팽이는 강한 끈기로 방주에 도착했다.

Day 28

내 삶의 목적에 대하여

생각할 점 : 성숙을 위한 지름길은 없다.

외울 말씀 : "너희 속에 착한 일을 시작하신 이가 그리스도 예수의 날까지 이루실 줄을 우리가 확신하노라" (빌 1:6).

삶으로 떠나는 질문 : 영적인 성장의 어느 부분에 있어서 나는 더 인내하고 끈기를 가져야 하는가?

네번째 목적

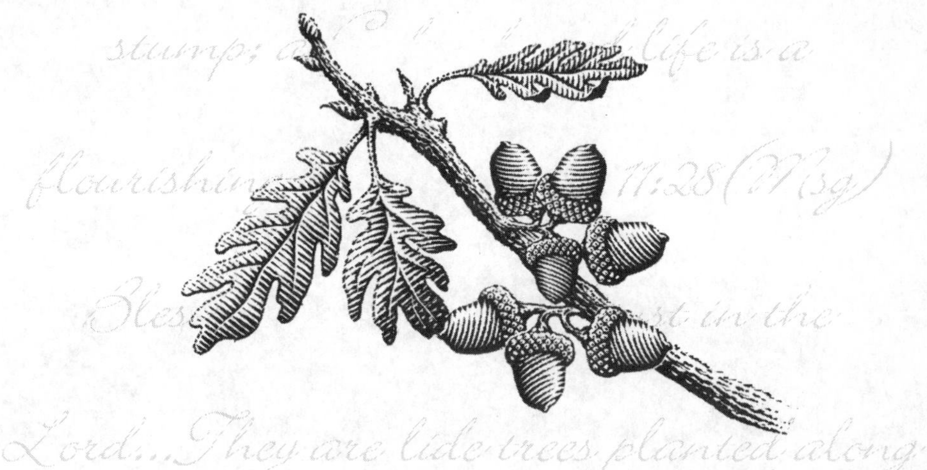

우리는 하나님을 섬기기 위해 지금의 모습으로 지음받았다

"그런즉 아볼로는 무엇이며 바울은 무엇이뇨
저희는 주께서 각각 주신 대로 너희로 하여금 믿게 한 사역자들이니라
나는 심었고 아볼로는 물을 주었으되
오직 하나님은 자라나게 하셨나니"
(고전 3:5-6).

사명을 받아들이기

"우리는 그의 만드신 바라
그리스도 예수 안에서 선한 일을 위하여 지으심을 받은 자니
이 일은 하나님이 전에 예비하사
우리로 그 가운데서 행하게 하려 하심이니라"
(엡 2:10).

"아버지께서 내게 하라고 주신 일을 내가 이루어
아버지를 이 세상에서 영화롭게 하였사오니"
(요 17:4).

우리는 무엇인가에 기여하기 위해서 지음받은 존재다.

우리는 자원을 소비하기 위해 지음받은 것이 아니다. 먹고 숨쉬고 자리를 차지하라고 지어지지 않았다. 하나님은 우리의 삶을 통해 변화를 만들라고 우리를 창조하셨다. 많은 베스트셀러들은 우리가 인생에서 어떻게 하면 가장 많은 것을 얻을 수 있는가에 대해 조언을 하고 있지만, 이것은 결코 하나님이 우리를 이곳에 살게 하시는 이유가 아니다. 이 땅에 지금보다 무엇을 더하기 위해서 존재하는 것이지, 그저 축내기 위해서 있는 것이 아니다. 이것이 우리의 삶을 향한 하나님의 네번째 목적이다. 그리고 그것은 우리의 '사역' 혹은 섬김이라 불린다. 성경은 이에 대해 자세하게 말해준다.

우리는 하나님을 섬기기 위해 지음받았다

성경은 말한다. "우리는 그의 만드신 바라 그리스도 예수 안에서 선한 일을 위하여 지으심을 받은 자니 이 일은 하나님이 전에 예비하사 우리로 그 가운데서 행하게 하려 하심이니라"(엡 2:10). 여기서 '선한 일'이란 우리의 섬김을 말한다. 그러므로 우리가 어떤 식으로든 다른 사람을 섬길 때마다 실제로 우리는 하나님을 섬기는 것이고(골 3:23-24, 마 25:34-45, 엡 6:7), 그럴 때 우리는 하나님이 우리를 만드신 목적대로 살고 있는 것이다. 다음 두 장에서 이러한 목적을 위해 하나님이 어떻게 우리를 신중하게 만드셨는지 살펴볼 것이다. 하나님이 예레미야에게 하신 말씀은 우리에게도 진실이다. "내가 너를 복중에 짓기 전에 너를 알았고 네가 태에서 나오기 전에 너를 구별하였고 너를 열방의 선지자로 세웠노라 하시기로"(렘 1:5). 우리는 특별한 과제를 안고 이 땅에 보내졌다.

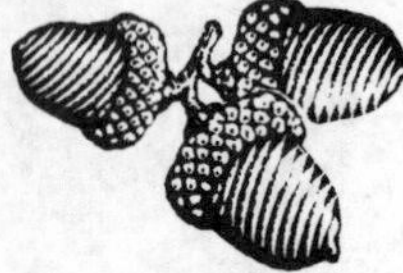

우리는 하나님을 섬기기 위해 구원받았다

성경은 말한다. "하나님이 우리를 구원하사 거룩하신 부르심으로 부르심은 우리의 행위대로 하심이 아니요 오직 자기 뜻과 영원한 때 전부터 그리스도 예수 안에서 우리에게 주신 은혜대로 하심이라"(딤후 1:9). 하나님은 당신의 '거룩한 일'을 하기 위한 목적으로 우리를 구원하셨는데 이 말은 섬김을 통해 우리가 구원받은 것이 아니라, 섬김을 위해 구원받았다는 뜻이다. 하나님나라에서는 우리만의 위치, 목적, 역할, 기능이 있고 이것을 감당할 때 우리의 삶은 의미와 가치를 갖게 된다.

우리를 구하시려고 예수님은 당신의 생명을 대가로 지불하셨다. 성경은 "값으로 산 것이 되었으니 그런즉 너희 몸으로 하나님께 영광을 돌리라"(고전 6:20)고 우리에게 상기시켜주고 있다. 그렇기 때문에 우리는 하나님을 죄책감, 두려움, 의무감으로 섬겨야 하는 것이 아니라 하나님이 우리를 위해 하신 일에 대한 깊은 감사와 기쁨으로 섬겨야 하는 것이다. 우리는 우리의 삶을 그분에게 빚졌다. 구원을 통하여 우리의 과거는 용서받았고, 현재의 삶에는 새로운 의미가 부여되었으며, 미래에 대한 확실한 보장을 받았다. 그래서 이 엄청난 혜택을 생각하며 바울은 "그러므로 형제들아 내가 하나님의 모든 자비하심으로 너희를 권하노니 너희 몸을 하나님이 기뻐하시는 거룩한 산 제사로 드리라 이는 너희의 드릴 영적 예배니라"(롬 12:1)고 결론짓고 있다.

사도 요한은 우리가 다른 사람을 사랑으로 섬기는 것이 우리가 진실로 구원받은 사람임을 보여준다고 가르쳐준다. 그는 말한다. "우리가 형제를 사랑함으로 사망에서 옮겨 생명으로 들어간 줄을 알거니와 사랑치 아니하는 자는 사망에 거하느니라"(요일 3:14). 만약 내게 다른 사람을 사랑하는 마음이 없고, 다른 사람을 섬기고 싶은 마음도 없으며, 오직 내 일에만 신경을 쓴다면 정말 예수님이 내 삶 속에 계시는 것인가 반문해보아야만 한다. 구원받은 자의 마음은 다른 사람을 섬기고 싶어하는 마음이기 때문이다.

만약 내게 다른 사람을 사랑하는 마음이 없고,
다른 사람을 섬기고 싶은 마음도 없다면,
예수님이 내 삶 속에 계시는 것인가 반문해보아야만 한다.

'하나님을 섬기다' 라는 말을 사역(ministry)이라는 말로 표현할 수 있는데 이 말에 대해 많은 사람들이 잘못 이해하고 있다. 대부분의 사람들이 '사역' 이라는 말을 들으면 목사, 신부, 전문 사역자 등을 연상하지만, 실은 모든 하나님의 가족은 사역자라고 하나님은 말씀하신다. 성경에서는 '섬김' 과 '사역' 그리고 '종' 과 '사역자' 라는 단어가 동의어로 사용되고 있다. 즉 우리가 크리스천이라면 바로 우리가 사역자요, 우리가 누군가를 섬기고 있다면 우리는 사역을 하고 있는 것이다.

병상에 있던 베드로의 장모가 예수님으로부터 고침을 받았을 때, 그녀가 즉시 되찾은 건강의 선물을 가지고 "일어나서 예수께 수종들기" (마 8:15) 시작한 것과 같이 우리도 해야 한다. 우리는 다른 사람을 섬기기 위해서 고침을 받은 것이고, 다른 사람을 축복하기 위해서 복을 받은 것이다. 그저 빈둥거리며 천국에 들어가기 위해서 기다리는 것이 아니라, 다른 사람을 섬기기 위해 구원받은 것이다.

우리가 하나님의 은혜를 받은 순간 왜 하나님은 우리를 천국으로 즉시 데리고 가지 않으셨을까? 왜 하나님이 이 죄악된 세상에 우리를 놓아두셨을까? 이런 질문을 해본 적이 있는가? 답은 이것이다. 하나님이 우리를 이 세상에 남겨두신 이유는 그분이 목적하신 것들을 이루시기 위해서다. 우리가 구원받은 순간부터 하나님은 이와 같은 일을 하시기 위해 우리를 사용하신다. 하나님은 우리가 당신의 교회 안에서 해야 할 사역과 우리가 세상 속에서 해야 할 사명을 갖고 계신다.

우리는 하나님을 섬기기 위해 부름받았다

크리스천으로 성장하면서 우리는 '하나님으로부터 부름받았다' 라고 할 때 선교사나 목사, 수녀 아니면 '풀타임' 교회 사역자를 생각해왔지만, 성경은 모든 크리스천이 섬김을 위해 부름받은 자(엡 4:4-14, 참고 - 롬 1:6-7, 8:28-30, 고전 1:2, 9, 26, 7:17, 빌 3:14, 벧전 2:9, 벧후 1:3)라고 말하고 있다. 구원을 위한 부르심에는 섬김을 위한 부르심이 포함된다. 직업과 직종에 상관없이 우리는 풀타임 크리스천 사역자로 부르심을 받았고, 그래서 '섬기지 않는 크리스천' 이란 말은 의미 자체가 성립이 되지 않는다.

성경은 말한다. "하나님이 우리를 구원하시고 부르신 것은 우리가 무엇을 해서가 아니라 하나님의 목적을 이루기 위해서다" (딤후 1:9, TEV). 베드로는 이에 덧붙여 말한다. "오직 너희는 택하신 족속이요 왕 같은 제사장들이요 거룩한 나라요 그의 소유된 백성이니 이는 너희를 어두운 데서 불러 내어 그의 기이한 빛에 들어가게 하신 자의 아름다운 덕을 선전하게 하려 하심이라"(벧전 2:9). 하나님이 우리에게 주신 능력으로 다른 사람을 도울 때, 우리는 하나님이 우리를 부르신 그 목적을 이루고 있는 것이다.

성경은 말한다. "내 형제 자매 여러분, 이와 같이 여러분들도 그리스도의 몸으로 말미암아 율법에 대해 죽었습니다. 이제 여러분은 하나님께 열매를 맺기 위해 다른 분, 곧 죽은 사람들 가운데서 살아나신 그분의 사람이 되었습니다"(롬 7:4, 쉬운성경). 그렇다면 우리는 하나님을 섬기는 일에 우리의 시간 중 얼만큼을 사용하고 있는가? 중국의 몇몇 교회들은 새신자를 환영하면서 이런 말을 한다고 한다. "지금 예수님은 볼 수 있는 새로운 두 눈, 들을 수 있는 새로운 두 귀, 도울 수 있는 새로운 두 손과 다른 사람을 사랑할 수 있는 새로운 하나의 심장을 가지셨다."

우리가 교회라는 가족 공동체에 연결되어야 하는 한 가지 이유는 우리가 실제적인 방법으로 다른 성도를 섬김으로써 우리가 부름받은 목적을 이루기 때문이다. 성경은 말한다. "너희는 그리스도의 몸이요 지체의 각 부분이라"(고전 12:27). 교회에서 우리의 섬김을 요청하는 것처럼 그리스도의 몸을 이루기 위해서 우리의 섬김은 절대적으로 필요하다. 우리 각자에게는 해야 할 역할이 있고 그리고 각 역할은 모두 중요하다. 하찮은 섬김이란 없다. 모든 섬김이 다 중요하다.

마찬가지로, 교회 안에서 중요하지 않은 사역은 없다. 물론 어떤 사역들은 눈에 잘 드러나고 어떤 사역들은 보이지 않지만 모든 사역이 다 귀하다. 조그맣고, 보이지 않는 사역이 때때로 큰 역할을 감당한다. 우리 집에서 가장 중요한 전등은 거실에 있는 커다란 샹들리에가 아니라, 밤중에 자다가 일어났을 때 무언가에 발이 걸려 넘어지지 않기 위해 켜는 작은 전등이다. 크기와 가치 사이에는 아무런 관계가 없다. 일이 이루어지기 위해서는 우리가 서로 의지해야 하기 때문에 모든 사역이 중요하다.

만약 우리 몸의 한 부분이 기능을 발휘하지 못할 경우 무슨 일이 일어나는가? 몸이 아플 것이다. 몸의 다른 부분도 고통을 받는 것이다. 만약 우리 몸 안의 간이 자신을 위해서만 기능한다고 가정해보자. "너무 피곤해. 그래서 더 이상 몸을 위해서 봉사할 수 없어. 일 년 동안 먹기만 하고 푹 쉬고 싶어. 나에게 가장 좋은 일만 하겠어! 내가 할 일은 다른 기관에게 맡겨야지." 무슨 일이 일어나겠는가? 우리 몸은 죽게 될 것이다. 마찬가지로 오늘날 크리스천들이 그들이 속한 교회에서 섬기지 않기 때문에 수천 교회가 죽어가고 있다. 경기장 밖에서 구경하는 사람같이 앉아만 있기 때문에 그리스도의 몸인 교회가 죽어가고 있는 것이다.

우리는 하나님을 섬기라는 명령을 받았다

예수님은 이 문제에 대해 명백하셨다. "인자가 온 것은 섬김을 받으려 함이 아니라 도리어 섬기려 하고 자기 목숨을 많은 사람의 대속물로 주려 함이니라"(마 20:28). 크리스천에게 섬김이란 시간이 남으면 스케줄에 끼워넣어서 하는 선택 사항이 아니다. 섬김은 크리스천 삶의 핵심이다. 예수님은 '섬기고' '주러' 오셨다. 그래서 이 두 동사가 우리가 지구상에서 살 동안 우리의 삶을 정의하는 것이 되어야 한다. 섬기는 것과 주는 것은 우리의 삶을 향한 하나님의 네번째 목적이다. 테레사 수녀(Mother Teresa)는 이렇게 말했다. "거룩한 삶은 미소를 띠고 하나님의 일을 하는 것 안에 있다."

예수님은 영적으로 성숙한다는 것이 성숙을 위한 성숙이 되어서는 안 된다고 가르치셨다. 성숙이란 바로 사역이라고 하셨다. 우리는 베풀기 위해 성장한다. 그러므로 계속 배우는 것으로만 끝나면 충분하지 않다. 우리는 우리가 아는 것을 행동으로 옮겨야 하며, 믿는다고 주장하는 것을 실천해야 한다. 표현되지 않는 느낌은 우리를 의기소침하게 할 뿐이다. 섬김 없는 연구는 영적인 침체로 이끌 뿐이다. 예전부터 잘 알려진 갈릴리 호수와 사해의 비교는 아직까지도 우리에게 교훈을 준다. 갈릴리 호수는 물을 받아들이기도 하지만 내보내기도 하기 때문에 생명력이 풍부한 장소로 남아 있지만, 사해는 밖으로 물을 내보내지 않고 받아들이기만 하기 때문에 아무 생물도 살지 못하는 죽은 호수가 되었다.

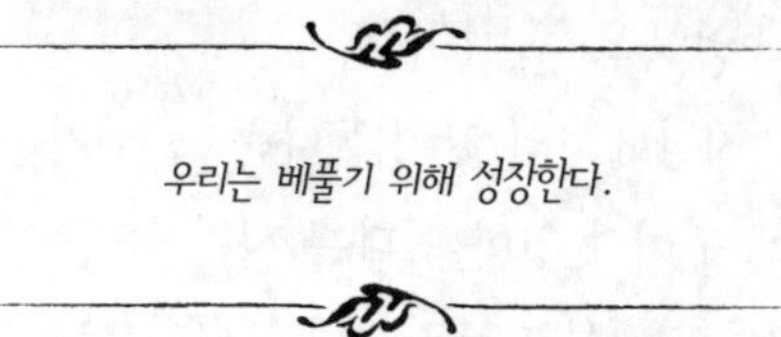

많은 크리스천들에게 있어서 꼭 해야 하는 일 가운데 가장 마지막이 성경공부에 참석하는 것이다. 그러나 그들은 이미 그들이 실천에 옮기는 것보다 더 많은 것을 알고 있다. 따라서 그들에게 필요한 것은 섬김의 경험을 통해 그들의 영적 근육을 훈련시키는 것이다.

섬김은 인간적인 본능과는 정반대의 것이다. 대부분의 시간을 우리는 섬기는 것보다 '섬김을 받는' 것에 더 많은 관심을 갖는다. 그래서 우리는 "나는 다른 사람을 섬기고 복을 베풀 수 있는 곳을 찾고 있어"라고 말하지 않고 "나는 나의 필요를 채워주고 복을 받을 수 있는 교회를 찾고 있어"라고 말하는 것이다. 우리는 다른 사람이 우리를 섬길 것을 기대하지 그 반대를 기대하지 않는다. 그러나 우리가 예수님 안에서 성숙함에 따라 우리의 관심은 점차적으로 섬김의 삶을 사는 모습으로 변화되어야 한다. 예수님을 따르는 성숙한 사람은 "나의 필요를 누가 채워줄까"라는 질문은 더 이상 하지 않고 "내가 누구의 필요를 채워줄 수 있을까?"라고 묻기 시작한다. 당신은 그런 질문을 해본 적이 있는가?

영생을 준비하기

지상에서의 삶이 끝나는 날 우리는 하나님 앞에 설 것이다. 그때 하나님은 우리가 얼마나 다른 사람을 잘 섬겼느냐에 따라 우리의 삶을 평가하실 것이다. 성경은 말한다. "이러므로 우리 각인이 자기 일을 하나님께 직고하리라" (롬 14:12). 그 영향력에 대해 생각해보라. 언젠가 하나님은 우리가 우리 자신을 위해서 쓴 시간, 에너지와 다른 사람을 위해서 쓴 것을 비교하실 것이다.

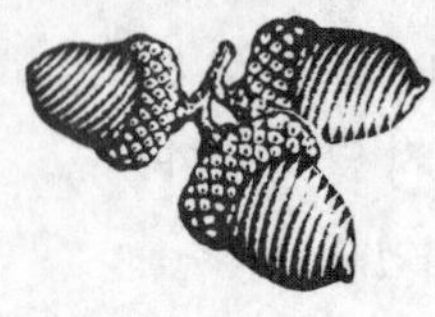

그때 우리의 자기 중심적인 모든 변명은 공허하게 들릴 것이다. "저는 너무 바쁜 인생을 살았어요." "제겐 제 인생의 목표가 있었어요." "일하느라, 즐기느라, 은퇴를 준비하느라 정신이 없었어요." 이 모든 변명에 대해 하나님은 말씀하실 것이다. "그것은 틀린 답이다. 내가 너를 창조하였고, 구원하였고, 불렀으며, 섬김의 삶을 살라고 명령했는데 어떤 부분을 이해하지 못했다는 것이냐?" 성경은 믿지 않는 사람들에게 경고한다. "오직 당을 지어 진리를 좇지 아니하고 불의를 좇는 자에게는 노와 분으로 하시리라" (롬 2:8). 또한 그것은 크리스천에게는 영원한 상급을 잃어버릴 것을 의미하는 것이다.

우리는 다른 사람을 도울 때만이 비로서 풍성한 삶을 누린다. 예수님은 말씀하셨다. "누구든지 제 목숨을 구원코자 하면 잃을 것이요 누구든지 나와 복음을 위하여 제 목숨을 잃으면 구원하리라" (막 8:35, 참고 - 마 10:39, 16:25, 눅 9:24, 17:33). 이 진리는 너무나 중요해서 복음서에서 다섯 번이나 거듭 언급되고 있다. 만일 우리가 섬기지 않고 있다면 우리는 그저 존재하고 있을 뿐이다. 왜냐하면 삶은 사역을 하도록 주어졌기 때문이다. 하나님은 우리가 이타적으로 다른 사람을 사랑하고 섬기는 것을 배우기 원하신다.

섬김과 의미

우리는 우리의 삶을 무엇인가를 위해 내놓을 것이다. 그것이 무엇이 될 것인가? 직장? 스포츠? 취미? 명성? 부? 그 어떤 것도 영원한 의미를 지니지 못한다. 섬김은 진정한 의미로 나아가는 통로다. 사역을 통해 우리는 우리의 삶의 의미를 발견할 수 있다. 성경은 말한다. "이와 같이 우리 많은 사람이 그리스도 안에서 한 몸이 되어 서로 지체가 되었느니라"(롬 12:5). 우리가 하나님의 가족 안에서 서로 섬길 때 우리의 삶은 영원한 중요성을 갖게 된다. 바울은 이렇게 말한다. "몸은 한 지체 뿐이 아니요 여럿이니… 만일 다 한 지체뿐이면 몸은 어디뇨"(고전 12:14, 19).

하나님은 세상을 변화시키기 위해 우리를 사용하기 원하신다. 하나님은 우리를 통해 일하기 원하신다. 정말로 중요한 것은 우리가 이 땅에서 얼마나 오래 사느냐가 아니라, 삶을 베풀며 사느냐이다. 얼마나 오래(how long) 살았느냐가 아니라 어떻게(how) 사느냐이다.

지금 아무 사역이나 봉사를 하지 않고 있다면 어떤 핑계를 대면서 아무 봉사도 하고 있지 않은지 생각해보아야 한다. 아브라함은 노인이었고, 야곱은 불안한 상황에 있었으며, 레아는 예쁘지 않았고, 요셉은 매도되었으며, 모세는 말더듬이였고, 기드온은 가난하였으며, 삼손은 의존적이었고, 라합은 부도덕했으며, 다윗은 간음했을 뿐 아니라 온갖 가정 문제를 갖고 있었으며, 엘리야는 자살을 생각했었고, 요나는 마지못해 하는 사람이었으며, 나오미는 과부였고, 세례 요한은 괴팍한 행동의 소유자였으며, 베드로는 즉흥적이고 성격이 급한 불같았으며, 마르다는 늘 걱정이 많았고, 사마리아 여인은 여러 차례 결혼 생활에 실패했으며, 삭개오는 사회에서 따돌림당하였고, 도마는 의심이 많았으며, 바울은 건강의 문제가 있었고, 디모데는 마음이 연약했다.

그들 모두 다 여러 가지 실패와 약점을 가지고 있었지만 하나님은 그들 모두를 하나님의 사역에 쓰셨다. 마찬가지로 하나님은 우리가 더 이상 핑계 대지 않는다면 우리 또한 들어 쓰실 것이다.

Day 29

내 삶의 목적에 대하여

생각할 점 : 섬김은 선택 사항이 아니다.

외울 말씀 : "우리는 그의 만드신 바라 그리스도 예수 안에서 선한 일을 위하여 지으심을 받은 자니 이 일은 하나님이 전에 예비하사 우리로 그 가운데서 행하게 하려 하심이니라" (엡 2:10).

삶으로 떠나는 질문 : 나로 하여금 하나님을 섬기라는 부르심을 받아들이지 못하게 막는 것은 무엇인가?

30

하나님을 섬기기 위해 지금의 모습으로 지음받았다

"주의 손으로 나를 만드사
백체를 이루셨거늘"
(욥 10:8).

"이 백성은 내가 나를 위하여 지었나니
나의 찬송을 부르게 하려 함이니라"
(사 43:21).

우리는 하나님을 섬기기 위해 지금의 모습으로 지음받았다.

하나님은 지구상의 모든 피조물을 만드실 때 저마다 특별한 재능을 주셨다. 어떤 동물들은 잘 뛰고, 어떤 동물들은 껑충껑충 뛰며, 수영을 하고, 땅에 굴을 파고 살며, 날기도 한다. 하나님이 지으신 모양에 근거해 각 피조물들은 나름대로의 역할을 수행하고 있다. 이 진리는 사람에게도 적용된다. 우리 각자는 다 독특한 모양으로 디자인되었거나 아니면 특정한 일을 하기 위한 모습으로 지어졌다.

건축가는 새 건물을 디자인하기 전에 먼저 "이 건물의 목적이 무엇입니까? 어떤 용도에 쓰여질 건물입니까?" 등의 질문을 한다. 계획하고 있는 건물의 기능이 건물의 모양을 결정짓는 것이다. 마찬가지로 하나님이 우리를 창조하시기 전 하나님은 우리가 이 땅에서 어떠한 역할을 감당해야 할 것인가를 결정하셨다. 우리가 어떻게 하나님을 섬길 것인가에 대해서 정확히 계획하셨고, 그리고 그 임무를 수행할 수 있도록 우리의 모습을 만드셨다. 하나님은 우리만이 할 수 있는 특별한 사역을 위해서 현재의 모습을 가진 우리를 만드신 것이다.

성경은 "우리는 그의 만드신 바라 그리스도 예수 안에서 선한 일을 위하여 지으심을 받은 자니(We are God's workmanship, created in Christ Jesus to do good works - NIV)" (엡 2:10)라고 말하고 있다. 영어의 시(poem)라는 단어는 헬라어의 '작품(workmanship)' 이란 말에서 유래되었다. 즉 우리는 하나님이 당신의 손으로 만드신 예술 작품이라는 뜻이다. 공장에서 조립되어 나오는 똑같은 물건이 아니고, 세상에 하나밖에 존재하지 않는 맞춤형 진품, 명품인 것이다.

하나님은 우리만이 할 수 있는 독특한 사역으로 당신을 섬기게 하시려는 의도를 가지고 우리의 모습을 만드셨다. 하나님은 우리를 구성하고 있는 유전자 하나하나를 조심스럽게 조합하셨다. 다윗은 하나님이 믿을 수 없을 만큼 세심한 부분까지 배려하신 것을 보며 이렇게 찬양했다. "주께서 내 장부를 지으시며 나의 모태에서 나를 조직하셨나이다 내가 주께 감사하옴은 나를 지으심이 신묘 막측하심이라 주의 행사가 기이함을 내 영혼이 잘 아나이다" (시 139:13-14). 에델 워터스(Ethel Waters)의 말처럼 하나님은 필요 없는 쓰레기를 만들지 않으셨다.

하나님은 우리가 태어나기 전에 우리의 모습을 지으셨을 뿐만 아니라 우리를 지으신 그 목적을 위해 우리의 하루하루의 삶도 계획하셨다. 다윗은 계속해서 찬양한다. "내 형질이 이루기 전에 주의 눈이 보셨으며 나를 위하여 정한 날이 하나도 되기 전에 주의 책에 다 기록이 되었나이다" (시 139:16). 이것은 우리의 삶에서 일어나고 있는 일들 가운데 의미 없는 일은 하나도 없다는 뜻이다. 하나님은 우리가 다른 사람을 위해 사역하고 하나님을 섬기도록 하시려고 이 모든 것을 사용하신다.

하나님은 절대로 아무것도 낭비하지 않으신다. 따라서 그분의 영광을 위한 목적이 아니라면 우리의 능력, 관심, 재능, 은사, 성격, 인생 경험 이 모든 것을 주지 않으셨을 것이다. 그래서 이와 같은 것을 구별하고 이해할 수만 있다면 우리는 우리의 삶에 대한 하나님의 뜻을 발견할 수 있을 것이다.

성경은 우리를 가리켜 '아름다운 종합체(wonderful complex)' 라고 부른다. 이 말은 우리가 여러 가지 요소로 혼합된 존재라는 뜻이다. 이러한 다섯 가지 요소를 쉽게 기억할 수 있도록 하기 위해 나는 각 요소의 첫 글자를 따서 'SHAPE' 라고 부르게 되었다. 이번 장과 다음 장에서 이 다섯 가지 요소에 대해서 설명하고 그리고 그 후의 장에서 어떻게 우리의 'SHAPE' 를 발견하고 사용할 수 있는가에 대해 설명할 것이다.

우리의 사역을 위해 하나님이 우리를 어떤 모양으로 지으셨는가?

하나님은 어떤 과제를 우리에게 주시든지 그것을 완수할 수 있도록 필요한 것들을 주신다. 이와 같은 맞춤형 능력의 조합을 일컬어 우리의 'SHAPE' 라고 말할 수 있다.

S : 영적인 은사들 (Spiritual Gifts)
H : 마음 (Heart)
A : 능력 (Abilities)
P : 성격 (Personality)
E : 경험 (Experience)

SHAPE 1. 영적인 은사들을 사용하기

하나님은 사역을 위해 사용할 수 있도록 모든 믿는 사람들에게 영적인 은사를 주셨다(롬 12:4-8, 고전 12장, 엡 4:8-15, 고전 7:7). 이 은사들은 하나님을 섬기기 위해 오직 믿는 사람들에게만 주시는 특별한 능력이다. 성경은 "누구든지 성령을 모시고 있지 않는 사람은 하나님의 영으로부터 오는 은사들을 받을 수 없다"(고전 2:14, TEV)라고 말하고 있다.

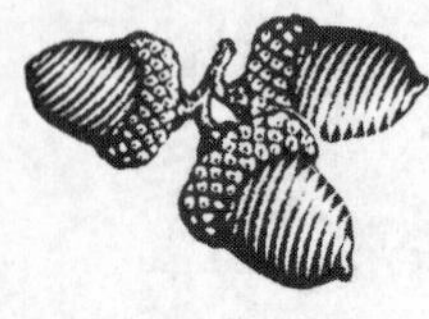

우리는 성령의 은사를 노력으로 얻을 수도 없고, 그럴 자격도 없다. 그래서 그것을 '선물, 은사'라고 부르는 것이다. "우리 각 사람에게 그리스도의 선물의 분량대로 은혜를 주셨나니"(엡 4:7). 우리가 어떤 은사를 갖고 싶다고 선택하는 것이 아니고, 하나님이 정하신 것이다. 이에 대해 바울은 "이 모든 일은 같은 한 성령이 행하사 그 뜻대로 각 사람에게 나눠 주시느니라"(고전 12:11)고 말하고 있다.

하나님은 다양성을 좋아하시고 우리 각자가 특별한 존재가 되기를 원하시기 때문에, 모든 사람에게 주어지는 은사는 없고(고전 12:29-30), 또한 모든 은사를 소유한 개인도 없다. 만약 우리가 모든 은사를 소유하고 있다면 우리에게는 다른 사람의 도움이 필요 없을 것이고, 그렇다면 서로가 의지하는 것을 가르치시는 하나님의 목적 가운데 하나가 아무 의미 없는 것이 될 것이다.

다른 사람의 은사가 우리를 위해 주어진 것처럼 우리의 영적인 은사는 우리 자신이 아닌 다른 사람의 유익을 위해 주어졌다. 성경은 "영적인 은사는 교회 전체를 돕는 도구로 우리 각자에게 주어졌다"(고전 12:7, NLT)라고 말하고 있다. 하나님은 우리가 서로 필요한 것을 아셨기 때문에 이와 같은 방법으로 은사를 주셨다. 각자가 자신의 은사를 사용할 때 모두에게 유익이 될 수 있는 것이다. 그래서 다른 사람이 그들의 은사를 사용하지 않으면 우리가 불이익을 당하는 것이고, 우리가 은사를 사용하지 않으면 다른 사람이 불이익을 당하게 되는 것이다. 그렇기 때문에 우리는 우리의 영적인 은사를 발견하고, 발전시키고, 사용하라는 명령을 받았다. 자신의 영적인 은사들을 발견하기 위한 시간을 가져본 적이 있는가? 풀어보지 않은 선물은 가치가 없다.

그런데 우리가 이와 같은 가장 기본적인 진리를 망각할 때 교회 안에서 문제를 일으키게 된다. 은사와 연관된 두 가지 공통적인 문제가 있는데 그것은 '은사 - 질투(gift - envy)' 와 '은사 - 기대(gift - projection)' 다. 첫번째 문제는 우리가 가지고 있는 은사를 다른 사람의 것과 비교해서 하나님이 주신 은사에 대해 만족하지 못하고 하나님이 다른 사람을 사용하시는 것을 시기하거나 원망할 때 일어난다. 두번째 문제는 모든 사람이 우리가 가진 은사를 가져야 하고, 우리가 부름받은 사역을 그들도 해야 하며, 우리가 가지고 있는 열심과 똑같은 열심을 품어야 한다고 기대하는 것이다. 그러나 성경은 "직임은 여러 가지나 주는 같으며" (고전 12:5)라고 말하고 있다.

때로는 영적인 은사가 지나치게 강조되어서 하나님이 사역을 위해 지으신 우리의 모습 가운데서 다른 요소가 외면되기도 한다. 우리의 영적인 은사는 우리의 사역을 위한 하나님의 뜻의 일부분만을 나타내는 것이지 전부를 보여주는 것이 아니다. 영적인 은사 외의 네 가지 다른 요소가 있다.

SHAPE 2. 마음의 소리를 듣기

성경은 '마음(heart)' 을 우리가 바라는 것, 희망, 관심, 포부, 꿈, 사랑하는 것 등으로 표현하고 있다. 이는 우리의 마음이 우리의 모든 동기의 근원, 즉 우리가 사랑하는 것, 가장 귀하게 여기는 것을 대표하기 때문이다. 그래서 우리는 '내 마음을 다 바쳐서 당신을 사랑한다' 라는 말을 쓰고 있는 것이다.

성경은 말한다. "사람의 얼굴이 물에 비치듯이, 사람의 마음도 사람을 드러내 보인다" (잠 27:19, 표준새번역). 우리의 마음은 우리를 보여준다. 그것은 다른 사람이 생각하는 우리나, 환경의 영향으로 되어지는 우리가 아닌 진정한 우리 자신이다. 우리의 마음은 우리가 지금 하는 말, 느낌, 행동을 결정한다(마 12:34, 시 34:7, 잠 4:23).

신체적으로 우리 모두는 다 독특한 심장 박동을 한다. 손금의 모습, 눈의 망막 모양, 목소리가 다른 것처럼 우리 모두는 각각 다른 심장 박동을 한다. 참으로 놀라운 사실은 지금까지 존재했던 수십억의 사람들 가운데 똑같은 심장 박동을 한 사람이 한 사람도 없다는 사실이다.

마찬가지로 하나님은 우리 모두에게 우리가 관심을 갖고 좋아하는 주제, 행사, 환경들을 생각할 때 두근거리는 독특한 '감정의' 심장 박동을 주셨다. 본능적으로 좋아하는 분야가 있고 그 반대도 있는데, 바로 이것이 우리가 어느 곳에서 섬겨야 될 것인지를 보여주는 또 하나의 단서가 될 수 있다.

마음이란 단어를 다르게 표현하면 열정이다. 어떤 것에 대해서는 열정을 느끼지만 또 어떤 것에 대해서는 열정을 느끼지 못한다. 그래서 어떤 경험들은 우리를 흥분하게 하고 관심을 끌지만, 어떤 경험들은 마음에도 내키지 않을 뿐더러 지루하기만 하다. 바로 우리 마음의 본성을 보여주는 것이다.

자라면서 우리는 집안의 다른 식구들은 누구도 관심을 보이지 않았지만 우리만이 유일하게 관심을 보인 것이 있을 것이다. 이러한 관심은 어디로부터 온 것인가? 바로 하나님으로부터 온 것이다. 하나님이 우리에게 이러한 선천적인 관심을 주시는 데는 목적이 있다. 우리의 감정적인 심장 소리는 사역을 위한 우리의 모습(SHAPE)을 이해하는 두번째 열쇠다. 우리가 갖고 있는 관심을 외면하지 말고 대신 어떻게 그것들이 하나님의 영광을 위해 쓰여질 수 있을 것인가에 대해 생각하라. 우리가 관심을 갖고 좋아하는 데에는 이유가 있는 것이다.

성경은 거듭해서 "마음을 다하고 성품을 다하여 하나님을 섬기라" (신

11:13, 삼상 12:20, 롬 1:9, 엡 6:6)고 말한다. 하나님은 우리가 당신을 섬길 때 의무감이 아닌 열정으로 섬기기를 원하신다는 것이다. 즐기지 않거나 열정 없이 일할 때 성공하는 예가 거의 없듯이 하나님은 우리가 가지고 있는 선천적인 관심을 사용해 당신과 다른 사람을 섬기기 원하신다. 내면의 소리를 들음으로써 하나님이 우리가 하기를 원하시는 사역을 알아낼 수 있다.

그러면 우리가 마음을 다해서 하나님을 섬기고 있는지 어떻게 알 수 있는가? 첫번째 분명한 신호는 열심이다. 우리가 좋아하는 일을 하게 되면 다른 사람이 우리에게 동기 부여를 하거나, 도전하거나, 감시하지 않아도 된다. 좋아서 하는 것이기 때문에 보상이나 다른 사람들로부터 박수를 받지 않아도, 급여를 받지 않아도 무방한 것이다. 마찬가지로 이와 반대의 원리도 진실이다. 우리가 마음 없이 무엇을 하고자 하면 쉽게 낙심되는 것이다.

우리가 좋아하는 일을 하게 되면 다른 사람이 우리에게 동기를 부여하지 않아도 된다.

하나님을 마음으로 섬기는 것의 두번째 특징은 효율성이다. 하나님이 우리로 하여금 좋아하게 만드신 것을 할 때는 그 일을 잘 하게 된다. 왜냐하면 열정이 완벽함을 추구하게 하기 때문이다. 우리가 어떠한 특정한 일에 관심이 없으면 그것을 해봤자 잘 되지 않을 것이다. 반대로 어느 분야에서 가장 성공한 사람을 보면 그 성공은 의무감이나 이익을 추구한 결과로 이루어진 것이 아니고 열정을 통해 이루어진 것이다.

다음과 같은 말을 우리는 많이 듣는다. "나는 지금 돈을 벌기 위해 하기 싫은 일을 하고 있지만 언제가는 이 일을 그만두고 내가 좋아하는 일을 할 것이다." 그러나 그것은 큰 실수다. 마음이 가지 않는 일로 인생을 낭비하지 말라. 인생에 가장 중요한 것이 물질이 아님을 기억하라. 인생의 의미가 돈보다 훨씬 중요하다. 그래서 세상에서 가장 부자인 사람이 하루는 이렇게 말한 것이다. "가산이 적어도 여호와를 경외하는 것이 크게 부하고 번뇌하는 것보다 나으니라" (잠 15:16).

'좋은 삶(good life)' 에 만족하지 말라. 왜냐하면 좋게 사는 것이 진짜로 좋게 사는 것이 아니기 때문이다. 좋게 사는 것은 궁극적으로 우리에게 만족을 주지 못한다. 우리는 계속 많은 것을 소유하며 살 수 있지만, 그 삶에도 아무런 목적이 없다. 대신 '더 좋은 삶을(the better life)' 목표로 살아가야 하는데, 그것은 바로 마음을 다해 하나님을 섬기는 삶이다. 당신이 좋아하는 것이 무엇인가? 하나님께서 당신에게 어떤 마음을 주셨는지 생각해보라. 그리고 하나님의 영광을 위해 당신이 좋아하는 일을 하라.

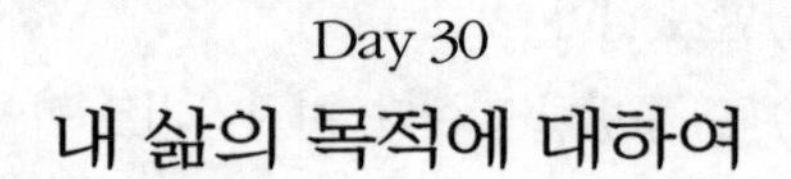

Day 30

내 삶의 목적에 대하여

생각할 점 : 나는 하나님을 섬기기 위해 지금의 모습으로 지음받았다.

외울 말씀 : "또 역사는 여러 가지나 모든 것을 모든 사람 가운데서 역사하시는 하나님은 같으니" (고전 12:6).

삶으로 떠나는 질문 : 다른 사람을 섬기는 데 내가 열정이 있고 또 그것을 좋아한다는 것을 어떤 방법으로 알 수 있는가?

내 모습을 이해하기

"주께서 내 장부를 지으시며
나의 모태에서 나를 조직하셨나이다"
(시 139:13).

오직 우리 자신만이 우리가 될 수 있다.

하나님은 우리 각자를 만드시되 이 세상에 우리와 똑같은 사람이 없게 하셨다. 우리 자신을 독특하게 만들어주는 요소를 똑같이 가진 사람은 아무도 없다. 그것은 이 세상의 어느 누구도 하나님이 우리를 위해 계획해놓으신 역할을 수행할 수 없다는 의미다. 만일 우리가 그리스도의 몸에 대해 우리만이 할 수 있는 독특한 기여를 하지 않는다면 그것은 이루어지지 않을 것이다. 성경은 "여러 가지 다양한 영적인 은사가 있고… 여러 가지로 섬기는 방법이 있으며… 다른 능력을 가지고 섬기고 있다"(고전 12:4-6, TEV)라고 말하고 있다. 앞 장에서는 우리의 모습(SHAPE) 가운데 두 가지, 영적인 은사와 마음에 대해서 살펴보았다. 이번 장에서는 하나님을 섬기기 위한 모습의 나머지 면을 살펴보자.

SHAPE 3. 능력을 사용하기

능력이란 우리가 태어날 때부터 갖고 있는 천부적인 재능이다. 어떤 사람은 뱃속에서 나오자마자 유창하게 말을 하기 시작했다고 농담할 정도로 말을 잘하는 사람이 있다. 어떤 사람은 태어날 때부터 운동 신경이 발달되어 운동을 잘한다. 또 다른 사람들은 수학이나 음악, 기계를 다루는 데 익숙하다.

하나님이 장막과 그 안에 들어갈 제사 기구들을 만들고자 하셨을 때 그분은 이러한 것들을 '예술적으로 디자인하고 그것을 만들 수 있는 기술, 능력, 지식을 갖춘 예술가, 장인들' (출 31:3-5)을 공급하셨다. 오늘날도 마찬가지로 하나님은 사람들이 당신을 섬기게 하시려고 많은 사람들에게 능력을 주신다.

모든 능력은 하나님으로부터 온다

죄를 짓는 데 쓰여진 능력조차도 하나님이 주신 능력을 오용하거나 과용한 것이다. 성경은 "우리에게 주신 은혜대로 받은 은사가 각각 다르니"(롬 12:6)라고 말하고 있다. 우리의 선천적인 능력이 하나님으로부터 온 것이기 때문에 이와 같은 능력은 우리의 영적인 능력과 똑같이 중요한 것이고, 또한 이것 자체가 '영'이라고 말할 수 있다. 차이가 있다면 이와 같은 능력은 우리가 태어날 때부터 갖고 있었다는 것이다.

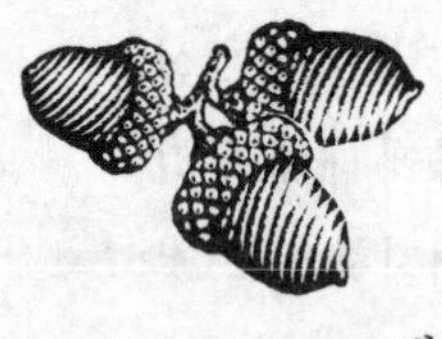

사람들은 봉사를 하지 않으면서 대부분 이런 핑계를 댄다. "나는 그런 일을 할 만한 능력이 없어." 하지만 이것은 우스꽝스러운 소리다. 우리는 아마도 현관에 깔아놓은 매트처럼 그저 깔아놓고 아래를 한 번도 들춰보지 않아서 무엇이 있는지도 모르고 발견되지 않은, 그래서 쓰지 못하고 있는 수백 개의 능력을 소유하고 있을 것이다. 많은 연구 자료에 의하면 보통 사람들은 그들이 인식하는 것보다 훨씬 많은 500-700개의 다른 기술과 능력을 소유하고 있다고 한다.

예를 들면, 우리의 뇌는 100조의 사실을 저장할 수 있고, 우리의 마음은 소화 기관이 작동되기 위해 1초에 15,000개의 결정을 내릴 수 있다. 우리의 코는 1만 가지 이상의 냄새를 맡을 수 있고, 우리의 감각으로 1/25,000인치의 물건을 인식할 수 있다. 우리의 혀는 물을 구성하고 있는 2백만 개 가운데 하나인 탄산 원료도 감지할 수 있는 것이다. 우리는 놀랄 만한 능력 덩어리며 하나님의 기묘한 창조물이다. 교회의 책임 가운데 하나는 하나님을 섬기기 위해 우리의 능력을 발견하고 사용하게 하는 것이다.

모든 능력은 하나님의 영광을 위해 쓰여질 수 있다

바울은 말한다. "그런즉 너희가 먹든지 마시든지 무엇을 하든지 다 하나님의 영광을 위하여 하라" (고전 10:31).

성경은 하나님이 당신의 영광을 사용하시는 여러 가지 능력의 예를 열거하고 있다. 성경에 나타난 예를 들어보면 다음과 같다. 예술 능력, 건축 능력, 행정, 빵 굽기, 미용 기술, 배 만들기, 사탕 제조, 토론하기, 디자인하기, 시신에 향유로 염하기, 수놓기, 조각하기, 농사짓기, 고기잡이, 원예, 지도하기, 관리하기, 석공술, 무기 제조, 바느질, 그림그리기, 개척하기, 철학적으로 사색하기, 기계 만지기, 발명하기, 목수일, 배 운전하기, 물건 팔기, 군인, 옷 만들기, 가르치기, 시 쓰기를 비롯한 문학 창작 등 그 외의 많은 것이 성경에 언급되어 있다. 성경은 말한다. "또 역사는 여러 가지나 모든 것을 모든 사람 가운데서 역사하시는 하나님은 같으니" (고전 12:6). 하나님은 교회 안에 우리의 특기가 빛을 발휘하고 우리가 영향을 끼칠 수 있는 부분을 만들어놓으셨다. 그 부분을 찾는 것은 우리 몫이다.

모세는 이스라엘 백성에게 "네 하나님 여호와를 기억하라 그가 네게 재물 얻을 능을 주셨음이라" (신 8:18)고 말했다. 이런 능력을 가진 사람은 사업을 잘 확장하고, 협상을 잘 하거나 영업을 잘 하며, 그로 인해 이익을 얻게 된다. 만약 우리에게 사업의 능력이 있다면 이 능력을 통해 하나님께 영광을 드려야 한다. 어떻게 그럴 수 있는가? 첫째, 모든 것이 하나님으로부터 왔음을 인식하고 그분에게 모든 영광을 돌려드린다. 둘째, 다른 사람을 섬기고 믿지 않는 사람들에게 우리의 믿음을 나누는 데 우리의 사업을 이용한다. 셋째, 최소한 수입의 십일조를 예배의 행위로 하나님께 돌려드린다(신 14:23, 말 3:8-11). 마지막으로 우리의 목표를 부를 축적하는 데 두지 않고 하나님의 왕국을 세우는 데 둔다. 이에 대해서는 33장에서 살펴보기로 하자.

하나님은 우리가 할 수 있는 것으로 하기를 원하신다

우리가 가진 능력을 사용할 수 있는 사람은 이 세상에 우리 자신밖에 없다. 그 누구도 하나님이 우리에게 주신 독특한 모습을 갖추고 있지 않기 때문에 우리의 역할을 수행할 수 없다. 성경은 하나님이 "그의 뜻을 이루기 위해서 우리가 필요로 하는 모든 것을" (히 13:21, LB) 준비시키실 것이라고 말한다. 우리를 향한 하나님의 뜻을 알기 위해서 우리가 잘 할 수 있는 것과 잘 하지 못하는 것을 생각해보라.

만약 하나님이 우리에게 음계를 구별하는 능력을 주지 않으셨다면 그분은 우리가 오페라 가수가 되는 것을 기대하지 않으실 것이다. 하나님은 우리의 능력으로는 할 수 없는 일을 위하여 우리의 삶을 헌신하라고 절대로 부탁하지 않으실 것이다. 반대로 우리가 갖고 있는 능력은 하나님이 우리의 삶을 통해 무엇을 하기 원하시는지를 알 수 있는 좋은 지표다. 만약 우리가 디자인을 잘 하거나, 사람을 모집하는 일을 잘 하거나, 그림을 잘 그리거나, 조직을 잘 구성하는 데 능숙하다면 이 모든 재능은 우리의 삶에서 하나님의 뜻이 무엇인가를 가늠할 수 있는 안전한 잣대가 될 수 있다. 하나님은 우리의 능력과 우리의 소명을 일치시키신다

단지 살아가는 데만 사용하라고 우리에게 능력을 주신 것이 아니라 우리의 사역을 위해서 주신 것이다. 베드로는 말한다. "각각 은사를 받은 대로

하나님의 각양 은혜를 맡은 선한 청지기같이 서로 봉사하라" (벧전 4:10).

이 책을 쓰고 있는 지금도 새들백교회의 사역 현장에는 7천 명 가량의 사람들이 상상할 수 없이 많은 섬김을 베풀면서 그들의 능력을 사용하고 있다. 기증된 차를 고치는 일, 교회의 필요한 비품을 가장 싸게 구하는 일, 정원 꾸미기, 파일 정리하기, 디자인 프로그램 만들기, 건축, 의료 진단, 식사 준비, 작곡, 음악 가르치기, 규모가 큰 기획안 만들기, 운동 팀 코치하기, 설교 자료 연구, 설교 번역 등 그 외에도 수백 개의 특수한 일들이 있다. 그래서 우리는 새 교인들에게 잘 할 수 있는 것이 있다면 교회를 위해 하라고 권하고 있다.

SHAPE 4. 성격을 사용하기

우리는 우리 개개인이 얼마나 독특한 존재인지 인식하지 못하고 있다. DNA 미분자들은 무한정의 방법으로 합쳐질 수가 있는데, 그 수는 10 곱하기 24억으로써 아마도 우리와 똑같은 사람은 평생 찾지 못할 것이다. 만약 이 숫자의 동그라미 사이를 2.5센티미터 간격으로 하고 그 수를 쓰려고 한다면 6만 킬로미터의 길이를 가진 종이가 필요할 것이다.

이것을 좀더 실감나게 이해할 수 있는 방법이 있다. 몇몇 과학자들은 우주상에 있는 모든 분자수를 10 곱하기 76 제로라고 추측하고 있는데 이는 우리의 DNA 수보다 엄청나게 적은 숫자다. 이처럼 우리의 독특함은 과학적인 사실이다. 하나님은 하나의 틀을 부수고 우리를 만드셨기 때문에 우리와 같은 사람도, 우리와 같을 사람도 절대로 없다.

하나님은 다양성을 좋아하는 분이시다. 주위를 살펴보라. 그분은 우리 개개인을 독특한 성격과 특성을 혼합해서 만드셨다. 내성적인 사람, 외향적인 사람, 판에 박힌 일을 좋아하는 사람, 아니면 다양함을 좋아하는 사람, 생각하기를 좋아하는 사람, 느끼는 것을 좋아하는 사람, 혼자 하는 일을 잘 하는 사람, 팀 안에서 일을 잘 하는 사람 등 여러 유형의 사람이 있다. 그래서 성경은 "또 역사는 여러 가지나 모든 것을 모든 사람 가운데서 역사하시는 하나님은 같으니"(고전 12:6)라고 말하고 있다.

성경은 하나님이 모든 성격 유형을 사용하시고 있는 많은 증거 자료를 제공하고 있다. 예를 들어 베드로는 다혈질형이었고, 바울은 담즙질형이었으며, 예레미야는 우울질형이었다. 우리가 열두 제자의 성격 차이를 본다면 왜 그들이 서로 갈등했는지 쉽게 알 수 있을 것이다.

사역에 있어서 '좋고' '나쁜' 성격이란 있을 수 없고 교회의 균형과 맛을 내기 위해서는 각기 다른 성격이 필요하다. 우리가 사는 세상이 모두 다 바닐라 아이스크림같다면 아주 지루한 곳이 되겠지만, 감사하게도 31개가 넘는 유형의 성격이 존재하고 있다.

우리의 성격에 따라 어떻게 그리고 어디에서 우리의 영적인 은사와 능력이 쓰이게 될 것인지가 결정된다. 예를 들어 두 사람이 같은 전도의 은사를 가졌지만, 한 사람은 내성적이고 다른 사람은 외향적일 때 그 은사는 다른 방법으로 표현될 것이다.

목공들은 나무 결을 거스르지 않고 나무 결을 따라갈 때 작업하기가 수월한 것을 안다. 마찬가지로 우리의 성격과 맞지 않는 사역을 하도록 강요받을 때 긴장과 불편함 속에서 많은 노력과 에너지를 쏟아 넣어야 하지만 최상의 결과는 얻지 못한다. 이것이 바로 다른 사람의 사역을 그대로 모방해서는 성공할 수 없는 이유다. 우리는 그들의 성격을 갖고 있지 않다. 그뿐만 아니라 하나님은 우리가 우리 자신이 되기를 원하신다. 물론 다른 사람들의 예를 통해 배울 수는 있지만 우리의 모습(SHAPE)을 통해서 배울 수 있는 바를 걸러내야 한다. 요즘에는 우리의 성격 유형을 이해하여 그것을 어떻게 하나님을 위해 사용할 것인지를 결정할 수 있도록 도와주는 많은 책과 도구들이 있다.

스테인드 글라스처럼 우리의 서로 다른 성격은 많은 색깔과 무늬로 하나님의 빛을 반영한다. 바로 이것이 깊이와 다양함으로 하나님의 가족을 축복하는 것이다. 하나님이 우리를 만드신 목적을 행할 때는 우리도 기분이 좋아서 하게 된다. 하나님이 우리에게 주신 성격과 잘 맞춰서 사역할 때, 우리는 성취감과 만족 그리고 열매를 맺는 것을 경험하게 될 것이다.

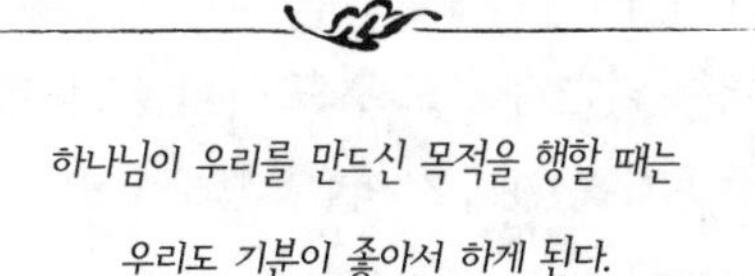

하나님이 우리를 만드신 목적을 행할 때는 우리도 기분이 좋아서 하게 된다.

SHAPE 5. 경험들을 사용하기

우리는 삶의 경험들을 통해 지금의 모습을 갖게 되었고, 이 경험들 가운데 대부분은 우리의 통제 밖에 있었던 것들이다. 하나님이 우리의 모습을 만들기 위한 목적으로 이러한 경험들을 우리의 삶에 허락하셨다(롬 8:28-29). 하나님을 섬기기 위한 우리의 모습(SHAPE)을 점검하기 위해 우리의 과거로부터 최소한 여섯 가지의 경험을 살펴보아야 한다.

- 가족 경험들: 자라면서 가정에서 무엇을 배웠는가?
- 교육 경험들: 학교에서 가장 좋아했던 과목은 무엇인가?
- 직업 경험들: 가장 즐겼던 일은 무엇이고, 가장 효율적으로 했던 일은 무엇인가?
- 영적 경험들: 하나님과 보냈던 가장 의미 있는 시간은 언제였는가?
- 사역 경험들: 과거에 하나님을 어떻게 섬겼는가?
- 고통스러운 경험들: 어떤 문제, 상처, 가시, 시험을 통해 배웠는가?

하나님은 우리를 사역을 위해 준비시키실 때 마지막 항목인 고통스러운 경험들을 가장 많이 사용하신다. 하나님은 어떤 상처도 낭비하지 않으신다. 우리의 가장 위대한 사역은 우리가 겪었던 가장 큰 아픔을 통해 이루어질 것이다. 다운증후군 아이를 둔 부모를 대상으로 사역할 때 똑같은 상황에 처해 있는 부모보다 그 사역을 잘 할 수 있는 사람이 어디 있겠는가? 알코올 중독자를 위해 사역할 때 과거에 똑같은 문제를 가지고 있었지만 그 문제로 마귀와 싸워서 자유를 누리고 있는 사람보다 잘 할 사람이 어디 있겠는가? 남편이 바람을 피워서 집을 나갔을 때 그와 같은 일을 경험한 사람보다 그를 더 잘 위로할 사람이 어디 있겠는가?

하나님은 다른 사람들을 위한 사역에 우리를 준비시키시기 위해 의도적으로 아픈 경험을 우리의 삶 가운데 허락하신다. 성경은 이에 대해 "우리의 모든 환난 중에서 우리를 위로하사 우리로 하여금 하나님께 받는 위로로써 모든 환난 중에 있는 자들을 능히 위로하게 하시는 이시로다" (고후 1:4)라고 말하고 있다.

우리가 정말로 하나님께 쓰임받기를 원한다면 반드시 이 엄청난 진리를 이해해야 한다. 그것은 하나님이 우리로 하여금 다른 사람을 위해 사역하게 하실 때 우리의 삶 속에서 원망과 후회의 경험, 숨기고 싶고 기억에서 지우고 싶은 경험과 같은 모든 경험들을 사용하신다는 것이다.

하나님이 우리의 고통스러운 경험들을 사용하시도록 하기 위해서 우리는 기꺼이 그것들을 나누어야만 한다. 더 이상 감추지 말고 우리의 잘못과 실패, 두려움을 정직하게 인정해야 한다. 그럴 때 우리의 사역은 가장 효과적일 것이다. 사람들은 언제나 우리가 우리의 장점을 말할 때보다 우리의 약점 속에서 하나님의 은혜가 어떻게 도우셨는가를 나눌 때 힘과 위

하나님이 우리의 고통스러운 경험들을 사용하시도록 하기 위해서 우리는 기꺼이 그것들을 나누어야만 한다.

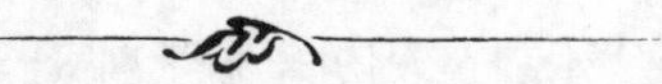

로를 얻기 때문이다.

바울은 이 진리를 깨달았고, 그래서 절망 직전에까지 간 그의 우울증에 대해 다 드러내놓고 정직하게 말한 것이다. 그는 이렇게 인정했다. "성도 여러분, 우리가 아시아 지방에서 당한 환난을 여러분이 알아 주시기를 원합니다. 우리는 감당하기 어려운 환난을 당해, 삶의 소망조차 없었습니다. 마음속에서는 사망 선고를 받았다는 느낌마저 들었습니다. 그러나 이렇게 된 것은 우리 자신을 의지하지 않고, 죽은 자를 살리시는 하나님을 의지하도록 하기 위해서였습니다. 하나님께서는 이렇게 무서운 죽음의 위기에서 우리를 구원하셨으며, 앞으로도 구원하실 것입니다. 우리는 하나님께서 계속해서 우리를 구원해 주실 것이라는 소망을 하나님께 두겠습니다" (고후 1:8-10, 쉬운성경).

바울이 그의 의심과 절망의 경험들을 비밀로 했다면 수백만 명의 사람들이 그로 인한 유익을 누리지 못했을 것이다. 공유된 경험만이 다른 사람들을 도울 수 있다. 알도스 헉슬리(Aldous Huxley)는 "경험은 당신에게 일어나는 어떤 일이 아니다. 당신에게 일어난 일들을 가지고 무엇을 했느냐이다." 당신은 당신이 겪은 것을 가지고 무엇을 할 것인가? 당신의 고통을 낭비하지 말라. 다른 사람을 돕는 데 사용하라.

지금까지 하나님을 섬기는 목적을 위해 그분이 만들어주신 다섯 가지 방법을 살펴보면서 지금의 독특한 우리의 모습(SHAPE)을 만드신 하나님의 주권과 그분의 명확한 생각에 보다 깊은 감사를 드리기 바란다. 우리의 모습을 사용하는 것이 사역의 열매와 성취 모두에 대한 비밀이다.[1] 우리는 하나님이 우리에게 주신 영적인 은사와 능력을 가지고, 우리가 마음으로 원하는 분야에서, 우리의 성격과 경험을 잘 반영하는 곳에서 사역할 때 가장 효율적이고 기대에 부응하는 사역을 하게 될 것이다. 우리의 모습(SHAPE)에 더 잘 맞을수록 더 많은 열매를 맺을 것이다.

Day 31

내 삶의 목적에 대하여

생각할 점 : 그 누구도 내가 될 수 없다.

외울 말씀 : "각각 은사를 받은 대로 하나님의 각양 은혜를 맡은 선한 청지기같이 서로 봉사하라" (벧전 4:10).

삶으로 떠나는 질문 : 하나님이 내게 주신 어떤 능력 또는 어떤 개인적인 경험을 교회를 위해 사용할 수 있을까?

32

하나님이 주신 모습으로 섬기기

"이와 같이 우리 많은 사람이
그리스도 안에서 한 몸이 되어
서로 지체가 되었느니라"
(롬 12:5).

당신은 하나님이 당신에게 주신 선물이다.
당신이 삶을 통해 하는 것은
당신이 하나님께 드리는 선물이다.
- 덴마크 잠언 -

하나님은 우리의 최고의 것을 받기에 합당하시다.

그분은 목적을 위해 우리를 만드셨고, 우리가 당신께 받은 것을 최대한 활용하기 원하신다. 그분은 우리가 갖고 있지 않은 능력을 탐내거나 그것에 대해 걱정하는 것을 원하시지 않는다. 대신 우리가 당신이 사용하도록 주신 재능에 집중하기를 바라신다.

우리가 현재의 모습(SHAPE)이 아닌 다른 방법으로 하나님을 섬기려고 시도할 때는 동그란 구멍에 네모난 못을 억지로 박으려고 하는 것과 같은 기분이 들 것이다. 힘들기만 하고 한정된 결과만을 보게 될 것이다. 시간과 재능, 에너지의 낭비인 것이다. 우리의 삶을 최대로 사용하는 방법은 우리의 현재 모습을 가지고 하나님을 섬기는 것이다. 이것을 위해서 먼저 우리는 하나님이 우리에게 주신 현재의 모습이 무엇인가를 발견하고, 받아들이고, 즐기고, 그것을 최대한 발전시켜야 한다.

현재의 모습(SHAPE)을 발견하라

성경은 말한다. "그러므로 어리석은 자가 되지 말고 오직 주의 뜻이 무엇인가 이해하라" (엡 5:17). 하루라도 이것을 못본 체 지나치지 말라. 하나님이 우리가 어떤 사람이 되고 어떤 일을 행하기를 원하시는지 발견하고 분명하게 인식하기 시작하라.

은사와 능력을 평가하라

시간을 두고 정직하게 자신이 잘하는 것과 그렇지 못한 것을 살펴보라. 바울은 "오직 하나님께서 각 사람에게 나눠 주신 믿음의 분량대로 지혜롭게 생각하라" (롬 12:3)고 권하고 있다. 다른 사람들에게 그들의 솔직한 의견을 물어보라. 진실을 찾기 위해서 물어보는 것이지 그들이 우리에 대해 불평하는 것이 무엇인지 알려고 하는 것이 아님을 말하라. 영적 인 은사와 타고난 능력은 언제나 다른 사람에 의해서 확인된다. 우리 자신은 교사나 성악가로서의 은사를 받았다고 생각하는데, 다른 사람이 이에 동의하지 않는다면 이것은 무엇을 의미한다고 생각하는가? 만약 우리가 리더로서의 은사를 받았는지 알고 싶으면 뒤를 한번 돌아보라. 만일 아무도 우리를 따라오지 않는다면 우리는 리더가 아닌 것이다.

다음과 같은 질문을 던져보라. "나의 삶에서 다른 사람도 확실히 동의할 수 있는 열매를 맺은 분야는 무엇인가? 이미 성공한 분야는 무엇인가?"

시중에 나도는 영적인 은사와 능력을 알아보는 테스트는 별 가치가 없다. 그 이유는 첫째, 이 테스트는 너무 규격화되어 있어서 우리의 독특성을 고려하지 않고 있다. 둘째, 성경에서도 영적인 은사에 대한 정의가 주어져 있지 않기 때문에 영적인 은사에 대한 어떤 정의도 추상적이며, 보통 이러한 정의는 각 교단의 선입견을 나타내기만 한다. 또 다른 문제는 우리가 성숙해지면 질수록 더 많은 은사의 성품들이 나타나게 된다. 예를 들어 가르치는 것과 기꺼이 주는 것은 성숙함으로 이루어지는 것이지 이것이 꼭 우리의 영적인 은사이기 때문이라고는 볼 수 없다.

그래서 가장 좋은 방법은 테스트를 통해 알아보는 것이 아니라 여러 다른 사역을 통해 우리의 은사와 능력이 무엇인지 실험해보는 것이다. 내가 젊다면 은사와 능력에 관한 테스트를 수백 번 해볼 수도 있겠지만, 가르치는 은사가 내게 있는지는 발견하지 못했을 것이다. 왜냐하면 한 번도 가르쳐보지 않았기 때문이다. 그러나 나중에 사람들 앞에서 말하는 기회가 주어지면서 다른 사람들로부터 이 능력에 대해 확인을 받게 되고서야 비로서 "하나님이 이러한 일을 위한 은사를 주셨다"는 것을 인식하게 된 것이다.

그런데 많은 책들이 은사를 발견하는 과정을 거꾸로 가르치고 있다. "당신의 은사가 무엇인지 발견하라. 그러면 당신은 어떤 사역을 해야 할지를 알게 될 것이다"라고 말한다. 그러나 실은 이와 정반대다. 먼저 섬기고, 여러 다른 사역으로 실험하기 시작하면, 그 후에 우리의 은사를 발견하게 될 것이다. 섬기는 일을 해보지 않으면 우리는 잘 하는 것이 무엇인지 알 수 없을 것이다.

한 번도 시도한 적이 없기 때문에 자신도 모르는 수십 개의 감춰진 능력과 은사가 우리에게 있다. 그래서 나는 현재 상황으로부터 밖으로 나가서 한 번도 해보지 않은 일을 시도해보라고 권한다. 나이가 몇이든 실험을 멈추지 말라고 권고한다. 나는 70대나 80대의 나이로 자신의 감춰진 재능을 발견한 사람들을 만나보았다. 나는 아흔이 넘은 나이에 10Km 달리기 경주에 참가

해 우승한 여인을 안다. 그녀는 78세까지도 자신이 달리기를 좋아한다는 사실을 몰랐다.

어디서 봉사를 해보기 전에는 그 재능을 발견하려고 하지 말라. 그냥 봉사를 시작하라. 사역에 참여함으로써 우리의 재능을 발견한다. 가르쳐보기도 하고, 그룹을 인도하고, 조직하고, 악기도 다뤄보고, 십대들과 같이 일도 해보라. 해보지 않고는 무엇을 잘 하는지 알 수가 없다. 잘 할 수 없었다면 실패가 아닌 '실험' 으로 생각하라. 우리는 사역을 통해 은사를 발견하는 것이지 이와 반대로 발견하는 것이 아니다.

어디서 봉사를 해보기 전에는
그 재능을 발견하려고 하지 말라.
해보지 않고는 무엇을 잘 하는지 알 수가 없다.

자신의 마음과 성격에 대해 주의 깊게 검토하라

바울은 "너희가 누구이고 너희에게 주어진 일이 무엇인지 주의 깊게 조사하고, 그리고 나서 맡겨진 일에 몰두하라" (갈 6:4, Msg)고 거듭해서 권하고 있는데, 이 또한 우리를 가장 잘 아는 사람들에게서 조언을 듣는 것이 도움이 된다. 내가 사랑하고, 하고 싶은 일이 무엇인가라는 질문을 스스로에게 해보라. 어떤 일을 할 때 정말로 활기 있게 살아 움직이는 것 같은 느낌을 받는가? 시간 가는 줄 모르고 하는 일은 무엇인가? 똑같은 일을 반복적으로 하기를 좋아하는가? 아니면 다양한 경험을 하는 것을 좋아하는가? 혼자 일하는 것을 좋아하는가? 아니면 팀 안에서 같이 일하는 것을 좋아하는가? 성격이 내성적인가? 아니면 외향적인가? 생각을 잘하는 사람인가? 아니면 느낌에 민감한 사람인가? 경쟁하는 것을 좋아하는가? 아니면 협력하는 것을 좋아하는가?

자신의 경험을 점검하고 그것에서 배운 교훈을 끌어내라

자신의 삶을 돌이켜보고 어떻게 현재의 모습이 되었는지 생각해보라. 모세가 이스라엘 백성들에게 "너희가 하나님과 함께한 경험을 통해 주님에 대해서 무엇을 배웠는지 오늘날 기억하라"(신 11:2, TEV)고 말했듯이 기억하지 못하는 경험은 아무 가치가 없다. 그래서 영적인 일기를 쓰는 것이 중요하다. 바울은 갈라디아의 신자들이 그들이 겪었던 고통의 경험을 잊어버릴 것을 염려하며 "너희가 이같이 많은 괴로움을 헛되이 받았느냐 과연 헛되냐"(갈 3:4)라고 말한 것이다.

우리는 고통과 실패, 당혹스러운 일을 겪으면서 하나님의 선한 목적을 볼 수 없다. 예수님은 베드로의 발을 씻기시며 "나의 하는 것을 네가 이제는 알지 못하나 이 후에는 알리라"(요 13:7)고 말씀하셨듯이, 한참 후에야 우리는 하나님이 문제를 통하여 선을 이루심을 이해할 수 있게 된다.

우리의 경험에서 교훈을 끌어내기까지는 시간이 걸린다. 어느 주말 동안 수양관 같은 곳에 가서 하던 일을 멈추고 하나님이 어떻게 우리의 삶의 중요한 여러 순간에 역사하셨던가를 살펴보라. 그리고 하나님이 우리가 이 교훈을 가지고 다른 사람을 어떻게 돕기 원하시는지 생각해보라. 이것을 위해 도움이 되는 자료들이 있다.[1]

자신의 현재 모습(SHAPE)을 용납하고 즐기라

하나님은 우리에게 가장 좋은 것이 무엇인지 아시기 때문에 우리는 하나님이 우리를 만드신 모습을 감사하게 받아들여야 한다. 성경은 말한다. "이 사람아 네가 뉘기에 감히 하나님을 힐문하느뇨 지음을 받은 물건이 지은 자에게 어찌 나를 이같이 만들었느냐 말하겠느뇨 토기장이가 진흙 한 덩이로 하나는 귀히 쓸 그릇을, 하나는 천히 쓸 그릇을 만드는 권이 없느냐"(롬 9:20-21).

우리의 현재 모습은 하나님의 목적을 위하여 그분의 주권 속에서 결정되었기 때문에 우리는 이것에 대해 원망이나 거부할 수 없다. 다른 사람처럼 되려고 노력하는 대신 하나님이 지금 우리의 모습을 주신 것에 대해 찬양해야 한다. "우리 각 사람에게 그리스도의 선물의 분량대로 은혜를 주셨나니" (엡 4:7).

우리의 모습을 받아들이는 것 가운데 하나는 우리의 한계를 인식하는 것이다. 모든 것을 잘 할 수 있는 사람도 없고, 모든 것을 잘 하도록 하나님이 우리를 부르신 것도 아니다. 우리는 각자에게 정해진 제한된 역할이 있다 (갈 2:7-8). 바울은 그의 소명이 모든 것을 완수하고 모든 사람을 기쁘게 하는 것이 아니라 하나님이 자신을 만드신 바대로 특정된 사역에만 집중하는 것임을 분명히 했다. 그는 "우리의 목표는 우리를 향한 하나님의 경계선 안에 거하는 것이다" (고후 10:13, NLT) 라고 말했다.

경계선(boundaries)이라는 말은 하나님이 우리 각자에게 사역의 분야와 범위를 정해주시는 것을 말한다. 우리의 모습으로 우리가 사역할 전문 분야를 결정하는 것이다. 그렇기 때문에 우리가 하나님이 우리를 만드신 모습 이상으로, 우리의 사역 경계선을 넘어가면 스트레스를 받는 것이다. 달리기 시합에서 각 주자는 자기 선에서 뛰어야 하듯이 우리는 각자 개인적으로 "인내로써 우리 앞에 당한 경주를 경주" (히 12:1) 해야 하는 것이다. 옆 선에서 뛰는 사람을 부러워하지 말라. 자신의 경기에만 집중하라.

하나님은 우리가 당신이 주신 모습을 즐기기 원하신다. 성경은 "각각 자기의 일을 살피라 그리하면 자랑할 것이 자기에게만 있고 남에게는 있지 아니하리니" (갈 6:4)라고 말하고 있다. 사탄은 하나님이 우리에게 주신 모습을 즐기지 못하도록 두 가지 시험으로 우

하나님은 우리가 당신이 주신 모습을 즐기기 원하신다.

리에게서 기쁨을 앗아가려고 한다. 하나는 우리의 사역과 다른 사람의 사역을 비교하게 하는 것이고, 다른 하나는 우리의 사역을 다른 사람의 기대치에 따라 그들과 똑같은 사역을 하게 하는 것이다. 이 두 시험 모두는 우리가 하나님이 의도하신 방향대로 섬기는 것을 방해할 수 있는 치명적인 함정이다. 사역에서 기쁨을 잃을 때마다 이러한 유혹 가운데 하나가 그 원인은 아닌지 생각해보라.

성경은 우리에게 절대로 다른 사람과 비교하지 말라고 경고한다. "각각 자기의 일을 살피라 그리하면 자랑할 것이 자기에게만 있고 남에게는 있지 아니하리니"(갈 6:4). 우리의 모습, 사역, 사역의 결과를 놓고 다른 사람과 비교해서 안 되는 두 가지 이유가 있다. 우리보다 일을 잘 하는 사람은 언제든지 만날 수 있고, 그러면 낙심하게 될 것이다. 또한 우리보다 일을 잘 하지 못하는 사람 역시 언제든지 만날 수 있을 것인데 그러면 교만하게 되기 때문이다. 이 두 마음 자세는 우리가 올바른 사역을 하지 못하게 할 뿐만 아니라 사역을 잃어버리게도 한다.

바울은 우리 자신을 다른 사람과 비교하는 것이 어리석은 일이라고 말한다. 그는 이렇게 말했다. "우리가 어떤 자기를 칭찬하는 자로 더불어 감히 짝하며 비교할 수 없노라 그러나 저희가 자기로서 자기를 헤아리고 자기로서 자기를 비교하니 지혜가 없도다"(고후 10:12). 영어 성경 메시지(The Message)에서는 이렇게 말하고 있다. "이와 같은 모든 비교, 점수 매김, 경쟁은 핵심을 이해하지 못하는 것이다"(고후 10:12).

우리는 우리의 사역을 이해하지 못하는 사람들로부터 비난받고, 더 나아가서 우리가 무엇을 해야 하는지를 강요하는 사람들을 만나게 될 것이다. 그때 그들을 그냥 무시하라. 바울도 때때로 그의 사역을 오해하고 중상 모략하는 비판자들을 대했어야 했다. 그의 반응은 언제나 같았다. 비교하는 것을 피하고, 과대 포장하는 것을 거부하며, 하나님의 칭찬만을 기대했다

(고후 10:12-18).

바울이 하나님께 위대하게 쓰임받은 이유 가운데 하나는 그가 비난이나 다른 사람의 사역과 비교하는 것 또는 그의 사역에 대한 열매 없는 토론에 끌려들지 않았기 때문이다. 존 번연(John Bunyan)은 말했다. "나의 삶이 열매 맺는 삶이라면, 누가 이 삶에 대해 칭찬해도 나와는 상관 없는 일이요, 나의 삶이 열매 맺지 못하는 삶이라면, 누가 이 삶을 놓고 비판하든지 역시 나와는 상관 없는 일이다."

자신의 모습(SHAPE)을 계속 개발하라

하나님이 우리가 당신께 받은 것을 극대화시키기 원하신다는 것을 예수님은 달란트 비유로 말씀하신다. 우리는 우리의 은사와 능력을 연마해야 하고, 우리의 마음이 계속 열정으로 불타게 해야 하며, 우리의 성격과 성품을 성장시키고, 우리의 경험을 넓혀서 사역의 효율성을 증대시켜야 한다. 그래서 바울은 빌립보에 있는 교인들에게 "너희의 지식과 총명을 계속 자라게 하라"(빌 1:9, NLT)고 말했고, 디모데에게 "네 안에 있는 하나님의 은사에 날마다 새로운 불을 지피라"(딤후 1:6, NASB)고 상기시킨 것이다.

만일 우리가 근육 운동을 하지 않으면 우리의 근육은 약해지고 쇠퇴한다. 마찬가지로 하나님이 주신 능력과 기술을 사용하지 않으면 그것들을 잃게 될 것이다. 한 달란트를 사용하지 못한 종에 빗대어 주인은 "그에게서 한 달란트를 빼앗아 열 달란트 가진 자에게 주어라"(마 25:28)고 말했다. 당신의 능력을 사용하라. 그러면 하나님은 능력을 더해주실 것이다. 바울은 디모데에게 말했다. "하나님이 주신 능력을 사용하라… 그 능력이 일하게 하라"(딤전 4:14-15, LB).

하나님께 받은 은사가 무엇이든지 그 은사는 연습을 통해 더 넓혀지고 개발될 수 있다. 예를 들어, 처음부터 완전히 개발된 가르침의 은사를 받은 사람은 없지만, 연구와 조언과 실습을 통해 좋은 교사가 더 좋은 교사로, 그리고 시간이 흐름에 따라 최고의 전문가가 될 수 있는 것이다. 적당히 개발된 은사를 가지고 만족하지 말라. 팔을 넓게 펴서 배울 수 있는 모든 것을 배우라. "네가 진리의 말씀을 옳게 분변하며 부끄러울 것이 없는 일꾼으로 인정된 자로 자신을 하나님 앞에 드리기를 힘쓰라" (딤후 2:15). 자신의 모습을 개발하고 섬기는 기술을 연마할 수 있는 모든 훈련 기회를 활용하라.

우리는 천국에서 하나님을 영원토록 섬길 것이다. 그리고 지금은 이 땅에서 바로 그와 같은 영원한 사역을 준비하고 있는 것이다. 선수들이 올림픽을 위해 준비하는 것과 같이 우리는 그날을 위해 계속 훈련해야 한다. "저희는 썩을 면류관을 얻고자 하되 우리는 썩지 아니할 것을 얻고자 하노라" (고전 9:25).

우리는 영원한 책임과 상급을 위해 준비하고 있는 것이다.

Day 32

내 삶의 목적에 대하여

생각할 점 : 하나님은 나의 최고의 것을 받기에 합당하시다.

외울 말씀 : "네가 진리의 말씀을 옳게 분변하며 부끄러울 것이 없는 일꾼으로 인정된 자로 자신을 하나님 앞에 드리기를 힘쓰라" (딤후 2:15).

삶으로 떠나는 질문 : 어떻게 하면 하나님이 내게 주신 것들을 최대한 활용할 수 있을까?

33

진실한 종의 행동 지침

"너희 중에 누구든지 크고자 하는 자는
너희를 섬기는 자가 되고"
(막 10:43).

"그의 열매로 그들을 알지니 가시나무에서 포도를,
또는 엉겅퀴에서 무화과를 따겠느냐"
(마 7:16).

우리는 다른 사람을 섬김으로 하나님을 섬긴다.

세상은 위대함을 권력, 소유물, 명성, 지위의 측면에서 정의한다. 만약 우리가 다른 사람들에게 섬김을 요구할 수 있는 입장이면 인생에서 성공했다고 생각한다. '나 우선(me-first)' 의 정신을 강조하는 오늘날의 문화 속에서 종과 같이 행동하는 것은 인기 없는 개념이다.

그러나 예수님은 위대함을 신분이 아닌 섬김의 잣대로 측정하신다. 하나님은 우리의 위대함을, 다른 사람이 우리를 얼마나 섬기는가가 아니라 우리가 다른 사람을 얼마나 섬겼느냐에 따라 결정하신다. 이것은 세상에서 말하는 것과는 너무나 상반된 것이기 때문에 행하는 것은 물론 이해하는 것도 쉽지 않다. 제자들은 누가 가장 귀한 자리를 차지할 자격이 있는지를 놓고 다투었다. 그 후 2천 년이 지난 오늘도 크리스천 지도자들이 교회, 교단 그리고 선교 기관 안에서 그들의 지위와 명성을 위해 엎치락뒤치락 하는 것을 볼 수 있다.

리더십에 관한 수천 권의 책이 쓰여졌지만 섬김의 도에 대해 쓰여진 책은 거의 없다. 누구나 다 지도자가 되기를 원하지 종이 되기를 원하지 않는다. 우리는 장군이 되기를 원하지 사병이 되기를 원하지 않는다. 크리스천들도 '섬기는 리더(servant-leaders)' 가 되기를 원하지 그저 종으로 남기를 원하지 않는다. 그러나 예수님처럼 되기 위해서는 종이 되어야 한다. 왜냐하면 예수님이 바로 자신을 그렇게 부르셨던 것이다.

자신의 모습을 알고 하나님을 섬기는 것이 중요하지만, 그보다 더 중요한 것은 종의 마음을 갖는 것이다. 하나님이 우리를 자기 중심적인 삶이 아니라 섬김을 위해 부르신 것을 기억하라. 종의 마음이 없이는 우리 자신의 유익을 위해 다른 사람의 필요를 돌아보지 않으려 하는 유혹을 받을 것이다.

하나님은 때때로 우리가 지음받은 모습이 아닌 다른 모습으로 섬길 것을 요청하셔서 우리의 마음을 시험하신다. 만약 우리가 구덩이에 빠진 사람을 보면서 "나는 자비와 봉사의 은사가 없어" 라고 말하는 대신 그를 그곳으로부터 꺼내주기를 하나님은 기대하신다. 우리에게 어떤 특정한 은사가 없다 할지라도, 주위에 그러한 은사를 가진 사람이 없다면 하나님이 그 일을 하도록 우리를 부르실 수도 있다. 우리의 최우선 사역은 우리의 모습 안에서 이루어지지만, 그 다음 사역은 그 당시 필요한 것을 충족시키는 일을 하는 것이다.

우리의 모습이 우리의 사역을 보여주지만 종의 마음은 우리의 신앙이 얼마나 성숙하지를 보여준다. 모임 후에 쓰레기를 줍는다던가, 의자를 정리하는 일은 특정한 달란트와 은사를 요하는

우리의 모습이 우리의 사역을 보여주지만 종의 마음은 우리의 신앙이 얼마나 성숙하지를 보여준다.

것이 아닌 것처럼 누구나 다 종이 될 수 있고, 종이 되기 위해 유일하게 필요한 것은 성품뿐이다.

한 번도 종이 되지 않고 평생 교회에 다니는 것이 가능하다. 그러나 거듭해서 말하지만 우리는 반드시 종의 마음을 가져야 한다. 그렇다면 우리가 종의 모습을 갖고 있는지 어떻게 알 수 있는가? 예수님은 "그의 열매로 그들을 알지니 가시나무에서 포도를, 또는 엉겅퀴에서 무화과를 따겠느냐"(마 7:16)라고 말씀하셨다.

진실한 종은 자신을 섬기기 위해 내어준다

종이란 다른 일을 하면서 시간이 없다고 말하는 대신에 필요할 때 언제든지 돕기를 원하는 사람이다. 군인과 같이 임무를 위해 항상 대기하고 있는 사람이다. "군사는 자신의 지휘관을 따라 그를 기쁘게 해야 하기 때문에 이 세상의 작은 일에는 신경을 쓸 수가 없습니다"(딤후 2:4, 쉬운성경). 우리가 편할 때만 섬기는 일을 한다면 우리는 진실한 종이 아니다. 진실한 종은 비록 불편하더라도 필요한 일을 한다.

하나님을 위해 당신은 언제든지 시간을 낼 수 있는가? 하나님이 당신의 계획에 차질이 생기게 하셔도 그분을 원망하지 않겠는가? 종으로서 우리는 특정한 때와 장소에서만 섬기겠다고 할 수 있는 선택의 여지가 없다. 종이 된다는 것은 우리의 스케줄을 통제할 수 있는 권리를 포기하는 것이고, 언제든지 원하시면 하나님이 일하실 수 있도록 우리의 삶을 내어드리는 것이다.

'나는 하나님의 종이다' 라는 사실을 매일 아침 스스로에게 상기시키면 어떤 방해를 만난다 할지라도 크게 좌절하지 않을 것이다. 왜냐하면 하나님이 우리의 삶을 통해 하기를 원하시는 모든 것이 우리 삶의 과제이기 때문이다. 종은 자신의 계획에 방해를 주는 요소도 사역을 위한 하나님의 약속으로 생각하고, 섬기는 연습을 할 수 있는 기회를 얻은 것으로 행복해하는 것이다.

진실한 종은 다른 사람의 필요를 돌아본다

종들은 언제나 다른 사람을 도울 수 있는 방법을 찾는다. 그래서 사람들의 필요를 목격하게 되면 성경에서 "그러므로 우리는 기회 있는 대로 모든 이에게 착한 일을 하되 더욱 믿음의 가정들에게 할지니라"(갈 6:10)고 명하신 것처럼, 그들의 필요를 채워줄 수 있는 순간을 놓치지 않는다. 하나님이 도움이 필요한 사람을 우리 앞에 두실 때마다 우리는 종의 모습을 성장시킬 수 있는 기회를 받는 것이다. 하나님이 우리가 교회 식구들의 필요를 돌보는 것을 최우선 순위에 둘 것을 말씀하셨음에 주목하라.

민감성과 순발력 부족으로 우리는 섬길 수 있는 많은 기회를 놓쳤다. 섬길 수 있는 좋은 기회들은 오래 가지 않고 빨리 지나가버리며, 다시 돌아오지 않는다. 어떤 특정한 사람을 섬길 수 있는 기회는 단 한 번밖에 없을지도 모른다. "네게 있거든 이웃에게 이르기를 갔다가 다시 오라 내일 주겠노라 하지 말며"(잠 3:28).

요한 웨슬리(John Wesley)는 위대한 하나님의 종이었다. 다음은 그의 좌우명이다. "내가 할 수 있는 모든 선한 일을 하자. 모든 수단, 모든 방법을 동원하고, 어떠한 장소에서든지, 어느 시간이든지, 상대가 누구든지, 내가 할 수 있는 오랫동안 하자." 위대한 종의 모습이다. 우리는 다른 사람이 하고 싶어하지 않는 아주 작은 일을 주의 깊게 살펴보는 것으로 시작할 수 있다. 작은 일들을 위대한 일들처럼 하라. 하나님이 보고 계신다.

진실한 종은 자기가 가지고 있는 것으로 최선을 다한다

종들은 핑계를 대거나, 뒤로 미루거나, 환경이 좀더 나아지기를 기다리지 않는다. "언제가는" 아니면 "상황이 나아지면" 등의 말을 결코 하지 않는다. 해야 할 바를 즉시 행한다. 그래서 성경은 "완벽한 상황을 기다리면 아무것도 할 수 없다"(전 11:4, NLT)라고 말한다. 하나님은 우리가 어느 곳에 있든지, 우리가 가진 것으로 우리가 할 수 있는 일을 하기 원하신다. 불완전한 섬김이 최선의 의도보다 항상 낫다.

많은 사람들이 섬기지 않는 이유 가운데 하나는 자신이 섬기기에 부족하다고 느끼며 두려워하기 때문이다. 그들은 수퍼 스타만이 하나님을 섬길 수 있다는 거짓말을 믿는다. 어떤 교회들은 '최상' 을 그들의 우상으로 만들어 이런 잘못된 생각을 교회 안에서 장려하고 있기 때문에, 보통의 달란트를 가진 교인들이 봉사하는 것을 주춤거리게 만든다.

'잘 하지 않으려면 하지도 말라' 는 말을 들어본 적이 있겠지만, 예수님은 그런 말을 한 번도 하지 않으셨다. 처음부터 어떤 일을 잘 해낼 수는 없다. 오히려 실수와 부족함을 통해 배우는 것이다. 그래서 새들백교회에서는 '그 정도면 괜찮다(good enough)' 원리를 가지고 사역을 장려하고 있다. 이는 완벽하지 않아도 하나님이 사용하시고 복주시는 사역이 된다는 것이다. 우리는 소수의 엘리트에 의해 운영되는, 완벽하게 보이는 교회보다는 수천 명의 보통 사람들이 참여하는 교회가 되기를 원한다.

진실한 종은 모든 일에 대해 똑같은 헌신을 한다

종은 '무슨 일을 하든지 마음을 다하여' (골 3:23) 한다. 일의 규모를 상관하지 않는다. 단지 "이 일을 해야 할 필요가 있는가"라고만 묻는다.

하찮은 일을 하기에는 자신이 너무나 중요한 사람이라고 생각하면 인생에서 아무것도 할 수 없다. 하나님은 우리를 현실 세계로부터 제외시키지 않으실 것이기 때문이다. 현실은 우리의 성품을 개발시키는 중요한 장소다.

그래서 성경은 말한다. "아무것도 아닌 사람이 무엇이나 된 것처럼 행동한다면, 그것은 자기를 속이는 일입니다"(갈 6:3, 쉬운성경). 작은 일을 할 때 우리는 예수님을 닮아 자라가는 것이다.

예수님의 전공 분야는 다른 사람들이 하기를 꺼리던 하찮은 일을 하시는 것이었다. 발 씻기기, 어린아이들 돌보기, 아침 식사 만들기, 문둥병자 돌보기. 예수님은 섬기러 오셨기 때문에 당신이 섬기지 못하는 사람은 없었다. 그분이 위대하심에도 불구하고 이러한 일을 해서가 아니라, 섬기는 것 그 자체의 이유로 우리가 당신의 모범을 따르기 원하시는 것이다(요 13:15).

작은 일들은 넓은 마음을 보여준다. 종의 마음은 다른 사람들이 생각 못하는 작은 행동들을 통해 나타난다. 바울은 배가 파손된 후에 나뭇가지들을 주워다가 추위에 떠는 사람들을 위해 모닥불을 피웠다(행 28:3). 바울 또한 다른 사람들과 마찬가지로 완전히 지친 상태였지만 그들이 필요로 하던 일을 해주었다. 우리가 종의 마음만 가지고 있다면 우리가 할 수 없는 일은 없다.

위대한 기회들은 때때로 조그마한 일들로 위장되어 있다. 인생에서 작은 일들은 큰일을 결정한다. 하나님을 위해 위대한 일만을 하려고 하지 말라. 별로 위대하지 않은 일을 하기 시작하면 하나님은 우리가 하기를 바라시는 당신의 일을 맡기실 것이다. 특별한 일을 시도하기 전에, 평범한 일을 가지고 섬기도록 노력하라(눅 16:10-12).

위대한 기회들은 때때로 조그마한 일들로 위장되어 있다.

하나님을 위해서 '위대한' 일을 하고자 하는 사람은 있지만, 작은 일을 기꺼이 하려고 하는 사람은 거의 없다. 리더가 되기 위한 경쟁은 치열하고 비좁지만, 종이 될 수 있는 길은 환하게 열려 있고 많은 자리가 비어 있다. 때로 우리는 우리의 상사를 섬기는, 위를 향한 섬김을 해야 할 때도 있고, 아래를 향한 섬김을 해야 할 때도 있다. 위로 섬기든 아래로 섬기든, 우리가 필요로 하는 것을 채우려고 노력할 때 종의 마음을 개발할 수 있다.

진실한 종은 그들의 사역에 충실하다

종들은 자신들의 일을 끝까지 잘 감당하고, 책임을 완수하며, 약속을 지키고, 헌신한 바를 완수한다. 반 정도 일을 끝내고 떠나는 사람이 아니라 낙심해도 중도에 포기하지 않는, 믿을 수 있고 의지할 수 있는 사람이다.

신실함이란 정말 찾아보기 힘든 자질이다(시 12:1, 잠 20:6, 빌 2:19-22). 대부분의 사람들이 헌신의 의미를 잘 모르기 때문에 건성으로 헌신하고 나서 아무런 망설임이나 양심의 가책도 없이 극히 작은 이유로 그들의 헌신을 헌신짝같이 버린다. 그래서 매주 교회나 여러 기관들에서 봉사자들이 준비를 하지 않았거나, 참석하지 않거나, 아니면 연락도 없이 오지 않아서 즉흥적으로 일을 해야 하는 경우가 비일비재하게 일어나는 것이다.

다른 사람들이 당신의 헌신을 믿을 수 있는가? 당신에게 지켜야 할 약속, 완수해야 할 서약, 존중해야 할 헌신이 있는가? 이것은 하나의 테스트다. 하나님이 우리의 신실성을 테스트하시고 있는 것이다. 우리가 이 테스트에서 합격한다면 우리는 다음 사람들과 같은 무리에 속해 있는 것이다. 아브라함, 모세, 사무엘, 다윗, 다니엘, 디모데 그리고 바울. 이들 모두가 하나님의 신실한 종으로 불렸다. 그런데 이보다 더 좋은 소식은 하나님은 영원한 나라에서 우리의 신실함에 대해 상주실 것이다. 하나님이 언젠가 우리에게 이렇게 말씀하신다고 상상해보라. "잘 하였도다 착하고 충성된 종아 네가 작은 일에 충성하였으매 내가 많은 것으로 네게 맡기리니 네 주인의 즐거움에 참예할지어다"(마 25:23).

신실한 종에게 절대로 은퇴란 없다. 살아 있는 동안 신실하게 섬기는 것이다. 물론 직장에서는 은퇴하겠지만, 하나님을 섬기는 것에서 은퇴란 없다.

신실한 종은 낮은 자세를 유지한다

자신을 선전하거나 다른 사람들로부터 주의를 끌려고 하지 않는다. 다른 사람에게 깊은 인상을 주기 위해 행동하는 것이 아니라 겸손의 옷을 입고 서로를 섬긴다(벧전 5:5). 누군가가 사역을 인정해줄 때는 겸손하게 받아들이지만, 유명세로 인해 사역이 방해되지 않게 한다.

바울은 겉모습만 보면 영적인 것 같지만 실제로는 보여주기 위한 쇼 내지는 다른 사람의 눈길을 끄는 섬김을 폭로했다. 그는 그것을 '눈가림(눈만 즐겁게 하는 봉사)' (엡 6:6, 골 3:22)이라고 불렀는데, 그런 섬김은 자신이 얼마나 영적인가를 사람들에게 보여주기 위한 것이다. 이것이 바리새인들이 범한 죄였다. 그들은 다른 사람을 돕고, 헌금하고, 기도하는 일조차도 다른 사람에게 보여주기 위한 하나의 공연으로 생각했기 때문에 예수님은 "사람에게 보이려고 그들 앞에서 너희 의를 행치 않도록 주의하라 그렇지 아니하면 하늘에 계신 너희 아버지께 상을 얻지 못하느니라" (마 6:1)고 경고하셨다.

자기 자신을 자랑하는 것과 종의 마음은 함께 섞일 수 없다. 신실한 종은 다른 사람의 칭찬이나 인정을 받기 위해 섬기지 않는다. 바울이 "내가 지금까지 사람의 기쁨을 구하는 것이었더면 그리스도의 종이 아니니라" (갈 1:10)고 말한 것처럼 한 분의 관객을 위해 사는 것이다.

진실한 종은 화려한 조명 아래에서 찾을 수 없다. 그들은 가능하면 그런 자리를 피하려 하고 음지에서 조용히 섬기는 것에 만족해한다. 요셉이 좋은 예가 된다. 그는 자신에게 관심을 두지 않고 조용히 보디발을 섬겼고, 그리고 감옥의 간수를 섬겼으며, 바로 왕의 떡 굽는 관원과 술 맡은 관원을 섬겼다. 하나님은 그런 섬김의 자세를 보시고 복을 주셨다. 바로가 그를 높은 자리로 승진시켰을 때도 요셉은 계속 종의 마음을 가졌고, 특히 자신을 판 형제들에게도 종의 마음을 가지고 섬겼다.

불행한 사실은 오늘날의 많은 지도자들이 종의 자세로 시작하지만 나중에는 유명 인사가 된다는 것이다. 그들은 화려한 불빛이 언제나 그들의 눈을 가린다는 사실을 인식하지 못한 채 관심의 초점이 되는 것에 중독이 된다.

어쩌면 당신은 작은 곳에서 아무도 알아주는 이 없이, 감사의 인사도 받지 못하면서 무명의 인물로 섬기고 있을지 모른다. 그렇다면 이것을 기억하라. 하나님은 목적이 있어서 바로 그곳에 당신을 보내신 것이다. 당신의 머리털까지 세시며 당신의 모든 것을 아시는 하나님이시기 때문에 하나님이 다른 곳으로 보내기로 결정하실 때까지는 그곳에 머물라. 그분이 당신이 다른 곳에 있기를 원하시면 알려주실 것이다. 당신의 사역은 하나님나라에 있어서 정말로 중요하다. "우리 생명이신 그리스도께서 나타나실 그 때에 너희도 그와 함께 영광 중에 나타나리라" (골 3:4).

미국에는 750개 이상의 명예의 전당(Halls of Fame)이 있고, 450개 이상의 인명 사전(Who' s Who) 출판부가 있지만 그곳에서는 진실한 종을 찾을 수 없다. 유명해지는 것은 진실한 종에게는 관심 밖의 일인데, 그 이유는 그들이 유명한 것과 의미 있는 것의 차이를 이해하기 때문이다. 우리에게는 얼굴을 구성하는 중요한 부위들이 있지만, 간혹 그것이 없이도 살 수는 있다. 그러나 우리 몸 안에 숨겨져 있는 부분은 없으면 살 수 없다. 똑같은 진리가 예수님의 몸에도 적용된다. 가장 위대한 섬김은 때때로 눈에 보이지 않는다 (고전 12:22-24).

이름 없이 음지에서 섬긴 종들을 하나님은 천국에서 공개적으로 상주실 것이다. 지상에서는 들어본 적이 없는 사람들, 정신 지체아를 돌보는 사람들, 지체를 쓸 수 없는 노인들에게 목욕을 시켜주는 사람들, 에이즈 환자를 돌보는 사람들 그리고 보이지 않게 봉사하는 수많은 사람들을 하나님은 기억하실 것이다.

이것을 기억하며, 당신의 사역이 주목받지 못하거나 사람들에게 당연한 것으로 생각되어질 때 실망하지 말고 계속 하나님을 섬기라. "그러므로 내 사랑하는 형제들아 견고하며 흔들리지 말며 항상 주의 일에 더욱 힘쓰는 자들이 되라 이는 너희 수고가 주 안에서 헛되지 않은 줄을 앎이니라"(고전 15:58). 가장 작은 일이라 할지라도 하나님은 아시고 상주실 것이다. "또 누구든지 제자의 이름으로 이 소자 중 하나에게 냉수 한 그릇이라도 주는 자는 내가 진실로 너희에게 이르노니 그 사람이 결단코 상을 잃지 아니하리라 하시니라"(마 10:42).

Day 33

내 삶의 목적에 대하여

생각할 점 : 나는 다른 사람을 섬김으로 하나님을 섬긴다.

외울 말씀 : "또 누구든지 제자의 이름으로 이 소자 중 하나에게 냉수 한 그릇이라도 주는 자는 내가 진실로 너희에게 이르노니 그 사람이 결단코 상을 잃지 아니하리라 하시니라"(마 10:42).

삶으로 떠나는 질문 : 진정한 종의 다섯 가지 모습 가운데 가장 도전이 되는 것은 무엇인가?

34

종의 마음으로 생각하기

"오직 내 종 갈렙은 그 마음이 그들과 달라서
나를 온전히 좇았은즉 그의 갔던 땅으로 내가
그를 인도하여 들이리니 그 자손이 그 땅을 차지하리라"
(민 14:24).

"예수님처럼 생각하고 행동합시다"
(빌 2:5, 쉬운성경).

섬김은 마음에서 시작된다.

종이 되는 것은 우리의 정신적인 전환과 태도의 변화를 요구한다. 하나님은 우리가 무엇을 하는가보다 왜 하는가에 관심을 가지고 계시다. 마음 자세가 무엇을 성취하는 것보다 더 중요하다. 아마샤 왕은 하나님의 은총을 잃었는데 그 이유가 "여호와 보시기에 정직히 행하기는 하였으나 온전한 마음으로 행치"(대하 25:2) 않았기 때문이다. 진실한 종은 다섯 가지 마음가짐으로 하나님을 섬긴다.

진실한 종은 자신보다는 다른 사람을 더 생각한다

종들은 자신이 아닌 다른 사람에게 초점을 맞춘다. 바로 이것이 겸손이다. 자기 자신을 낮게 생각하는 것이 아니라, 자기 자신에 대해 적게 생각하는 것이다. 바울은 "각각 자기 일을 돌아볼 뿐더러 또한 각각 다른 사람들의 일을 돌아보아"(빌 2:4)라고 말했다. 다른 사람을 섬기기 위해 자신을 잊어버리는 것이야말로 '자신의 삶을 잃는 것'의 참 의미다. 우리가 우리 자신의 필요에 초점을 맞추는 것을 중단할 때, 우리 주변의 필요를 인식하게 된다.

예수님은 "자기를 비어 종의 형체를 가져 사람들과 같이"(빌 2:7) 되셨다. 우리는 언제 마지막으로 우리 자신을 다른 사람의 유익을 위해 비웠는가? 우리의 삶이 우리 자신으로 가득 차 있으면 종이 될 수 없다. 우리가 세상에 기억되어야 마땅한 일을 했지만 우리 자신을 잊어버릴 때만이 종이 될 수 있는 것이다.

불행하게도 우리의 섬김 가운데 많은 경우가 우리 자신을 위한 것이다. 다른 사람이 우리를 좋아하게 하기 위해서, 우리를 우러러보게 하기 위해서, 우리의 목표를 이루기 위해서 그들을 섬기는 것이다. 이것은 속임이지 사역은 아니다. 왜냐하면 섬기는 동안 우리가 얼마나 고귀하고 멋있는 존재인가라고 우리 자신만을 생각하기 때문이다. 어떤 사람들은 섬김을 "당신이 나를 위해 이것을 해주시면 당신을 위해 이것을 하겠습니다"라는 식으로 하나님과 협상하는 도구로 사용한다. 진실한 종은 자신의 목적을 위해 하나님을 이용하지 않는다. 하나님의 목적을 위해 자신을 내어드린다.

진실한 종은 자신의 목적을 위해 하나님을 이용하지 않는다.
하나님의 목적을 위해 자신을 내어드린다.

신실함이라는 자질만큼이나 자신을 잊고 헌신할 수 있는 자질은 귀한 것이다. 바울은 디모데가 이러한 자질의 모범이 되는 유일한 사람이라고 지적했다(빌 2:20-21). 종처럼 생각하는 것이 어려운 이유는 이것이 삶의 기본적인 문제에 대한 도전이기 때문이다. 본능적으로 '나'는 이기적인 존재다.

우리는 '나' 에 대해서 가장 많이 생각한다. 바로 이러한 이유 때문에 겸손은 매일 매일의 싸움을 통해 얻어지는 것이고, 거듭해서 배워야 하는 것이다. 우리는 하루에도 수십 번 이상 종이 될 수 있는 기회를 대면한다. 나 자신의 필요를 채우느냐 아니면 다른 사람의 필요를 채우느냐의 선택을 해야 한다. 자신을 부인하는 것이야말로 종이 되기 위한 가장 핵심 요소다.

우리가 종의 마음을 가졌는가를 알 수 있는 척도는 다른 사람들이 우리를 종 처럼 다룰 때 어떻게 그들에게 반응하는가다. 다른 사람들이 당신에게 무리한 요구를 하고, 아랫사람처럼 무시하며 대할 때 당신은 어떻게 반응하는가? 성경은 이렇게 말한다. "누군가가 너희를 부당하게 이용하면 종의 삶을 연습하는 기회로 사용하라" (마 5:41, Msg).

진실한 종은 주인이 아닌 청지기같이 생각한다

종은 하나님이 모든 것을 소유하고 계시다는 것을 기억한다. 성경에서는 청지기란 종의 신분으로 주인의 소유를 맡아서 관리하는 사람이라고 말한다. 요셉은 이집트에서 죄수로서 이러한 역할을 했던 종이었다. 첫째로 보디발은 요셉에게 자신의 모든 집안일을 총괄하게 했다. 그리고 요셉이 감옥에 있을 때 간수는 요셉에게 감옥 안의 모든 일을 맡겼으며, 마침내 바로는 요셉에게 이집트 전국을 관리하는 일을 맡겼다. 그러므로 종의 자세와 청지기의 자세는, 하나님이 우리에게 이 두 가지 역할 모두에서 믿을 만한 행동을 기대하시고 있기 때문에 일맥 상통한다(고전 4:1). 그래서 성경은 말한다. "그리고 맡은 자들에게 구할 것은 충성이니라" (고전 4:2). 우리는 하나님이 우리에게 맡겨놓으신 자원들을 어떻게 다루고 있는가?

진실한 종이 되기 위해서는 우리의 삶 속에서 돈의 문제에 대해 분명해야 한다. 예수님은 이에 대해 말씀하셨다. "집 하인이 두 주인을 섬길 수 없나니 혹 이를 미워하고 저를 사랑하거나 혹 이를 중히 여기고 저를 경히 여길

니 혹 이를 미워하고 저를 사랑하거나 혹 이를 중히 여기고 저를 경히 여길 것임이니라 너희가 하나님과 재물을 겸하여 섬길 수 없느니라"(눅 16:13). 예수님은 "너희가 둘 다를 섬기지 않기를 권한다"가 아닌, "너희는 둘 다를 섬길 수 없다"라고 말씀하셨다. 불가능한 것이다. 사역을 위해 사는 것과 돈을 위해 사는 것은 서로 용납될 수 없는 목표다. 이 둘 가운데 우리는 무엇을 택할 것인가? 우리가 하나님의 종이라면 우리 자신을 위해 전업 외의 부업을 가질 수는 없다. 우리의 모든 시간이 하나님께 속한 것이기 때문이다. 하나님은 우리가 오직 하나님께만 충성하기를 강조하시기 때문에 파트 타임 신실함이란 없다.

돈은 우리의 삶에서 하나님을 대치할 수 있는 가장 큰 가능성이 있다. 보다 많은 사람들이 그 무엇보다도 물질주의를 신봉하며 곁길로 가고 있다. 그들은 "나의 금전적인 목표를 달성한 후에 하나님을 섬기겠다"라고 말하는데, 이것은 그들이 평생을 통하여 후회하게 될 어리석은 결정이다. 예수님이 우리의 주인이 되실 때에는 돈이 우리를 섬기지만, 돈이 우리의 주인이 될 때에는 돈의 노예가 된다. 물론 부 자체가 죄는 아니지만 하나님의 영광을 위해 부를 쓰지 않을 때는 죄가 된다. 그러므로 진실한 종은 돈보다 사역에 마음을 쏟는다.

성경은 분명하게 말하고 있다. 하나님은 종으로서의 우리의 신실함을 돈의 문제를 가지고 시험하신다. 이런 이유로 예수님은 천국이나 지옥에 관해서보다 돈에 대해 더 많이 언급하신 것이다. "만일 너희가 세상의 부를 다루는데 신뢰할 만하지 못하다면 진정한 부요함에 대해 누가 너희를 신뢰할 수 있겠는가?"(눅 16:11, NIV)라고 예수님은 말하신다. 우리가 돈을 어떻게 관리하느냐가 하나님이 얼마나 우리의 삶에 복주시느냐에 영향을 미친다.

31장에서 두 부류의 사람들, '왕국을 건설하는 사람들'과 '부를 추구하는 사람들'에 대해서 언급했는데, 두 부류의 사람 모두가 그들의 사업을 성장이다. 부를 추구하는 사람들은 그들이 얼마를 가지고 있든지 그들 자신을 위하여 계속 부를 쌓지만, 왕국을 건설하는 사람들은 삶의 규칙을 바꾼다. 그들 역시 가능한 많은 돈을 모으려 하지만 그들은 주기 위해 모은다. 자신들의 부를 하나님의 교회와 세계 선교를 위해 쓰는 것이다.

새들백교회에는 회사의 최고 경영자들과 사업가들의 모임이 있는데, 그들은 돈을 많이 벌어서 하나님나라의 확장을 위해 쓰고자 한다. 출석하는 교회의 목사님과 의논해서 당신의 교회에서도 '왕국을 건설하는 사람들(Kingdom Builder)' 모임을 시작해보기를 권한다. 보다 자세한 정보는 〈부록 2〉를 참고하라.

신실한 종은 자신의 일에만 집중한다

그들은 다른 종들의 사역과 비교, 비판, 경쟁하지 않는다. 하나님께 받은 사역을 하기에도 바쁘기 때문이다.

하나님의 종들 사이에서 서로 경쟁하는 것은 여러 가지 이유로 불합리하다. 우리는 다 한 팀에 속해 있고, 우리의 목표는 우리 자신이 아니라 하나님을 높이는 데 있으며, 각자 맡은 일이 다를 뿐 아니라 각기 독특한 모습을 갖고 있기 때문이다. 그래서 바울은 말했다. "우리는 마치 누가 더 좋고, 나쁘다고 하는 듯 서로를 비교하지 않을 것이다. 우리의 삶에는 이것보다 훨씬 더 흥미로운 것들이 있다. 우리 각자는 모두 고유한 존재다"(갈 5:26, Msg).

종들 사이에는 사소한 질투가 있을 자리가 없다. 우리가 섬기는 일로 바쁘다 보면 다른 사람을 비판할 시간이 없기 때문이다. 다른 사람을 비판할 시간이 있으면 그 시간에 누군가를 섬겨야 한다. 마르다가 예수님께 마리아가 자기를 돕지 않는다고 불평했을 때 이미 그녀는 종의 마음을 잃어버렸다. 진실한 종은 불공평함에 대해 불평하거나 자기 자신을 측은히 여기지 않으며, 섬기지 않는 사람을 원망하지도 않는다. 그저 하나님을 신뢰하면서 계속 섬긴다.

주인의 다른 종을 평가하는 것은 우리의 일이 아니다. 성경은 말한다. "남의 하인을 판단하는 너는 누구뇨 그 섰는 것이나 넘어지는 것이 제 주인에게 있으매 저가 세움을 받으리니 이는 저를 세우시는 권능이 주께 있음이니라" (롬 14:4). 또한 비판에 대해 방어하는 것도 우리의 일이 아니다. 이런 일은 주님이 처리하시도록 맡겨버리라. 느헤미야나 모세처럼 그들이 반대하는 무리 앞에서 보여줬던 진정한 겸손의 예를 따르라. 느헤미야는 자신을 비판하는 사람들에게 "내가 지금 하던 일을 중단하고 너희를 방문하기에는 내 일이 너무나 중요하다" (느 6:3, CEV)라고 간단하게 반응했다.

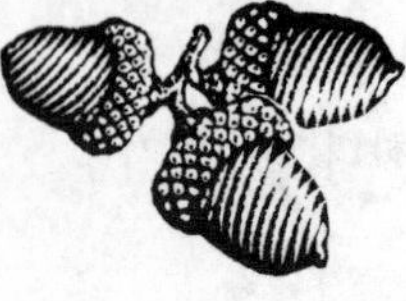

주님과 같이 섬길 때 비판이 있을 것을 예상하라. 세상이 그리고 심지어 많은 교회들도 하나님이 귀하게 여기시는 것을 이해하지 못한다. 예수님께 드려졌던 가장 아름다운 사랑의 행위 가운데 하나도 제자들에게는 비판받을 일이었다. 마리아가 자신이 소유하고 있던 가장 귀한 것, 곧 값비싼 향유로 예수님의 머리에 부었을 때 제자들은 이것을 '낭비' 라고 했다. 그러나 예수님은 이것을 '좋은 일' (마 26:10)로 부르셨다. 예수님이 어떻게 보시는가 하는 것이 전부일 뿐이다. 그리스도를 위한 우리의 섬김은 다른 사람이 뭐라고 하든 절대로 낭비가 아니다.

진실한 종은 그리스도 안에 정체성을 둔다

그들은 조건 없이 사랑받고, 은혜로 용납받은 것을 기억하기 때문에 자신의 가치를 증명할 필요가 없다. 불확실한 자아상을 가진 사람들이 그들을 비하하는 일도 기꺼이 용납한다. 확실한 자아상을 가지고 다른 사람을 섬겼던 가장 좋은 모범은 예수님이 제자들의 발을 씻기셨던 일이다. 발을 씻긴다는 것은 구두닦이 소년이 되는 것처럼 어떠한 지위도 갖지 않는 사람이 되는 것이다. 예수님은 자신이 누구신지 아셨기 때문에 그 일이 예수님의 자아상을 위협하지 않았다. 성경은 이렇게 기록하고 있다. "저녁 먹는 중 예수는 아버지께서 모든 것을 자기 손에 맡기신 것과 또 자기가 하나님께로부터 오셨다가 하나님께로 돌아가실 것을 아시고 저녁 잡수시던 자리에서 일어나 겉옷을 벗고 수건을 가져다가 허리에 두르시고"(요 13:3-4).

우리가 종이 되고자 한다면 반드시 예수님 안에서 우리의 정체성의 문제를 해결해야 한다. 확실한 자아상을 가지고 있는 사람만이 섬길 수 있다. 정체성이 불안한 사람들은 다른 사람들에게 자신이 어떻게 보이는지를 항상 걱정한다. 그들은 약점이 노출되는 것을 두려워하고 자만과 가식 아래 숨는다. 우리가 불안하면 할수록 다른 사람이 우리를 섬겨주고 인정해주기를 원하게 된다.

헨리 나우웬(Henry Nouwen)은 말했다. "다른 사람들을 섬기기 위해서는 그들에게 무관심해져야 한다. 다시 말해서, 우리의 의미와 가치를 그들의 잣대로 재는 것을 포기해야 한다… 그래야 우리는 그들을 동정할 만큼 자유로울 수 있다." 우리의 가치와 정체성을 그리스도와의 관계에 둔다면 우리는 다른 사람들의 기대로부터 자유롭게 되며, 우리의 최선을 다해 다른 사람들을 섬길 수 있게 될 것이다.

종은 그들의 방을 그들이 한 일을 증명해주는 상패나 상장으로 도배해놓을 필요가 없다. 이름 뒤에 직함을 넣어서 불러달라고 주장하거나 높은 사람처럼 보이기 위해 특별한 가운을 입지 않는다. 지위를 나타내는 상징도 필요하지 않고, 이룩한 업적으로 자신들의 가치를 측정하려고 하지 않는다. 그래서 바울은 이렇게 말했다. "옳다 인정함을 받는 자는 자기를 칭찬하는 자가 아니요 오직 주께서 칭찬하시는 자니라"(고후 10:18).

평생 동안 예수님과 관련된 관계를 가지고 가장 많이 과시할 수 있는 사람을 꼽으라면 예수님의 동생 야고보였을 것이다. 예수님의 동생으로 예수님과 함께 자란 그는 누구보다도 신빙성 있는 신임장을 가지고 있었다. 그러나 그럼에도 불구하고 그는 서신에서 자신을 '하나님과 주 예수 그리스도의 종(약 1:1)' 으로 불렀다. 주님께 가까이 가면 갈수록 우리는 우리 자신을 드러내 떠벌일 필요가 없다.

주님께 가까이 가면 갈수록
우리 자신을 드러내 떠벌일 필요가 없다.

진실한 종은 사역을 의무가 아닌 기회로 생각한다

다른 사람들을 돕고, 그들의 필요를 채워주며 사역하는 사람, 그는 '기쁨으로 여호와를 섬기는 자' (시 100:2)다. 왜 기쁨으로 섬기는가? 주님을 사랑하기 때문이고, 주님의 은혜에 감사하기 때문이며, 섬김이야말로 우리의 삶을 가장 의미 있게 사용하는 것임을 알기 때문이고, 하나님이 상 주신다는 약속을 알기 때문이다. 예수님은 "사람이 나를 섬기면 내 아버지께서 저를 귀히 여기시리라" (요 12:26)고 약속하셨다. 바울은 말했다. "하나님이 불의치 아니하사 너희 행위와 그의 이름을 위하여 나타낸 사랑으로 이미 성도를 섬긴 것과 이제도 섬기는 것을 잊어버리지 아니하시느니라" (히 6:10).

전세계 크리스천의 10%가 진실한 종으로서의 역할을 진지하게 감당할 때 어떤 일이 일어날 수 있을지 상상해보라. 얼마나 많은 선한 일이 일어날 수 있겠는가? 당신은 기꺼이 그들 가운데 한 사람이 될 의향이 있는가? 알버트 슈바이처(Albert Schweitzer)는 이렇게 말했다. "섬기는 법을 배운 사람만이 행복한 사람이다."

Day 34

내 삶의 목적에 대하여

생각할 점 : 종이 되기 위해서는 종의 마음으로 생각해야 한다.

외울 말씀 : "너희 안에 이 마음을 품으라 곧 그리스도 예수의 마음이니" (빌 2:5).

삶으로 떠나는 질문 : 나는 섬김을 받는 것과 다른 사람을 섬기는 것 가운데 어느 것에 더 관심이 있는가?

35

약함을 통한 하나님의 능력

"그리스도께서 약하심으로 십자가에 못박히셨으나
오직 하나님의 능력으로 살으셨으니
우리도 저의 안에서 약하나
너희를 향하여 하나님의 능력으로
저와 함께 살리라"
(고후 13:4).

"내 은혜가 네게 족하도다
이는 내 능력이 약한 데서 온전하여짐이라"
(고후 12:9).

하나님은 약한 사람들을 사용하기 좋아하신다.

모든 사람에게는 약점이 있다. 사실 우리에게도 육체적, 감정적, 지적 그리고 영적으로 부족하고 불완전한 점들이 아주 많다. 또한 우리를 약하게 만드는 통제할 수 없는 상황들이 있을 수 있다. 재정적인 한계나 인간 관계에 있어서의 한계점들이 그것이다. 그러나 더 중요한 문제는 우리가 이러한 점들에 대해 어떻게 반응하느냐 하는 것이다. 보통 우리는 약점들을 부인하고, 방어하고, 핑계를 대고, 숨기고, 약점을 가진 사실에 대해 원망한다. 이러한 태도는 하나님이 그 약점들을 그분이 원하시는 방법대로 사용하실 수 없게 한다.

하나님은 우리의 약점들을 다른 시선으로 바라보신다. 그분은 "내 생각과 내 방법은 너희보다 훨씬 뛰어나다" (사 55:9, CEV)라고 말씀하신다. 그래서 때때로 그분은 우리가 기대하는 것과 정반대 방향으로 일하신다. 우리는 하나님이 우리의 강점만을 사용하실 거라고 생각하지만, 그분은 우리의 약점까지도 당신의 영광을 위해 사용하고 싶어하신다.

성경은 "그러나 하나님께서 세상의 미련한 것들을 택하사 지혜 있는 자들을 부끄럽게 하려 하시고 세상의 약한 것들을 택하사 강한 것들을 부끄럽게 하려 하시며" (고전 1:27)라고 말하고 있다. 우리의 약점은 우연히 생긴 것이 아니다. 하나님은 그 약점을 일부러 우리에게 허락하셨고, 이를 통해 하나님의 능력을 보여주려 하신다.

하나님은 한 번도 강점이나 자기 만족을 좋게 생각하지 않으셨다. 사실 그분은 약하고 그 약점을 인정하는 사람들에게 다가가셨다. 예수님은 이러한 우리의 필요에 대한 인식을 "심령이 가난하다" 라고 부르셨다. 이것은 예수님이 축복하시는 첫번째 태도다(마 5:3).

성경에는 그들의 약점에도 불구하고 하나님이 불완전하고 평범한 사람들을 엄청난 일들에 사용하기를 얼마나 좋아하시는지 보여주는 예들로 가득하다. 만일 하나님이 완벽한 사람들만 쓰셨다면 아무것도 이루어질 수 없었을 것이다. 왜냐하면 우리 가운데 누구도 약점 없는 사람은 없기 때문이다. 하나님이 불완전한 사람들을 들어 쓰신다는 것은 우리 모두에게 격려를 주는 소식이다.

만일 하나님이 완벽한 사람들만 쓰셨다면
아무것도 이루어질 수 없었을 것이다.

약점, 혹은 바울이 부르는 '가시' (고후 12:7)는 죄도 악도 아니다. 이는 과식하거나 참지 못하는 것과 같이 우리가 바꿀 수 있는 성격적인 결함이나

습관도 아니다. 약점은 우리가 가지고 태어났거나 바꿀 힘이 없는 한계점이다. 그것이 장애, 만성 질환, 체력 저하 또는 능력 저하와 같은 육체적인 한계일 수도 있다. 또는 비극적인 상처, 나쁜 기억, 인격적인 결함, 또는 유전적인 성격과 같은 감정적인 한계일 수도 있다. 혹은 재능이나 지적면에서의 한계일 수도 있다. 우리는 모두 명석하거나 재능이 뛰어나지 않다.

삶에서의 이러한 한계들을 생각하면 이렇게 결론을 내리고 싶은 유혹을 받을 수 있다. "나는 하나님께 절대 쓰임받을 수 없을 거야." 하지만 하나님은 우리의 한계들로 제한되지 않으신다. 사실 하나님은 보통의 그릇에 당신의 위대한 능력을 담는 것을 좋아하신다. 성경은 이렇게 말한다. "우리가 이 보배를 질그릇에 가졌으니 이는 능력의 심히 큰 것이 하나님께 있고 우리에게 있지 아니함을 알게 하려 함이라"(고후 4:7). 도자기처럼 우리는 약하고 결점이 있으며 쉽게 깨진다. 하지만 우리가 하나님이 우리의 약점을 통해 일하시게 한다면, 하나님은 분명 우리를 사용하실 것이다. 그런 일이 일어나기 위해서 우리는 바울의 모범을 따라야 한다.

자신의 약점을 인정하라

자신의 불완전함을 인정하라. 모두 갖추고 있는 체하지 말고 스스로에 대해 솔직해지라. 부인하거나 핑계 대는 대신에, 자신의 약점들을 발견하는 시간을 가지라. 목록을 만들 수도 있을 것이다.

건강한 삶을 위해 필요한 두 가지 위대한 고백이 신약 성경에 있다. 첫번째는 베드로가 예수님께 한 고백이다. "주는 그리스도시요 살아계신 하나님의 아들이시니이다"(마 16:16). 두번째 고백은 자신을 신으로 섬기려고 하던 무리에게 바울이 한 고백이다. "우리도 너희와 같은 성정을 가진 사람이라"(행 14:15). 만일 우리가 하나님이 우리를 사용하시기 원한다면, 하나님이 누구신지를 알아야 하고, 우리가 누구인지를 알아야 한다. 많은 크리스천들, 특히 지도자들은 두번째 사실을 잊는다. 우리는 사람일 뿐이다. 위기를 겪어야만 이 사실을 받아들일 수 있다면, 하나님은 주저하지 않으실 것이다. 그분은 우리를 사랑하시기 때문이다.

자신의 약점에 대해 만족해하라

바울은 말했다. "도리어 크게 기뻐함으로 나의 여러 약한 것들에 대하여 자랑하리니 이는 그리스도의 능력으로 내게 머물게 하려 함이라 그러므로 내가 그리스도를 위하여 약한 것들과 능욕과 궁핍과 핍박과 곤란을 기뻐하노니 이는 내가 약할 그 때에 곧 강함이니라" (고후 12:9-10). 처음에는 이것이 논리적으로 이해되지 않을 것이다. 우리는 약점에서 벗어나기를 원한다. 그것에 대해 만족해하지 않는다. 하지만 만족하는 것은 하나님의 선하심 안에서 믿음의 표현이다. "하나님, 저는 하나님이 저를 사랑하심을 믿습니다. 그리고 당신이 제게 가장 좋은 것이 무엇인지 알고 계시다는 것도 믿습니다"라고 말하는 것과 같다.

바울은 우리의 천성적인 약점들에 대해 만족해야 할 몇 가지 이유를 제시한다. 첫째, 그것은 우리가 하나님께 의존할 수 있게 한다. 하나님이 거두어 가시기를 거부하는 자신의 약점들을 언급하면서 바울은 말했다. "그러므로 내가 그리스도를 위하여 약한 것들과 능욕과 궁핍과 핍박과 곤란을 기뻐하노니 이는 내가 약할 그 때에 곧 강함이니라" (고후 12:10). 우리가 약하다고 느낄 때마다 하나님을 의지하라고 우리에게 상기시켜주시는 것이다.

우리의 약점은 우리가 거만해지지 않게 막아준다. 겸손함을 잃지 않게 한다. 바울은 "여러 계시를 받은 것이 지극히 크므로 너무 자고하지 않게 하시려고 내 육체에 가시 곧 사단의 사자를 주셨으니 이는 나를 쳐서 너무 자고하지 않게 하려 하심이니라" (고후 12:7)고 말했다. 하나님은 때때로 우리의 자아를 제어하시기 위해 우리의 강점에 약점을 덧붙이신다. 약점은 우리가 하나님보다 앞서 나가는 것을 방지하는 역할을 할 수 있다.

기드온이 미디안 족속들과 싸우기 위해 32,000명의 군대를 모집했을 때, 하나님은 그 수를 300명으로 줄이셨다. 적군이 135,000명이었으므로 이는 450:1의 싸움이었다. 곧 재앙이 닥칠 것처럼 보였지만 하나님은 그렇게 하심으로서, 이스라엘이 그들 스스로의 힘이 아니라 하나님의 능력으로 구원 받았음을 알게 하셨다.

우리의 약점은 믿는 사람들 사이의 교제도 활발하게 한다. 강점이 독립적인 정신을('나는 누구도 필요 없어') 만드는 반면, 우리의 약점은 우리가 서로를 얼마나 필요로 하는지를 보여준다. 우리가 서로의 약점을 함께 엮으면 엄청난 힘을 만들어낼 수 있다. 밴스 하브너(Vance Havner)는 익살스럽게 표현했다. "크리스천들은 눈송이같아서 각각은 약하지만 뭉치면 교통도 막을 수 있다."

무엇보다도 우리의 약점들은 다른 사람을 동정하는 것과 사역의 포용력을 크게 증가시킨다. 다른 사람들의 약점에 대해 더 동정하고 배려할 수 있게 된다. 하나님은 이 땅에서 우리가 그리스도와 같은 사역을 하기 원하신다. 이는 다른 사람들이 우리의 상처 안에서 치유를 얻게 된다는 것이다. 우리의 가장 위대한 삶의 메시지와 가장 효과적인 사역은 우리의 가장 깊은 상처에서 나올 것이다. 우리가 가장 부끄럽게 생각하고, 가장 죄책감을 느끼며, 다른 사람들에게 얘기하고 싶지 않은 것들이 하나님이 다른 사람들을 치유하실 때 사용하시는 가장 강력한 도구다.

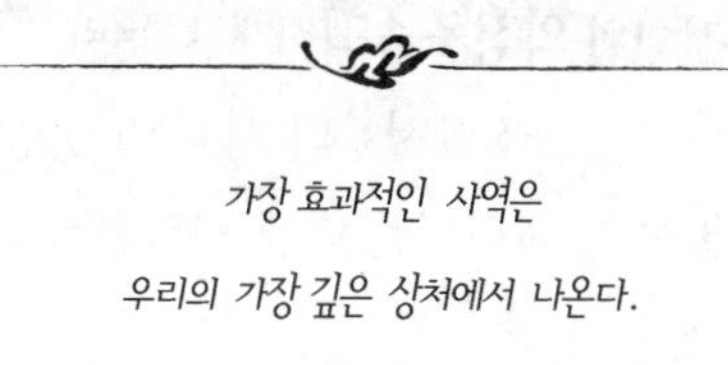

위대한 선교사 허드슨 테일러(Hudson Taylor)는 "모든 하나님의 거인들

은 약한 사람들이었다"라고 말했다. 모세의 약점은 그의 성질이었다. 이집트인을 살해했고, 말로 명해야 했던 반석을 지팡이로 쳤으며, 십계명이 쓰여진 판을 깨버렸다. 하지만 하나님은 모세를 '지구상의 가장 온유한 사람'(민 12:3)으로 변화시키셨다.

기드온의 약점은 낮은 자존감과 뿌리 깊은 불안감이었다. 하지만 하나님은 그를 '큰 용사'(삿 6:12)로 바꾸어놓으셨다. 아브라함의 약점은 두려움이었다. 두 번이나 자신을 보호하기 위해 아내를 동생이라고 주장했다. 하지만 하나님은 아브라함을 '믿는 모든 자의 조상'(롬 4:11)으로 바꾸셨다. 충동적이고 의지가 약한 베드로는 '반석'(마 16:18)이 되었고, 간통했던 다윗은 '내 마음에 합한 사람'(행 13:22)이 되었다. 그리고 거만한 '천둥의 아들' 가운데 하나였던 요한은 '사랑의 사도'가 되었다.

이 목록은 더 이어질 수 있다. "믿음의 이야기들을 모두 나열하려면 시간이 너무 오래 걸린다 … 바락, 삼손, 입다, 다윗, 사무엘 및 모든 선지자들 … 그들의 약점은 강점으로 바뀌었다"(히 11:32-34, NLT). 하나님은 약점을 강점으로 바꾸는 데 전문가이시다. 그분은 우리의 가장 큰 약점을 취해 바꾸고 싶어하신다.

자신의 약점을 솔직하게 나누라

사역은 약점에서부터 시작된다. 방어막을 거둘수록, 가면을 벗고 아픔을 나눌수록, 하나님은 다른 사람을 섬기는 일에 우리를 더 많이 사용하실 수 있다.

바울은 편지를 통해 자신의 약점을 솔직하게 털어놓았다.

- 바울의 실패 : "내가 원하는 바 선은 하지 아니하고 도리어 원치 아니하는 바 악은 행하는도다"(롬 7:19).

• 바울의 느낌 : "고린도인들이여 너희를 향하여 우리의 입이 열리고 우리의 마음이 넓었으니(나는 나의 감정을 너희에게 모두 털어놓았다)" (고후 6:11).
• 바울의 좌절 : "형제들아 우리가 아시아에서 당한 환난을 너희가 알지 못하기를 원치 아니하노니 힘에 지나도록 심한 고생을 받아 살 소망까지 끊어지고" (고후 1:8).
• 바울의 두려움 : "내가 너희 가운데 거할 때에 약하며 두려워하며 심히 떨었노라" (고전 2:3).

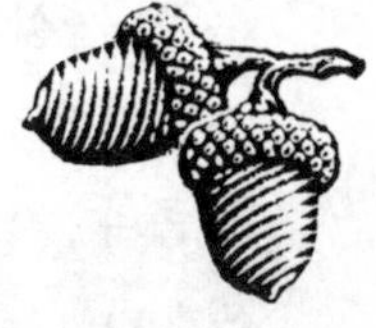

물론, 약점은 위험하다. 방어막을 거두고 다른 사람들에게 자신이 삶을 개방한다는 것은 두려운 일일 수 있다. 실패, 감정, 좌절 그리고 두려움을 드러내면 다른 사람들에게 거부당할 수 있는 위험에 노출된다. 하지만 그것이 주는 유익함은 그러한 위기를 감수할 만한 가치가 있다. 약점은 감정적으로 자유로워지는 것이다. 모든 것을 드러냄으로써 스트레스를 해소하고 두려움을 없앨 수 있다. 또한 이는 자유로 가는 첫 단계다.

우리는 이미 하나님께서 '겸손한 자들에게 은혜를 베푸시는 것' 을 보았다. 하지만 많은 사람들은 겸손함에 대해 오해하고 있다. 겸손함이란 강점을 부인하고 자신을 비하시키는 것이 아니라 우리의 약점들에 대해 솔직해지는 것이다. 정직하면 할수록 더 풍성한 하나님의 은혜를 맛보게 되고, 또한 다른 사람들에게서도 은혜를 받을 것이다. 약함은 사랑스러운 특성이다. 우리는 겸손한 사람들에게 끌리게 되어 있다. 거만함은 사람들을 주변으로부터 몰아내지만 정직함은 사람들을 끌어들인다. 그리고 약함은 친밀함으로 가는 길이다.

바로 이 때문에 하나님은 우리의 강점만이 아닌 약점을 사용하기 원하시는 것이다. 만일 사람들이 우리의 강점만을 본다면 그들은 좌절하고 "그 사람은 좋겠네. 하지만 나는 절대 그렇게 하지 못할 거야"라고 생각할 것이다. 그러나 하나님이 약점들에도 불구하고 우리를 사용하시는 것을 보면 그들은 힘을 얻고 "하나님이 나를 사용하실 수 있을지도 몰라"라고 생각할 것이다. 우리의 강점은 경쟁을 불러일으키지만, 우리의 약점은 공동체를 만들어 준다.

우리는 삶의 어느 시점에서 사람들에게 좋은 인상을 줄 것인지, 아니면 영향을 미칠 것인지를 결정해야 한다. 멀리 떨어져서도 사람들에게 좋은 인상을 줄 수는 있지만, 그들에게 영향을 미치고 싶다면 가까이 가야 한다. 그들에게 가까이 가면, 그들은 우리의 결점을 보게 될 것이다. 괜찮다. 지도자의 가장 본질적인 자질은 완벽함이 아니라 신뢰성이다. 사람들이 우리를 신뢰할 수 있어야 한다. 그렇지 않으면 우리를 따르지 않을 것이다. 신뢰는 어떻게 쌓을 수 있는가? 완벽한 체하지 말고 정직해야 한다.

자신의 약점을 자랑스럽게 여기라

바울은 말했다. "나는 내가 얼마나 약한지 그리고 나의 약함을 그의 영광을 위해 사용하시는 하나님이 얼마나 위대하신지에 대해서만 자랑할 것이다"(고후 12:5, LB). 자신감 있고 완강해 보이는 태도를 취하는 대신 스스로를 은혜의 트로피로 생각하라. 사탄이 우리의 약점을 지적할 때 그것에 동의하고 '우리의 모든 약점을 이해하시는'(히 4:15) 예수님과 '우리 연약함을 도우시는'(롬 8:26) 성령님을 온 마음으로 찬양하라.

하지만 때로는 하나님이 우리를 더욱 크게 사용하시기 위해 강점을 약점으로 바꾸기도 하신다. 야곱은 평생 일을 꾸미고 그 결과로부터 도망 다니는 삶을 살았다. 어느 날 밤, 그는 하나님과 싸우다가 이렇게 말했다. "당신이 나를 축복하시기 전에는 놓지 않을 것입니다." 하나님은 "알았다"라고 대답하셨다. 하지만 야곱의 허벅지를 잡고 그의 골반뼈를 탈골시키셨다. 골반뼈의 중요성은 무엇인가?

하나님은 야곱의 강점(허벅지 근육이 몸에서 가장 강한 부분이다)을 약점으로 바꾸셨다. 그날 이후로 야곱은 절룩거렸고 도망칠 수가 없었다. 그리고 그는 좋든 싫든 하나님을 의지할 수밖에 없었다. 만일 우리가 하나님께 복을 받고 하나님께 크게 쓰임받기를 원한다면 기꺼이 평생 절룩거리며 걸을 수 있어야 한다. 왜냐하면 하나님은 약한 사람들을 사용하시기 때문이다.

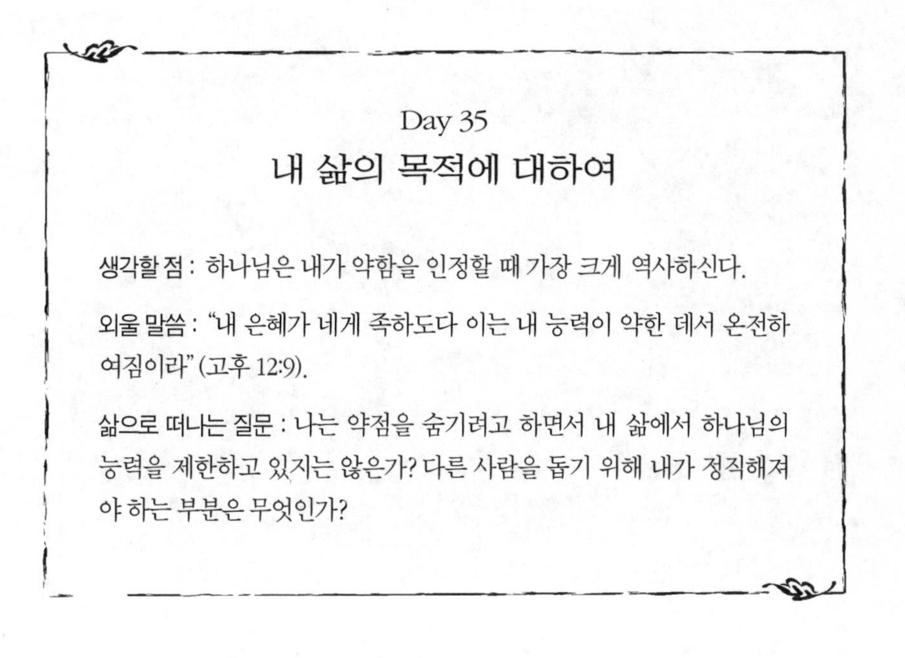

Day 35

내 삶의 목적에 대하여

생각할 점 : 하나님은 내가 약함을 인정할 때 가장 크게 역사하신다.

외울 말씀 : "내 은혜가 네게 족하도다 이는 내 능력이 약한 데서 온전하여짐이라" (고후 12:9).

삶으로 떠나는 질문 : 나는 약점을 숨기려고 하면서 내 삶에서 하나님의 능력을 제한하고 있지는 않은가? 다른 사람을 돕기 위해 내가 정직해져야 하는 부분은 무엇인가?

다섯번째 목적

우리는 사명을 위해 지음받았다

"의인의 열매는 생명나무라 지혜로운 자는
사람을 얻느니라"
(잠 11:30).

36

사명을 위해 지음받았다

"아버지께서 나를 세상에 보내신 것같이
나도 저희를 세상에 보내었고"
(요 17:18).

"가장 중요한 것은 예수님께서
나에게 주신 사명을 완수하는 것이다"
(행 20:24, NCV).

우리는 사명을 위해 지음받았다.

하나님은 지금도 이 세상에서 역사하고 계시고, 또한 우리가 당신과 함께 일하기를 원하신다. 이 과제를 우리의 사명(mission)이라고 부른다. 하나님은 우리가 그리스도의 몸 안에서의 사역과 이 세상에서의 사명 둘 다를 감당하기 원하신다. 우리의 사역은 그리스도의 몸 안에 있는 믿는 사람들을 대상으로 하는 섬김이고(골 1:25, 고전 12:5), 사명은 이 땅에 있는 믿지 않는 사람들을 향한 섬김이다. 이 땅에서의 우리의 사명을 수행하는 것이 우리 삶의 다섯번째 목적이다.

우리의 삶의 사명은 공유되며 또한 구체적이다. 한 부분은 다른 크리스천들과 나누어야 하는 책임이고, 다른 하나는 우리 자신에게만 주어진 과제다. 다음 장들을 통해 이 두 가지를 모두 살펴보기로 하자.

영어 단어 '사명(mission)' 은 라틴어 '보내다(sending)' 에서 유래되었다. 크리스천이 되는 것은 예수 그리스도를 대표해서 이 땅에 보내지는 것을 포함한다. 예수님은 "아버지께서 나를 보내신 것같이 나도 너희를 보내노라" (요 20:21)고 말씀하셨다.

예수님은 이 땅에서의 당신의 사명을 명확하게 이해하셨다. 열두 살 때 예수님은 "나는 아버지의 일을 해야 한다" (눅 2:49, KJV)라고 말씀하셨고, 21년 후 십자가에서 돌아가시면서 "다 이루었다" (요 19:30)라고 말씀하셨다. 책의 앞뒤 부분처럼 이 두 문장은 목적을 따라 올바르게 산 삶의 모습을 한눈에 보여준다. 예수님은 아버지께서 주신 사명을 완수하신 것이다.

예수님이 이 땅에서 가지고 계셨던 사명은 이제 우리의 것이다. 우리가 그리스도의 몸이기 때문이다. 그분이 육신을 입고 하신 일을 우리는 그분의 영적인 몸인 교회로 계속 이어나가야 한다. 그 사명은 무엇인가? 사람들에게 하나님을 알리는 것이다. 성경은 이렇게 말한다. "그리스도는 우리를 그의 적에서 친구로 바꾸셨고, 다른 사람들도 그의 친구가 되게 하는 사명을 우리에게 주셨다" (고후 5:18, TEV).

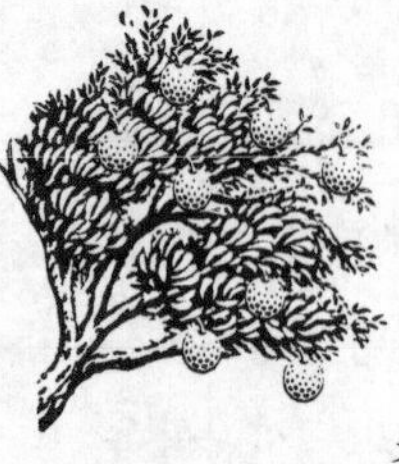

하나님은 사람들을 사탄으로부터 구원해 당신과 화해하고, 우리를 창조하신 다섯 가지 목적을 우리가 성취하기를 바라신다. 그 목적은 하나님을 사랑하고, 하나님의 가족이 되며, 하나님을 닮아가고, 하나님을 섬기며, 다른 사람들에게 하나님을 전하는 것이다. 우리가 그분의 것이 되면, 하나님은 우리를 통해 다른 사람들에게 다가가신다. 그분은 우리를 구원하셨고 그리고 우리를 보내신 것이다. 성경은 이렇게 말한다. "우리가 그리스도를 대신하여 사신이 되어" (고후 5:20). 우리는 하나님의 사랑과 목적을 세상에 전하는 메신저이다.

우리의 사명의 중요성

이 땅에서 우리의 사명을 완수하는 것은 하나님의 영광을 위해 사는 것의 본질적인 부분이다. 성경은 우리의 사명이 왜 중요한지에 관해 몇 가지 이유를 제시한다.

우리의 사명은 이 땅에서 예수님의 사명을 계속 이어가는 것이다

그분의 제자들로서 우리는 예수님이 시작하신 것을 이어가야 한다. 그분은 우리를 오라고 부르실 뿐만 아니라, 당신을 위해 가라고 말씀하신다. 우리의 사명은 너무 중요해서 예수님이 다섯 번이나 반복해서, 다섯 가지 방법으로, 성경의 다섯 책에서 말씀하셨다(마 28:19-20, 막 16:15, 눅 24:47, 요 20:21, 행 1:8). 마치 이렇게 말씀하시는 것같다. "나는 너희가 정말로 이것을 이해하기 원한다!" 예수님이 주신 이 다섯 가지 사명을 연구하면 이 땅에서의 우리의 사명에 대해 구체적으로 알게 될 것이다. 언제, 어디서, 왜 그리고 어떻게 이 사명을 감당해야 할 것인지 알게 될 것이다.

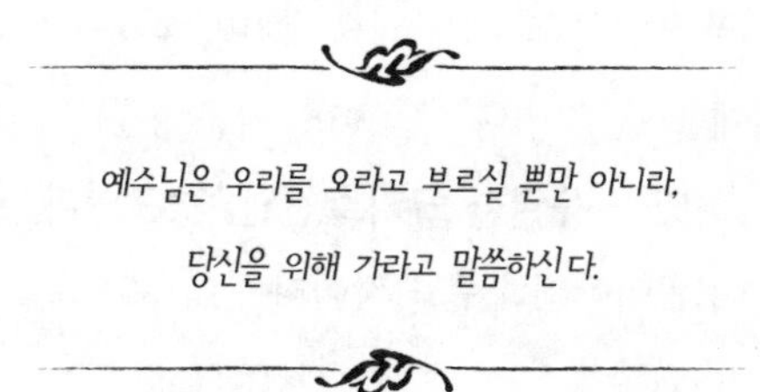

지상명령(the Great Commission)에서 예수님은 말씀하셨다. "그러므로 너희는 가서 모든 족속으로 제자를 삼아 아버지와 아들과 성령의 이름으로 세례를 주고 내가 너희에게 분부한 모든 것을 가르쳐 지키게 하라 볼지어다 내가 세상 끝날까지 너희와 항상 함께 있으리라 하시니라"(마 28:19-20). 지상명령은 목사들이나 선교사들에게만 주어진 것이 아니고, 예수님을 따르는 모든 사람들에게 주어진 것이다. 이것이 대제안(the Great Suggestion)이 아니라는 것을 기억하라. 우리의 사명은 선택할 수 있는 것이 아니고 하나님의 가족이라면 반드시 해야 하는 것이다.

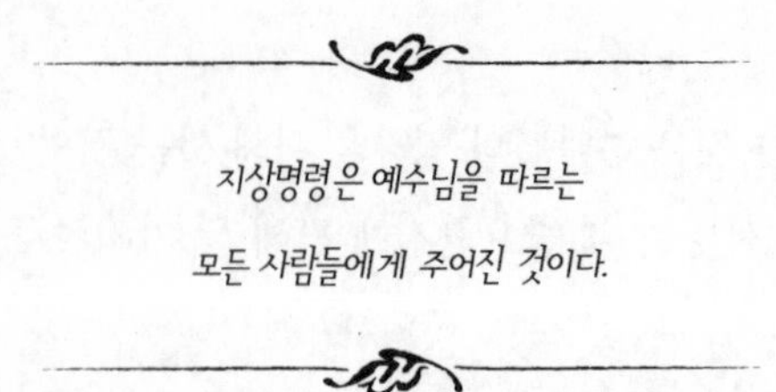

우리는 어쩌면 하나님이 우리에게 주변에 있는 믿지 않는 사람들에 대한 책임을 맡기신 것을 인식하지 못하고 있을 수도 있다. 성경은 이렇게 말한다. "내가 악한 사람을 향해 '너는 반드시 죽을 것이다' 라고 말하면 너는 그대로 그에게 경고해야 한다. 만일 그렇게 하지 않으면 그 악한 사람은 자기의 죄 때문에 죽겠지만, 나는 그 사람이 죽는 것에 대한 책임을 너에게 물을 것이다"(겔 3:18, 쉬운성경). 우리가 어떤 사람들에게는 그들이 알고 있는 유일한 크리스천일 수도 있다. 우리의 사명은 그들에게 예수님에 대해 이야기해주는 것이다.

우리의 사명은 위대한 특권이다

비록 무거운 책임이지만, 그것은 하나님께 사용받는 엄청난 영광이기도 하다. 바울은 이렇게 말했다. "모든 것이 하나님께로 났나니 저가 그리스도로 말미암아 우리를 자기와 화목하게 하시고 또 우리에게 화목하게 하는 직책을 주셨으니"(고후 5:18). 우리의 사명은 두 가지 큰 특권을 포함하고 있다. 하나님과 함께 일하는 것과 하나님을 대표하는 것이다. 우리는 하나님의 나라를 건설하는 데 그분의 파트너가 된다. 바울은 우리를 '동역자' 라고 불렀고, '우리가 하나님과 함께 일하는 자로서' (고후 6:1)라고 말했다.

예수님은 우리를 구원하셨고, 가족으로 맞아주셨으며, 우리에게 성령을 주셨고, 우리를 이 땅에서 당신의 대리자로 삼으셨다. 성경은 이렇게 말한다. "그러므로 우리는 그리스도를 대신하여 일하는 대사입니다. 하나님께서는 우리를 시켜 여러분을 권하십니다. 이제 그리스도를 대신하여 여러분에게 권합니다. 하나님과 화목하십시오"(고후 5:20, 쉬운성경).

영원한 삶을 소유할 수 있는 방법을 이야기해주는 것은 다른 사람을 위해 할 수 있는 가장 위대한 일이다

만일 우리의 이웃이 암이나 에이즈에 걸렸고 우리가 그 치료법을 알고 있다면, 생명을 구할 수 있는 정보를 숨기는 것은 범죄가 될 것이다. 이보다 더 나쁜 것은 용서, 목적, 평화 그리고 영생으로의 길을 비밀로 하는 것이다. 우리는 세상에서 가장 좋은 소식을 알고 있고, 이를 나누는 것은 다른 사람들에게 베풀 수 있는 가장 큰 친절이다.

한 가지 문제점은 오랫동안 크리스천으로서 산 사람들은 그리스도가 없는 삶이 얼마나 절망적인지 잊고 있다는 것이다. 우리는 모든 사람이 예수님을 필요로 한다는 것을 기억해야 한다. 사람들이 얼마나 성공적이고 만족스러운 삶을 사는 것처럼 보이든 그렇지 않든, 누구나 다 예수님을 필요로 한다. 그리스도가 없이는 그들은 절망 속에서 길을 잃고 하나님과 영원히 분리되어 살게 될 것이다. 성경은 이렇게 말한다. "다른 이로서는 구원을 얻을 수 없나니 천하 인간에 구원을 얻을 만한 다른 이름을 우리에게 주신 일이 없음이니라 하였더라" (행 4:12). 모든 사람에게는 예수님이 필요하다.

우리의 사명은 영원한 중요성을 갖는다

그것은 다른 사람들의 영원한 운명에 영향을 끼칠 것이다. 그래서 이 사명은 그 어떤 직업, 성취 그리고 우리가 이 땅에서 이루게 될 어떤 목표보다도 중요하다. 우리의 사명에 대한 결과는 영원히 남을 것이다. 다른 사람들이 하나님과 영원한 관계를 맺도록 도와주는 것보다 더 중요한 일은 없다.

이것이 우리가 우리의 사명을 서둘러 수행해야 하는 이유다. 예수님은 이렇게 말씀하셨다. "때가 아직 낮이매 나를 보내신 이의 일을 우리가 하여야 하리라 밤이 오리니 그때는 아무도 일할 수 없느니라" (요 9:4). 우리의 삶에서 사명을 수행할 시간이 계속 줄어들고 있다. 그러니 더 이상 단 하루도 지체해서는 안 된다. 지금 당장 다른 사람들에게 손을 내밀라. 우리가 예수님께로 돌아오게 한 사람들과 함께 영원한 축제를 즐길 수 있다. 하지만 그들에게 다가갈 수 있는 시간은 이 땅에 있는 시간으로 한정되어 있다.

이것은 우리가 전임 사역자가 되기 위해 직업을 바꾸어야 한다는 의미가 아니다. 하나님은 우리가 어디에 있든 복음을 나누기를 원하신다. 우리가 학생, 어머니, 유치원 선생님, 영업 사원, 매니저 또는 그 외의 어떤 일을 하든, 우리가 가는 길 위에서 복음을 나눌 수 있도록 하나님이 보내주신 사람들을 끊임없이 찾아야 한다.

우리의 사명은 삶에 의미를 부여한다

윌리엄 제임스(William James)는 이렇게 말했다. "우리의 삶을 가장 잘 사용하는 방법은 삶보다 오래 남을 수 있는 일에 사용하는 것이다." 그토록 오래 남는 것은 하나님나라뿐이다. 그 밖의 모든 것은 결국 사라질 것이다. 그래서 우리는 목적이 이끄는 삶을 살아야 한다. 예배, 교제, 영적인 성장, 사역 그리고 이 땅에서의 사명에 헌신된 삶을 살아야 한다. 그 헌신의 결과는 영원히 남을 것이다.

만일 하나님이 주신 이 땅에서의 사명을 다하지 못하면 우리는 그분이 주신 삶을 낭비하는 것이다. 바울은 이렇게 말한다. "나의 달려갈 길과 주 예수께 받은 사명 곧 하나님의 은혜의 복음 증거하는 일을 마치려 함에는 나의 생명을 조금도 귀한 것으로 여기지 아니하노라"(행 20:24). 이 땅에는 우리가 사는 곳과 하나님이 만들어놓으신 우리의 모습 때문에 우리만이 손을 뻗칠 수 있는 사람들이 있다. 만일 단 한 사람이라도 우리로 인해 천국에 가게 된다면 우리의 삶은 영원한 세계에서 큰 차이를 만든 것이다. 자신의 개인적인 선교지를 둘러보고 기도하라. "하나님, 당신은 나에게 예수님에 대해 이야기하라고 누구를 나의 삶에 보내주셨습니까?"

역사의 종말에 대한 하나님의 시간표는 우리가 사명을 완수하는 것과 연결된다

예수님의 재림과 세상의 종말에 대한 관심은 날로 높아지고 있다. 그것이 언제 일어날 것인가? 예수님이 하늘로 올라가시기 바로 전에 제자들은 이 질문을 했고 예수님의 대답은 놀라웠다. 예수님은 이렇게 말씀하셨다. "가라사대 때와 기한은 아버지께서 자기의 권한에 두셨으니 너희의 알 바 아니요 오직 성령이 너희에게 임하시면 너희가 권능을 받고 예루살렘과 온 유대와 사마리아와 땅 끝까지 이르러 내 증인이 되리라 하시니라" (행 1:7-8).

제자들이 예언에 대해 이야기하고 싶어할 때 예수님은 재빨리 화제를 전도로 돌리셨다. 예수님은 제자들이 이 땅에서의 사명에 집중하기를 원하셨다. 예수님은 "나의 재림에 대한 구체적인 사항들은 너희가 신경 쓸 것이 아니다. 너희가 관심을 두어야 하는 것은 내가 너희에게 준 사명이다. 그것에 집중하라" 고 강조하여 말씀하셨다.

예수님이 다시 오실 정확한 시간을 추측하는 것은 공허한 짓이다. 예수님은 말씀하신다. "그러나 그 날과 그 때는 아무도 모르나니 하늘의 천사들도, 아들도 모르고 오직 아버지만 아시느니라" (마 24:36). 예수님도 그 날짜와 시간을 모른다고 말씀하셨는데 왜 우리가 그것을 알아내려고 노력해야 하는가? 우리가 확실히 아는 사실은 바로 이것이다. 모든 사람들이 복음을 듣기까지는 예수님이 재림하시지 않을 것이다. 예수님은 "이 천국 복음이 모든 민족에게 증거되기 위하여 온 세상에 전파되리니 그제야 끝이 오리라" (마 24:14)고 말씀하셨다. 예수님이 더 빨리 재림하시기를 바란다면 예언을 분석하는 데 시간을 낭비하지 말고, 사명을 수행하는 데 집중하라.

우리는 사명을 수행하면서 방해를 받고 샛길로 새기가 쉽다. 이는 사탄이 우리가 믿음을 따라 행동하는 것은 무조건 막을 것이기 때문이다. 사탄은 우리가 누군가를 천국으로 인도하지 않는 한 모든 좋은 일들을 하게 내버려 둘 것이다. 하지만 우리가 사명에 대해 진지해지는 순간 사탄은 온갖 종류의 방해 요소를 만들 것이다. 그런 일이 생길 때 예수님의 말씀을 기억하라. "누구든지 쟁기를 잡고 뒤를 돌아보는 사람은 하나님나라에 알맞지 않다" (눅 9:62, 쉬운성경).

사명을 완수하기 위해 치러야 하는 대가

사명을 완수하려면 우리의 목표를 버리고 우리의 삶에 대한 하나님의 계획을 받아들여야 한다. 그것을 그저 우리가 삶을 통해 하고 싶은 모든 일들에 '가져다 붙여서는' 안 된다. 우리는 예수님처럼 "내 원대로 마옵시고 아버지의 원대로 되기를 원하나이다" (눅22:42)라고 말해야 한다. 우리의 권리, 기대, 꿈, 계획 그리고 야망을 모두 그분에게 양보해야 한다. "하나님 제가 하는 일들이 잘되게 해주세요"라는 이기적인 기도는 그만하고, "당신이 기뻐하시는 일을 하도록 도와주세요"라고 기도하라. 우리의 서명이 있는 백지를 하나님께 내밀고 나머지 구체적인 것들을 채워달라고 말하자. 성경은 이렇게 말한다. "또한 너희 지체를 불의의 병기로 죄에게 드리지 말고 오직 너희 자신을 죽은 자 가운데서 다시 산 자 같이 하나님께 드리며 너희 지체를 의의 병기로 하나님께 드리라" (롬 6:13).

만일 우리가 어떤 대가를 치르더라도 우리의 사명을 완수하는 데 헌신한다면 우리는 사람들이 거의 경험하지 못하는 방법으로 하나님의 복을 경험할 것이다. 하나님의 왕국을 섬기는 일에 헌신한 사람들을 위해서 하나님이 해주시지 않을 일은 거의 없다. 예수님은 이렇게 약속하셨다. "너희는 먼저 그의 나라와 그의 의를 구하라 그리하면 이 모든 것을 너희에게 더하시리라" (마 6:33).

예수님을 위해 한 사람 더

나의 아버지는 50년 이상 목사로 사역하셨고, 대부분 시골 중소 도시의 교회를 섬기셨다. 아버지는 평범한 설교자셨지만, 사명감을 가진 분이셨다. 아버지가 가장 애착을 보이신 것은 자원 봉사자들과 함께 해외에 작은 교회 건물을 지어주는 일이었다. 아버지는 평생 동안 전세계에 150개 이상의 교회를 지으셨다.

2년 전 아버지는 암 선고를 받으셨다. 이 땅에서의 마지막 1주일 동안은 거의 24시간을 의식이 반밖에 없는 상태로 깨어계셨다. 아버지는 꿈을 꾸시면서 그 꿈에 대해 크게 말씀하시곤 했다. 침대 곁에서 그 꿈에 대해 듣는 것만으로도 나는 아버지에 대해 많은 것을 알게 되었다. 아버지는 교회 건축 사업을 하나하나 회상하셨다.

아버지가 숨을 거두실 무렵, 나와 아내와 조카는 아버지 곁에 있었다. 아버지는 갑자기 생기가 돌아오셨고 침대에서 일어나려고 하셨다. 물론 아버지는 너무 약하셨기 때문에 아내는 아버지를 다시 눕혀드렸다. 하지만 아버지는 계속 침대에서 일어나려고 애쓰셨고, 그래서 아내는 이렇게 여쭤보았다. "아버지, 뭘 하고 싶으세요?" 아버지는 이렇게 대답하셨다. "예수님을 위해 한 명을 더 구해야 해! 예수님을 위해 한 명을 더 구해야 해! 예수님을 위해 한 명을 더 구해야 해!" 아버지는 계속 반복하셨다.

그 후 한 시간 동안 아버지는 그 말을 백 번 정도 하셨다. "예수님을 위해 한 명을 더 구해야 해!" 나는 눈물을 흘리며 아버지의 믿음에 대해 하나님께 감사했다. 바로 그 순간 아버지는 마치 명령을 하시듯, 약한 손을 뻗어 내 머리에 얹고 말씀하셨다. "예수님을 위해 한 명을 더 구해라! 예수님을 위해 한 명을 더 구해라!"

나는 그것을 내 남은 삶의 주제로 삼을 것이다. 당신에게도 그것을 삶의 초점으로 고려해볼 것을 권한다. 왜냐하면 이보다 영생을 위해 더 좋은 것은 없기 때문이다. 만일 우리가 하나님께 쓰임받기를 원한다면 하나님이 관심을 두시는 것에 관심을 가져야 한다. 그분이 가장 관심을 두시는 것은 당신이 창조하신 사람들의 구원이다. 하나님은 잃어버린 자녀들을 찾기 원하신다. 이보다 하나님께 더 중요한 것은 없다. 십자가가 그것을 증명한다. 나는 우리가 '예수님을 위해 한 사람 더' 찾으려고 항상 노력하기를 기도한다. 그러면 우리가 하나님 앞에 서게 되는 날 우리는 "임무 완수!"라고 말할 수 있게 될 것이다.

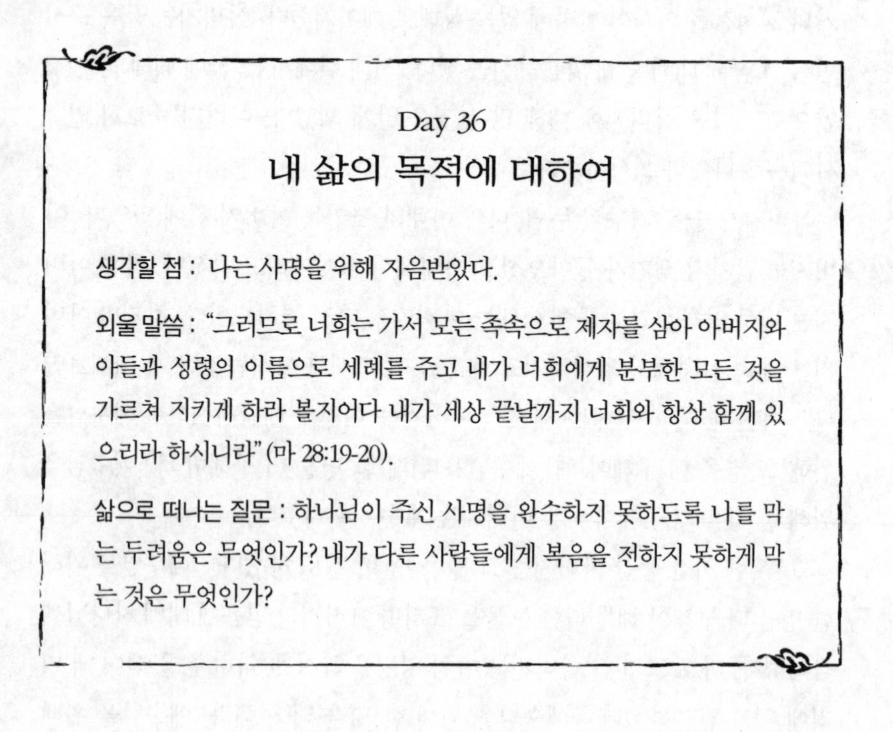

Day 36

내 삶의 목적에 대하여

생각할 점 : 나는 사명을 위해 지음받았다.

외울 말씀 : "그러므로 너희는 가서 모든 족속으로 제자를 삼아 아버지와 아들과 성령의 이름으로 세례를 주고 내가 너희에게 분부한 모든 것을 가르쳐 지키게 하라 볼지어다 내가 세상 끝날까지 너희와 항상 함께 있으리라 하시니라" (마 28:19-20).

삶으로 떠나는 질문 : 하나님이 주신 사명을 완수하지 못하도록 나를 막는 두려움은 무엇인가? 내가 다른 사람들에게 복음을 전하지 못하게 막는 것은 무엇인가?

37

삶의 메시지 나누기

"하나님의 아들을 믿는 자는
자기 안에 증거가 있고"
(요일 5:10).

"주의 말씀이 너희에게로부터
마게도냐와 아가야에만 들릴 뿐 아니라
하나님을 향하는 너희 믿음의 소문이
각처에 퍼지므로 우리는 아무 말도 할 것이 없노라"
(살전 1:8).

하나님은 우리 안에 다른 사람들과 나눌 삶의 메시지를 담으셨다.

우리가 하나님을 믿게 되었을 때, 우리는 또한 하나님의 메신저가 된 것이다. 하나님은 우리를 통해 세상에 말씀을 전하기 원하신다. 바울은 "하나님의 메신저로서, 우리는 하나님 앞에서 진리를 말한다"(고후 2:17, NCV)라고 했다.

당신은 나눌 것이 없다고 느낄 수 있을지 모르지만, 그것은 당신이 전하지 못하게 하기 위한 사탄의 계략이다. 하나님이 다른 사람들을 당신의 가족으로 삼으시기 위해 사용하실 경험의 보물창고를 당신은 갖고 있다.

성경은 이렇게 말한다. "하나님의 아들을 믿는 자는 자기 안에 증거가 있고"(요일 5:10). 삶의 메시지는 네 부분으로 구성된다.

- 우리의 간증 : 우리가 어떻게 예수님을 알고 믿기 시작했는지에 대한 이야기
- 삶의 교훈 : 하나님이 우리에게 가르쳐주신 가장 중요한 교훈
- 우리의 거룩한 열정 : 하나님으로 인해 우리가 관심을 갖게 된 문제들
- 복음 : 구원의 메시지

삶의 메시지는 간증을 담는다

간증은 그리스도가 우리 삶에 어떤 변화를 가져오셨는지에 관한 이야기다. 베드로는 "하나님의 일을 하고 하나님을 대변하며, 밤과 낮의 차이처럼 그분이 우리의 삶에 가져다주신 변화들에 대해 다른 사람들에게 이야기하도록"(벧전 2:9, Msg) 우리가 하나님께 선택되었다고 말한다. 이것이 증인이 되는 것의 본질이다. 즉 주님과 관련된 우리의 경험을 나누는 것이다. 법정에서 증인은 사건에 대해서 주장을 펴거나, 진실을 밝히거나, 판결에 관해 압력을 행사하지 않는다. 그것은 변호사들의 일이다. 증인들은 그들에게 무슨 일이 일어났는지만 이야기한다.

예수님은 "너희가 … 땅 끝까지 이르러 내 증인이 되리라"(행 1:8)고 말씀하셨다. "너희는 내 변호사가 되어야 한다"라고 말씀하시지 않았다. 예수님은 우리가 우리의 이야기를 다른 사람들에게 하기 원하신다. 간증을 하는 것은 이 땅에서 우리가 감당해야 할 사명의 중요한 부분이다. 왜냐하면 그것은 독특하기 때문이다. 우리의 이야기와 똑같은 이야기는 없으며, 그 이야기는 우리만이 나눌 수 있다. 만약 우리가 나누지 않는다면 그것은 영원히 사라질 것이다. 성경학자는 아닐지라도 우리는 우리 자신의 삶에 관해서는 최고의 권위자이고 또한 개인적인 경험을 대상으로 논쟁하는 것은 쉽지

않다. 사실, 당신의 개인적인 간증은 설교보다도 효과적이다. 믿지 않는 사람들은 목사들을 월급 받는 세일즈맨으로 취급하지만 당신은 그 제품을 써보고 '만족해하는 고객' 으로 보기 때문에 더 신뢰하는 것이다.

개인적인 이야기들은 원리들보다 공감하기 쉽고 사람들은 그런 이야기를 듣고 싶어한다. 그 이야기들은 관심을 사로잡으며, 더 오래 기억에 남는다. 믿지 않는 사람들은 신학자들의 이야기를 인용하기 시작하면 지루해하지만, 그들이 겪어보지 못한 경험들에 대해서는 자연스럽게 호기심을 갖는다.

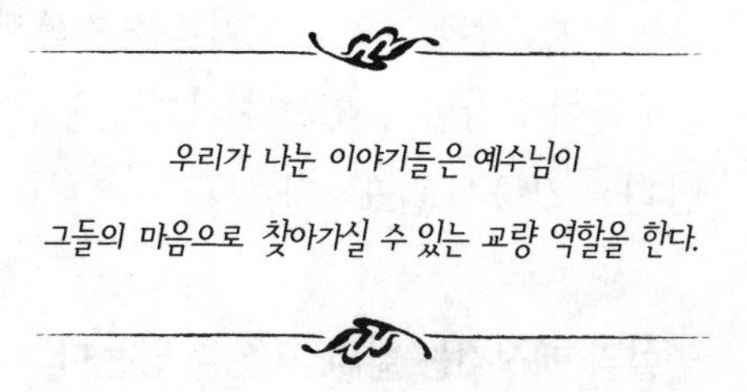

이렇게 나눈 이야기들은 예수님이 그들의 마음으로 찾아가실 수 있는 교량 역할을 한다.

우리의 간증이 갖는 또 하나의 가치는 그것이 지식적인 내용들이 풍기는 거부감을 피할 수 있다는 것이다. 성경의 권위를 인정하지 않으려는 많은 사람들도 개인적인 겸손한 이야기들은 들으려고 할 것이다. 그래서 바울은 여섯 번이나 성경 구절 대신 자신의 간증을 통해 복음을 전했다(행 22-26장).

성경은 이렇게 말한다. "너희 마음에 그리스도를 주로 삼아 거룩하게 하고 너희 속에 있는 소망에 관한 이유를 묻는 자에게는 대답할 것을 항상 예비하되 온유와 두려움으로 하고"(벧전 3:15-16). '예비하는' 가장 좋은 방법은 간증문을 작성하고, 그 주요 포인트를 암기하는 것이다. 이렇게 네 부분으로 하라.

1. 예수님을 만나기 전의 내 삶이 어떠했는지.
2. 예수님이 필요하다는 사실을 어떻게 깨달았는지.

3. 어떻게 나의 삶을 예수님께 헌신했는지.
4. 예수님이 나의 삶을 어떻게 변화시키셨는지.

물론 구원받은 이야기 말고도 여러 가지 간증이 있을 수 있다. 하나님이 우리를 도와주신 모든 경험에 대해 이야기할 수 있다. 하나님이 겪게 하신 모든 문제, 상황 그리고 위기들을 기록해두라. 그리고 그 가운데 믿지 않는 친구들이 공감할 수 있는 이야기들을 상황에 맞게 이용하라. 상황이 다르다면 다른 간증이 필요하다.

삶의 메시지는 삶의 교훈을 담는다

삶의 메시지 그 두번째 부분은 하나님이 경험을 통해서 가르쳐주신 진리다. 이것은 하나님, 관계, 문제, 유혹 그리고 삶의 다른 여러 부분들에 관해 우리가 배운 교훈과 성찰이다. 다윗은 "여호와여 주의 율례의 도를 내게 가르치소서 내가 끝까지 지키리이다"(시 119:33)라고 기도했다. 슬프게도 우리는 우리에게 일어나는 많은 일들로부터 교훈을 얻지 못한다. 이스라엘 민족에 대해서 성경은 이렇게 말한다. "여호와께서 여러번 저희를 건지시나 저희가 꾀로 거역하며 자기 죄악으로 인하여 낮아짐을 당하였도다"(시 106:43). 당신도 이런 사람들을 만나본 적이 있을 것이다.

경험을 통해 배우는 것은 현명한 일이지만 다른 사람들의 경험을 통해서 배우는 것은 더 현명한 일이다. 시행착오로 인생의 모든 것을 배울 만한 시간은 없다. 서로의 삶의 교훈에서 배워야 한다. 성경은 이렇게 말한다. "경험자가 들으려 하는 사람에게 해주는 경고는 가장 좋은 금으로 만든 보석보다 귀하다"(잠 25:12, TEV).

삶에서 배운 중요한 교훈들을 기록하라. 그래서 다른 사람들과 나눌 수 있도록 하라. 솔로몬이 잠언과 전도서를 통해 자신이 배운 교훈을 우리에게 전해준 것에 감사해야 한다. 이 책들에는 삶에 관한 현실적인 교훈들이 담겨 있다. 우리가 서로의 삶의 교훈에서 배움으로써 얼마나 많은 불필요한 좌절을 피할 수 있을지 생각해보라.

성숙한 사람들은 매일의 경험에서 교훈을 끌어내는 습관을 기른다. 당신에게도 삶의 교훈들로 목록을 작성할 것을 권한다. 기록하지 않으며 그 교훈들에 대해 진지하게 생각해보았다고 할 수 없다. 우리의 기억을 되살리고 이 목록을 직접 작성하는 데 도움이 될 몇 가지 질문이 있다.[1]

- 하나님은 실패를 통해서 나에게 무엇을 가르쳐주셨는가?
- 돈이 부족한 상황에서 하나님은 나에게 무엇을 가르쳐주셨는가?
- 하나님은 고통, 슬픔 또는 우울함을 통해서 나에게 무엇을 가르쳐주셨는가?
- 하나님은 기다림을 통해서 나에게 무엇을 가르쳐주셨는가?
- 하나님은 질병을 통해서 나에게 무엇을 가르주셨는가?
- 하나님은 실망을 통해서 나에게 무엇을 가르쳐주셨는가?
- 나는 가족, 교회, 인간 관계, 소그룹 그리고 나를 비판하는 사람들을 통해 무엇을 배웠는가?

삶의 메시지는 우리가 나누는 거룩한 열정을 담는다

하나님은 열정적인 분이시다. 그분은 어떤 것은 열정적으로 사랑하시고 어떤 것들은 열정적으로 미워하신다. 그분에게 더 가까워질수록 하나님이 깊이 사랑하시는 것에 대한 열정을 갖게 될 것이고, 그래서 우리는 이 세상에서 하나님의 대변자가 될 수 있다. 그것이 어떤 문제, 목적, 원칙, 혹은 한 그룹의 사람들에 대한 열정일 수 있다. 그것이 무엇이든 간에, 우리는 그것에 대해 이야기해야 하고 변화를 일으키도록 무언가를 해야 한다.

우리는 가장 좋아하는 것들에 관해서 말하지 않고 가만히 있을 수 없다. 예수님은 "마음에 가득한 것을 입으로 말함이라"(마 12:34)고 하셨다. 그 예가 다윗과 예레미야다. 다윗은 "하나님과 그 일에 대한 열정이 내 안에서 뜨겁게 타오릅니다"(시 69:9, LB)라고 말했고, 예레미야는 "당신의 말씀이 내 가슴과 뼈 속에서 타고 있습니다. 그리고 침묵할 수가 없습니다"(렘 20:9, CEV)라고 그의 마음을 표현했다.

하나님은 때때로 사람들에게 어떤 문제에 대해서 자신들의 의견을 피력하고자 하는 거룩한 열정을 주신다. 그 문제들은 주로 자신이 직접 경험한 학대, 중독, 불임, 우울증, 질병, 혹은 다른 어려움들이다. 때로 하나님은 자신들의 목소리를 낼 수 없는 집단을 대변하도록 열정을 주기도 하신다. 낙태된 아이들, 박해받는 사람들, 가난한 사람들, 감옥에 수감된 사람들, 학대당하는 사람들, 사회적인 혜택을 받지 못하는 사람들 그리고 법의 적용을 공평하게 받지 못하는 사람들을 대신해 권리를 주장할 수 있도록 하신다. 성경은 스스로를 방어할 수 없는 사람들을 변호해주라는 명령으로 가득 차 있다.

하나님은 열정적인 사람들을 당신의 나라를 확장하는 데 사용하신다. 그분은 우리에게 교회를 개척하거나, 가족 사역을 하거나, 성경 번역을 위한 재정을 지원하거나, 크리스천 지도자들을 훈련시키고 싶어하는 거룩한 열정을 주실 수도 있다. 또는 복음을 통해 특정 집단의 사람들에게 다가가려는 열정을 주실 수도 있다. 아마도 그들은 사업가, 청소년, 교환 학생, 미성년인 아이 엄마, 혹은 특정한 취미나 스포츠에 관심이 있는 사람 등일

하나님은 우리에게 각기 다른 열정을 주신다.
그래서 이 땅에서 이루고자 하시는
모든 일들을 이루실 것이다.

것이다. 만일 하나님께 기도한다면, 그분은 우리에게 강한 그리스도의 증인을 필요로 하는 특정 국가나 민족에 대한 마음을 주실 것이다.

하나님은 우리에게 각기 다른 열정을 주신다. 그래서 이 땅에서 이루고자 하시는 모든 일들을 이루실 것이다. 모든 사람이 우리가 열정을 가진 부분에 똑같은 열정을 가질 것이라고 기대해서는 안 된다. 대신 우리는 서로의 삶의 메시지를 존중하고 서로의 이야기를 경청해야 한다. 누구도 모든 것을 말할 수는 없기 때문이다. 다른 사람의 거룩한 열정을 과소평가해서는 안 된다. 성경은 이렇게 말한다. "좋은 일에 대하여 열심으로 사모함을 받음은 내가 너희를 대하였을 때 뿐 아니라 언제든지 좋으니라" (갈 4:18).

삶의 메시지는 복음을 담는다

복음이 무엇인가? "복음에는 하나님의 의가 나타나서 믿음으로 믿음에 이르게 하나니 기록된 바 오직 의인은 믿음으로 말미암아 살리라 함과 같으니라" (롬 1:17). "이는 하나님께서 그리스도 안에 계시사 세상을 자기와 화목하게 하시며 저희의 죄를 저희에게 돌리지 아니하시고 화목하게 하는 말씀을 우리에게 부탁하셨느니라" (고후 5:19). 복음은 우리가 예수님을 통해 우리를 구하시는 하나님의 은혜를 믿을 때 우리의 죄를 용서받고, 삶의 목적을 갖게 되며, 천국에 영원한 집을 약속받는 것이다.

복음을 전하는 방법에 관한 좋은 책은 많다. 내가 도움을 받은 책 목록을 제공할 수도 있다(부록 2 참조). 하지만 세상에서의 훈련만으로는 그리스도의 증인이 되려는 동기를 부여받지 못한다. 앞에서 언급한 여덟 가지 임무들을 내면화시킬 때에만 그 동기를 얻게 된다. 무엇보다 중요한 것은 우리가 하나님이 하시는 것처럼 잃어버린 사람들을 사랑하는 방법을 배워야 한다는 것이다.

하나님은 당신이 사랑하지 않는 사람은 절대 만들지 않으셨다. 그분에게는 모든 사람이 중요하다. 예수님이 십자가에서 당신의 팔을 크게 벌리셨을 때, 예수님은 이렇게 말하고 계셨다. "나는 너희를 이만큼 사랑한다." 성경은 또한 이렇게 말한다. "그리스도의 사랑이 우리를 강권하시는도다 우리가 생각건대 한 사람이 모든 사람을 대신하여 죽었은즉 모든 사람이 죽은 것이라" (고후 5:14). 이 땅에서의 우리의 사명에 대해 감동이 없다면 잠시 시간을 내어 예수님이 십자가에서 우리를 위해 하신 일을 생각해보라.

하나님이 하셨기 때문에 우리도 또한 믿지 않는 사람들을 돌봐야 한다. 사랑은 선택의 여지가 없다. 성경은 이렇게 말한다. "사랑 안에 두려움이 없고 온전한 사랑이 두려움을 내어 쫓나니 두려움에는 형벌이 있음이라 두려워하는 자는 사랑 안에서 온전히 이루지 못하였느니라" (요일 4:18). 부모는 아이에 대한 사랑이 두려움보다 크기 때문에 자신의 아이를 구하기 위해서 불타는 건물로 뛰어들 수 있다. 만일 주위 사람들에게 복음을 전하기를 두려워하고 있다면, 하나님께 그들에 대한 사랑을 달라고 기도하라.

성경은 이렇게 말한다. "주의 약속은 어떤 이의 더디다고 생각하는 것 같이 더딘 것이 아니라 오직 너희를 대하여 오래 참으사 아무도 멸망치 않고 다 회개하기에 이르기를 원하시느니라" (벧후 3:9). 그리스도를 모르는 사람을 단 한 사람이라도 알고 있는 한 그들을 위해 계속 기도하고, 사랑으로 섬기며, 복음을 전해야 한다. 그리고 우리가 사는 지역 안에 하나님의 가족이 아닌 사람이 한 사람이라도 있다면 교회는 반드시 그에게 계속 다가가야 한다. 성장하기를 원하지 않는 교회는 이 세상에 대해 "지옥에 가도 된다"라고 말하고 있는 셈이다.

당신이 아는 사람들이 천국에 가도록 하기 위해서 당신은 무엇을 하겠는가? 그들을 교회로 초대할 것인가? 당신의 간증을 나누겠는가? 이 책을 주겠는가? 그들에게 밥을 사주겠는가? 예수님을 영접할 때까지 그들을 위해 기도하겠는가? 당신의 선교지는 당신 주변의 모든 곳이다. 하나님이 주신 기회들을 놓치지 말라. 성경은 이렇게 말한다. "복음을 전할 수 있는 모든 기회를 최대한 활용하라. 그들과 만나는 모든 순간에 현명하게 행동하라"(골 4:5, LB).

당신 때문에 천국에 가게 되는 사람이 있는가? 천국에서 누군가가 당신에게 "정말 감사합니다. 당신이 제게 복음을 전해주었기 때문에 제가 이곳에 올 수 있었습니다"라고 말할 수 있겠는가? 당신이 천국에 이르도록 도움을 준 사람들과 천국에서 만나는 상상을 해보라. 한 영혼의 구원은 당신이 인생에서 성취하는 그 어떤 것보다 중요하다. 사람들만이 영원히 남을 것이다.

이 책에서 우리는 하나님이 이 땅에서 우리의 삶에 대해 가지고 계시는 다섯 가지 목표에 대해 배웠다. 그분은 우리를 가족의 일원(member)으로 삼으셨고, 그분의 성품을 보여주는 모델(model)로 삼으셨으며, 그분의 영광을 보이게(magnifier) 하셨고, 그분의 은혜의 사역자(minister)로 세우셨으며, 복음의 전령(messenger)으로 부르셨다. 이 다섯 가지 목적 가운데 다섯번째는 이 땅에서만 이루어질 수 있다. 나머지 넷은 하늘나라에서도 계속 하게 될 것이다. 그래서 복음을 전하는 것이 그만큼 중요하다. 생명의 소식을 전할 수 있는 시간이 짧기 때문이다.

Day 37

내 삶의 목적에 대하여

생각할 점 : 하나님은 나를 통해 세상에 무엇인가를 말하고 싶어하신다.

외울 말씀 : "너희 속에 있는 소망에 관한 이유를 묻는 자에게는 대답할 것을 항상 예비하되 온유와 두려움으로 하고" (벧전 3:15).

삶으로 떠나는 질문 : 나는 내 삶의 메시지를 누구와 나눌 수 있는가?

38

월드 크리스천 되기

"또 가라사대
너희는 온 천하에 다니며 만민에게 복음을 전파하라"
(막 16:15).

"당신의 구원의 능력과 인류를 위한
영원한 계획에 관한 소식을 가지고
우리가 세계 곳곳으로 가게 해주십시오" (시 67:2, LB).

지상명령은 우리의 사명이다.

우리는 선택해야 한다. 우리는 세상적인(worldly) 크리스천이 될 수도 있고, 세계적인(World - Class) 크리스천이 될 수도 있다.[1]

세상적인 크리스천이란 자기 욕심만을 채우기 위해 하나님을 바라보는 자들이다. 그들은 구원받았지만 자기 중심적이다. 그들은 찬양 집회나 특별 세미나에 참석하길 좋아하지만, 선교 관련 모임에서는 절대로 찾아볼 수 없고 그쪽에는 관심조차 없다. 그들의 기도는 본인의 필요, 축복 그리고 행복에 초점이 맞춰져 있다. 그것은 '나 우선(me-first)' 적인 믿음이다. 하나님이 어떻게 나의 삶을 더 편안하게 만들어주실 수 있는가? 그들은 하나님의 목적보다는 자신의 목적을 이루기 위해 하나님을 이용하려 한다.

반대로 월드 크리스천들은 섬기기 위해서 구원받았고, 이 땅에 사명을 갖고 태어났다는 사실을 안다. 그들은 하나님이 개인적으로 감당해야 할 임무를 주시기를 간절히 바라고 있고, 하나님이 그들을 사용하신다는 사실에 흥분한다. 월드 크리스천들은 이 땅에서 온전한 삶을 살고 있는 유일한 사람들이다. 사람들은 그들이 변화를 만들고 있다는 사실을 알기 때문에 그들의 기쁨, 자신감 그리고 열정은 다른 사람들에게도 전염된다. 그들은 아침마다 하나님이 새로운 방법으로 그들을 통해 일하시기를 기대하며 잠에서 깬다. 우리는 어떤 부류의 크리스천이 되길 원하는가?

하나님은 우리가 인류 역사에서 가장 위대하고, 가장 크며, 다양하고, 가장 중요한 일에 참여하기를 원하신다. 바로 그분의 나라에 관한 일이다. 역사(History)는 그분의 이야기(His story)다. 그분은 영원히 존재할 가족을 만들고 계시다. 이보다 더 중요하고, 오래 지속될 일은 없다. 요한계시록을 통해 우리는 이 땅에 대한 하나님의 일이 이루어질 것임을 안다. 언젠가 그 위대한 일은 멋지게 완성될 것이다. 천국에서는 '모든 인종, 민족, 국가 그리고 언어' (계 7:9)의 사람들이 엄청난 무리를 이루고 예수 그리스도 앞에 서서 그분을 찬양할 것이다. 월드 크리스천으로서 하나님의 일에 참여하는 것은 천국이 어떤 곳인지 미리 경험해볼 수 있는 좋은 기회가 될 것이다.

예수님이 제자들에게 "땅끝까지 이르러 내 증인이 되리라" 고 말씀하셨을 때, 중동 지역에서 가난하게 살던 그 소수의 제자들은 당황했다. 걸어서 가야 하나? 느린 동물들을 타고 가야 하나? 그것이 그들의 유일한 교통 수단이었다. 그리고 바다를 건널 배도 없었기 때문에 전세계로 가기 위해서는 실제적인 장벽들이 매우 많았다.

오늘날 우리에게는 비행기, 배, 기차, 버스 그리고 자동차가 있다. 그리고 세계는 지구촌이 되었고 날마다 더 좁아지는 세상에서 살고 있다. 몇 시간 안에 비행기를 타고 대양을 건널 수 있고, 필요하다면 다음 날 집으로 돌아올 수도 있다. 평범한 보통의 크리스천들이 단기 선교에 참여할 수 있는 기회는 그야말로 무제한적으로 있다. 세계의 구석구석 어느 곳이든 갈 수 있다. 여행사에 문의해보라. 이제는 복음을 전하지 못할 핑계거리가 없다.

인터넷의 보급과 함께 세계는 더 작아졌다. 전화, 팩스 외에 인터넷을 사용할 수 있는 크리스천이라면 누구나 세계의 모든 사람과 가상 공간에서 연락을 취할 수 있다. 전세계가 우리의 손끝에 있다.

외딴 마을에서도 이메일(email)을 받을 수 있기 때문에, 집을 떠나지 않고도 인터넷을 통해 지구 반대편에 있는 사람에게까지 복음을 전할 수 있다. 전세계로 가야 하는 우리의 임무를 수행하기가 이처럼 쉬웠던 적이 없다. 이제 더 이상 거리, 비용 혹은 교통이 우리의 큰 장벽이 아니다. 유일한 장벽은 우리의 사고방식이다. 월드 크리스천이 되기 위해서는 사고의 전환이 필요하다. 우리의 관점과 태도가 변해야 한다.

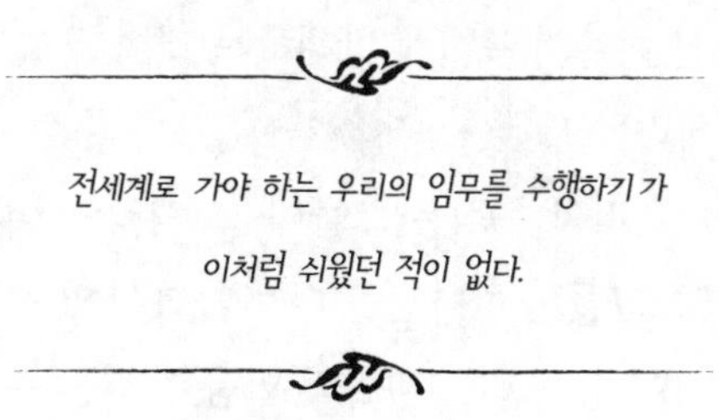

월드 크리스천으로서 사고하는 방법

자기 중심적 사고에서 타인 중심적 사고로

성경은 이렇게 말한다. "성도 여러분, 생각하는 데 있어서는 어린아이가 되지 마십시오"(고전 14:20, 쉬운성경). 이것이 월드 크리스천이 되는 첫 단계다. 아이들은 자기 자신만 생각하지만 성인들은 다른 사람을 생각한다. 하나님은 이렇게 명령하신다. "각각 자기 일을 돌아볼 뿐더러 또한 각각 다른 사람들의 일을 돌아보아 나의 기쁨을 충만케 하라"(빌 2:4).

물론 우리의 본성이 자기 중심적이고, 날마다 접하는 거의 모든 광고들이 이기적으로 생각하도록 부추기기 때문에 이러한 사고의 전환은 어려운 일이다. 이렇게 패러다임을 전환할 수 있는 유일한 방법은 순간순간 하나님께 의지하는 것이다. 다행히 하나님은 우리가 혼자 이런 문제를 가지고 씨름하도록 방치하시지 않는다. "하나님이 당신의 영을 우리에게 주셨기 때문에 우리는 이 세상 사람들이 생각하는 것과 같은 방식으로 생각하지 않는다" (고전 2:12, CEV).

믿지 않는 사람들과 이야기할 때, 그들의 영적인 필요를 느끼게 해달라고 성령의 도우심을 구하라. 연습을 통해서 우리는 만나는 사람들을 위해 조용히 '속으로 하는 기도' 의 습관을 기를 수 있다. "아버지, 이 사람이 당신을 알지 못하게 방해하는 것이 무엇인지 제가 알게 해주세요" 라고 기도하라.

우리의 목적은 그들이 그 영적인 여정의 어디쯤에 와 있는지를 파악하고, 그들이 하나님을 더욱 가까이 알 수 있게 하는 것이라면 무엇이든 하는 것이다. 우리는 바울의 마음 자세를 통해서 어떻게 그렇게 할 수 있는지를 배울 수 있다. "나와 같이 모든 일에 모든 사람을 기쁘게 하여 나의 유익을 구치 아니하고 많은 사람의 유익을 구하여 저희로 구원을 얻게 하라" (고전 10:33).

지역적인 사고에서 세계를 품는 사고로

하나님은 세계적인 분이시다. 그분은 항상 전세계에 대해 생각하신다. "하나님이 세상을 이처럼 사랑하사" (요 3:16). 태초부터 하나님은 당신이 만드신 모든 사람들이 당신의 가족이 되길 원하셨다. 성경은 이렇게 말한다. "인류의 모든 족속을 한 혈통으로 만드사 온 땅에 거하게 하시고 저희의 연대를 정하시며 거주의 경계를 한하셨으니 이는 사람으로 하나님을 혹 더듬어 찾아 발견케 하려 하심이로되 그는 우리 각 사람에게서 멀리 떠나 계시지 아니하도다" (행 17:26-27).

이미 대부분의 사람들은 세계를 품는 사고를 한다. 최대의 미디어 기업과 대기업들은 다국적 기업들이다. 우리의 삶은 패션, 연예, 음악, 스포츠 그리고 패스트 푸드까지도 공유함으로 점점 더 서로 연관을 맺고 있다. 아마 우리가 입고 있는 옷과 오늘 먹은 음식의 상당 부분이 다른 나라에서 생산된 것일 것이다. 우리는 생각보다 훨씬 많이 서로에게 연결되어 있다.

우리는 매우 흥미진진한 시대에 살고 있다. 그 어느 때보다 많은 크리스천들이 있다. 바울이 한 말이 옳았다. "이 복음이 이미 너희에게 이르매 너희가 듣고 참으로 하나님의 은혜를 깨달은 날부터 너희 중에서와 같이 또한 온 천하에서도 열매를 맺어 자라는도다"(골 1:6).

세계를 품고 사고하는 방법의 첫 단계는 특정 국가를 놓고 기도하는 것이다. 월드 크리스천은 세계를 위해 기도한다. 지구본이나 지도를 가지고 각 나라의 이름을 부르며 기도하라. 성경은 이렇게 말한다. "내게 구하라 내가 열방을 유업으로 주리니 네 소유가 땅 끝까지 이르리로다"(시 2:8).

기도는 이 세상에서 우리의 사명을 완수하는 데 가장 중요한 도구다. 사람들은 우리의 사랑을 거절하고 우리가 전하는 메시지를 거부할 수도 있다. 하지만 우리의 기도를 막지는 못한다. 대륙 간 미사일처럼 우리는 한 사람의 마음을 겨냥해 기도할 수 있다. 이는 그가 3미터 떨어져 있건 천 킬로미터 떨어져 있건 상관이 없다.

사람들은 우리의 사랑을 거절하고
우리가 전하는 메시지를 거부할 수도 있다.
하지만 우리의 기도를 막지는 못한다.

무엇을 위해 기도해야 하는가? 성경은 우리에게 증거할 수 있는 기회(골 4:3, 롬 1:10), 말할 수 있는 용기(엡 6:19), 하나님을 믿게 될 사람들(요 17:20), 복음의 빠른 전파(살후 3:1), 그리고 더 많은 일꾼들을 위해(마 9:38) 기도해야 한다고 말한다. 기도는 우리를 이 세상에 있는 다른 하나님의 일꾼들과 동역자로 만들어준다.

우리는 또한 선교사들과 이 세상 전역에서 복음을 추수하고 있는 모든 사람들을 위해서 기도해야 한다. 바울은 그의 기도 동역자들에게 "너희도 우리를 위하여 간구함으로 도우라"(고후 1:11)고 말했다. 만일 이 세상과 하나님의 일꾼들을 위해 구체적으로 기도하는 방법을 알고 싶다면 〈부록 2〉를 참고하라.

세계를 품는 사고를 개발하는 또 하나의 방법은 '지상명령을 완수하기 위한 관점(Great Commission Eyes)' 으로 신문과 뉴스를 보는 것이다. 변화와 갈등이 있을 때마다 우리는 하나님이 그 일들을 통해서 사람들을 구원하시려 한다는 것을 알 수 있다. 사람들은 긴장 상황이나 전환기에 하나님을 가장 잘 받아들이기 때문이다. 이 세상의 변화의 속도가 점점 더 빨라지고 있기 때문에, 보다 많은 사람들이 그 어느 때보다 복음에 대해 마음을 많이 열고 있다.

세계를 품는 사고방식으로 전환하는 가장 최선의 방법은 다른 나라로 단기 선교 여행을 떠나는 것이다. 다른 문화에서 직접 삶을 경험하는 것보다 좋은 것은 없다. 사명에 대해 연구하고 논의하는 것은 그만두고, 실천에 옮기라. 깊은 곳으로 뛰어들라고 감히 말하겠다. 사도행전 1장 8절에서 예수님은 이러한 일에 대한 참여의 패턴을 보여주셨다. "오직 성령이 너희에게 임하시면 너희가 권능을 받고 예루살렘과 온 유대와 사마리아와 땅 끝까지 이르러 내 증인이 되리라 하시니라." 예수님의 제자들은 그들이 속한 사회(예루살렘), 그들의 나라(유대), 다른 문화(사마리아) 그리고 다른 국가(이 땅 모든 곳)로 뻗어나가야 했다. 우리의 임무가 순차적으로 일어나는 것이 아니라 동시에 일어나는 것임을 기억하라. 모든 사람이 선교사로서의 은사를 받지는 않았지만, 모든 사람이 이 네 그룹에 대해 어떤 방법으

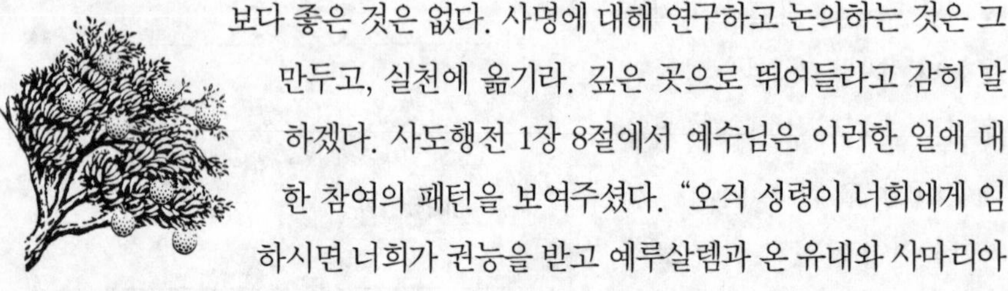

로든 선교하도록 부르심을 받았다. 우리는 사도행전 1장 8절을 따르는 크리스천인가?

이 네 그룹에 대한 각각의 선교 프로젝트에 참여할 목표를 세우라. 나는 당신에게 가능한 빨리 단기 선교 여행을 해외로 나가기 위해 필요한 모든 것을 준비하라고 권한다. 거의 모든 선교 단체가 이 일에 대해 당신을 도와줄 수 있다. 이를 통해 당신은 마음을 넓히고, 비전을 크게 하며, 믿음을 키우고, 열정을 뜨겁게 하며, 한 번도 경험해보지 못한 기쁨을 느낄 수 있을 것이다. 삶의 전환점이 될 것이다.

'지금 여기'만 바라보는 사고에서 영원을 바라보는 사고로

이 땅에서 보내는 시간을 최대한 활용하기 위해서 우리는 영원한 관점을 유지해야 한다. 그렇게 하면 우리는 사소한 일에 비중을 두지 않게 되고, 급한 것과 궁극적인 것을 구분할 수 있게 된다. 바울은 이렇게 말했다. "우리의 돌아보는 것은 보이는 것이 아니요 보이지 않는 것이니 보이는 것은 잠간이요 보이지 않는 것은 영원함이니라"(고후 4:18).

우리가 에너지를 쏟아서 하고 있는 대부분의 일들은 앞으로 일 년 후에는 그다지 중요한 일이 아닐 것이고, 영원한 시간의 측면에서 볼 때는 더욱 더 그렇다. 당신의 삶을 일시적인 것들과 바꾸지 말라. 예수님은 "손에 쟁기를 잡고 뒤를 돌아보는 자는 하나님의 나라에 합당치 아니하니라"(눅 9:62)고 말씀하셨다. 바울은 "세상 물건을 쓰는 사람은 그것들에 마음이 빼앗기지 않은 사람처럼 사십시오. 그것은 이 세상의 현재 모습이 지나가고 있기 때문입니다"(고전 7:31, 쉬운성경)라고 말하고 있다.

우리의 사명을 방해하고 있는 요소가 무엇인가? 무엇이 우리가 월드 크리스천이 되는 것을 막고 있는가? 그것이 무엇이든 간에, 내버려야 한다. "모든 무거운 것과 얽매이기 쉬운 죄를 벗어 버리고 인내로써 우리 앞에 당한 경주를 경주하며"(히 12:1).

예수님은 우리에게 "오직 너희를 위하여 보물을 하늘에 쌓아 두라"(마 6:20)고 말씀하셨다. 어떻게 할 것인가? 예수님의 말씀 가운데 사람들이 자주 오해하는 구절은 "내가 너희에게 말하노니 불의의 재물로 친구를 사귀라 그리하면 없어질 때에 저희가 영원한 처소로 너희를 영접하리라"(눅 16:9)는 것이다. 여기서 말하는 진리는 이것이다. 예수님이 우리에게 친구를 돈으로 사라고 말하시는 것이 아니다. 그분이 의미하는 것은 하나님이 주신 돈을 가지고 사람들을 그리스도에게로 데리고 오라는 것이었다. 그러면 그들은 천국에서 우리를 반겨줄 영원의 친구가 된다는 것이다. 이것이야말로 가장 많은 이윤을 남길 수 있는 금전적인 투자 방법이다.

'빈손으로 떠나는 인생' 이라는 말을 들어본 적이 있을 것이다. 하지만 성경은 그곳에 가는 사람들에게 투자함으로써 천국에 미리 보물을 준비할 수 있다고 말한다. 성경은 말한다. "이것이 장래에 자기를 위하여 좋은 터를 쌓아 참된 생명을 취하는 것이니라"(딤전 6:19).

핑계거리를 찾는 대신 사명을 완수할 창조적인 방법을 추구하는 사고로

뜻이 있는 곳에는 항상 길이 있다. 그리고 우리를 도와줄 많은 단체들이 있다. 우리가 주로 대는 핑계들은 다음과 같다.

- "나는 우리 나라 말밖에 못해." 이것은 사실 우리 나라 말을 배우고 연습하고 싶어하는 사람이 있는 여러 국가에서는 장점으로 작용할 수 있다.
- "나는 줄 것이 아무것도 없어." 우리에게는 분명 줄 것이 있다. 우리가 가진 모든 능력과 경험은 반드시 사용될 수 있다.
- "나는 너무 나이가 많아(또는 나는 너무 어려)." 대부분의 선교 단체들

은 각 연령대에 맞는 단기 프로젝트를 구성하고 있다.

하나님은 사라가 자신은 너무 나이가 많다고 주장했을 때나, 예레미야가 자신은 너무 어리다고 주장했을 때 그 핑계를 들어주시지 않았다. 주님이 대답하셨다. "여호와께서 내게 이르시되 너는 아이라 하지 말고 내가 너를 누구에게 보내든지 너는 가며 내가 네게 무엇을 명하든지 너는 말할지니라 너는 그들을 인하여 두려워 말라 내가 너와 함께하여 너를 구원하리라 나 여호와의 말이니라 하시고"(렘 1:7-8).

당신은 하나님으로부터 특별한 '부르심'을 받아야 한다고 생각할지도 모른다. 그리고 초자연적인 느낌이나 경험을 기다리고 있을지도 모른다. 하지만 하나님은 이미 계속해서 당신을 부르셨다. 우리 모두는 하나님이 우리의 삶에 대해 갖고 계신 다섯 가지 목적을 수행하기 위해 이미 부름을 받았다. 예배하고, 교제하고, 그리스도를 닮아 성장하고, 섬기고, 이 땅에서 하나님과 함께 선교하는 것이다. 하나님은 당신의 사람들 몇몇만을 사용하고 싶어하시지 않는다. 모든 사람을 사용하기 원하신다. 우리 모두는 하나님을 위해 사명을 수행하도록 부름받았다. 그분은 모든 교회가 전세계에 복음을 전파하기 원하신다.[2]

많은 크리스천들은 그들의 삶에 대한 하나님의 계획을 놓쳤다. 왜냐하면 하나님께 그들이 어디에서 선교사로 섬기기를 원하시는지 물어본 적이 없기 때문이다. 두려움에서건 무지에서건 그들은 문화가 상반되는 지역에서 선교사로 섬기는 가능성에 대한 생각을 자동적으로 차단했다. 만일 당신이 아니라고 대답하고 싶어진다면, 지금 가능한 모든 다른 방법들과 가능성을 검토해보고(아마 놀랄 것이다), 앞으로 하나님께서 당신에게 무엇을 원하시는지 여쭈어보고 진지하게 기도해보아야 한다. 역사상 그 어느 때보다 문이 활짝 열려 있는 이 중요한 시기에 수많은 선교사들이 매우 필요하다.

만일 우리가 예수님과 같이 되기를 원한다면 그분이 가장 관심을 두시는 것에 관심을 두어야 하고, 전세계에 대한 마음을 품어야 한다. 우리의 가족과 친구들이 하나님께로 돌아오는 것에 만족할 수 없다. 이 지구 위에는 60억 이상의 인구가 있고, 예수님은 길 잃어버린 당신의 모든 어린 양들을 찾기 원하신다. 예수님은 말씀하신다. "누구든지 제 목숨을 구원코자 하면 잃을 것이요 누구든지 나와 복음을 위하여 제 목숨을 잃으면 구원하리라"(막 8:35). 지상명령은 바로 우리가 완수해야 할 사명이고, 우리가 맡은 부분을 수행하는 것이 의미 있는 삶을 사는 비밀이다.

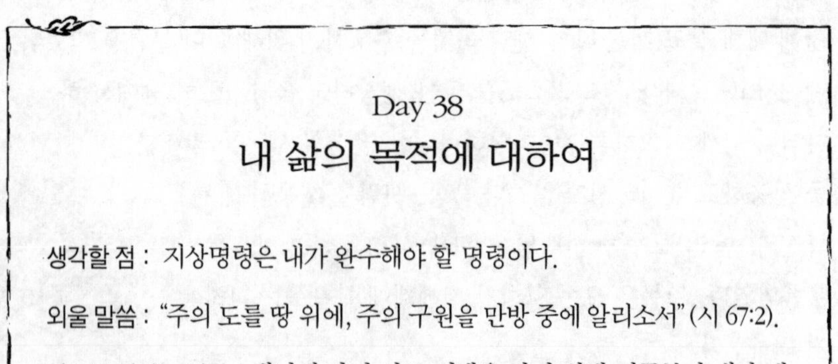

Day 38

내 삶의 목적에 대하여

생각할 점 : 지상명령은 내가 완수해야 할 명령이다.

외울 말씀 : "주의 도를 땅 위에, 주의 구원을 만방 중에 알리소서"(시 67:2).

삶으로 떠나는 질문 : 내년에 단기 선교 여행을 가기 위해 지금부터 내가 해야 할 준비는 무엇인가?

39 삶의 균형 잡기

"그런즉 너희가 어떻게 행할 것을 자세히 주의하여
지혜 없는 자같이 말고 오직 지혜 있는 자같이 하여"
(엡 5:15).

"그러므로 사랑하는 자들아 너희가 이것을 미리 알았은즉
무법한 자들의 미혹에 이끌려 너희 굳센데서 떨어질까 삼가라"
(벧후 3:17).

균형을 잡고 사는 사람들은 복을 받을 것이다. 그들은 모든 사람보다 오래 남을 것이다.

하계 올림픽 경기 종목 중에는 오종 경기가 있다. 사격, 펜싱, 승마, 육상 그리고 수영의 다섯 종목으로 이루어진다. 오종 경기 선수들은 한두 종목만이 아니라 다섯 종목 모두를 잘해야 우승할 수 있다.

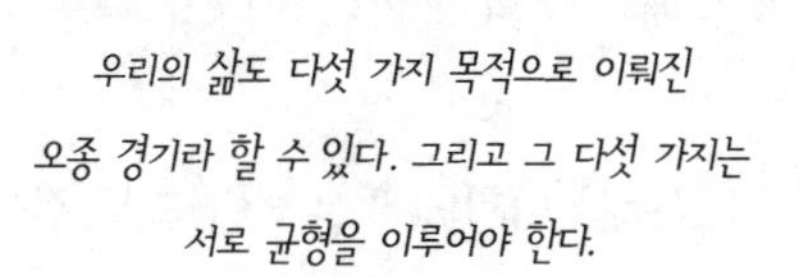

우리의 삶도 다섯 가지 목적으로 이뤄진 오종 경기라 할 수 있다. 그리고 그 다섯 가지는 서로 균형을 이루어야 한다. 사도행전 2장에 등장하는 크리스천들이 그 목적들을 실천했고, 에베소

서 4장에서 바울이 설명했으며, 요한복음 17장에서 예수님이 직접 보여주셨다. 이 내용들은 대계명(the Great Commandment)과 지상명령(the Great Commission)에 요약되어 있다. 이 두 명령은 이 책의 내용, 즉 우리의 삶에 대한 하나님의 목적을 요약해준다.

1. "마음을 다해 하나님을 사랑하라"

우리는 하나님의 기쁨을 위해 지음받았고, 그래서 우리의 목적은 예배(worship)를 통해 하나님을 사랑하는 것이다.

2. "네 이웃을 네 몸과 같이 사랑하라"

우리는 섬김을 위해 지음받았고, 그래서 우리의 목적은 사역(ministry)을 통해 다른 사람들에게 사랑을 보여주는 것이다.

3. "가서 모든 족속으로 제자를 삼아라"

우리는 사명을 가지고 태어났고, 그래서 우리의 목적은 전도(evangelism)를 통해 하나님의 메시지를 나누는 것이다.

4. "아버지와 아들과 성령의 이름으로 세례를 주라"

우리는 하나님의 가족이 되었고, 그래서 우리의 목적은 교제(fellowship)를 통해 그분의 교회와 하나가 되는 것이다.

5. "내가 너희에게 분부한 모든 것을 가르쳐 지키게 하라"

우리는 그리스도를 닮아가도록 지음받았고, 그래서 우리의 목적은 제자도(discipleship)를 통해 성숙하게 성장하는 것이다.

대계명과 지상명령에 대해 온 마음을 다해 헌신할 때 우리는 위대한 크리스천이 될 것이다.

이 다섯 가지 목적 사이에서 균형을 잡는 것은 쉽지 않다. 우리는 우리가 가장 열정을 품고 있는 것들은 지나치게 강조하고, 나머지는 간과하는 경향이 있다. 교회도 마찬가지다. 하지만 우리는 맡은 바 책임을 위해 소그룹에 참여하고, 우리의 영적인 건강을 정기적으로 점검하며, 또한 우리의 발전 과정을 일기에 기록하고, 우리가 배운 것을 다른 사람들에게 전함으로써 삶의 균형을 유지할 수 있다. 이 네 가지 간단한 활동은 목적이 이끄는 삶을 위해 중요한 것들이다. 만일 진심으로 올바른 삶을 살기 원한다면 우리는 이러한 습관을 키워나가야 한다.

영적인 동역자나 소그룹에게 이야기하라

목적이 이끄는 삶의 원칙들을 내면화하는 가장 좋은 방법은 그룹 사람들과 그것에 대해 이야기를 하는 것이다. 성경은 이렇게 말한다. "철이 철을 날카롭게 하는 것 같이 사람이 그 친구의 얼굴을 빛나게 하느니라"(잠 27:17). 우리는 공동체 속에서 가장 효과적으로 배운다. 대화를 통해 우리의 마음은 더 많이 다듬어지고, 우리의 헌신도 더 깊어진다.

나는 당신에게 소그룹에 참여해서 이 책의 내용들을 함께 검토해보기를 권한다. 각 장의 의미와 적용 사항들에 대해 이야기를 나누라. "그래서?" "이제는 어떻게 하지?"와 같은 질문을 던지라. 나와, 가족과, 교회에게 무슨 의미가 있는가? 나는 그것에 대해 어떻게 해야 하는가? 바울은 이렇게 말했다. "너희는 내게 배우고 받고 듣고 본 바를 행하라"(빌 4:9). 〈부록 1〉에는 소그룹이나 성경 공부 모임에서 사용할 수 있는 토론 질문들을 수록해놓았다.

소그룹에서는 이 책을 읽는 것만으로는 얻을 수 없는 또 다른 유익이 있다. 배우고 있는 것들에 대해 서로 피드백을 주고받을 수 있다. 또한 실제적인 삶의 예들을 가지고 토론할 수 있다. 그리고 이 목적들에 따라 살기 시작하면서 서로를 위해 기도하고, 격려하며, 지지해줄 수 있다.

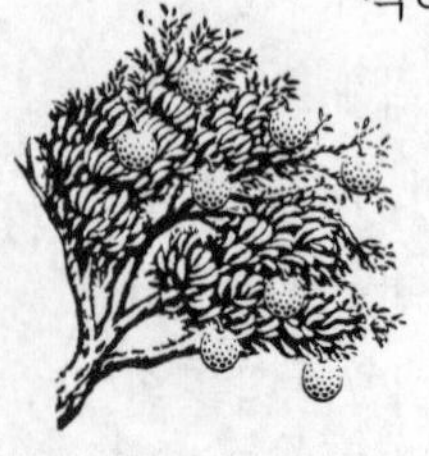

우리는 따로가 아닌 함께 성장하도록 되어 있다는 사실을 기억하라. 성경은 이렇게 말한다. "그러므로 피차 권면하고 피차 덕을 세우기를 너희가 하는 것같이 하라"(살전 5:11). 이 책을 그룹 내에서 함께 읽은 후에 또 다른 그룹이나 반을 위한 다른 목적이 이끄는 삶에 관한 공부를 생각해볼 수도 있다(부록 2 참조).

나는 또한 개인적으로 성경 공부할 것을 권한다. 나는 당신이 각 문맥에 대해 공부할 수 있도록 이 책에서 사용된 많은 구절들의 출처를 밝혀놓았다. 〈부록 3〉을 읽어보라. 이 책에서 왜 그렇게 다양한 번역 성경을 사용했는지 설명해놓았다. 각 장을 하루 분량으로 맞추기 위해서 사용된 구절들의 매력적인 문맥을 모두 설명하지는 못했다. 하지만 성경은 단락, 장 그리고 심지어는 책 전체로 연구하도록 만들어졌다. 내가 쓴 「개인성경연구 길라잡이(Personal Bible Study Methods), 도서출판 디모데」가 귀납적인 성경 공부의 방법을 제시해줄 것이다.

영적인 정기 검진을 받으라

우리 삶에서 다섯 가지 목적들 사이의 균형을 이루는 가장 좋은 방법은 정기적으로 스스로를 평가하는 것이다. 하나님은 자기를 평가하는 습관을 매우 중요하게 여기신다. 성경은 스스로의 영적인 건강을 시험해보고 검사해볼 것을 최소 다섯 번 이상 언급하고 있다(애 3:40, 고전 11:28, 31, 13:5, 갈 6:4). 성경은 이렇게 말한다. "너희가 믿음에 있는가 너희 자신을 시험하고 너희 자신을 확증하라 예수 그리스도께서 너희 안에 계신 줄을 너희가 스스로 알지 못하느냐 그렇지 않으면 너희가 버리운 자니라" (고후 13:5).

몸의 건강을 유지하기 위해서 우리는 의사에게 가서 정기 검진을 받는다. 의사는 혈압, 체온, 몸무게와 같은 중요한 사항들을 평가할 수 있다. 마찬가지로 우리의 영적인 건강을 위해서는 정기적으로 다섯 가지의 중요한 징후들, 즉 예배, 교제, 인격의 성장, 사역 그리고 선교에 대해 검사해야 한다. 예레미야는 이렇게 충고했다. "우리가 스스로 행위를 조사하고 여호와께로 돌아가자" (애 3:40).

새들백교회에서는 간단한 개인 평가 도구를 개발했고, 이를 통해 수천 명의 사람들이 계속해서 하나님의 목적을 가지고 살 수 있게 되었다. 만일 이 목적이 이끄는 삶의 영적인 건강 진단지를 원한다면 나에게 이메일을 보내라(부록 2 참조). 이 작은 도구가 당신 삶의 건강과 성장을 위한 균형을 잡는 데 도움이 될 것이다. 바울은 이렇게 주장했다. "이제는 하던 일을 마무리 하십시오. 시작할 때와 마찬가지로 여러분이 가지고 있는 것으로 마치는 것도 간절하게 하십시오" (고후 8:11, 쉬운성경).

자신의 발전 과정을 일기에 적으라

하나님이 우리의 삶에 대해 가지고 계신 목적을 수행하는 과정을 강화시키는 가장 좋은 방법은 신앙 일기를 쓰는 것이다. 그것은 사건을 적는 일기가 아니라, 잊고 싶지 않은 삶의 교훈들을 적어놓는 것이다. 성경은 이렇게 말한다. "그러므로 모든 들은 것을 우리가 더욱 간절히 삼갈지니 혹 흘러 떠내려갈까 염려하노라" (히 2:1). 우리는 기록해놓은 것은 기억한다.

글로 적어보는 것은 하나님이 우리의 삶을 통해 무엇을 하시는지 명확하게 알 수 있도록 도와준다. 도슨 트로트만(Dawson Trotman)은 "생각들이 손끝을 거치면 서로 엉켜 있던 것이 풀린다"라고 말했다. 성경은 이렇게 말한다. "모세가 여호와의 명대로 그 노정을 따라 그 진행한 것을 기록하였으니"(민 33:2). 모세가 하나님의 명령에 순종하고 이스라엘의 영적인 여정을 모두 기록해놓은 것이 기쁘지 않은가? 만일 그가 게을렀다면 우리는 출애굽에서 얻은 강력한 삶의 교훈을 배우지 못했을 것이다.

우리의 신앙 여정이 모세의 것만큼 널리 읽히지는 않겠지만 우리의 여정도 그만큼 중요하다. NIV 성경에는 "모세는 그들이 걸어간 여정의 단계들을 기록했다"라고 되어 있다. 우리의 삶은 여행이다. 그리고 여행에는 당연히 일기가 있어야 한다. 목적이 이끄는 삶을 살 때 그 여정의 각 단계에 대한 신앙 일기를 꼭 쓰기를 바란다.

좋은 것들만 쓰려고 하지 말라. 다윗처럼 의심, 두려움 그리고 하나님과의 싸움까지도 모두 적으라. 가장 위대한 교훈은 고통에서 나온다. 그리고 하나님은 우리의 눈물을 모두 기록해놓으신다고 성경은 말한다(시 56:8). 문제에 부딪힐 때마다 하나님이 우리의 삶에서 다섯 가지 목적을 이루시기 위해 그 문제를 사용하실 것임을 기억하라. 문제 때문에 우리는 하나님께 집중하게 되고, 다른 사람들과 더 깊은 교제를 갖게 되며, 그리스도를 닮은 성품을 쌓게 되고, 사역을 갖게 되며, 간증거리를 갖게 된다. 모든 문제에는 목적이 있다.

고통스러운 경험 가운데서 시편기자는 이렇게 적었다. "미래의 세대들을 위해 이 일들을 기록해놓아 새로운 백성들이 여호와를 찬양하게 합시다"(시 102:18, 쉬운성경). 우리는 이 땅에서 하나님이 당신의 목적을 이루도록 우리를 어떻게 도우셨는지에 대한 간증을 보전해서 다음 세대에 전해주어야 할 책임이 있다. 이것은

우리는 이 땅에서 하나님이 당신의 목적을 이루도록 우리를 어떻게 도우셨는지에 대한 간증을 보전해서 다음 세대에 전해주어야 할 책임이 있다.

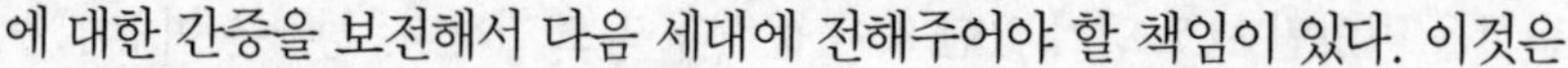

우리가 천국에 간 후에도 계속 이야기해줄 증거물이 되는 것이다.

아는 것을 다른 사람들에게 전달하라

계속 성장하길 원한다면, 더 많이 배울 수 있는 가장 좋은 방법은 이미 배운 것들을 전달하는 것이다. 잠언은 이렇게 말한다. "구제를 좋아하는 자는 풍족하여질 것이요 남을 윤택하게 하는 자는 윤택하여지리라" (잠 11:25). 그 통찰들을 전달하는 사람들은 하나님께로부터 더 많은 것을 얻는다.

이제 우리 삶의 목적을 이해했으니 우리가 할 일은 다른 사람들에게 그 메시지를 전해주는 것이다. 하나님은 우리를 당신의 전령으로 부르셨다. 바울은 말했다. "또 네가 많은 증인 앞에서 내게 들은 바를 충성된 사람들에게 부탁하라 저희가 또 다른 사람들을 가르칠 수 있으리라" (딤후 2:2). 이 책을 통해 나는 다른 사람들이 나에게 삶의 목적에 대해서 가르쳐준 것들을 전달했다. 이제 다른 사람들에게 이것을 전달하는 것은 당신의 의무다.

당신은 아마 삶의 목적을 모른 체 살고 있는 수백 명을 알 것이다. 이 진리를 당신의 자녀, 친구, 이웃 그리고 동료들과 나누라. 이 책을 친구에게 준다면 개인적으로 간단한 메시지를 책 앞부분에 써주라.

하나님은 우리가 더 많이 알면 알수록, 그 지식을 가지고 다른 사람들을 돕기 원하신다. 야고보는 "해야 할 올바른 일을 알면서도 하지 않는 사람은 죄를 짓는 것이다" (약 4:17, NCV)라고 말했다. 더 많이 알수록 우리의 책임은 더욱 무거워진다. 하지만 삶의 목적을 전달하는 것은 의무 이상의 것이고, 삶의 가장 큰 특권이다. 모든 사람들이 자신들의 삶의 목적을 안다면 이 세상이 어떻게 달라질지 상상해보라. 바울은 이렇게 말했다. "네가 이것으로 형제를 깨우치면 그리스도 예수의 선한 일꾼이 되어" (딤전 4:6).

모든 것은 하나님의 영광을 위한 것이다

우리가 배운 것을 전달하는 것은 하나님의 영광과 하나님나라의 성장 때문이다. 십자가에 못 박혀 돌아가시기 전날 밤 예수님은 아버지에게 이렇게 보고하셨다. "아버지께서 내게 하라고 주신 일을 내가 이루어 아버지를 이 세상에서 영화롭게 하였사오니"(요 17:4). 예수님이 이 기도를 하셨을 때, 그분은 아직 우리 죄를 위해 죽지 않으셨었다. 그러면 예수님은 어떤 '일' 을 완수하신 것일까? 이 상황에서 예수님은 속죄가 아닌 다른 것을 의미하셨다. 해답은 예수님의 기도 가운데 그 다음 스무 구절에 들어 있다(요 17:6-26).

예수님은 아버지에게 당신이 지난 3년 동안 해오신 일을 말씀하셨다. 즉 제자들이 하나님의 목적을 위해 살도록 준비시키신 것이다. 예수님은 제자들이 하나님을 알고 사랑하게 도와주셨고(예배), 서로를 사랑하도록 가르치셨으며(교제), 그들이 성숙할 수 있도록 말씀을 주셨고(제자도), 섬기는 법을 보여주셨으며(사역), 그리고 다른 사람들에게 전하도록 보내셨다(사명). 예수님은 목적이 이끄는 삶의 모범을 보여주셨고, 다른 사람들도 그러한 삶을 살도록 가르치셨다. 그것이 하나님께 영광을 돌린 '일' 이다.

오늘 하나님은 우리 한 사람 한 사람을 그와 같은 일을 위해 부르신다. 하나님은 우리가 당신의 목적대로 살기를 원하실 뿐 아니라, 다른 사람들도 그렇게 살도록 돕기 원하신다. 하나님은 우리가 예수님을 사람들에게 소개하기를 바라신다. 그리고 그들을 하나님과 교제하게 하고, 성숙하게 도와주며, 섬길 곳을 찾아주고, 또 다른 사람들에게 다가가도록 보내기를 원하신다.

이것이 바로 목적이 이끄는 삶이다. 얼마를 살았든 상관없이 우리의 남은 삶은 생애 최고의 날들이 될 수 있고, 우리는 오늘부터 목적이 이끄는 삶을 시작할 수 있다.

Day 39
내 삶의 목적에 대하여

생각할 점 : 균형을 잡고 사는 사람들은 복을 받는다.

외울 말씀 : "그런즉 너희가 어떻게 행할 것을 자세히 주의하여 지혜 없는 자같이 말고 오직 지혜 있는 자같이 하여" (엡 5:15).

삶으로 떠나는 질문 : 내 삶에 대한 하나님의 다섯 가지 목적의 균형을 맞추기 위해서 이번 장에서 말한 네 가지 활동 가운데 무엇을 시작할 수 있는가?

40

목적이 있는 삶을 살기

"사람의 마음에는 많은 계획이 있어도
오직 여호와의 뜻이 완전히 서리라"
(잠 19:21).

"다윗은 평생 하나님의 뜻대로 살다가
죽어서는 조상 곁에 묻혔고"
(행 13:36, 쉬운성경).

목적을 가지고 사는 것이 참된 삶을 사는 유일한 방법이다. 다른 모든 것은 그냥 존재하는 것이다.

대부분의 사람들은 인생에서 세 가지 기본적인 문제로 고민한다. 첫째는 "나는 누구인가?"라는 정체성(identity)의 문제다. 둘째는 "내가 과연 중요한 존재인가?"라는 중요성(importance)의 문제, 그리고 셋째는 "삶에서 나의 위치는 무엇인가?"라는 영향력(impact)의 문제다. 이 세 가지 질문에 대한 답은 하나님이 우리에 대해 가지고 계신 다섯 가지 목적에서 찾을 수 있다.

다락방에서 예수님은 사역의 마지막 날을 제자들과 함께 마무리하시면서 제자들의 발을 씻기심으로 모범을 보이셨다. 그리고 이렇게 말씀하셨다. "너희가 이것을 알고 행하면 복이 있으리라"(요 13:17). 우리가 무엇을 하기를 하나님이 원하시는지 알았다면, 우리가 그것을 행할 때에 복을 받는다. 우리가 함께했던 이 40일의 여정을 마치면서, 우리를 향한 하나님의 목적을 알게 되었다. 이제 우리가 그것을 행한다면 복을 누리게 될 것이다.

어쩌면 이것은 우리가 하고 있는 어떤 일을 멈추어야 한다는 것을 의미할 수도 있다. 우리가 삶을 통해 할 수 있는 '좋은' 일들은 많다. 하지만 하나님의 다섯 가지 목적은 우리가 꼭 해야 하는 본질적인 것이다. 불행하게도 우리는 무엇이 중요한지를 잊고 혼란스러워하기 쉽다. 그리고 그 중요한 것에서 멀어져 조금씩 잘못된 방향으로 가기도 쉽다. 때문에 그것을 피하기 위해 우리는 '삶의 목적 선언서'를 작성하고 그것을 정기적으로 검토해보아야 한다.

삶의 목적 선언서란 무엇인가?

삶에 대한 하나님의 목적을 요약해준다

당신의 말로, 하나님이 주신 삶의 다섯 가지 목적에 대해 헌신할 것을 표현하라. 목적 선언서는 목표들을 나열해놓은 목록이 아니다. 목표(goals)는 일시적인 것이나 목적(purposes)은 영원하다. 성경은 이렇게 말한다. "여호와의 도모는 영영히 서고 그 심사는 대대에 이르리로다"(시 33:11).

삶의 방향을 가리켜준다

삶의 목적을 적어놓으면 삶의 방향에 대해 우리는 구체적으로 생각하게 될 것이다. 성경은 이렇게 말한다. "네가 가는 방향을 제대로 알면 그 기본 방향은 흔들리지 않을 것이다"(잠 4:26, CEV). 목적 선언서는 우리가 시간, 삶 그리고 돈을 가지고 무엇을 하려고 하는지를 보여줄 뿐 아니라, 하지 않을 것을 보여주기도 한다. 잠언에는 이렇게 적혀 있다. "명철한 자는 늘 지혜를 바라보나, 어리석은 자의 두 눈은 땅 끝을 헤맨다"(잠 17:24, 쉬운성경).

'성공'에 대한 정의를 내려준다

그것은 세상이 무엇을 중요하게 여기는지가 아닌, 우리가 무엇을 중요하게 여기는지 말해준다. 우리의 가치관을 명확하게 해준다. 바울은 말했다. "나는 너희가 무엇이 진정 중요한지 알기 원한다"(빌 1:10, NLT).

우리의 역할을 명확히 해준다

우리는 삶의 각기 다른 단계에서, 각각 다른 역할을 담당하게 되지만 그 목적은 절대 변하지 않는다. 그 역할들은 우리가 맡게 될 다른 어떤 역할들보다 중요하다.

우리의 모습을 표현해준다

하나님이 우리가 당신을 섬기도록 만드신 독특한 방법을 반영해준다.

시간을 내서 삶의 목적 선언서를 작성하라. 한 번에 끝내려 하지 말고, 첫 번에 완성하려고 하지도 말라. 생각이 떠오르는 대로 적으라. 새롭게 쓰는 것보다는 수정하는 것이 항상 더 수월한 작업이다. 우리가 선언서를 준비하면서 생각해보아야 할 다섯 가지 질문이 있다.

삶의 5가지 중요한 질문

내 삶의 중심을 무엇으로 삼을 것인가?

이것은 예배(worship)에 관한 문제다. 우리는 누구를 위해 살 것인가? 무엇을 중심으로 삶을 이루어나갈 것인가? 직업, 가족, 스포츠, 취미, 돈, 재미

있게 사는 것, 그 외의 여러 가지 활동이 그 중심이 될 수 있다. 모두가 좋은 것들이기는 하지만, 우리 삶의 중심이 되기에는 적합하지 않다. 그 어떤 것도 우리 삶이 무너지기 시작할 때 붙잡아줄 수 있을 만큼 강하지 못하기 때문이다. 흔들리지 않는 확실한 중심이 필요하다.

아사 왕은 유다 백성들에게 "삶의 중심을 하나님께 두라"(대하 14:4, Msg)고 말했다. 실제로 지금 우리 삶의 중심에 있는 것이 바로 우리의 하나님이다. 우리가 그리스도께 헌신하면 그분은 우리의 삶의 중심으로 들어오신다. 하지만 예배를 통해서 그분이 중심에 계속 계시도록 우리는 노력해야 한다. 바울은 이렇게 말했다. "믿음으로 말미암아 그리스도께서 너희 마음에 계시게 하옵시고 너희가 사랑 가운데서 뿌리가 박히고 터가 굳어져서"(엡 3:17).

하나님이 삶의 중심에 계시다는 것을 어떻게 알 수 있는가? 하나님이 그 중심에 계시면 우리는 그분을 예배한다. 그러나 그렇지 않다면 우리는 걱정하게 된다. 걱정은 하나님이 옆으로 밀려나셨다는 경고 신호다. 하나님을 다시 중심에 모시는 순간 우리는 다시 평안을 찾을 것이다. 성경은 이렇게 말한다. "그리하면 모든 지각에 뛰어난 하나님의 평강이 그리스도 예수 안에서 너희 마음과 생각을 지키시리라"(빌 4:7).

하나님이 그 중심에 계시면 우리는 그분을 예배한다.
그러나 그렇지 않다면 우리는 걱정하게 된다.

나는 어떤 성품의 사람이 되어야 하는가?

이것은 제자도(discipleship)와 관련된 문제다. 우리는 어떤 사람이 될 것인가? 하나님은 우리가 무엇을 하는지보다는 우리가 어떤 사람인지에 더 많은 관심을 두신다. 우리가 영원한 나라에 가지고 갈 것은 직업이 아니라 성품이라는 것을 기억하라. 삶에서 노력하고 발전시키고자 하는 부분들을 기록하라. 성령의 열매(갈 5:22-23) 혹은 산상수훈(마 5:3-12)에서부터 시작하는 것도 하나의 아이디어다.

베드로는 말했다. "이러므로 너희가 더욱 힘써 너희 믿음에 덕을, 덕에 지식을, 지식에 절제를, 절제에 인내를, 인내에 경건을, 경건에 형제 우애를, 형제 우애에 사랑을 공급하라"(벧후 1:5-7). 넘어졌다고 해서 절망하거나 포기하지 말라. 그리스도와 같은 성품을 쌓는 데는 평생이 걸린다. 바울은 디모데에게 말했다. "네가 네 자신과 가르침을 살펴 이 일을 계속하라 이것을 행함으로 네 자신과 네게 듣는 자를 구원하리라"(딤전 4:16).

내 삶을 어디에 기여해야 하는가?

이것은 섬김(service)에 관한 문제다. 그리스도의 몸 가운데 우리가 감당해야 할 부분은 어디일까? 은사, 마음, 능력, 성격 그리고 경험을 모두 고려한다면 하나님의 가정에서 우리에게 가장 적합한 역할은 무엇일까? 어떻게 변화를 일으킬 수 있을까? 교회 안에 우리가 섬길 수 있는 특정한 그룹이 있는가? 바울은 우리가 그 사역을 행할 때에 누릴 수 있는 두 가지 멋진 혜택을 지적한다. "이 봉사의 직무가 성도들의 부족한 것만 보충할 뿐 아니라 사람들의 하나님께 드리는 많은 감사를 인하여 넘쳤느니라"(고후 9:12).

우리는 다른 사람들을 섬기도록 지음받기는 했지만, 예수님도 이 땅에 계시는 동안 모든 사람들의 필요를 충족시켜주시지는 못하셨다. 우리는 우리의 모습에 기초해서 가장 잘 도울 수 있는 사람을 찾아야 한다. "누구를 도와야겠다는 생각이 마음에 가장 많이 생기는가?"라고 질문해봐야 한다. 예수님은 말씀하셨다. "너희가 나를 택한 것이 아니라 내가 너희를 택하여 세웠다. 그것은 너희가 가서 열매를 맺고, 너희 열매가 항상 있게 하기 위해서이다"(요 15:16, 쉬운성경). 우리는 각각 다른 열매를 맺고 있다.

내 삶은 어떤 전달 도구가 되어야 하는가?

이것은 믿지 않는 사람들을 향한 선교(mission)에 대한 질문이다. 우리의 사명 선언서는 삶의 목적 선언서의 일부분이다. 그것은 간증과 복음을 다른 사람들과 나누려는 헌신을 포함해야만 한다. 또한 삶에서 얻은 교훈과 하나님이 세상과 나누라고 주셨다고 생각되는 우리의 거룩한 열정도 적어야 한다. 그리스도 안에서 성장해가는 동안, 우리 마음에 끌리는 특별한 목표 그룹을 하나님이 정해주실 수도 있다. 이것 또한 반드시 선언서에 덧붙이라.

만일 우리가 부모라면 자녀들에게 그리스도를 알리고, 그들이 삶의 목적을 이해하도록 도우며, 세계 선교를 위해 그들을 내보내는 것이 사명의 일부가 될 것이다. 여호수아의 말도 포함시킬 수 있다. "오직 나와 내 집은 여호와를 섬기겠노라" (수 24:15).

물론 우리는 삶으로 우리가 전하는 메시지를 뒷받침하고 확인해주어야 한다. 믿지 않는 사람들은 성경이 믿을 만한가를 보기 전에 우리가 믿을 만한지를 알고 싶어한다. 그래서 성경은 "오직 너희는 그리스도 복음에 합당하게 생활하라" (빌 1:27)고 말한다.

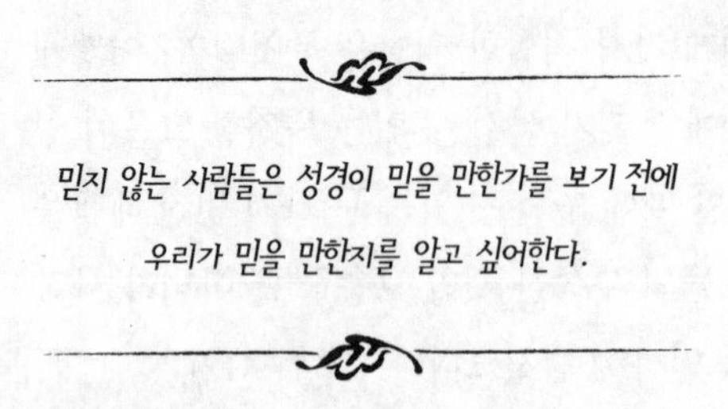

믿지 않는 사람들은 성경이 믿을 만한가를 보기 전에 우리가 믿을 만한지를 알고 싶어한다.

내 삶의 동역자는 누구인가?

이것은 교제(fellowship)에 관한 문제다. 다른 크리스천들에 대한 나의 헌신 그리고 하나님의 가족과의 연결은 어떻게 보여줄 것인가? '서로' 에 대한 하나님의 명령을 다른 믿는 사람들과 어떻게 수행할 것인가? 어떤 교회에서 우리에게 준 역할을 감당할 것인가? 그리스도 안에서 더 성숙하면 할수록 우리는 교회를 더욱 사랑하고, 교회를 위해 희생하는 것을 주저하지 않게 된다. 성경은 "그리스도께서 교회를 사랑하시고 위하여 자신을 주심같이" (엡 5:25)라고 말한다. 목적 선언서에 하나님의 교회에 대한 우리의 사랑을 표현해야 한다.

이 질문들에 대한 답을 생각하는 동안, 이 목적들에 대해 말씀하는 성경 구절들도 포함시키라. 이 책에도 많은 예가 있다. 삶의 목적 선언서를 마음에 들도록 완성하는 데는 몇 주에서부터 몇 달까지 걸릴지도 모른다. 기도하고, 생각하고, 친구들과 이야기하고, 말씀을 묵상하라. 완성하기까지 여러 번의 수정 작업을 거치게 될 것이다. 다 완성한 후에도 시간이 지남에 따라 조금씩 수정해야 될 것인데, 하나님이 우리 자신의 모습(SHAPE)에 대한 통찰력을 더하시기 때문이다.

구체적인 삶의 목적 선언서를 작성하는 것과 함께 짧은 슬로건을 만들어서 다섯 가지 삶의 목표를 항상 기억하고 격려받을 수도 있다. 그리고 매일 스스로 그것을 상기할 수 있다. 솔로몬은 이렇게 충고했다. "이것들을 기억해서 필요할 때 바로 이야기할 수 있도록 하라"(잠 22:18, NCV). 목적 선언서의 몇 가지 예를 살펴보자.

- "내 삶의 목적은 온 마음을 다해 그리스도를 찬양하고, 나의 모습으로 그분을 섬기며, 그분의 가족과 교제하고, 그분의 성품을 닮아가며, 이 땅에서 그분의 사명을 수행함으로 영광을 돌리는 것이다."
- "내 삶의 목적은 그리스도의 가족이 되고, 그분의 성품을 드러내는 사람이 되며, 그분의 은혜를 나누는 사람이 되고, 그분의 말씀을 전하는 사람이 되며, 그분의 영광을 나타내는 사람이 되는 것이다."
- "내 삶의 목적은 그리스도를 사랑하고, 그리스도 안에서 성장하며, 그리스도에 대해 나누고, 교회를 통해 그리스도를 섬기며, 나의 가족과 다른 사람들이 이와 같은 일을 하도록 인도하는 것이다."

- "내 삶의 목표는 대계명과 지상명령에 전적으로 헌신하는 것이다.
- "나의 목표는 그리스도를 닮는 것이다. 나의 가족은 교회다. 나의 사역은 ___________이다. 나의 사명은______________이다. 이 모든 것의 동기는 하나님의 영광이다."

우리는 "내 직업이나 결혼, 내가 살 곳 그리고 다닐 학교 등에 대한 하나님의 뜻은 무엇인가?"라고 궁금해할 수도 있다. 솔직히 이러한 것들은 삶에 있어서 이차적인 문제들이다. 그리고 여러 가지 다른 가능성들이 모두 우리에 대한 하나님의 뜻일 수도 있다. 하나님은 우리가 어디에서 살고, 어디에서 일하며, 누구와 결혼을 했는지 등의 문제에 개의치 않으시고, 우리가 당신의 영원한 목적을 수행하고 있는지에 더 많은 관심을 두신다. 그 결정들이 우리의 목적을 뒷받침하면 된다. 성경은 이렇게 말한다. "사람의 마음에는 많은 계획이 있어도 오직 여호와의 뜻이 완전히 서리라"(잠 19:21). 당신의 계획에 집중하지 말고, 당신의 삶에 대한 하나님의 목적에 집중하라. 왜냐하면 그것은 영원히 존재할 것이기 때문이다.

나는 삶의 목적 선언서를 작성할 때 내가 장례식장에서 다른 사람들에게 듣고 싶은 말을 바탕으로 하라는 제안을 받은 적이 있다. 완벽한 추도문을 상상하고 그것에 살을 붙이라는 말이다. 그러나 그것은 잘못된 생각이다. 우리의 삶이 끝날 때, 다른 사람들이 우리에 대해 무엇이라 얘기하는지는 중요하지 않다. 중요한 것은 하나님이 우리의 삶에 대해 어떻게 생각하시느냐뿐이다. 성경은 "우리의 목적은 사람이 아닌 하나님을 기쁘시게 하는 것이다"(살전 2:4, NLT)라고 말한다.

어느 날, 하나님은 이러한 삶의 질문들에 대한 우리의 답을 검토하실 것이다. 예수님을 삶의 중심에 두었는가? 그분의 성품을 닮아가고 있는가? 다른 사람들을 섬기는 데 헌신했는가? 그분의 메시지를 전하고 그분의 사명을 수

행했는가? 그분의 가족을 사랑하고, 가족의 일원으로 참여했는가? 이 질문들이야말로 영원한 중요성을 갖는 유일한 문제들이다. 바울이 말한 것처럼 "우리의 목적은 우리에 대한 하나님의 계획에 도달하는 것이다"(고후 10:13, LB).

하나님은 우리를 사용하기 원하신다

30여 년 전에 나는 사도행전 13장 36절의 짧은 구절을 알게 되었다. 그리고 그 구절은 내 삶의 방향을 영원히 바꾸어놓았다. 일곱 단어밖에 되지 않는 짧은 구절이지만 물건에 찍는 뜨거운 철 도장처럼 나의 삶에 이 단어들이 새겨졌다. "다윗은 그의 세대에 하나님의 목적을 위해 섬겼다"(행 13:36, NASB). 이제 나는 왜 하나님이 다윗을 '내 마음에 합한 사람'(행 13:22)이라고 부르셨는지 이해할 수 있다. 다윗이 이 땅에서 하나님의 목적을 이루는 데 자신의 삶을 바쳤기 때문이다.

이보다 더 멋진 묘비명은 없다. 당신의 묘비에 이렇게 새겨졌다고 생각해보라. "당신은 온 생애 동안 하나님의 목적을 위해 섬겼다." 내가 죽었을 때 사람들이 나에 대해 이렇게 말하기를 기도한다. 다른 사람들이 당신에게도 그렇게 말하기를 또한 기도한다. 그래서 나는 이 책을 썼다.

이 구절이 잘 살아온 삶의 궁극적인 정의다. 영원하고 무한한 것을(하나님의 목적을) 현재에 그리고 시기 적절하게(당신의 세대에) 행하는 것이다. 그것이 바로 목적이 이끄는 삶이다. 과거의 세대나 미래의 세대는 바로 지금 세대에 대한 하나님의 목적을 이룰 수 없다. 우리만이 할 수 있다. 에스더처럼 하나님이 당신도 '이 때를 위해'(에 4:14) 만드셨다.

하나님은 들어 쓰실 사람들을 찾고 계신다. 성경은 말한다. "여호와의 눈은 온 땅을 두루 감찰하사 전심으로 자기에게 향하는 자를 위하여 능력을 베푸시나니"(대하 16:9). 당신이 그분의 목적을 위해 쓰임받을 사람이 될 것인가? 당신은 당신의 세대에 하나님의 목적을 이루기 위해 섬길 것인가?

바울은 목적이 이끄는 삶을 살았다. 그는 "나는 인생의 한 걸음 한 걸음마다 목적을 가지고 목표를 향해 전진했다"(고전 9:26, NLT)라고 말했다. 바울은 하나님이 그에 대해 가지고 계신 목적을 이루는 것을 삶의 이유로 삼았다. 그래서 바울은 "이는 내게 사는 것이 그리스도니 죽는 것도 유익함이니라"(빌 1:21)고 말할 수 있었다. 바울은 사는 것도, 죽는 것도 두렵지 않았다. 어떤 방법으로든 그는 하나님의 목적을 이룰 것이기 때문이었다. 그는 절대 실패할 수 없었다.

언젠가 역사는 끝이 날 것이다. 하지만 영원한 삶이 계속 될 것이다. 윌리엄 캐리(William Carey)는 "미래는 하나님의 약속만큼 밝다"라고 말했다. 당신의 목적을 이루는 것이 어렵다고 생각되어도 절망하지 말라. 영원한 상이 기다리고 있다는 것을 기억하라. 성경은 이렇게 말한다. "우리의 잠시 받는 환난의 경한 것이 지극히 크고 영원한 영광의 중한 것을 우리에게 이루게 함이니"(고후 4:17).

그것이 어떤 모습일지 한번 상상해보라. 우리 모두가 하나님의 보좌 앞에서서 깊은 감사와 찬양을 드릴 것이다. 우리는 한목소리로 "우리 주 하나님이여 영광과 존귀와 능력을 받으시는 것이 합당하오니 주께서 만물을 지으신지라 만물이 주의 뜻대로 있었고 또 지으심을 받았나이다"(계 4:11)라고 외칠 것이다. 우리는 하나님의 계획을 찬양하고 그분의 목적을 위해 영원히 살게 될 것이다.

Day 40

내 삶의 목적에 대하여

생각할 점 : 목적을 가지고 사는 것이 참된 삶을 사는 유일한 방법이다.

외울 말씀 : "다윗은 그의 세대에 하나님의 목적을 위해 섬겼다" (행 13:36, NASB).

삶으로 떠나는 질문 : 나는 다섯 가지 중요한 삶의 질문에 대한 답을 적기 위해 언제 시간을 낼 것인가? 나는 삶의 목적 선언서를 언제 작성할 것인가?

소그룹이나 청장년 성경 공부 시간에 다음 토론 질문들을 활용하라.

나는 왜 이 세상에 존재하는가?

- 이 책의 첫 문장, '이것은 우리에 관한 것이 아니다' 가 내포하고 있는 의미는 무엇이라고 생각하는가?
- 대부분 사람들의 삶은 무엇에 이끌려가고 있다고 생각하는가? 당신 삶의 원동력은 무엇인가?
- 지금까지 어떤 이미지나 비유가 당신의 삶을 가장 잘 묘사했는가? 경주, 서커스, 혹은 그 외의 다른 어떤 것인가?
- 만일 모든 사람이 이 땅에서의 삶이 정말 영생을 위한 준비라는 것을 이해한다면, 우리는 어떻게 다르게 행동하겠는가?
- 사람들은 하나님의 목적에 따라 살지 못하게 하는 이 땅의 무엇에 애착을 가지고 있는가?
- 당신은 하나님의 목적에 따라 사는 것을 방해할 수 있는 무엇에 애착을 가지고 있는가?

우리는 하나님의 기쁨을 위해 계획되었다

- '하나님의 기쁨을 위해 온 생애를 사는 것' 과 대부분의 사람들이 갖고 있는 '예배' 에 대한 생각은 어떻게 다른가?
- 하나님과의 우정은 다른 종류의 우정과 어떤 면에서 비슷한가? 그리고 어떻게 다른가?
- 하나님이 멀리 계시는 것처럼 느껴졌을 때 배웠던 것들을 나누라.

- 당신은 함께 드리는 예배와 개인적으로 드리는 예배 가운데 어느 것이 더 편안한가? 어느 예배에서 하나님과 더 가깝게 느끼는가?
- 하나님께 분노를 표현하기에 적절한 때는 언제인가?
- 삶을 온전히 그리스도께 내어드린다고 생각할 때 어떤 두려움이 생기는가?

우리는 하나님의 가족으로 태어났다

- '우리가 예수 그리스도께 헌신한 것처럼 서로에게 헌신하는 것' 과 대부분의 사람들이 이해하고 있는 '교제' 는 어떻게 다른가?
- 다른 믿는 사람들을 사랑하고 돌보는 것을 가로막는 장벽은 무엇인가?
- 당신의 필요, 상처, 두려움 그리고 희망을 다른 사람들과 더 쉽게 나눌 수 있게 해주는 것은 무엇인가?
- 사람들이 교회 일에 참여하지 않는 것에 대해 가장 흔히 대는 핑계는 무엇인가? 그리고 당신은 그 이유들에 대해 어떻게 답할 것인가?
- 당신이 속한 그룹은 교회 안의 연합을 보호하고 증진하기 위해 무엇을 할 수 있는가?
- 모두가 함께 기도해야 할 관계 회복이 필요한 사람이 있는가?

우리는 하나님을 닮도록 창조 되었다

- '예수 그리스도를 닮아가는 것' 과 대부분의 사람들이 이해하는 '제자도' 는 어떻게 다른가?
- 당신이 예수님을 믿게 된 이후 삶에서 나타난 변화들은 무엇인가? 다른

사람들은 당신의 어떤 달라진 모습을 느꼈는가?

- 지금으로부터 1년 후 당신은 어떤 면에서 더 그리스도를 닮고 싶은가? 그 목표를 이루기 위해 오늘 무엇을 할 수 있는가?
- 당신의 영적인 성장 과정 가운데 성장 속도가 느려서 인내가 필요한 부분은 무엇인가?
- 하나님은 어떤 방법으로 고통과 어려움을 사용하셔서 당신의 성장을 도우셨는가?
- 당신은 언제 가장 유혹에 약한가? 유혹을 이기는 어떤 단계가 가장 도움이 되는가?

우리는 하나님을 섬기기 위해 현재의 모습으로 지음받았다

- '다른 사람들을 섬기는 데 당신의 모습을 사용하는 것' 과 대부분의 사람들이 이해하는 '사역' 은 어떻게 다른가?
- 하나님의 가족들을 돕기 위해 할 수 있는 일 가운데 당신이 좋아하는 일은 무엇인가?
- 같은 상황을 겪고 있는 다른 사람들을 돕는 데 하나님이 사용하실 수 있는 고통스러웠던 경험을 생각해보라.
- 다른 사람과 당신 자신을 비교하는 것이 당신의 독특한 모습을 발전시키는 것을 어떻게 막는가?
- 당신이 약하다고 느낄 때 하나님의 능력이 당신을 통해 역사하시는 것을 어떻게 경험했는가?
- 소그룹이나 성경 공부 반 멤버들이 사역할 곳을 찾을 수 있도록 당신은

어떻게 도울 수 있는가? 당신이 속한 그룹은 교회 가족을 섬기기 위해 무엇을 할 수 있는가?

우리는 사명을 위해 지음받았다

- 사람들이 '전도'라는 단어를 들을 때 갖는 일반적인 두려움이나 선입견은 무엇인가? 당신이 다른 사람들과 복음에 대해 나누는 것을 방해하는 것은 무엇인가?
- 하나님이 당신에게 이 세상과 나누라고 주신 삶의 메시지는 무엇이라고 생각하는가?
- 그룹원들과 함께 믿지 않는 친구들을 위한 장기적인 기도를 시작하라.
- 지상명령을 완수하기 위해 그룹이 함께할 수 있는 일은 무엇인가?
- 이 책을 함께 읽음으로 당신은 삶의 목적에 대한 초점을 어떻게 바꾸게 되었는가?
- 하나님이 이 책의 삶을 변화시키는 메시지를 나눌 수 있는 누구를 떠오르게 하시는가?
- 다음에는 무엇을 공부할 것인가? (부록 2를 참고하라.)

당신 그룹의 이야기를 나누고 싶다면 우리에게 이메일을 보내라.
stories@purposedrivenlife.com

다음 자료들은 서점이나 www.purposedrivenlife.com에서 찾을 수 있다.

1. 목적이 이끄는 삶 저널(The Purpose-Driven Life Journal).
이 책의 자매편. (Zondervan / Inspirio)
2. 목적이 이끄는 삶 성경 구절 암송 카드(The Purpose-Driven Life Scripture Keepers Plus) 40개의 성경 구절과 책의 내용에 맞춘 카드. (Zondervan)
3. 목적이 이끄는 삶 앨범(The Purpose-Driven Life Album)
정상의 아티스트들이 만든 하나님의 목적에 관한 12곡의 새로운 노래. (Maranatha Music)
4. 목적이 이끄는 삶 비디오 교재(The Purpose-Driven Life Video Curriculum) 릭 워렌 목사의 6학기 과정 강의. 교회들의 영적 성장 집중 과정에서 사용, 안내서 구입 가능. (www.purposedrivenlife.com)
5. 새들백교회 이야기(「The Purpose-Driven Church」, 도서출판 디모데) 이 책은 교회가 어떻게 사람들이 하나님의 다섯 가지 목적을 위해 사는 것을 도울 수 있는지 제시한다. 전세계 20개 언어로 번역된 책과 DVD 판매. 수백만 명의 사람들이 교회와 그룹을 통해 이 책을 공부했다 (Zondervan과 Purpose Driven Ministries).
6. 기초 : 삶의 바탕이 되는 11가지 핵심 진리(Foundations : 11 Core Truths to Build Your Life on) 목적이 이끄는 삶의 성경적인 기초에 관한 새들백교회의 훈련 자료. 소그룹과 성인을 위한 24주 간의 수업으로 가르침을 위한 자세한 자료, 교사 지침서, 학생 지침서, 소그룹 토론 질문 그리고 파워 포인트 슬라이드를 포함하고 있다. (Zondervan)

7. 함께 삶을 살기(Doing Life Together) 30주 분량의 소그룹 자료. 하나님이 우리의 삶에 대해 가지고 계신 목적을 적용하는 것에 초점을 맞추고 있다. (Zondervan)
8. 목적이 이끄는 삶 Gift Book(The Purpose-Driven Life Gift Book) 「목적이 이끄는 삶」의 감동을 독자들에게 더 오래도록 남게 하기 위해 손에 잡기 쉬운 판형으로 제작되었다. 아름다운 편집과 영감 넘치는 음악 CD가 들어 있어 선물용으로 적합하다.(Zondervan / Inspirio)
9. 나는 왜 이 세상에 존재하는가? (What Am I Here For?) 목적이 이끄는 삶을 64페이지로 요약해놓은 보급판.(Zondervan / Inspirio)

전임 사역자들을 위하여

전세계의 5만 명 이상의 목사들이 릭 워렌 목사의 사역 툴 박스(Rick Warren' s Ministry Toolbox)를 받아보고 있다. 이것은 사역자들에게 매주 발송 되는 이메일 소식지로, 무료 구독을 원한다면 toolbox@pastors.com으로 이메일을 보내라.

목적이 이끄는 세미나(Purpose Driven Seminar)에 관한 정보를 얻으려면 Purpose Driven, 1 Saddleback Parkway, Lake Forest, CA 92630으로 연락하라. 전화 : (800)633-8876

무료로 이용할 수 있는 자료들

매주 발행되는 Purpose Driven Life Devotional의 무료 구독을 원하면 devotional@purposedrivenlife.com으로 이메일을 보내라.

free@purposedrivenlife.com으로 연락하면 다음 중 원하는 자료를 무료로 받아볼 수 있다.

- Your First Steps for Spiritual Growth booklet
- A personal daily Bible reading plan
- A list of recommended books on each purpose
- How to pray for missionaries
- The Purpose - Driven Life Health Assessment
- Information on Celebrate Recovery
- Information on Kingdom Builders
- Information on 40 Days of Purpose, a spiritual growth emphasis for your church

■부록 3 다양한 번역 성경을 사용하는 이유

이 책에서는 약 천여 개의 성경 구절을 인용했다. 그리고 두 가지 이유로 다양한 번역 성경을 사용했다. 첫째, 아무리 번역이 잘 되어 있다 해도 모든 번역에는 한계가 있다. 성경은 본래 11,280개의 히브리어, 아람어 그리고 그리스어 단어를 사용하고 있다. 하지만 영어 성경은 평균 6,000개의 단어로 이루어져 있다. 그 뉘앙스나 정확한 의미가 제대로 표현되지 못한 것이 당연하고, 그래서 항상 여러 번역 성경을 비교해보는 것이 도움이 된다.

둘째, 더 중요한 사실은 우리가 보통 잘 알려진 성경 구절들이 갖는 영향력을 간과한다는 것이다. 번역이 잘못 되어서가 아니라 우리에게 너무 익숙하기 때문이다. 우리가 그 구절들을 많이 보고 들었기 때문에 그 의미를 잘 안다고 생각한다. 그래서 그 구절이 책에서 인용되면 대강 훑고 넘어가고, 그 완전한 의미를 놓친다. 그래서 나는 의도적으로 여러 다른 번역 성경을 인용했다. 이를 통해서 우리가 하나님의 진리를 새롭게 보게 하기 위해서이다.

또한 성경 구절의 구분이나 숫자가 1560년이 되어서야 덧붙여진 것이기 때문에 항상 구절 전체를 인용하지는 않았다. 오히려 가장 적절한 부분에 초점을 맞추었다. 이것에 있어서는 예수님이 나의 모델이었다. 그리고 예수님과 사도들이 구약을 어떻게 인용했는지를 참고했다. 그들은 무언가를 주장하기 위해 자주 구약의 구절들을 인용했다.

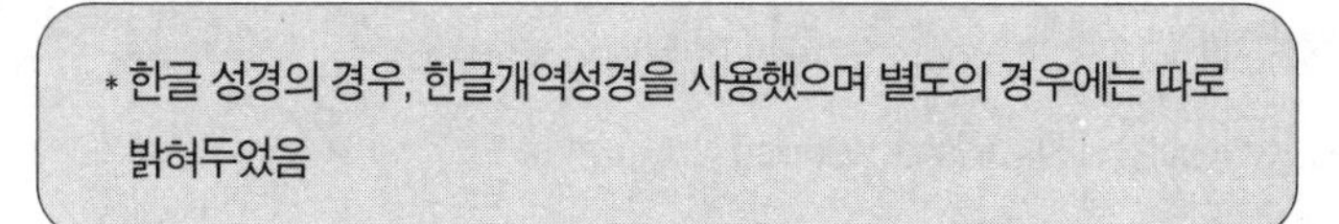
* 한글 성경의 경우, 한글개역성경을 사용했으며 별도의 경우에는 따로 밝혀두었음

AMP The Amplified Bible
Grand Rapids : Zondervan (1965)

CEV Contemporary English Version
New York : American Bible Society (1995)

GWT God' s Word Translation
Grand Rapids : World Publishing, Inc. (1995)

KJV King James Version

LB Living Bible
Wheaton, IL : Tyndale House Publishers (1979)

Msg The Message
Colorado Springs : Navpress (1993)

NAB New American Bible
Chicago : Catholic Press (1970)

NASB New American Standard Bible
Anaheim, CA : Foundation Press (1973)

NCV New Century Version
Dallas : Word Bibles (1991)

NIV New International Version
Colorado Springs : International Bible Society (1978, 1984)

NJB New Jerusalem Bible
Garden City, NY : Doubleday (1985)

NLT New Living Translation
Wheaton, IL : Tyndale House Publishers (1996)

NRSV New Revised Standard Version
Grand Rapids : Zondervan (1990)

Ph　New Testament in Modern English by J. B. Phillips

New York : Macmillan (1958)

TEV　Today' s English Version

New York : American Bible Society (1992)

(Good News Translation이라고도 함)

■각 주

Day 1

1. Hugh S. Moorhead, comp., The Meaning of Life According to Our Century' s Greatest Writers and Thinkers (Chicago: Chicago Review Press, 1988).
2. David Friend, ed., The Meaning of Life(Boston: Little, Brown, 1991), 194.

Day 2

1. Michael Denton, Nature' s Destiny: How the Laws of Biology Reveal Purpose in the Universe (New York: Free Press, 1998), 389.
2. Russell Kelfer, 허락 하에 사용함.

Day 4

1. C. S. Lewis, The Last Battle (New York: Collier Books, 1970), 184.

Day 11

1. 릭 워렌(Rick Warren), 「개인성경연구 길라잡이(Personal Bible Study Methods, 도서출판 디모데)」 중 '의미있는 경건의 시간을 갖는 법'을 참고하라.
2. Brother Lawrence, The Practice of the Presence of God(Grand Rapids: Revell/Spire Books, 1967), Eighth Letter.

Day 13

1. Gary Thomas, Sacred Pathways (Grand Rapids: Zondervan, 2000).
2. 〈하나님이 당신의 가장 깊은 곳의 필요들을 채우시는 방법("How God Meets Your Deepest Needs," by Saddleback Pastors)〉, 11주에 걸친 하나님의 이름에 관한 설교 테이프, 1999, www.pastors.com
3. Matt Redman, "Heart of Worship" (Kingsway' s Thankyou Music, 1997).

Day 14

1. Philip Yancey, Reaching for the Invisible God (Grand Rapids: Zondervan, 2000). 242.

2. Floyd McClung, Finding Friendship with God(Ann Arbor, MI: Vine Books, 1992), 186.

Day 21

1. Dietrich Bonhoffer, Life Together(New York:HarperCollins, 1954)

Day 24

1. 릭 워렌(Rick Warren), 「개인성경 연구 길라잡이(Personal Bible Study Methods)」, 이 책은 6개국어로 번역되었다. www.pastors.com

Day 31

1. 보다 자세한 설명은 301 성경공부 테이프인 〈사역을 위해 당신의 모습을 발견하기(Discovering Your Shape for Ministry)〉를 참고하라.

Day 32

1. www.purposedrivenlife.com으로 접속하라.

Day 37

1. 각 구절에 대한 성경의 예는 다음과 같다. 시편 51편, 빌립보서 4:11-13, 고린도후서 1:4-10, 시편 40편, 119:71, 창세기 50:20

Day 38

1. Paul Borthwick's books A Mind for Missions (Colorado Springs: NavPress, 1987) and How to Be a World - Class Christian (Colorado Springs: Chariot Victor Books, 1993), 이 두 책은 모두 크리스천들이 반드시 읽어야만 한다.
2. 로잔 협약(Lausanne Covenant, 1974)

목적이 이끄는 삶

1쇄 인쇄 • 2003년 1월 20일
33쇄 인쇄 • 2003년 9월 25일

지은이 • 릭 워렌
옮긴이 • 고성삼
발행인 • 양승헌

발행처 도서출판 디모데/파이디온 선교회 출판 사역 기관
등 록 • 1998년 1월 22일 제17-164호
주 소 • 서울 동작구 사당동 1045-10
전화 522-0872~4 팩스 522-0875
홈페이지 / www.timothybook.com

값 12,000원

새들백교회 이야기

20세기를 변화시킨 신앙서적 100권 중 최우수 도서로 선정

"교회가 건강하게 되려면 반드시 목적이 이끌어가는 교회가 되어야 한다."
"교회가 건강하다면 성장은 자연스럽게 이루어질 것이다."
릭 워렌 목사의 실제적인 통찰들과 유익한 원리들을 담은 교회 성장에 관한 금세기 최고의 책인 「새들백교회 이야기」에서 우리는 미국 역사상 주목할 만큼 빠르게 성장하고 있는 새들백교회의 놀라운 비밀을 배우게 될 것이다.

릭 워렌 지음 | 김현회 · 박경범 옮김 | 값 10,000원

The Purpose Driven Church